Textbook of Rehabilitation Medicine

リハビリテーション医学テキスト 改訂第5版

編集 出江 紳一・加賀谷 斉

南江堂

執筆者

執筆順

出江 紳一	いずみ しんいち	医療法人社団三喜会鶴巻温泉病院副院長／東北大学名誉教授
加賀谷 斉	かがや ひとし	国立研究開発法人国立長寿医療研究センターリハビリテーション科部長
近藤 和泉	こんどう いずみ	国立研究開発法人国立長寿医療研究センター病院長
前田 眞治	まえだ まさはる	国際医療福祉大学大学院リハビリテーション学分野教授
前島 伸一郎	まえしま しんいちろう	金城大学学長
大沢 愛子	おおさわ あいこ	国立長寿医療研究センターリハビリテーション科医長
蜂須賀 研二	はちすか けんじ	独立行政法人労働者健康安全機構九州労災病院門司メディカルセンター名誉院長
和田 太	わだ ふとし	順天堂大学保健医療学部理学療法学科教授
関 勝	せき まさる	神奈川県立保健福祉大学保健福祉学部教授
齋藤 宏	さいとう ひろし	東京都立保健科学大学名誉教授
小﨑 慶介	こさき けいすけ	心身障害児総合医療療育センター所長
染矢 富士子	そめや ふじこ	北陸大学医療保健学部教授
栢森 良二	かやもり りょうじ	新潟リハビリテーション大学非常勤講師／東京北医療センターリハビリテーション科医員
水間 正澄	みずま まさずみ	昭和大学名誉教授
川手 信行	かわて のぶゆき	昭和大学医学部リハビリテーション医学講座教授
青木 隆明	あおき たかあき	岐阜大学大学院医学系研究科骨関節再建外科学先端医療講座准教授
猪田 邦雄	いだ くにお	名古屋大学名誉教授
坂野 裕洋	ばんの やすひろ	日本福祉大学健康科学部リハビリテーション学科准教授
藤田 ひとみ	ふじた ひとみ	日本福祉大学健康科学部リハビリテーション学科講師
和田 郁雄	わだ いくお	愛知淑徳大学健康医療科学部教授
岡本 秀貴	おかもと ひでき	名古屋市立大学大学院医学研究科リハビリテーション医学分野教授
白土 修	しらど おさむ	福島県立医科大学会津医療センター整形外科・脊椎外科学講座主任教授
長谷 好記	はせ よしき	広島国際大学総合リハビリテーション学部教授
大塚 亮	おおつか りょう	ユマニテク医療福祉大学校理学療法学科
陳 隆明	ちん たかあき	兵庫県立総合リハビリテーションセンター所長
古澤 義人	ふるさわ よしひと	東北大学大学院医学系研究科肢体不自由学分野助教
傳 秋光	つとう あきみつ	神戸大学名誉教授
三浦 靖史	みうら やすし	神戸大学大学院保健学研究科准教授

改訂第5版の序文

　本書の改訂作業が行われた2020年は新型コロナウイルスのパンデミックが社会の在り方を変えた年として記憶されるだろう．その途上の現在においても，大学での講義はオンラインで実施され，リアルタイム配信では学生同士で対話できる機能も活用されている．もともと大人数を教室に集めて一方的に行う授業形態に疑問があったので，知識はオンデマンドで提供して学生との対話に教員のエネルギーを注力できることには大きなメリットを感じている．今は，教育は学生のためにあるという原点に立ち返り教員として成長するための大切な時間と考えている．

　さて，本書は2000年の初版発行から，主に理学療法士・作業療法士養成課程の学生を対象とし，長年にわたって版を重ねてきた．多くの養成校で採用，支持されてきたことに対して感謝の意を表したい．本書の特長は，学生が学ぶべき事項が網羅的かつコンパクトにまとめられていることである．それは，医療専門職として働き始める時に真に役に立つ知識である．したがって，学問の進歩と標準的な診療の実態を反映した改訂が必要であり，若手の執筆者を加えてここに改訂第5版を刊行するものである．

　改訂にあたり初版を読み直して驚くのは，学問的記述自体は殆ど古くなっていないことである．それどころか，現在は確立していても発刊当時には未だ萌芽であった知見が慎重な表現ではあるが記述されていることに気づく．全体として科学的な視点と臨床の知恵とが程よくブレンドされており，本書を創出された三上真弘先生と石田　暉先生の教育に対する熱意と懐の深いセンスを感じる．

　本書はパンデミックからの復興と時期を同じくして刊行される．教育環境の状況は様々で，学生によっては多くの苦難と向き合っているかもしれない．執筆の労をお取り下さった諸先生方，丁寧な仕事で執筆者を支えて下さった南江堂の出版部各位に感謝申し上げるとともに，これらの方々の力をお借りして，学び続ける読者にエールを送りたい．

2021年11月

編集者　出江　紳一

　　　　加賀谷　斉

初版の序文

　米国からわが国に入ってきたリハビリテーションは多くの先人の努力により普及してきた．平成8年にはリハビリテーション科が標榜科として認められ，社会的にもリハビリテーションが医療として認知されたといえる．また高齢化社会をむかえたわが国においてはリハビリテーションに対する期待が高まり，需要も増えているのが現状であり，平成12年度から始まる介護保険制度により更に需要が増すのではないかと予想されている．

　リハビリテーション医療は多くの職種の専門家が協力しあい，一人の患者に共通の目標を持って総合的に治療を行っていく，いわゆるチームアプローチが基本である．したがって他の診療科のように医師と看護婦がいればある程度の治療ができるというわけにはいかず，多くのコメディカルを含んだチームを作る必要があり，優れたコメディカルを育てることが医療を高めていくためには重要となる．

　わが国における理学療法士，作業療法士の養成は昭和38年に作られた国立リハビリテーション学院に始まり，その後その数は増え，短大，4年制大学も作られて，平成10年には理学療法士養成校104，作業療法士養成校93と急激に増加している．義肢装具士は昭和62年度より，言語聴覚訓練士は平成10年度より国家試験が始まり，介護福祉士，社会福祉士などの資格制度も作られてきた．

　以上のような背景のもと，リハビリテーション医療に携わるコメディカルになろうと進路を決めた学生諸君がリハビリテーション医学を学ぶ上で，適当な教科書が少ないということがあり，この企画が持ちあがってこのたび出版することができた．編集にあたり各項目の筆者は実際に教鞭をとっている方々にお願いした．内容的に少し詳しすぎるきらいもないではないが，重要な語句が分かり易いように配慮した．学生諸君だけではなく，コメディカルとして仕事をしている方々，介護に従事している方々など広い範囲で本書がお役にたてば幸いである．

　最後に，執筆を快くお引き受け下さった諸先生，ならびに南江堂の出版部各位に厚くお礼を申し上げる．

2000年1月

編集者　三上真弘
　　　　石田　暉

Contents

I リハビリテーション医学総論

出江紳一　1

A. 歴史と定義 …… 1

1. リハビリテーションという言葉の由来 …… 1
2. リハビリテーションの歴史 …… 2
3. リハビリテーションの定義と理念 …… 4
   - a. 総合的リハビリテーション …… 4
   - b. 自立生活 …… 5
   - c. 完全参加と平等 …… 5
   - d. 地域共生社会と地域包括ケア …… 6

B. 障害とその分類 …… 6

1. 国際障害分類(ICIDH) …… 7
2. 国際生活機能分類(ICF) …… 8
   - a. ICFを構成する項目 …… 8
   - b. ICFの生活機能モデル …… 9
   - c. ICFのコード化 …… 10

C. リハビリテーションの分野 …… 10

1. リハビリテーション医学 …… 11
2. リハビリテーション医学の対象 …… 11
3. リハビリテーション医療 …… 12

4. 障害の3つのレベルに対するアプローチ …… 12
   - a. 機能障害(心身機能・身体構造の障害)に対するアプローチ …… 13
   - b. 能力低下(活動制限)に対するアプローチ …… 13
   - c. 社会的不利(参加制約)に対するアプローチ …… 13
5. 障害の受容 …… 13

D. 医療従事者とチーム …… 14

1. リハビリテーション科医 …… 14
2. 理学療法士 …… 15
3. 作業療法士 …… 15
4. 言語聴覚士 …… 15
5. 看護師 …… 16
6. ソーシャルワーカー …… 16
7. 臨床心理士・公認心理師 …… 16
8. 義肢装具士 …… 17

E. 関係法規と保健医療福祉行政 …… 17

1. 社会福祉法 …… 17
2. 身体障害者福祉法 …… 18
3. 児童福祉法 …… 18

- **4** 老人福祉法 ……………………… 18
- **5** 障害者総合支援法 ……………… 18
- **6** 高齢者の医療の確保に関する法律（旧老人保健法） ……………… 19
- **7** 介護保険 ………………………… 19

リハビリテーション医学における診断・評価と治療　21

A. 障害の評価　出江紳一　21

- **1** 意識障害 ………………………… 24
  - a. 意識障害の程度 ……………… 24
  - b. 脳波による評価 ……………… 25
- **2** 運動障害 ………………………… 25
  - a. 運動麻痺 ……………………… 26
  - b. 筋力低下 ……………………… 28
  - c. 持久力低下 …………………… 32
  - d. ROMの制限 …………………… 33
  - e. 運動失調 ……………………… 34
  - f. 筋トーヌスの異常 …………… 34
- **3** 感覚障害 ………………………… 36
  - a. 障害部位による感覚障害 …… 36
  - b. 疼痛の評価 …………………… 37
- **4** 反射 ……………………………… 37
  - a. 反射 …………………………… 37
  - b. クローヌス（間代） …………… 38
- **5** 知能障害 ………………………… 38
  - a. 一般的な知能検査 …………… 39
  - b. 認知症の検査 ………………… 41
- **6** 言語障害 ………………………… 41
  - a. 構音障害 ……………………… 42
  - b. 発語失行 ……………………… 42
  - c. 失語症 ………………………… 42
- **7** 高次脳機能障害 ………………… 43
  - a. 失認 …………………………… 43
  - b. 失行 …………………………… 45
  - c. 注意力障害 …………………… 46
  - d. 記憶障害 ……………………… 46
  - e. 遂行機能障害 ………………… 47
- **8** 心理障害 ………………………… 47
  - a. 性格検査 ……………………… 47
  - b. うつの評価 …………………… 48
- **9** 発達障害 ………………………… 48
  - a. 成長の評価 …………………… 48
  - b. 発達の評価 …………………… 49
  - c. 新生児の診察 ………………… 50
  - d. 反射の異常 …………………… 53
- **10** 廃用症候群 ……………………… 53
- **11** 排尿障害 ………………………… 54
  - a. 病態による評価 ……………… 55
  - b. 検査による評価 ……………… 55
- **12** 摂食嚥下障害　加賀谷　斉 …… 55
- **13** 心機能障害　出江紳一 ………… 57
  - a. 一般的検査 …………………… 57
  - b. 冠動脈疾患の評価 …………… 57
  - c. 胸痛・不整脈の評価 ………… 57
  - d. 心機能障害に伴う能力低下の評価 …… 58
- **14** 呼吸機能障害 …………………… 59
  - a. 一般的評価 …………………… 59
  - b. 呼吸不全の評価 ……………… 59
  - c. 能力低下の評価 ……………… 59
- **15** 歩行障害 ………………………… 60
  - a. 歩行に関する用語 …………… 61
  - b. 異常歩行の評価 ……………… 61
  - c. 疾患や障害部位に特徴的な歩行 …… 62
- **16** 上肢機能の評価 ………………… 63
  - a. 臨床的評価 …………………… 63
  - b. 器械を用いた評価 …………… 64
- **17** ADL障害 ………………………… 64
- **18** APDL障害 ……………………… 65
- **19** 職業前評価 ……………………… 65

B. 臨床検査　　出江紳一　65

1 電気生理検査 ... 68
 a. 脳波検査 ... 68
 b. 誘発電位 ... 68
 c. 筋電図 ... 68
 d. 神経伝導検査 ... 69
 e. 神経興奮テスト ... 69

2 呼吸機能検査 ... 69

3 心機能検査 ... 70
 a. 心電図 ... 70
 b. 運動負荷試験 ... 70

4 腎・膀胱機能検査 ... 74
 a. 腎機能検査 ... 74
 b. 膀胱尿道機能検査 ... 74

5 自律神経検査 ... 75
 a. 血　圧 ... 75
 b. 心電図 ... 75

6 画像診断 ... 75
 a. X　線 ... 75
 b. コンピューター断層撮影 ... 76
 c. 磁気共鳴画像 ... 76
 d. 超音波 ... 77
 e. シンチグラフィー ... 77
 f. ポジトロン断層撮影法 ... 78
 g. 単一フォトン断層撮影法 ... 78
 h. 嚥下造影検査 ... 78

C. 治　療　　近藤和泉　79

1 疾病治療とリハビリテーション医療 ... 79
 a. 慢性疾患 ... 79
 b. リスクファクター ... 79
 c. 脳卒中の急性期のリスク管理 ... 79
 d. ハイリスク ... 80
 e. リスク管理の1つとしての感染症対策 ... 80
 f. リハビリテーション医療の原則 ... 81

2 理学療法 ... 81
 a. 運動療法 ... 81
 b. 物理療法 ... 81

3 作業療法 ... 83
 a. 身体障害の作業療法 ... 83
 b. 精神障害の作業療法 ... 85

4 言語療法 ... 85
 a. 言語障害の種類 ... 85
 b. 言語障害および摂食障害の治療 ... 86

5 補装具 ... 87
 a. 義　肢 ... 87
 b. 装　具 ... 90
 c. 座位保持装置 ... 93
 d. 車いす ... 94
 e. 歩行補助具 ... 94
 f. 自助具 ... 95

6 心理的アプローチとカウンセリング ... 95
 a. 障害の受容 ... 95
 b. カウンセリング ... 96

7 社会資源と環境整備 ... 96
 a. 平常時 ... 96
 b. 災害時 ... 97

III リハビリテーション医学疾患各論 101

A. 脳疾患 101

1. 脳血管障害 　　　　　　　前田眞治 101
2. 外傷性脳損傷 　前島伸一郎, 大沢愛子 122
3. 低酸素脳症 131
4. 遷延性意識障害 133

B. 脊髄疾患 　　　蜂須賀研二, 和田 太 136

1. 脊髄損傷 136
2. 二分脊椎 155
3. 脊髄血管障害 160
4. 脊髄空洞症 161
5. HTLV関連脊髄症 162

C. 関節リウマチとリウマチ性疾患
　　　　　　　　　　　　関 勝 165

1. 関節リウマチ 165
2. リウマチ性疾患のリハビリテーション 182

D. 小児疾患 　　　齋藤 宏, 小﨑慶介 185

1. 脳性麻痺 185
2. 筋緊張低下児 205
3. 重症心身障害児 206

E. 神経筋疾患 　　　　　染矢富士子 209

1. パーキンソン病 209
2. 多発性硬化症 213
3. 重症筋無力症 214
4. 運動ニューロン疾患 216
5. 脊髄小脳変性症 217
6. 筋ジストロフィー 220
7. 多発性筋炎・皮膚筋炎 223

F. 末梢神経障害 　　　　　栢森良二 225

1. 腕神経叢麻痺 231
2. 多発神経障害 235
3. 単神経障害 237

G. 関節疾患 　　　水間正澄, 川手信行 242

1. 肩関節周囲炎 242
2. 腱板損傷 244
3. 変形性股関節症 245
4. 発育性股関節脱臼 248
5. 変形性膝関節症 249
6. 血友病性膝関節症 251
7. 神経病性関節症 253

H. 外傷 — 254

1. 早期リハビリテーションの重要性 ── 青木隆明, 猪田邦雄 254
2. 骨折 — 255
3. 高齢者の骨折 — 259
4. スポーツ外傷とスポーツ障害 — 264
5. 複合性局所疼痛症候群
   　坂野裕洋, 藤田ひとみ, 和田郁雄, 猪田邦雄 267
6. 手の外傷
   　岡本秀貴, 藤田ひとみ, 和田郁雄, 猪田邦雄 270

I. 脊椎疾患 ── 白土 修 275

1. 腰痛症 — 275
2. 椎間板ヘルニア — 280
3. 脊椎退行変性疾患 — 287
4. 脊柱靱帯骨化症 — 289
5. 側弯症 — 290
6. 頸肩腕症候群 — 292
7. 鞭打ち損傷(外傷性頸部症候群) — 293

J. 内部障害 ── 加賀谷 斉 295

1. 心疾患 — 295
2. メタボリックシンドローム — 302
3. 呼吸器疾患 — 306
4. 周術期・ICU — 312
5. 慢性腎臓病 — 318
6. 肝疾患 — 319

K. 末梢循環障害 — 320

1. 慢性動脈閉塞 ── 長谷好記 320
2. 静脈血栓塞栓症
   　大塚 亮, 藤田ひとみ, 和田郁雄, 猪田邦雄 323
3. リンパ浮腫 ── 長谷好記 325

L. 切断 ── 陳 隆明 327

1. 切断者の疫学 — 327
2. 切断部位と義肢の名称 — 327
3. 切断部位の選択の原則 — 329
4. 切断術 — 329
5. 義足 — 331
6. 義手 — 336
7. 幻肢 — 341

M. がん・悪性腫瘍 ── 出江紳一, 古澤義人 343

1. がん・悪性腫瘍のリハビリテーション — 343
2. 手術療法におけるリハビリテーションと固形がんでの注意点 — 348
3. 化学療法・放射線療法におけるリハビリテーションと血液がんでの注意点 — 349
4. 緩和ケアと終末期におけるリハビリテーション — 350

N. 高齢者のリハビリテーション ── 傳 秋光, 三浦靖史 352

1. 高齢者のリハビリテーションとは — 352
2. 高齢者の特性 — 353
3. リハビリテーションの進め方 — 360

4	QOL	369
5	地域リハビリテーション	370
6	高齢者医療	373

O. その他の疾患 　　出江紳一　375

1	熱　傷	375
2	AIDS	379
3	解離性(転換性)障害	380
4	痙性斜頸	381

付　　録	384
参考図書	406
索　　引	408

リハビリテーション医学総論

学習の目標

1. リハビリテーションの歴史と定義について述べることができる．
2. 障害と3つのレベルを述べ説明できる．
3. リハビリテーション医療の従事者とチームアプローチを説明できる．
4. リハビリテーション医療に関する保健制度を理解する．

　リハビリテーションという言葉は現在，医学の世界だけでなく広く一般的にも使われるようになった．しかしリハビリテーションとカタカナで表記し，漢字に訳さなかったためその意味や内容を必ずしも正しく伝えていない．中国ではリハビリテーションを康復，韓国では再活と訳している．

　リハビリテーションは一般的にはただ単に訓練をするという意味で使われることが多い．たとえば骨折でギプス固定をし，それがはずれると，「これからリハビリテーションをしましょう」といったように使われていることが多い．もちろん理学療法や作業療法などの訓練はリハビリテーションの治療のなかで重要であることは間違いないが，それだけでリハビリテーションの治療ができるわけではなく，より広く，より深い内容を含んでいるのである．

A．歴史と定義

1　リハビリテーションという言葉の由来

　リハビリテーション rehabilitation という言葉は re- という「再び」を意味する接頭辞と，ラテン語の habilitare（能力）という言葉がくっついてできたものであり，失われた名誉，地位，特権などを回復するという意味をもっていた．キリスト教が世の中を支配していた中世ヨーロッパではその戒律を犯し破門された者が，破門を解かれて名誉や地位を回復した場合に用いられ

ていた．その後は無実の罪をきせられた者が，その無実が明らかになり名誉を回復した場合や，さらに20世紀になると犯罪者が更生して社会復帰を果たした場合などに使われていた．この言葉が医学的に使われるようになったのは第一次世界大戦のころの米国である．戦争により多くの戦傷者が生まれ，それらに対し身体機能の回復や社会・職業への復帰のために理学療法や作業療法，職業訓練が行われるようになりリハビリテーションという言葉が使われるようになった．しかし当時はまだ身体的回復は physical reconstruction と呼び，職業・社会復帰をリハビリテーションと呼んでいたようである．

2 リハビリテーションの歴史

戦争は多くの戦傷者を発生させるため医学の進歩と関係が深い．さきに述べたようにリハビリテーションの始まりも第一次世界大戦が契機であった．戦争で傷つき身体障害をもった多数の戦傷兵を国家が恩給などで生活のめんどうをみなければならなくなった．このような者を再教育し新しい職業に就かせることは，国の生産性を高め，経済的にも有利であることから各国に職業再訓練の施設が作られるようになった．

第二次世界大戦中，米国空軍の軍医であったラスク Rusk は，軍病院に入院している戦傷兵に対し理学療法士，作業療法士らとともに試行錯誤を繰り返しながら回復訓練を行い，より早く確実に労働に復帰させることができることを示し，リハビリテーション医療の体系の基礎を確立した．

第二次世界大戦後，あらゆる面で米国の影響を受けるようになったわが国にも，リハビリテーションが入ってきたわけであるが，戦前より今のリハビリテーションに近い考え方はあった．

わが国の身体障害児施設として柏学園が1921（大正10）年に東京市郊外の高円寺に作られた．東京大学整形外科の教授であった高木憲次は，身体障害児をただ収容し，医学的治療をするだけではなく，職業を含めた教育を同時に行う必要があるという考えを提唱し，これを**療育**と呼んだ．これを現実のものとするために1942（昭和17）年，東京板橋に整肢療護園を開園させた．

戦傷者に対するわが国の対策としては，1938（昭和13）年に傷兵保護院が作られ，傷痍軍人の職業援護，失明傷痍軍人の保護，義肢や作業補助具の援護が整形外科医や精神科医などを中心に行われた．

戦後のリハビリテーションの発展には行政からの働きかけも重要な役割を果たした．1947（昭和22）年に**児童福祉法**が制定され，肢体不自由児施設の設置や運営がこれに盛り込まれ，18歳未満の身体障害児の援護や育成がこの法律に基づいて行われるようになった．1949（昭和24）年には18歳以上の身体障害者の更生を援助することを目的に**身体障害者福祉法**が制定された．更生とは「身体的または社会的原因により正常な社会生活が困難な者が，その障害を克服して平常な社会生活・家庭生活を送ることができるようになることである」と定義される．したがって職業的自立のみならず，心理的な自立や日常生活の自立も含んでいる．この法律によ

表1 身体障害区分と診療科名区分

障害区分	診療科名
視覚障害	眼科
聴覚障害	耳鼻咽喉科
平衡機能障害	耳鼻咽喉科,脳神経外科,神経内科,リハビリテーション科
音声・言語機能障害	耳鼻咽喉科,気管食道科,神経内科,リハビリテーション科,脳神経外科,内科,形成外科
咀嚼機能障害	耳鼻咽喉科,気管食道科,神経内科,形成外科,リハビリテーション科
肢体不自由	整形外科,外科,内科,小児科,神経内科,脳神経外科,リハビリテーション科,リウマチ科,形成外科
心臓機能障害	内科,小児科,循環器科,外科,心臓血管外科,小児外科,リハビリテーション科
腎臓機能障害	内科,小児科,循環器科,外科,小児外科,泌尿器科
呼吸器機能障害	内科,小児科,呼吸器科,気管食道科,外科,呼吸器外科,小児外科,リハビリテーション科
膀胱または直腸機能障害	泌尿器科,外科,小児科,小児外科,内科,神経内科,産婦人科(婦人科),消化器科(胃腸科)
小腸機能障害	内科,消化器科(胃腸科),小児科,外科,小児外科
免疫機能障害	内科,呼吸器科,小児科,産婦人科,外科 (注)エイズ治療拠点病院での従事経験があることが望ましい.
肝臓機能障害	内科,消化器科(肝臓科),外科,小児科,小児外科

り,身体障害者手帳の交付や更生相談,更生医療の給付,補装具の交付などが行われるようになった.その後数度の改正により18歳未満の者にも身体障害者手帳の交付ができるようになったり,また**表1**に示すように対象が拡大され,心臓や呼吸器障害などの内部障害もその対象となった.

1970(昭和45)年には**身体障害者対策基本法**が制定された.この法律は,心身障害の発生予防,医療や訓練,保護,教育・雇用の促進,年金の支給,生活保護の充実など,心身障害者に対する総合的対策の推進を図ることが目的となっている.

医学の世界に入ってきたリハビリテーションはそのまま音訳され,予防,治療に次ぐ第三の医学とも呼ばれていた.多くの医師が欧米のリハビリテーションの視察に行ったり,留学して学んできたりとリハビリテーションの活動が活発に行われるようになり,日本整形外科学会の中にリハビリテーション委員会が作られた.1963(昭和38)年には日本リハビリテーション医学会が発足し,リハビリテーションに興味のある整形外科,内科,精神科などの医師が集まり,リハビリテーション医療やその基礎となる学問の進歩・発展のために努力するようになった.学会員すなわちリハビリテーション医療に関与する医師の数は年々増加し,1980(昭和55)年には日本リハビリテーション医学会専門医制度が,1987(昭和62)年には日本リハビリテーション医学会認定臨床医制度が作られ,有資格者はそれぞれ約2,000人,約3,500人となっている.

リハビリテーション医療に携わるコメディカルについては，わが国初の理学療法士・作業療法士の養成校である国立リハビリテーション学院が1963（昭和38）年に誕生した．その後資格認定のための国家試験制度も制定された．その後各地に養成校がつくられ，短期大学，4年制大学も開設され，その数は非常に増えている．

また1996（平成8）年には長年の悲願であったリハビリテーション科が病院の診療標榜科として制定された．さらに2000（平成12）年には介護保険と回復期リハビリテーション病棟の制度が始まり，急性期から地域までのリハビリテーションの大枠が作られた．

3 リハビリテーションの定義と理念

リハビリテーションの定義としては1942年ニューヨークで開催された全米リハビリテーション評議会で採択された「リハビリテーションとは障害を受けた者を，彼のなしうる最大の身体的，精神的，社会的，職業的，経済的な能力を有するまでに回復させることである」というものが広く知られている．ここに示されているように，リハビリテーションとはただ単に身体障害の回復を目指すだけではなく，障害者が1人の人間として自立した生活を送っていくために必要なことを獲得できるようにすることである．

医学はもともと病気の治療を目的として進歩してきた．病気の治療では完治が理想であり，それは現在の医療でも変わりはない．しかし現実には，いまだ原因もわからず治療法が確立されていない病気や，たとえ病気そのものは治癒しても後遺症を残してしまうものはたくさんある．急性感染性疾患では生きるか死ぬかが問題であり，生き残ればほとんど障害を残さずにもとに戻ることが多かった．しかし治療医学，予防医学の進歩により，急性感染性疾患の減少，慢性疾患の増加，高齢者の増加が起こりリハビリテーションの必要性が増した．

病気の変化ばかりではなく，社会や文化の変化により障害の概念は広がり，障害者への理解が深まるにつれ，障害の軽重を問わずすべての障害者に対応するためリハビリテーションの幅と奥行きを広げる必要が生じ，その対象や目的が多様化してきた．以下にリハビリテーションに影響を与えた理念につき述べる．

a. 総合的リハビリテーション

総合的リハビリテーション total rehabilitation とはライト Wright によれば以下のごとくである．
① 医学的，職業的，自立生活のリハビリテーション全領域を含むプログラムである．
② 多元的なプログラムにおけるあらゆるリハビリテーションを総合する．
③ 各年齢の最重度障害者を含む全障害者に対する拡大されたリハビリテーションサービスである．

このような考え方によれば，リハビリテーションは単に医学的なアプローチだけではすまず，職業的，社会的なアプローチを含めたプログラムが必要であるということになる．すなわち医学的リハビリテーションはリハビリテーションの一分野であり，出発点であるといえる．

表2 国際障害者年の目標（1981年）

完全参加と平等
1. 障害者が身体的にも精神的にも社会に適応することができるように援助すること
2. 適切な援助，訓練，医療および指導を行うことにより，障害者が適切な仕事につき，社会生活に十分参加することができるようにすること
3. 障害者が社会生活に実際に参加することができるよう，公共建築物や交通機関を利用しやすくするための調査研究プロジェクトを推進すること
4. 障害者が経済的，社会的および政治的活動に参加する権利を有していることについて一般国民の理解を深めること
5. 能力低下の発生予防対策およびリハビリテーション対策を推進すること

またリハビリテーションの目的が生活の自立や職業の自立であれば，それに到達できない重症者は対象から除外されてしまうことになる．総合的リハビリテーションではすべての種類とレベルの障害者に対応することを目指しており，その目標もそこで用いられる技術も多種多様となり，機能の改善だけを求めるのではなく，生活の質 quality of life（QOL）の向上を目指すものである．QOLの評価では本人の主観が尊重されることから，Patient-Reported Outcome（PRO，患者報告アウトカム）尺度によって計測することと，患者によって語られる物語を記述することの両面から捉えることが重要である．

b. 自立生活

自立生活 independent living（IL）とは，「意思決定あるいは日常生活における他人への依存を最小ならしめるために，自分で納得できる選択に基づいてみずからの生活をコントロールすることであって，それは，自分の仕事を自分でやりとげること，地域社会のその日その日の生活に参加すること，一定の範囲での社会的役割を果たすこと，自分で意思決定すること，他人への心理的あるいは身体的依存を最小ならしめるように決意することなどを含む．ここで自立というのは1人ひとりの人ごとに個別的に定義しなければならない相対的な概念である」と定義されている．

この思想はリハビリテーションに固有なものではなく，戦後の米国で起こった社会思想の発展のなかで生まれてきたものである．自立生活運動は弱者自身による弱者のための運動である．障害者もまた弱者であり，この運動がリハビリテーションに取り入れられ，リハビリテーションの主人公である障害者自身の決定を重んじることとなった．自立生活の思想では，生活が自立できなくても，その他の知的な社会活動が可能になればリハビリテーションは成功したと考える．介助を受ける場合も介助者が障害者の生活を指導するのではなく，障害者の主導で自分でできないことを介助してもらうという関係，すなわち障害者が主であり介助者が従という関係が重要であるとしている．

c. 完全参加と平等

1981年国際障害者年のスローガンとして「完全参加と平等」が掲げられた（**表2**）．この目標を各国が実現するように10年にわたる国際的な取り組みが行われた．完全参加とは障害者が

社会に完全に溶け込んでその能力を発揮し地域社会に寄与するという目標を示している．また平等とは障害者が1人の人間として差別されてはならないということを示している．障害者がその障害のためにさまざまな困難な状況に立たされていることを理解し，そのうえで障害者の人権を守り，障害のない者と同じ機会が与えられるような社会の仕組みや制度を確立していかなければならない．しかし障害はさまざまであるので，障害の種類や程度に応じて生活の質（QOL）を高め，それぞれの能力に応じたやり方で地域社会に寄与する権利をもつということになる．このようなことを実現するためには人間の多面性や不均一性を理解し，価値観の多様性を認識する必要がある．障害者を障害者としてひとまとめにするのではなく，個別的にその状態や条件を考慮し，「なにが障害されているのか」ということではなく，「なにができるのか」ということに着目し肯定的な見方をしていくことが大切である．

このような理念を阻害するものとして障害者に対する社会の偏見がある．障害者を障害された人間とみるのではなく，障害をもった人間と考えれば価値の低い人間ではなく，同じ価値をもった人間と考えることができる．だれでもいつ障害者になるかわからないのであるから，障害者を価値の低い人間であると考えている人が障害者になったとき，その衝撃は大きく，障害を認め立ち直ることはたいへんむずかしくなる．完全参加と平等を実現させるためには，障害者に対する社会の偏見をなくし，障害者に対し柔軟な対応ができるようにする必要がある．

d. 地域共生社会と地域包括ケア

制度の縦割りや社会保障の枠を越えて，人と社会資源とがつながり，複合的課題をもつ住民1人ひとりが暮らしと生きがい，地域をともに創っていく社会のあり方を**地域共生社会**という．そして，医療や介護が必要な状態になっても，可能な限り，住み慣れた地域でその有する能力に応じ自立した生活を続けることができるよう，医療・介護・予防・住まい・生活支援が包括的に確保されるという考え方を**地域包括ケア**という．

B．障害とその分類

リハビリテーションで取り扱う障害は病気によってもたらされたものである．砂原はこの障害を以下のように3つに分けている．

① 独立した障害
先天性障害などのように，生まれたときから病気という段階を経ずに障害が存在する．

② 病気と共存する障害
慢性疾患や変性疾患のように病気と障害が共存するもので，治療とともにリハビリテーションが必要になる．

③ 病気の後にくる障害
病気の後遺症として障害が残るもの．外傷による切断や脳卒中などがこれに属する．

これらのうち②が圧倒的に多い．また医学の進歩により，いままでは救命できなかったよう

な患者でも生き延びることができるようになり，障害をもちながら生活する者の数が増えている．

さきに述べたようにリハビリテーションでは医学的問題だけではなく，より広い範囲で障害をとらえていくので，医学的角度からだけではなく，いろいろな角度から障害をみていかなければならない．そこで世界保健機関 World Health Organization（WHO）が1980年に発表した**国際障害分類** International Classification of Impairments, Disabilities and Handicaps（ICIDH）を用いて，障害を3つのレベルでとらえている．

2001年にWHOはICIDHを改訂し，**国際生活機能分類** International Classification of Functioning, Disability and Health（ICF）を採択した．この分類では，障害そのものではなく人間の生活機能に焦点が当てられている．

1 国際障害分類（ICIDH）

ICIDHは疾病の帰結から派生する障害を分類し，マイナスの要素を表しているのに反し，ICFは肯定的な側面で表している．リハビリテーションにおいて，できないことをできるように訓練したり，指導する場合には，マイナス面を取り扱っているので，以下に述べるようにICIDHを使用すると障害の構造が理解しやすい．

1．機能障害 impairment

障害の一次レベルで身体の構造や外観，器官または器官系の異常である．原則として機能障害は器官レベルにおける変調を示すものであり，病気や外傷により直接生じてくる障害である．一次的なものと永続するものとがある．次の能力低下や社会的不利の原因となる可能性がある．

2．能力低下 disability

障害の二次レベルで，機能障害の帰結として，個人による機能的遂行力や活動に対する影響が起こったものである．したがって個人のレベルにおける変調を示している．人間として正常とみなされうる方法や範囲内で活動する能力が制限されていたり欠損している状態をいう．一次的なものと永続的なもの，可逆的なものと不可逆的なもの，進行性のものと退行性のものなどの区別がある．また次の社会的不利の原因となる場合とならない場合がある．

3．社会的不利 handicap

障害の三次レベルで機能障害や能力低下の結果として個人が経験する不利である．個人とその環境との間での相互作用と環境に対する個人の適応を反映している．個人が正常な役割を果たすことへの制限や妨げであり，年齢，性別，社会文化的要素より決まる．

障害の3つのレベルのお互いの関係は**図1**に示すごとくである．機能障害→能力低下→社会的不利というように直線的な関係だけではなく，その状況は複雑である．機能障害は能力低下を伴わなくても直接社会的不利を起こしうる．顔面の熱傷で醜状瘢痕が生じたような場合は，能力低下はなくても就職や結婚などで不利を被ることがある．近視あるいは糖尿病をもつ人は

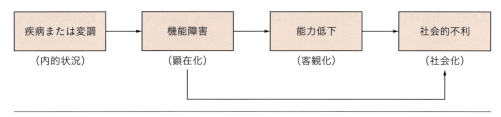

図1　障害の3つのレベルとそれぞれの関係

機能障害をもっているが，これらは補助具や薬物で矯正することができるので必ずしも能力低下をもつとは限らない．しかし若年性糖尿病患者の場合，友人と一緒にお菓子が食べられなかったり，定期的に注射をしなければならないといった形で社会的不利をもつことは起こりうる．さらに急性の精神症状から回復したが，依然として精神病患者という烙印をおされている人の場合は，その社会的不利は機能障害，能力低下の結果生じたものではあるが，社会的不利がはっきりした時点では機能障害，能力低下はなくなっているわけである．

機能障害は病気や外傷によってもたらされるものであるから，病気や外傷の種類や程度によりほぼ規定される．脳卒中であれば片麻痺という機能障害が，頸髄損傷であれば四肢麻痺という機能障害が起こる．しかし同じ種類で同じ程度の機能障害をもった人が，同じ程度の能力低下を，また同じ程度の能力低下をもった人が同じ程度の社会的不利をもつとは限らない．下肢切断では歩行障害という能力低下が起こる．しかし運動能力の高い者では片足で跳ねて移動できるし，松葉杖を使って移動することもできる．義足を使用すれば杖なしでも歩行が可能となる．しかし高齢者で義足歩行が獲得できなければ車いすを使用するということになる．この場合同じ機能障害によって生じた同じ能力低下でもその程度は大いに異なる．このように同じ機能障害が能力低下になるかどうかや，能力低下になったとしてもその程度には個人差があり，生活様式や習慣などによっても変化するものである．

能力低下は下肢切断者であれば義足を，脊髄損傷者であれば車いすを用いるように，リハビリテーションにより軽減できる．しかし車いすで積極的に外に出ていくためには階段ではなくスロープやエレベーター，車いす用トイレなどが必要で，これらの整備ができていないと実際には車いすで活動することはむずかしい．このように社会的不利は社会の理解や受け入れ体制の整備などにより軽減することができる．

2　国際生活機能分類（ICF）

a. ICFを構成する項目

ICFとは，人間の「生活機能」と「障害」を判断するための「分類」の方法を示したものである．人間の生活を障害の有無のみだけでなく，活動や参加の状況，また周囲の環境などを定量的に比較をすることで，支援につなげることを目的としている．ここでの「生活機能」とは人が生きていくことを指しており，食事や運動，社会への参加などを行う能力はすべて「生活機能」ということができる．これに対し，何らかの理由で「生活機能」が制限されている状況を

「障害」としている．この「障害」とは心身機能に障害がある場合はもちろんコミュニケーションをとることが困難な状況や，仕事をすることが困難な状況も「活動や参加に障害がある」と，とらえられている．さらに，ICFでは生活機能や障害の状況に影響を与える要素として「背景因子」をあげている．

1. 生活機能

ICFでは「生活機能」を心身機能・身体構造，活動，参加の3つの項目に分類している．

a）心身機能・身体構造

心身機能とは身体の生理的，心理的機能を指している．見ることや聞くこと，呼吸をすることや話すことなどの能力がこの項目で測られる．身体構造とは，身体のそれぞれの器官や，肢体とその構成部分などのことを指す．

b）活　動

活動とは読むことや書くこと，コミュニケーションをとることなどの生活上の目的をもった具体的な行いを指す．

c）参　加

参加とは働くことやスポーツを行うこと，地域のなかで何らかの役割を果たすことなどの家庭や社会などへのかかわりのことを指す．

2. 背景因子

ICFでは「背景因子」を環境因子，個人因子の2つの項目に分類している．

a）環境因子

環境因子とは建物の設備，交通機関などの物的な要素（物的環境）に加えて，家族や友人などの人的な要素（人的環境），さらには医療や地域サービスなども制度的なもの（社会的環境）も含む，人の生活機能に影響を与える外的な要因を指す．

b）個人因子

個人因子とは年齢や性別などの基本的な特徴に加えて，社会的状況など，その人に固有の特徴を指す．

b．ICFの生活機能モデル

ICFは人の生活機能を的確にとらえるための分類と考えることができるが，この考え方を最大限に活用するためには，それぞれの項目を個別に評価するだけでは不十分で，それらがどのようにかかわりあっているのかを考えることが重要である．

そこで，その関係性をわかりやすく示したものがICFモデル（**図2**）である．このモデルで重要なのはそれぞれを結ぶ矢印が双方向を向いていることである．

たとえば「車いすの操作がうまくいかない」という個人因子が「地域の活動に参加できない」という参加の制限につながる一方で，「地域の活動に定期的に参加する」という参加が「車いすの操作が上手になる」という個人の変化につながる場合もある．双方向の矢印はこのようなお互いが影響しあう可能性を示している．この関係性は2つの項目間のみでのかかわりだけでなく1つの要素がもうひとつの要素にまで影響を与えるということもある．

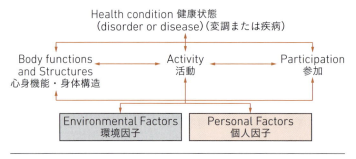

図2　ICFの構成要素間の相互作用（厚生労働省，2001）

c. ICFのコード化

　先にも述べた通り，ICFは人間の生活を障害の有無のみだけでなく，活動や参加の状況，また周囲の環境などを定量的に比較をすることで，支援につなげることを目的としている．そのために，健康に関する情報をコード化する．

　ICFのコードは心身機能（b），身体構造（s），活動・参加（d），環境因子（e）のいずれかと数字の組み合わせである．活動と参加は同一のリストで，現版では個人因子のコードは用意されていない．

C. リハビリテーションの分野

　リハビリテーションの理念に基づき，それを実際に障害者に適応させていくためには多くの技術や方法が必要である．またその範囲は医学だけにとどまらず，多岐にわたるため，リハビリテーションは以下のように4つの分野に分けられている．

① **医学的リハビリテーション**　medical rehabilitation
② **教育的リハビリテーション**　educational rehabilitation
③ **職業的リハビリテーション**　vocational rehabilitation
④ **社会的リハビリテーション**　social rehabilitation

　これら4つの分野はお互いに関係なく独立して障害者に対処していくのではなく，お互いに緊密な関係をもちながら，同じ目標に向かって活動していくものである．

　医学的リハビリテーションは病気や外傷の治療と同時に活動が開始され，それから生ずる障害を予測し合併症の予防も念頭において対処していく．急性期の治療が終われば本格的な訓練を行うが，同時に患者の状態やその背景などを考慮したより長期的なリハビリテーションのプログラムを作っていかなければならない．総合病院で行われているリハビリテーションはこの段階に関与し，その結果家庭や社会に復帰し，もとの生活に戻れる者は少なくない．しかしさらにリハビリテーションが必要なためリハビリテーション専門病院やリハビリテーションセンターに移る者もいる．ここから家庭や社会に復帰していく者，職業評価や訓練のために職業リハビリテーションに進む者，障害が重度であったり，家族や社会的理由で家に帰れずに施設に

入所する者などに分かれる．

　教育的リハビリテーションは障害をもった学童期の者に必要であり，そのために特別支援学校がある．しかし最近は障害をもった子供も普通学校に入学させ，通常の子供とともに学校生活を送らせたいと希望する親が増えている．

　社会的リハビリテーションは他の3つの分野と深くかかわりをもち，機能障害，能力低下をもつ者が社会的不利を被らないような社会的諸条件を作り上げていくものであり，障害者が社会で生活している限り長期にわたり必要なものである．

1 リハビリテーション医学

　さきに述べたようにリハビリテーションではまずはじめに医学的リハビリテーションの適応が吟味され，医学的リハビリテーションが開始される．その対象は広く，医学全般に及ぶ．医学の進歩は著しく，とても1人でそのすべてを網羅することは不可能なのでいくつもの科に分かれ，専門性をもって治療にあたっている．医学的リハビリテーションにおいても同様であり，1人のリハビリテーション科医がすべての障害に対処していくことは不可能である．たとえば視力障害は眼科医が，聴力障害は耳鼻咽喉科医が，精神障害は精神科医が，その治療とリハビリテーションに古くから取り組んできた．リハビリテーションの歴史からみても，その始まりは戦傷者などを対象とし，その身体障害とくに運動機能の障害を取り扱ってきた．その流れをくむ**リハビリテーション医学**は主に運動機能を対象として医学的リハビリテーションを行っている．したがって現在のリハビリテーション科の医師はリハビリテーション医学がその専門であり，四肢体幹の運動障害とそれに関係の深い障害を対象にしている．

2 リハビリテーション医学の対象

　運動は筋の活動で関節が動くことにより起こる．関節は骨が関節包や靱帯で連結したものである．筋の活動にはエネルギーが必要であり，その供給には呼吸器と循環器が重要である．また筋の活動は神経によりコントロールされており，神経には中枢神経と末梢神経がある．中枢神経はさらに脊髄と脳に分類される．脳には運動以外にもさまざまな機能があり，運動機能の障害と同時に言語障害や，失認，失行などの障害を伴うことが多く，これらも対象としている．整形外科も運動に関係する器官の病気や外傷を取り扱うが，脳はその対象外であり，その点がリハビリテーション医学と大いに異なるところである．**表3**にリハビリテーション医学の主な対象疾患を示す．

表3 リハビリテーション医学の主な対象疾患

1. 脳卒中，その他脳疾患，外傷性脳損傷
2. 脊髄損傷，その他脊髄疾患
3. 関節リウマチを含む骨関節疾患
4. 脳性麻痺を含む小児疾患
5. 神経筋疾患
6. 切断
7. 呼吸器疾患
8. 循環器疾患
9. 悪性腫瘍
10. その他

3 リハビリテーション医療

　上記のような疾患に対し行われるリハビリテーションの治療はまず医師の診察から始まる．患者の病状や全身状態を診察し，さらに障害の有無について評価を行う（通常病気については診察，障害については評価という言葉が使われる）．障害があればその原因や種類，程度を診断し，訓練の必要性があるかどうか，また訓練が可能かどうかを判断する．訓練が必要な場合はおおまかな目標，訓練内容，注意事項などを含めた処方箋を書き，訓練・治療が開始される．多くの障害をもつ者に対しては多種の訓練が必要となり，多くの専門職の人がかかわることになるため，チームを組んで治療していくことになる．これが**チームアプローチ**と呼ばれるもので，リハビリテーションの特徴でもある．図3に示すような多くの職種の人がチームを組み，1人の患者に対し治療していくためには，お互いの緊密な連係が必要であるばかりでなく，統一された目標に向かって，同じ方針で治療していくことが重要である．また障害についても各職種の専門的な立場や角度から，その程度や問題点について評価することが大切である．そこで各職種の行った評価を統合して，患者の全体像を的確に把握し，それに基づいた**目標（ゴール）**を設定し，それを達成するための治療方針を決める必要がある．このために評価会議が開かれ，お互いの意見をまとめてチーム全員が共通した理解をもって治療に専念していく．しかし最初に設定した目標や治療方針が必ずしも正しいとは限らず，途中で修正や変更が必要になることもある．したがって評価会議は必要に応じ何回でも繰り返し開くことが重要である．

4 障害の3つのレベルに対するアプローチ

　患者のもっている障害をさきに述べたような3つのレベルから評価し，これをできるだけ軽減させることがリハビリテーション医学の目的である．以下にそれぞれに対する基本的なアプローチについて述べる．障害評価においては，できないことだけではなく，保たれている機能，能力，社会的役割に加えて，主観的な障害（障害に対する患者の物語り），さらにこれらに影響する個人因子，環境因子にも注意を払うことが大切である．

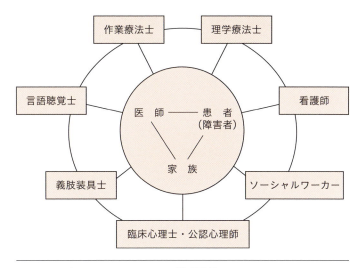

図3 リハビリテーションチームの構成職種

a. 機能障害（心身機能・身体構造の障害）に対するアプローチ

　機能障害を軽くするためには，まず病気や外傷の治療を適切に行い，障害を最小限におさえることである．また合併症の予防，とくに長期臥床による廃用症候群の予防が重要である．残された障害に対してはその回復を促進するような治療を行う．

b. 能力低下（活動制限）に対するアプローチ

　回復した機能や障害から免れた残存機能を最大限活用し，各種動作の能力の向上を図ると同時に，義肢や装具，車いす，自助具などの適切な使用により個人としての能力を高める．ここで大事なことは動作のやり方ではなく，その動作ができるかどうかである．またどのような動作が必要なのかは個人差があるので，個人に応じたプログラムが必要になる．

c. 社会的不利（参加制約）に対するアプローチ

　上の2つのアプローチで獲得された能力を実際の生活の場で生かしていくためには，家族や隣人など人的な環境と家屋やその周囲の状況，職場などの物的な環境整備が必要である．障害者が環境に合わせるのではなく，環境を障害者に合わせるという考え方が必要であり，これによりリハビリテーションの効果をいっそう高めることができる．そのためには社会に働きかけ障害者に対する偏見をなくし，理解を深めるようにすること，さらに法的・社会福祉的な環境を整備・改善することが必要である．

5　障害の受容

　リハビリテーションを受ける側にとって重要なことは**障害の受容**である．これは決してあきらめるということではなく，すべての障害が完全に取り除かれるわけではないので，その現実

を認めたうえで，どのようにしたら一番よいのかを患者自身で考え，実行していけるような考えになることである．たとえば，脳卒中による右片麻痺で利き手が障害された場合，左手に利き手を交換すれば字を書いたり，箸を使用したりが可能になる．このためには健側である左手の訓練が必要であるが，機能が低下した右手もいずれ回復し使えるようになると患者が思っていれば，左手の訓練の必要性を認めず，なぜよいほうの左手を訓練し，悪い右手の訓練をあまりやらないのかという不満となる．しかし，患者が右手は少しは回復するが利き手として使うことはむずかしいということを理解すれば訓練は軌道に乗り，新たに利き手を獲得することができる．

障害を受容することは容易ではなく，その過程には時間を要する．患者は病気，それに引き続く障害というたいへん大きなショックを受けているので，早くそれから立ち直り，冷静な判断ができるようリハビリテーションチームとして患者と十分な対話をもち，信頼関係を築き，心配や不安をできるだけ和らげ，心理的，精神的な支援を行い，受容を促していかなければならない．

D．医療従事者とチーム

リハビリテーション医療では患者のもつさまざまな障害に対し，種々の職種がその専門的な立場からアプローチしていく，チームアプローチで行われていくことはさきに述べた（⇨p.12）．リハビリテーション医療には，すべての医療系専門職に加えて教育・福祉系など多岐にわたる職種が関与するが，本項ではとくにかかわりが深い職種とその主な役割について述べる．

1 リハビリテーション科医

リハビリテーション科医 rehabilitation doctor（Dr）の第一の役割は受診した患者を診察し，障害を評価しリハビリテーションの適応があるかどうか判断することである．必要があると判断したら訓練の処方箋を書く．その内容にはどのような訓練や指導が必要か，その目標や目的はなにか，患者の医学的状態や注意すべき事項などを含め，この処方に基づき各職種が実際的な訓練や活動を開始する．その後も定期的に患者を診察し，その変化に合わせ処方内容をチェックし変更を加えたり，装具の必要性を検討し，必要な場合は装具の処方も行う．

第二の役割はチームリーダーとして評価会議や各職種間の調整を行うことである．評価会議はただ開けばよいというわけではなく，各職種の専門性のうえに立った積極的な意見を引き出し，それに基づいた建設的な議論をし，患者にとって最善のプログラムや目標が導き出されるように運営していかなければならない．さらにここで決定されたプログラムが各職種でうまくいっているかどうか，各職種間の連係がうまくとれているかどうかなどをチェックしていく．

第三の役割は患者の医学的管理である．とくに早期リハビリテーションでは病気の治療と並

行してリハビリテーションが開始されるので，病気の治療と訓練との調整が必要である．また治療が終了したあとでも，基礎疾患の治療や健康管理などの医学的管理をしっかりと行っていかなければならない．こうすることにより再発や合併症を予防していく．

リハビリテーション医学の対象は多岐にわたるため，リハビリテーション科医は幅広い医学的知識をもたなければならないし，チームリーダーとして多くの人をまとめていくためには指導力が要求される．また多種多様な患者の状況やニーズを理解するためには総合的な判断力や経験も必要となる．

2 理学療法士

理学療法士 physical therapist（PT）は医師の指示のもとに理学療法を行う．理学療法は後述するように運動療法と物理療法よりなり，リハビリテーション医療のなかでもっとも一般的に行われるものである．理学療法士は治療に先立ち関節可動域や筋力，日常生活動作などの評価を行い，医師の指示に基づいた治療・訓練の具体的な方法を選択する．たとえば筋力強化を指示された場合，徒手抵抗で筋力強化訓練をやるのか，重りを使用してやるのか，その患者の状態に合わせもっとも適した方法を選んで行う．また患者の状態は日々変わるので，必要に応じ血圧や脈拍のチェックを行い，異常があれば担当の医師に報告をしなければならない．

3 作業療法士

作業療法士 occupational therapist（OT）が行う作業療法には身体障害作業療法と精神科作業療法の2つがある．精神科作業療法は歴史が古く，紀元前より運動，遊戯，音楽などとともに作業が精神病の治療に用いられていたといわれている．身体障害作業療法はリハビリテーション医学のなかで行われ，身体機能のなかでも上肢の機能や認知・行為機能の障害を扱い，日常生活活動や生活関連動作の拡大・自立を目指す．さらに職業復帰の可能性を評価する職業前評価もその役割に含まれている．

4 言語聴覚士

言語療法を行う者の資格制度制定は長い間の懸案であったが，1998（平成10）年に身分制度が制定され，国家資格を持った**言語聴覚士** speech therapist（ST）が誕生した．

言語療法の対象疾患は言語発達遅延，失語症，機能的構音障害，麻痺性構音障害，口蓋裂に伴う言語障害，吃音，聴覚障害などがあげられる．リハビリテーション医学では脳卒中による失語症や構音障害がその対象として重要である．

言語は人間のコミュニケーションのもっとも基本的手段であり，話すことだけではなく，読むこと，理解すること，書くこと，計算することなども含まれる．言語療法ではこのような問題につき患者を評価し，実用的なコミュニケーションの能力を判定し，訓練を行う．しかし回

復が期待できない場合には，残された機能をうまく活用し，なんらかの方法でコミュニケーションがとれるように工夫する．

5 看護師

看護師 nurse の役割は入院治療を受けている患者の場合，とくに重要である．入院患者の生活の場は病室であり，そこで患者ともっともよく接するのは看護師である．訓練で獲得した動作は実際の生活のなかで生かしていくことが重要なので，入院患者はまず病棟でそれを実践していかなければならない．そのため自分でできるようになった動作を看護師が手伝っていては一向に訓練にはならないので，看護師は常に各職種のスタッフと情報を交換し，なにができるようになり，なにがまだできないのかを把握し，それにより看護計画を立て，介助すべきことと，自分でやらなければならないことをはっきりさせる必要がある．このようにすることは，さらに病棟での転倒などの事故防止にもつながる．

また毎日の患者の状態の把握や，訓練時間の調整，病棟での1日の過ごし方の指導，病気や障害についての患者や家族の不安に対する心理的，精神的支援なども重要な役割となる．

6 ソーシャルワーカー

ソーシャルワーカー（医療福祉士）medical social worker (MSW) はリハビリテーションチームの一員として障害者を社会的・心理的・情緒的な面で支援するために，各種の社会福祉や保障制度，サービスなどの社会資源を活用し，病気の長期化や障害によって起こる経済的問題への援助，日常生活自立への援助，家庭の問題の解決や療養生活への援助，社会復帰や職業復帰への支援などを行うことがその主な役割である．医療と福祉の連帯を図る専門職として地域医療に欠くことのできないものであり，病院だけではなく市区町村の福祉課，保健所などでも活躍している．社会福祉士という身分法が1987（昭和62）年に成立し，四年制福祉系大学で社会福祉に関する指定科目を履修した者かそれに準ずる者に国家試験の受験資格が与えられている．

7 臨床心理士・公認心理師

病気や外傷で障害をもった患者は不安を感じ，抑うつ状態になることもあり，それらがリハビリテーションの阻害因子になることもある．**臨床心理士** clinical psychologist は心理的問題や意欲の問題などが起こった場合，患者の心理的評価を行い，それに基づいた適切なアプローチ法を他の職種のスタッフにアドバイスしたり，患者にカウンセリングなどを行う．

わが国の現状ではリハビリテーションチームに臨床心理士が加わっているところはまだ少ない．その原因は臨床の場で臨床心理士の身分がはっきりしていないこと，資格制度が確立していないこと，その養成が大学の文学部や教育学部で行われているためにリハビリテーション医療に対する関心や理解，経験が乏しいことなどであると思われる．リハビリテーション医療を

充実させ，より高度なものにしていくためには臨床心理士あるいはまた，2015（平成27）年に関連法が成立して資格の定められた公認心理師のチーム参加が必要である．

8 義肢装具士

義肢装具士 prosthetist and orthotist（PO）の役割は障害者に対し適した義肢・装具を設計，製作し，それをうまく患者に適応させることである．義肢・装具の必要性はチームで検討され，必要があると決まれば，医師により処方され，義肢装具士が関与することになる．1982（昭和57）年に義肢装具士の養成校が作られ，1987（昭和62）年より資格制度も制定され国家試験が行われるようになった．

E．関係法規と保健医療福祉行政

　リハビリテーション医学により機能障害や能力低下を改善しても，それを実際に生活の場や社会で生かすためには社会的不利の問題を解決する必要があり，そのためには社会福祉の充実が重要である．

　社会福祉は社会福祉事業法により総括されていたが，2000（平成12）年の社会福祉基礎構造改革で社会福祉事業法の大幅改正がなされ，社会福祉法が成立した．その関連法には老人福祉法，身体障害者福祉法，知的障害者福祉法，児童福祉法，母子福祉法の5つがある．それに生活保護法を入れると六法となるが，これは現金の給付を主とした扶助的な性格が強い．

　以下にリハビリテーションと関係の深いものについて述べる．

1 社会福祉法

　社会福祉事業の共通的な基本事項を定めた法律で，規制や監督を行うほかに，社会福祉事務所の設置や運営，社会福祉法人や共同募金，民生委員，社会福祉協議会などの認可・監督・指導を行うためのものである．

　その理念として，社会福祉サービスを受ける者が心身ともに健やかに育成され，社会や経済・文化などあらゆる分野に参加する機会を与えられるとともに，その環境や年齢および心身の状況に応じ，地域において必要な福祉サービスが総合的に提供されるように，社会福祉事業やその他の社会福祉を目的とする事業を広範かつ計画的に実施するように努め，その実施にあたっては，医療や保健，その他の関連施設との有機的な連係を図り，地域に即した創意と工夫を行い，地域住民などの理解と協力を得るように努めなければならないとしている．

　サービスを提供することを措置といっていたが，2000（平成12）年に改正された社会福祉法ではこの措置制度が廃止されて利用契約概念が導入され，利用者自身の選択の自由が重視されるようになった．

2 身体障害者福祉法

　この法律の目的は，身体障害者の自立と社会経済活動への参加を促進するために身体障害者を援助し，または必要に応じて保護し，もって身体障害者の福祉の増進を図ることとされている．ここでいう身体障害者とは身体障害の認定を受け，**身体障害者手帳**の交付を受けた者を指す．手帳の交付申請は都道府県知事の指定を受けた医師の診断書を添えて最寄りの福祉事務所に申請し，都道府県知事より障害程度等級の評価を付した手帳が交付される．その対象となる疾患は表1（⇨p. 3）に示したものであり，精神障害や精神遅滞，てんかん，難病，薬物依存，単なる老化などは含まれていない．また身体障害者福祉法は18歳以上を対象にしているが，18歳未満の者にも身体障害者手帳は交付される．

3 児童福祉法

　児童の心身の健全な育成や生活保障，愛護を目的としたものである．この法律でいう児童とは18歳未満の者をいい，さらに乳児：1歳に満たない者，幼児：1歳から小学校就学時期に達するまでの者，少年：小学校就学時期から18歳に達するまでの者に分けている．

　児童相談所が各都道府県に設置され児童や家庭の相談援助活動を行っている．心身障害児に対しては保健所における療育相談事業や育成医療の給付のほか，知的障害児に対する療育手帳の交付などが行われている．

4 老人福祉法

　この法律の目的は「老人の福祉に関する原理を明らかにするとともに，老人に対し，その心身の健康の保持及び生活の安定のために必要な措置を講じ，もって老人の福祉を図ること」とされている．

　その基本的な考えとして「①老人は，多年にわたり社会の進展に寄与してきた者として，かつ，豊富な知識と経験を有する者として敬愛されるとともに，生きがいを持てる健全で安らかな生活を保障されるものとする．②老人は，老齢に伴って生ずる心身の変化を自覚して，常に心身の健康を保持し，又は，その知識と経験を活用して，社会的活動に参加するように努めるものとする．③老人は，その希望と能力とに応じ，適当な仕事に従事する機会その他社会的活動に参加する機会を与えられるものとする」としている．

　高齢者にとってより重要な医療関係法規は医療保険各法と老人保健法で，年金関係は年金法で取り扱っている．

5 障害者総合支援法

　社会福祉六法は対象者別分野別福祉法で，それぞれの法に基づき多様なサービスを提供して

きたが，2005（平成17）年障害者自立支援法が成立し共通の制度の下で一元的にサービスを提供する仕組みが作られた．この法によるサービスには介護給付，訓練給付，地域生活支援事業などがある．2012（平成24）年障害者総合支援法（通称）に名称が変更され，障害者の活動と参加を総合的に支援することが謳われている．

6 高齢者の医療の確保に関する法律（旧老人保健法）

1982（昭和57）年，国民の老後における健康の保持と適切な医療の確保を図るため，疾病の予防，治療，機能訓練などの保健事業を総合的に実施し，もって国民保健の向上および高齢者福祉の増進を図ることを目的に老人保健法が制定された．

老人保健法に定める保健事業は以下の8項目である．
① 健康手帳の交付
② 健康教育
③ 健康相談
④ 健康診査
⑤ 機能訓練
⑥ 訪問指導
⑦ 医療
⑧ その他の政令に定める事業

2008（平成20）年，老人保健法が改定されて高齢者の医療の確保に関する法律となり，後期高齢者医療制度が導入された．

機能訓練事業の対象者は40歳以上で，①医療終了後も継続し訓練を行う必要のある者，②必要な訓練を受けていない者，③老化などで心身機能が低下している者で，その機能の維持・回復を図り日常生活の自立を助けるために訓練を行う．市町村保健センターなどの適切な施設に通所し，医師の指導のもとに理学療法士または作業療法士もしくは保健師などにより，①歩行，上肢機能などの基本動作訓練，②食事，衣服着脱などのADL訓練，③手工芸（習字，組みひもなど），④レクリエーション，スポーツなどを週2回程度行うものである．

7 介護保険

わが国は世界有数の高齢社会となっており，2007（平成19）年には，高齢化率が21％を超え，超高齢社会に突入した．今後さらに高齢化が進み，2025（令和7）年には，3人に1人が65歳以上の高齢者となると予測されている．このような状況下で医療費は年々上昇していること，経済成長率は以前のような大幅な上昇は見込めないこと，やがては3人で1人の高齢者を支えなければならなくなることなどの問題から，医療費の高騰を抑えるため医療保険制度の抜本的改革が必要になり，介護保険制度の導入が検討され，2000（平成12）年4月1日より実施されることになった．介護保険の基本理念は高齢者の「自立支援」であり，その人の生活・人生を尊

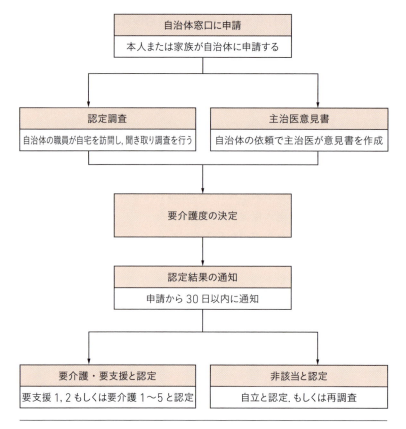

図4　要介護認定の流れ

重し，できる限り自立した生活を送れるように支援することである．さらに，高齢者が要介護状態になることを予防することや，要介護状態になってもそれ以上悪化しないようにする「介護予防」の考え方も重要となっている．介護保険の導入により疾病の救命・治療のための入院治療は大幅に短縮し，その後は在宅療養として在宅サービスや福祉サービスを受けるということになり，この部分の費用は介護保険より支給されることになる．

　介護保険の対象者は65歳以上の者はその原因にかかわらず，40歳から65歳未満の者は特定疾病（⇨p. 372, 表N-13）によって生じた者に限られる．また給付の内容や頻度は要介護認定により決められる．**図4**に要介護認定の流れを示す．

　受けられる介護サービスは，在宅サービスと施設サービスとがある（⇨p. 371, 表N-12）．急性期，回復期，生活期（維持期）の流れのなかで，医療から介護へと制度が変わるため，その利用を円滑に受けられるようにする必要がある．そのためには，制度の違いを知ったうえで，資格の異なる専門職による「医療と介護の連携」が重要となる．

リハビリテーション医学における診断・評価と治療

 学習の目標

1. 障害モデルで慢性疾患をとらえる意味と考え方を理解する．
2. 機能・構造，活動および社会参加のそれぞれについて障害を評価する方法の概略を理解する．
3. 障害を評価する目的と方法を，障害の項目ごとに理解する．
4. 日常診療で評価する目的と方法を，障害の項目ごとに理解する．
5. 障害された機能・活動だけでなく，残存機能・活動も評価する方法の概略を理解する．
6. リハビリテーション診療に使われる臨床検査のうち，生理機能検査と画像診断について，目的，適応，方法の概略を理解する．検査の目的は，病名を診断することに加えて，病態ならびに機能を評価することである．病名の診断では検査の感度と特異度が問題となるが，機能の評価では，障害重症度との相関が高く，病状変化への反応性のよいことが検査に求められる特性となる．
7. リハビリテーション医療に必要なリスク管理とその具体的な実施方法を述べることができる．
8. 理学療法・作業療法・言語療法などの治療法の概要について説明できる．
9. 義肢・装具の処方と使用に関する基本的な知識を述べることができる．
10. 心理的アプローチとカウンセリングの場で必要な態度と知識について説明できる．
11. 社会保障制度とそれを利用して提供できるサービスについて説明できる．

A．障害の評価

医学の対象は病気でなく病める人間であるといわれる．これは病気にばかり目を向けて本来の治療の対象となるべき人間に目を向けない医療従事者に対する戒めの言葉として用いられている．しかし，最近の医学の進歩や高齢者の増加に伴う疾病構造の変化によって，**疾病が治っ**

ても障害が残存する人の数が増加している．このため医学の対象は従来の病める人間のみならず障害をもって生活している人あるいは生活していかなければならない人にも広げられるべきであるとの意見が広がってきた．1980年に世界保健機関 World Health Organization（WHO）は疾病だけでなく障害にも目を向けることを宣言し，障害の定義と概要を示す国際障害分類を提唱した（⇨p. 7）．リハビリテーションの分野では以前から機能障害，能力低下，社会的不利に対する評価，アプローチは行われていたが，これにより広く障害に対するアプローチの重要性が認められ，医学，医療の対象と認知された意義は大きい．従来から行われている医学的モデルによるアプローチでは症状の発現には必ず病理的変化が存在し，さらにその変化をもたらす病因が存在するとされている．しかし慢性疾患や慢性に経過する障害では病因はすでに見当たらず，あるいは病因を取り除いても症状や障害を軽減できないことが多い．すなわち**慢性疾患では従来の医学的モデルに基づいた治療だけでは困難である**ことが理解されてきた．慢性疾患・障害は，経過中に加わる心身機能面の障害や社会的因子など複数の因子が複合的かつ恒常的に存在するため，起こりうる病理的過程を完全に停止させることは困難であるともいえる．これらの慢性に経過する疾病，障害に対する治療医学としてリハビリテーション医学は発展してきた．

　疾病に対しては診断という用語が用いられ，どのような疾病が存在するかの発見に重点が向けられる．一方，リハビリテーション医学では一般に疾病の診断名は既知であることが多く，むしろその疾病などによるあるいは二次的に発生する各種障害の抽出に重点が向けられる．そのためリハビリテーションの分野では障害に対してさまざまな評価が行われ，治療に反映されている．

　評価とは，患者の症状や障害の程度を把握して問題点を明らかにし，治療計画を作成したり，治療効果の判定，目標（ゴール）設定に役立たせるために行われる．評価は英語で **evaluation** または **assessment** と訳されるが，広義には測定 measurement，検査 test，観察 observation の意味も含まれる．身長が170 cmといっても，小人の国では巨人であるが，人間社会では正常範囲内にはいる．このように，measurementの値は170 cmと変わらないが，条件によってその評価は異なってくる．評価はあくまで相対的なものである．評価法の運用にはその目安となる正常値，標準値が必要となり，これをもとに評価が行われる．ある評価法を使用する場合にはどんな条件で評価が行われるべきかを知らなければならない．また新しい評価法を確立するには誰が行っても同一の結果が得られるような標準化されたもので，**信頼性 reliability**，**有効性 validity**，**実用性 usability** があるものでなければならない．実際に評価を行うときには以下に示す英文法の5W，1Hを考慮に入れて行う．

① Why　：なぜ評価するのか，評価の目的・意義
② When　：いつ評価するのか，評価の時期・回数
③ Who　：誰が評価するのか，評価の主体
④ Where：どこで評価するのか，評価の場所またはどこを評価するのか，評価部位
⑤ What　：なにを評価するのか，評価対象
⑥ How　：いかに評価するのか，評価方法

表1 患者から得られる情報

1. 基本的情報：年齢，性別
2. 医学情報　：主訴，病歴，治療歴，既往歴，家族歴
3. 身体情報　：理学的所見，リハビリテーション診断，検査
4. 生活情報　：生活歴，結婚歴（既未婚），職業歴，教育歴と現在の職場・家庭の環境，家族のニーズ，経済的側面

1．評価の目的・意義

　リハビリテーション治療の目的は障害をいかに軽減するかである．そのため機能障害，能力低下，社会的不利の各レベルの障害を正しく評価して治療にあたることが大切である．一方，評価は介護の程度や身体障害者手帳作成など社会福祉や行政サービスにも用いられる．

2．評価の時期・回数

　入院患者では総合的評価として初期評価，最終評価が行われ，その間に繰り返し中間評価が行われる．個々の検査や測定では症状の変化の現れる程度によって評価の回数は異なる．たとえば，心機能障害のある患者の心電図は訓練のたびにモニターされるし，身長など変化の乏しいものは初回評価の値がそのまま継続して使用される．そのため評価は症状，障害の変化が起こりうる程度，頻度を予測して時期，回数が設定される．

3．評価の主体

　評価の内容によって法的に評価者が限定されるもの（患者に侵襲が及ぶ各種医学的検査），測定，検査行為には制約はないが測定結果の解釈（評価）に技術を要するもの，あるいは一般の人（患者自身，家族など）でも容易に評価できるものまでリハビリテーションにおける評価の主体の幅は広い．評価内容が複雑になるにつれて評価の信頼性，再現性は低下し，評価者によるバラツキが出てくる（interpersonal reliability の低下）．そのため，評価法に精通するための訓練が必要になる．日常生活活動 activities of daily living（ADL）評価法の1つである機能的自立度評価法 functional independence measure（FIM）は評価にバラツキが出ないように講習会やビデオによる評価技術の向上が図られている．

4．評価場所・部位

　同一条件で評価が行われることが望ましい．環境条件によって評価・結果が異なる場合がある．集中できにくい環境や高温（あるいは低温）の部屋では一定した評価が得られない．そのためできるだけ安定した結果が得られやすい場所で評価を行う．望ましい環境として，静かであること，十分な採光・照明や換気があること，衛生的であり患者にとって不快でないことなどがあげられる．検査には条件を規定しているものがある（例：筋電図，室温28℃前後）．身体部位の測定・検査の場合，あらかじめ測定方法が決められているもの（上肢長など）や，測定部位（膝下何 cm など）や条件（背臥位か腹臥位かなど）を記録することが求められるものがある．

5．評価対象

　リハビリテーション評価の対象は患者の症状や障害である．障害は機能障害ばかりでなく，能力低下や社会的不利にまで広がる．一方，患者から得られる情報は**表1**のように多岐にわた

る．このなかで治療あるいはアプローチが必要な項目を抽出する必要がある．**問題志向システム problem oriented system（POS）**は米国で開発され，患者にかかわる臨床上の諸問題を問題点ごとに評価し治療方針を立て解決していく方法で，リハビリテーション治療になじみやすい診療記録法であり，わが国でも多くの施設で取り入れられている．

6．評価方法

評価の方法には前述の基本的情報の収集のほかに，検査，測定，観察を通して得られる情報による評価がある．検査は「あり・なし」「できる・できない」「陽性・陰性」などで評価できるものと，数量化して評価するものとがある．測定は患者の形態的変化を数量化して評価するものである．観察は視覚や聴覚を通して患者の行為や活動を評価するもので，客観的な評価を行うためには訓練あるいは熟練を要する．

7．評価の記録

評価の結果はすぐに記録し，保存しなければならない．評価は記録・保存されてはじめて価値をもつものである．評価の記録はできるだけ ① 正確に，② 客観的に，③ 一貫性をもって行わなければならない．また評価の条件（肢位，運動の種類，使用器具，器械評価者，評価日時など）をわかりやすく簡便に記載しておくことが重要である．

1 意識障害

意識は脳幹網様体調節系と視床下部調節系で二重に統制されているが，これらの系の可逆的変化を意識障害という．通常刺激に対する反応の低下すなわち意識水準の低下（意識混濁）をいうが，軽度意識障害がある場合の認知・思考の異常，行動の異常などの意識の変容もこれに含まれる．

a．意識障害の程度

意識レベルを数値化した評価法の代表的なものに**日本式昏睡尺度** Japan coma scale（**JCS**）（3-3-9度方式）（**表2**）と**グラスゴー昏睡尺度** glasgow coma scale（**GCS**）（**表3**）がある．

軽度の意識障害と同じような症状を呈するものに認知症，健忘症候群，失語，脳器質的疾患による認知障害，精神病（統合失調症，うつ病）などがあり鑑別を要する．意識障害の特殊な型として無動性無言 akinetic mutism，失外套症候群や遷延性植物状態がある．閉じ込め症候群 locked-in syndrome は発語，四肢の随意運動は不能であるが脳幹網様体の異常はなく意識は保たれるので，意識障害ではない．

最近頭部外傷後の軽度の意識障害，すなわち外傷後健忘 post traumatic amnesia（PTA）の評価に**表4**に示すようなガルベストン見当識・健忘検査 Galveston orientation and amnesia test（GOAT）が用いられている．これは外傷性脳損傷の重傷度判定のみならず，予後予測にも用いられている．総得点75点以下が外傷性健忘ありとされ，2週間以上継続すると予後が悪いとされている．

表2　日本式昏睡尺度

Ⅲ．刺激をしても覚醒しない状態（3桁の点数で表現）	
（deep coma, coma, semicoma）	
3．痛み刺激にまったく反応しない	(300)
2．痛み刺激で少し手足を動かしたり，顔をしかめる	(200)
1．痛み刺激に対し，払いのけるような動作をする	(100)
Ⅱ．刺激すると覚醒する状態（2桁の点数で表現）	
（stupor, lethargy, hypersomnia, somnolence, drowsiness）	
3．痛み刺激を加えつつ呼びかけを繰り返すとかろうじて開眼する	(30)
2．大きな声でまたは体をゆさぶることにより開眼する	(20)
1．普通の呼びかけで容易に開眼する	(10)
Ⅰ．刺激しないでも覚醒している状態（1桁の点数で表現）	
（delirium, confusion, senselessness）	
3．自分の名前，生年月日がいえない	(3)
2．見当識障害がある	(2)
1．意識清明とはいえない	(1)

なお，カルテに記載する場合は，R：不穏状態 restlessness，I：失禁 inconti-nence，A：自発性喪失 apallic state と重症度のⅢ，Ⅱ，Ⅰの右側（　）内の数字を利用し，たとえば100-I；20-RI；3-IAと表示する．

表3　グラスゴー昏睡尺度

大 分 類	小 分 類	スコア
A．開眼 （eye opening）	自発的に（spontaneous）	E4
	言葉により（to speech）	3
	痛み刺激により（to pain）	2
	開眼しない（nil）	1
B．言葉による応答 （verbal response）	見当識あり（orientated）	V5
	錯乱状態（confused conversation）	4
	不適当な言葉（inappropriate words）	3
	理解できない声（incomprehensible sounds）	2
	発声がみられない（nil）	1
C．運動による最良の応答 （best motor response）	命令に従う（obeys）	M6
	痛み刺激部位に手足をもってくる（localises）	5
	四肢を屈曲する（flexes）	
	逃避（withdraws）	4
	異常屈曲（abnormal flexion）	3
	四肢伸展（extends）	2
	まったく動かさない（nil）	1

b．脳波による評価

意識障害のある場合 α 波は減少し，低振幅になり徐波が出現する．

2　運動障害

運動障害には麻痺，筋力低下，持久力低下，関節可動域 range of motion（ROM）の制限，失

表4　ガルベストン見当識・健忘検査

```
氏名_____      検査日時：____年____月__日（__曜日）
年齢____歳　性別　男・女         午前・午後___時___分
生年月日____年____月__日
診断_____      受傷日：____年____月__日
```

　　　　　　　　　　　　ガルベストン見当識・健忘検査（GOAT）
　　　　正しく答えられない時，（　）内の点数を減点として右の欄に記入．
　　　　反応内容は，入院後に周囲から聞き知ったものでも，正しければ良い．
1. 氏名を言って下さい（姓名ともに言えなければ2点減点）_____
　 誕生日はいつですか（4）_____
　 どこにお住まいですか（市区町村名）（4）_____
2. ここはどこですか：市区町村名（5）_____
　　　　　　　　　　「病院にいる」と答える（5）_____
3. いつこの病院に入院しましたか（5）_____
　 どうやってここに来ましたか（5）_____
4. 事故にあってから，思い出せる最初の出来事は何ですか[1]（5）_____
　 _____
　 その出来事について，例えば，日時やそばにいた人など詳しく述べてください（5）
　 _____
5. 事故にあう前で思い出せる最近の出来事について述べてください[2]（5）
　 _____
　 その出来事について，例えば，日時や一緒にいた人など詳しく述べてください（5）
　 _____
6. 今，何時何分ですか（30分ずれる毎に1点減点，5点まで減点）
7. 今日は何曜日ですか（1日ずれる毎に1点減点，3点まで減点）
8. 今日は何日ですか（1日ずれる毎に1点減点，5点まで減点）
9. 今，何月ですか（1か月ずれる毎に5点減点，15点まで減点）
10. 今年は何年ですか（1年ずれる毎に10点減点，30点まで減点）
　　　　　　　　　　　　　　　　　　　　　　　　　　　合計減点数
　　　　　　　　　　　　　　　　　　GOAT総得点（100－合計減点数）

[1] 気がついたら病室にいたなど．　[2] 直前に車を運転していたなど．

調などの随意運動のコントロールの障害，痙縮 spasticity・固縮 rigidity などの筋トーヌスの異常などが含まれる．

a. 運動麻痺

　運動麻痺は障害のレベルによって中枢性麻痺と末梢性麻痺に分けられる．中枢性麻痺は脳および脊髄の障害によって生じる．中枢性麻痺を生ずる主な疾患として脳血管障害，外傷性脳損傷，脳性麻痺，脊髄損傷，非外傷性脊髄疾患，脳や脊髄の変性性疾患，腫瘍，炎症などがあげられる．すなわち大脳皮質，内包，脳幹，脊髄を経て脊髄前角細胞にいたる経路（別名**上位運動ニューロン**）のどの部位の障害によっても生ずる．一方，**下位運動ニューロン**には脊髄の前角細胞から始まり神経根，末梢神経，神経筋接合部が含まれるが，末梢性麻痺の場合には主として神経根，末梢神経の障害による筋力低下などの運動障害をいう．

評　価

　中枢性麻痺は**表5**に示されるように運動麻痺の空間的広がりにより単麻痺 monoplegia，片麻

表5 中枢性麻痺の障害像，部位および主な原因

麻　痺	障害像	障害部位	原　因
単麻痺	四肢のうちの1ヵ所	大脳皮質運動野（限局性）	血管障害，腫瘍
片麻痺	一側の上下肢	大脳皮質，内包，脳幹，脊髄（頸髄の一部）	血管障害，腫瘍，外傷
対麻痺	両下肢	脊髄（胸髄以下）	外傷，脊髄，血管障害，腫瘍，非外傷性脊髄疾患
四肢麻痺	両上下肢	両側大脳・脳幹，脊髄（頸髄）	血管障害，外傷，腫瘍，炎症

痺 hemiplegia，対麻痺 paraplegia，四肢麻痺 tetraplegia（quadriplegia の用語は最近用いなくなった）に分けられる．脳性麻痺の場合で下肢に著しく上肢にごく軽度の運動障害を呈するときに両麻痺 diplegia，両上肢に強く下肢に比較的軽度の運動障害を呈する場合に四肢麻痺の代わりに両側片麻痺 bilateral hemiplegia という用語を用いる．片麻痺の評価の代表的なものに**表6**に示されるような**片麻痺機能検査（ブルンストロームステージ** Brunnstrom stage）がある．中枢性麻痺は脳，脊髄の障害の陰性徴候として現れるが，随伴する陽性徴候として以下のものがあげられる．

① **共同運動 synergic movement**：単一の運動を他の運動と独立して行うことができずに，常に同じパターン stereotype のなかでしかできない状態をいう．**表7**は上肢・下肢の屈筋および伸筋共同運動を示している．

② **連合運動 associated movement**：連合反応 associated reaction ともいわれ，異なった肢間で起こる反応をいう．例として健側上肢の運動が**表8**のように対側上下肢や同側下肢の運動として起こるが，例外も少なくない．脳卒中の初期などにみられやすい現象である．とくに下肢に起こる対側性連合反応はレミスト反応（現象）Raimiste reaction（phenomenon）といわれる．

③ **姿勢反射 postural reflex** の異常：**表9**に示される対称性緊張性頸反射 symmetrical tonic neck reflex（STNR）あるいは非対称性緊張性頸反射 asymmetrical tonic neck reflex（ATNR），緊張性迷路反射 tonic labyrinthine reflex（TLR）などをいう．

④ **筋トーヌスの異常**（痙縮など，後述）：中枢性麻痺を徒手筋力テスト manual muscle test（MMT）によって評価したものにデモーリス Demeurisse らが作成した motricity index がある．上下肢の6つの関節の一方向の MMT を数量化した方法で，共同運動などは考慮されていない．脳卒中の運動障害を含む機能障害の総合的評価法として**脳卒中機能障害評価法** stroke impairment assessment set（**SIAS**）（**表10**）がある．この評価法では上下肢の近位部と遠位部の運動機能を0から5の6段階で評価している．運動機能のほかに腱反射，筋緊張，感覚，健側筋力などが評価される．同じく総合的な評価法としてフーグル・マイヤー Fugl-Meyer の評価法がある．SIAS と評価の重なる部分もあるが，機能障害だけでなく能力低下の項目も含まれているという特徴がある．

表6 片麻痺機能検査（ブルンストロームステージ）

a. 上肢（肩，肘）

stage I	随意運動なし（弛緩様）
stage II	基本的共同運動またはその要素の最初の出現．痙縮の発現期
stage III	基本的共同運動またはその要素を随意的に起こしうる．痙縮は強くなり，最強となる
stage IV	痙縮は減少し始め，基本的共同運動から逸脱した運動が出現する ① 手を腰の後ろに動かせる ② 上肢を前方水平位にあげられる（肘は伸展位で） ③ 肘90°屈曲位で，前腕の回内・回外ができる
stage V	基本的共同運動から独立した運動がほとんど可能．痙縮はさらに減少する ① 上肢を横水平位まであげられる（肘伸展，前腕回内位で） ② 上肢を屈曲して頭上まであげられる（肘伸展位で） ③ 肘伸展位での前腕の回内・回外ができる
stage VI	分離運動が自由に可能である．協調運動がほとんど正常にできる．痙縮はほとんど消失する

b. 手指

stage I	弛緩性
stage II	指屈曲が随意的にわずかに可能か，またはほとんど不可能な状態
stage III	指の集団屈曲が可能．鉤形にぎりをするが，離すことはできない 指伸展は随意的にはできないが，反射による伸展は可能なこともある
stage IV	横つまみが可能で，母指の動きにより離すことも可能．指伸展はなかば随意的に，わずかに可能
stage V	対向つまみpalmar prehensionができる．円筒にぎり，球にぎりなどが可能（ぎこちないが，ある程度実用性がある） 指の集団伸展が可能（しかしその範囲はまちまちである）
stage VI	すべてのつまみ方が可能となり，上手にできる．随意的な指伸展が全可動域にわたって可能．指の分離運動も可能である．しかし健側より多少拙劣

c. 体幹と下肢

stage I	随意運動なし（弛緩期）
stage II	下肢の随意運動がわずかに可能
stage III	座位や立位で股，膝，足関節の屈曲が可能
stage IV	座位で足を床上に滑らせながら，膝屈曲90°以上可能 座位で踵を床につけたまま，足関節の背屈が可能
stage V	立位で股関節を伸展したまま，膝関節の屈曲が可能 立位で患側足部を少し前方に出し，膝関節を伸展したまま，足関節の背屈が可能
stage VI	立位で股関節の外転が，骨盤挙上による外転角度以上に可能 座位で内側，外側のハムストリングの交互収縮により，下腿の内旋・外旋が可能（足関節の内がえし・外がえしを伴う）

SIASはわが国で開発され，亜急性期および慢性期の脳卒中の運動機能，感覚，高次脳機能，健側評価も加えた包括的評価法として用いられている．

b. 筋力低下

筋力低下とは筋収縮により発生する張力が低下した状態である．筋張力発生には① 活動す

表7　基本的共同運動パターン

a. 上　肢

	屈筋共同運動	伸筋共同運動
肩甲帯	挙上と後退	前方突出
肩関節	屈曲，外転，外旋	伸展，内転，内旋
肘関節	屈曲	伸展
前腕	回外	回内
手関節	（掌屈，尺屈）	（背屈，橈屈）
手指	（屈曲）	（伸展）

b. 下　肢

	屈筋共同運動	伸筋共同運動
股関節	屈曲，外転，外旋	伸展，内転，内旋
膝関節	屈曲	伸展
足関節	背屈，内反	底屈，内反
足指	伸展（背屈）	屈曲（底屈，clawing）

表8　連合反応

1. 対側性連合反応
   contralateral associated reactions
   ● 上肢（対称性）*
   　健肢の屈曲→患肢の屈曲
   　健肢の伸展→患肢の伸展
   ● 下　肢
   （ⅰ）内外転・内外旋については対称性
   　（レミスト反応）
   　　健肢の内転→患肢の内転（と内旋）
   　　健肢の外転→患肢の外転（と外旋）
   （ⅱ）屈伸に関しては相反性*
   　　健肢の屈曲→患肢の伸展
   　　健肢の伸展→患肢の屈曲
2. 同側性連合反応
   homolateral associated reactions
   主に同種*
   　上肢の屈曲→下肢の屈曲
   　下肢の伸展→上肢の伸展　など

*例外もけっして少なくない．

表9　姿勢反射

A. 緊張性頸反射 tonic neck reflex（TNR）―上部頸髄レベル
（1）非対称性緊張性頸反射（ATNR）
　　頸部の捻転→顔の向いた側の上下肢の伸筋優位
　　　　　　　→反対側の屈筋優位
（2）対称性緊張性頸反射（STNR）
　　1）頸の屈曲→上肢屈筋優位，下肢屈筋優位
　　2）頸の伸展→上肢伸筋優位，下肢伸筋優位
B. 緊張性迷路反射（TLR）―延髄レベル
　　1）背臥性→上下肢伸筋優位
　　2）腹臥位→上下肢屈筋優位
C. 緊張性腰反射 tonic lumbar reflex
　　　（島本・時実―脊髄レベル？）
　　上半身を右に捻転したとき
　　1）右→上肢屈筋優位，下肢伸筋優位
　　2）左→上肢伸筋優位，下肢屈筋優位
D. その他
　　1）側臥位→上位側の上下肢の屈筋優位
　　　　　　　→下位側の上下肢の伸筋優位
　　2）立　位→上肢屈筋優位
　　　　　　　→下肢伸筋優位

る運動単位数と発射頻度，② 筋断面積，③ 収縮時の筋の長さ，④ トルクとレバーアームの関係，⑤ 筋の収縮速度などさまざまな因子が関与する．運動単位の減少や筋の萎縮による断面積の低下を生じる状態では筋力は低下し，収縮時の筋の長さやトルクとレバーアームの関係は筋力測定の際に重要な因子である．また，筋の収縮速度に影響する痙縮，固縮，拘縮，疼痛などの存在も筋力低下をもたらす因子となる．筋力低下の原因としては，脳・脊髄・前角細胞・末梢神経・神経筋接合部・筋疾患などのほかに廃用性のものも存在する．

評　価

筋力の測定は徒手的な測定と器具による測定が行われる．

1. 徒手筋力テスト（MMT）

1912年にロベット Lovett が考案して以来さまざまな方法が報告されているが，わが国ではダニエル Daniels らが開発した方法（**表11**）が広く用いられている．その特徴は特別な器具を

表10　脳卒中機能障害評価法（SIAS）

〈運動機能〉

1) 上肢近位（knee-mouth test）
   座位において患肢の手部を対側膝（大腿）上より挙上し，手部を口まで運ぶ．この際，肩は90°まで外転させる．そして膝上まで戻す．
   これを3回繰り返す．肩・肘関節に拘縮が存在する場合は可動域内での運動をもって課題可能と判断する．
   0：まったく動かない
   1：肩のわずかな動きがあるが手部が乳頭に届かない
   2：肩肘の共同運動があるが手部が口に届かない
   3：課題可能．中等度のあるいは著明なぎこちなさあり
   4：課題可能．軽度のぎこちなさあり
   5：健側と変わらず，正常
2) 上肢遠位（finger-function test）
   手指の分離運動を，母指～小指の順に屈曲，小指～母指の順に伸展することにより行う．
   0：まったく動かない
   1：1A：わずかな動きがある．または集団屈曲可能
     1B：集団伸展が可能
     1C：分離運動が一部可能
   2：全指の分離運動可能なるも屈曲伸展が不十分である
   3：課題可能（全指の分離運動が十分な屈曲伸展を伴って可能）．中等度のあるいは著明なぎこちなさあり
   4：課題可能．軽度のぎこちなさあり
   5：健側と変わらず，正常
3) 下肢近位（股）（hip-flexion test）
   座位にて股関節を90°より最大屈曲させる．3回行う．必要ならば座位保持のための介助をして構わない．
   0：まったく動かない
   1：大腿にわずかな動きがあるが足部は床から離れない
   2：股関節の屈曲運動あり，足部は床より離れるが十分ではない
   3-5：knee-mouth testの定義と同一
4) 下肢近位（膝）（knee-extension test）
   座位にて膝関節を90°屈曲位から十分伸展（－10°程度まで）させる．3回行う．必要ならば座位保持のための介助をして構わない．
   0：まったく動かない
   1：下腿にわずかな動きがあるが足部は床から離れない
   2：膝関節の伸展運動あり，足部は床より離れるが，十分ではない
   3-5：knee-mouth testの定義と同一
5) 下肢遠位（foot-pat test）
   座位または臥位，座位は介助しても可．踵部を床につけたまま，足部の背屈運動を協調しながら背屈・底屈を3回繰り返し，その後なるべく速く背屈を繰り返す．
   0：まったく動かない
   1：わずかな背屈運動がある前足部は床から離れない
   2：背屈運動あり，足部は床より離れるが十分ではない
   3-5：knee-mouth testの定義と同一

〈筋緊張〉

6) 上肢筋緊張U/E muscle tone
   肘関節を他動的に伸展屈曲させ，筋緊張の状態を評価する．
   0：上肢の筋緊張が著明に亢進している
   1：1A：上肢の筋緊張が中等度（はっきりと）亢進している
     1B：他動的筋緊張の低下
   2：上肢の筋緊張が軽度（わずかに）亢進している
   3：正常，健側と対称的
7) 下肢筋緊張L/E muscle tone
   膝関節の他動的伸展屈曲により評価する．
   6の「上肢」を「下肢」と読み替える．
8) 上肢健反射U/E DTR（biceps or triceps）
   0：bicepsあるいはtriceps反射が著明に亢進している．あるいは容易にclonus（肘，手関節）が誘発される
   1：1A：bicepsあるいはtriceps反射が中等度（はっきりと）に亢進している
     1B：bicepsあるいはtriceps反射がほぼ消失している
   2：bicepsあるいはtriceps反射が軽度（わずかに）亢進
   3：bicepsあるいはtriceps反射とも正常．健側と対称的
9) 下肢反射L/E DTR（PTR or ATR）
   0，1B，2，3：biceps，tricepsをPTR，ATRと読み替える．
   1：1A：PTRあるいはATR反射が中等度（はっきりと）亢進している．unsustained clonusを認める

（次頁につづく）

表10（つづき）

〈感覚〉

10) 上肢触覚 U/E light touch（手掌）
   0：強い皮膚刺激もわからない
   1：重度あるいは中等度低下
   2：軽度低下，あるいは主観的低下，または異常感覚あり
   3：正常
11) 下肢触覚 L/E light touch（足底）
   0〜3：上肢触覚の定義と同一
12) 上肢位置覚 U/E position（母指or示指）
   指を他動的に運動させる．
   0：全可動域の動きもわからない
   1：全可動域の運動なら方向がわかる
   2：ROMの1割以上の動きなら方向がわかる
   3：ROMの1割未満の動きでも方向がわかる
13) 下肢位置覚 L/E position（母趾）
   趾を他動的に運動させる．
   0：全可動域の動きもわからない
   1：全可動域の運動なら方向がわかる
   2：ROMの5割以上の動きなら方向がわかる
   3：ROMの5割未満の動きでも方向がわかる

〈関節可動域，疼痛〉

14) 上肢関節可動域 U/E ROM
   他動的肩関節外転を行う．
   0：60°以下
   1：90°以下
   2：150°以下
   3：150°以上
15) 下肢関節可動域 L/E ROM
   膝伸展位にて他動域足関節背屈を行う．
   0：−10°以下
   1：0°以下
   2：10°以下
   3：10°以上
16) 疼痛 pain
   脳卒中に由来する疼痛の評価を行う．既往としての整形外科的（腰痛など），内科的（胆石など）疼痛は含めない．また過度でない拘縮伸張時のみの痛みも含めない．
   0：睡眠を妨げるほどの著しい疼痛
   1：中等度の疼痛
   2：加療を要しない程度の軽度の疼痛
   3：疼痛の問題がない

〈体幹機能〉

17) 垂直性 verticality test
   0：座位がとれない
   1：静的座位にて側方性の姿勢異常があり，指摘・指示にても修正されず，介助を要する
   2：静的座位にて側方性の姿勢異常（傾で15°以上）があるが，指示にてほぼ垂直位に修正・維持可能である
   3：静的座位は正常
18) 腹筋 abdominal MMT
   車いすまたはいすに座り，殿部を前にずらし，体幹を45°後方へ傾け，背もたれによりかかる．大腿部が水平になるように検者が押さえ，体幹を垂直位まで起き上がらせる．検者が抵抗を加える場合には，胸骨上部を押さえること．
   0：垂直位まで起き上がれない
   1：抵抗を加えなければ起き上がれる
   2：軽度の抵抗に抗して起き上がれる
   3：強い抵抗に抗して起き上がれる

（次頁につづく）

表10 （つづき）

〈高次脳機能〉

19) 視空間認知 visuo-spatial test
    50 cmのテープを眼前約50 cmに提示し，中央を健側指で示させる．2回行い，中央よりのいずれの大きい値を採用する．
    0：15 cm以上
    1：5 cm以上
    2：3 cm以上
    3：3 cm未満

20) 言語 speech
    失語症に関して評価する．構音障害はこの項目には含めない．
    0：全失語症，まったくコミュニケーションがとれない
    1：IA：重度感覚性失語症（重度混合性失語症も含む）
    　 IB：重度運動性失語症
    2：軽度失語症
    3：失語症なし

〈健側機能〉

21) 握力 grip strength
    座位で握力計の握り幅を約5 cmにして計測する．健側の具体的kg数を記載すること．
    0：握力0 kg
    1：握力10 kg以下
    2：握力10〜20 kg
    3：握力25 kg以上

22) 健側大腿四頭筋力 quadriceps MMT
    座位における健側膝伸展筋力を評価する．
    0：重力に抗しない
    1：中等度に筋力低下
    2：わずかな筋力低下
    3：正常

［J Clin Rehabil別冊より引用］

表11　徒手筋力テスト（MMT）

正常	normal	(N)	5	強い抵抗を加えても，なお重力に打ち勝って全可動域を完全に動く
優	good	(G)	4	いくらか抵抗を加えても，なお重力に打ち勝って全可動域を完全に動く
良	fair	(F)	3	抵抗を与えなければ，重力に打ち勝って全可動域を完全に動く
可	poor	(P)	2	重力を除けば全可動域を完全に動く
不可	trace	(T)	1	関節は動かないが，筋膜，腱の視診，触診によって筋の収縮は軽度に認められる
ゼロ	zero	(Z)	0	筋の収縮はまったく認められない

要せず，いつでもどこでも測定でき，コストがかからず，正しい知識と技術に基づいて行われれば信頼性，妥当性，整合性に優れていることである．主として廃用性や末梢性神経筋疾患による筋力低下の測定に用いられるが，質的筋力低下を生ずる中枢性疾患においてもときに用いられることがある．

2. 器具による筋力測定

　ダイナモメーターやストレンゲージを利用した各種の筋力測定機器が開発されている．等張性や等尺性に加え等運動性の筋力測定が可能な機器（Cybex®）も臨床で広く用いられている．

c. 持久力低下

　持久力 enduranceとは長時間収縮を継続する筋の能力をいう．持久力は最大下の随意収縮を行わせ反復回数や持続時間を測定することで得られる．最大筋力の15％程度の等尺性収縮は

長時間の持続が可能である．しかし，それ以上の筋力を必要とする場合は筋力が大きくなるにつれて持続時間は短くなる．筋収縮の強度を強めていき最大酸素摂取量 maximal oxygen uptake（$\dot{V}O_2max$）の 50～55％以上の運動強度となると血中乳酸の蓄積が急激に増大し筋疲労を生じてくる．このレベルの運動強度を**無酸素閾値** anaerobic threshold（**AT**）という．運動中の血中乳酸濃度変化から AT を求めた場合，乳酸性閾値 lactate threshold（LT）という．

d．ROM の制限

ROM の制限には拘縮 contracture と強直 ankylosis とがある．前者は関節外の構成体（筋，靱帯，皮膚など）の主として結合組織の短縮であり，後者は関節軟骨，関節包などの関節構成体自身の異常によって生ずる．

評　価

① 測定に際しては被検者は完全にリラックスし，原則として他動的に最大可動域まで動かした値で示す．
② 直立などの基本肢位を 0°とする（zero starting system）．
③ 解剖学的基本肢位（前腕が回外位）とは少し異なり指を大腿部に付ける．
④ 原則として 5°刻みとする．
⑤ 基本軸は太い実線，移動軸は細い実線，運動方向は矢印で示す．
⑥ 角度計は原則として背側に当てる．

以上が従来から行われている測定の要点であるが，1995（平成 7）年，日本リハビリテーション医学会と日本整形外科学会が協力して ROM の表示と測定法の改正が行われた（⇨ p.384，付録①）．

〈主な改正点〉

① 筋緊張を弛緩させた状態で行う．
　股関節屈筋（膝屈曲でハムストリングを弛緩），足関節背屈（膝屈曲で腓腹筋を弛緩）など二関節筋の場合に注意する．
② 関節の運動によってしばしば移動するため軸心を廃止する．
　基本軸と移動軸が規定されれば軸心は二軸の交点であるためおのずからわかる．
③ 正常域といわず「参考可動域」の表現にする．
　年齢，性，肢位，個体による可動域の変動が大であるため，とくに，年齢では 10 歳前後から可動域は減少し始め，60 歳以上で加速する．性別では女性のほうが可動域は大である．
④ その他の検査法（肩，指，胸腰部に対する）を導入する．
　異なる測定法を用いた場合（測定法によって参考可動域の角度が異なる）測定に影響のある特記すべき状況がある場合にはその旨を併記する．
　例：自動，座位，膝伸展位，痛みなど
⑤ 使用頻度の少ない下腿の回旋の計測は削除．
⑥ 基本的名称以外で臨床的によく用いられるものを（　）で示す．
　肩甲骨の引き下げ（下制），手の屈曲（掌屈）と伸展（背屈），足の屈曲（底屈）と伸展（背屈），

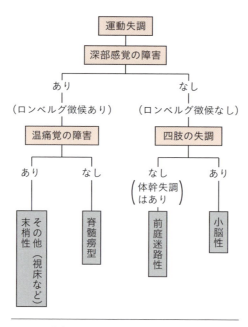

図1 運動失調の評価・分類

胸腰部の屈曲（前屈）と伸展（後屈）

e. 運動失調

運動失調は協調運動障害と平衡障害とに大別されるが多くは両者が同時に存在する．前者は四肢の，後者は体幹の失調ともいえる．

評　価

運動失調の評価は**図1**に従って行われる．脊髄および末梢性と，小脳などの中枢性運動失調の鑑別にはロンベルグ徴候 Romberg sign が用いられる．ロンベルグ徴候陽性とは両足をそろえて立ち，閉眼によって安定性がくずれる場合をいう．これは脊髄性には視覚による代償に効果があることを意味し，治療に応用される．

f. 筋トーヌスの異常

筋トーヌスの異常は低下と亢進に分けられる．筋トーヌスの低下とは他動運動で抵抗がないか減弱している状態をいう．筋腹の触診で柔らかいなどの所見がみられる．筋トーヌスの低下がみられる疾患には小脳疾患，片麻痺の初期，末梢神経障害などがある．一方，筋トーヌスの亢進には痙縮と固縮とがあり，脳血管障害，脳性麻痺，脊髄損傷，パーキンソン病 Parkinson disease などの中枢性神経疾患にみられる．痙縮とは伸張反射が低閾値で腱反射が亢進し，クローヌスが起こりやすい状態をいう．一方，固縮は伸張反射が高閾値で，腱反射は低下し，歯車様現象 cogwheel phenomenon や鉛管様現象 lead pipe phenomenon を伴う．臨床的には痙縮は錐体路，固縮は錐体外路の障害によって起こるとされているが，この定義は必ずしも当てはまらない．実際，痙縮と固縮の合併した痙固縮 rigidospasticity も上位運動ニューロン障害にはし

表12 痙縮と固縮の鑑別

	痙　縮	固　縮
伸張反射	相動性（phasic） 閾値低い	持続性（tonic） 閾値高い
腱反射	亢　進	低下しているものが多い
クローヌス	＋	－
折りたたみナイフ現象	＋	－
鉛管様現象	－	＋
歯車様現象	－	＋
バビンスキー徴候	多くは＋	－

表13 痙縮の評価法

定性的（主観的）評価法	アシュワース尺度変法 フーグル・マイヤー尺度 Fugl-Meyer scale
客観的評価法 　① 電気生理学的方法	H波（H/M比，回復曲線）の測定 F波の解析 緊張性振動反射測定 腱反射（T/H比）の測定 他動運動による表面筋電図の解析
② 工学的方法	振り子試験*pendulum test 加速度計を用いた足部反射の評価

*振り子試験：電気角度計を利用して大腿四頭筋の痙縮を下垂時の膝の屈曲角度から測定するもの

表14 アシュワース尺度変法

グレード	0	：筋緊張の増加なし
	1	：罹患部位を伸展や屈曲したとき，可動域の終わりに引っ掛かるような感じやわずかの抵抗感を呈する軽度の筋緊張の増加
	1＋	：可動域の1/2以下の範囲で引っ掛かるような感じのあとわずかの抵抗感を呈する軽度の筋緊張の増加
	2	：緊張はより増加し可動域ほとんどを通して認められるが，罹患部位は容易に動かすことはできる
	3	：緊張の著しい増加で他動的に動かすことが困難
	4	：罹患部位は屈曲や伸展を行っても固く動きがない状態

ばしばみられる．固縮と痙縮の鑑別を**表12**に示す．固縮の評価は主に臨床的に行われるが，痙縮の評価にはさまざまなものがある．

評　価

痙縮の評価には**表13**に示されるような臨床的，電気生理学的，工学的などの方法がある．臨床的に簡便に用いられるものに**アシュワース尺度** Ashworth scale（アシュワース，1964）があるが，最近では**表14**にみられるような，1987年にボハナン Bohannon とスミス Smith が発表した6段階のアシュワース尺度変法 modified Ashworth scale（MAS）が用いられている．

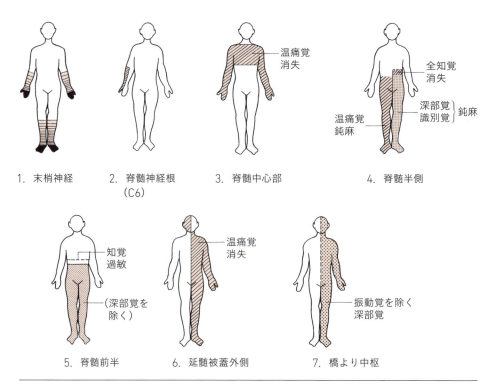

図2 障害部位と感覚障害のパターン

3 感覚障害

　感覚は一般体性感覚である触覚，特殊体性感覚（特別な受容器がある）である視覚，聴覚，内臓感覚である嗅覚，味覚などのいわゆる五感からなる．一般体性感覚はさらに表在感覚と深部感覚に分けられる．またそれらを組み合わせた皮膚書字識別覚，二点識別覚，二点同時刺激識別覚，立体覚などの複合感覚がある．これらの感覚が鈍麻したり消失したりする状態を感覚障害という．感覚の評価は問診と臨床的検査あるいは電気生理学的評価（感覚神経伝達速度，H波，体性感覚誘発電位など）で行われるが基本的には主観的評価であり，覚醒している（疼痛による逃避反応を除く）ことと，患者の協力が得られることが必要である．

a. 障害部位による感覚障害（図2）
1. 末梢神経
　神経支配領域に表在感覚の低下，異常感覚を生ずる．混合神経の場合，運動神経支配領域の筋力低下，筋萎縮を認める．多発性神経障害の場合，四肢末梢に障害の強い手袋靴下型 glove and stocking type 感覚障害となる．
2. 脊髄神経根
　後根単独の場合は感覚障害のみであるが，前根も含む神経根の障害では感覚障害のみならず前枝支配筋（主として四肢筋），傍脊柱筋の異常も生じてくる．

3. 脊髄中心部

脊髄の下部（仙髄など）からの脊髄視床路は外側に位置するため，上肢（頭側に近いほう）に強い運動および感覚障害を生ずる．感覚障害は温痛覚の障害が主で深部感覚は障害されにくい．仙髄部の温痛覚が正常に保たれる場合を仙髄回避 sacral sparing という．脊髄空洞症や中心性脊髄損傷でみられる．

4. 脊髄半側

脊髄障害レベル以下，同側に深部感覚障害と錐体路症状，反対側に温痛覚の障害を示すブラウンセカール症候群 Brown Séquard syndrome 型の脊髄不全麻痺がこれにはいる．

5. 脊髄前半

障害部位以下の温痛覚の障害．触覚の障害は軽度で，深部感覚の障害はない．前脊髄動脈症候群にみられる．

6. 延髄被蓋外側

病変側の顔面（三叉支配領域）と反対側頸部以下の温痛覚の障害．ワレンベルグ症候群 Wallenberg syndrome にみられる．

7. 橋より中枢，感覚領野まで

顔面を含む反対側の感覚障害．

8. 大脳皮質

反対側の複合感覚の障害．

b．疼痛の評価

痛みは国際疼痛学会の定義で「組織の実質的あるいは潜在的傷害と結びつくか，このような傷害をいい表す言葉を使って述べられる不安な感覚情動体験」とされている．疼痛の閾値は人種，年齢，性別，職業，性格，精神的状態などさまざまな因子によって影響を受ける．痛みの客観的評価は困難で電気生理学的手法や行動観察などから客観化が試みられているが良好な評価法はない．比較的臨床でよく用いられるのは感覚尺度を利用した視覚的アナログ尺度 visual analogue scale（VAS）である．これは決められた長さの直線上に患者が感じる痛みの程度を点で示し「痛みなし」「最大限の痛み」の間のどこに位置するのかを示させる評価法である．

4 反 射

a．反 射

反射は感覚受容器から求心性線維によって伝えられた刺激が，無意識に中枢部で遠心性線維に乗り換えられて効果器に伝達される反応で，その内容から深部反射 deep reflex，表在反射 superficial reflex，病的反射 pathological reflex，内臓反射 visceral reflex に分けられる．深部反射は筋に付着する腱を叩打し，急激な伸展をもたらしたときに起こる反射（伸張反射）で Ia 線維を求心性線維とする単シナプス反射である．その代表的なものに膝蓋腱反射（**図 3a**），アキレス腱反射がある．表在反射には粘膜反射（角膜反射，咽頭反射など）と皮膚反射（腹壁反射，肛

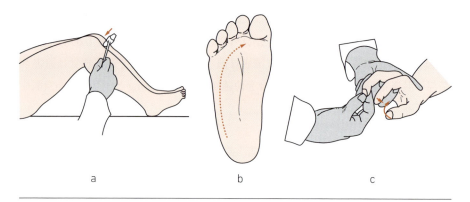

図3
a：膝蓋腱反射
膝蓋腱を叩打すると，大腿四頭筋の収縮が起こり，膝が伸展する．
b：バビンスキー反射
足底の外下方から足指に向けて弓状に母指の前までこすると母指は背屈する．
c：ホフマン反射
手関節とMP関節を伸展させ，中指の中節骨を掌側から支えて爪のところを掌側に向かってはじくと，DIP関節は急に屈曲した反動で伸展する．このとき母指と示指が屈曲する．

門反射）がある．病的反射には吸引反射 sucking reflex，口尖らし反射 snout reflex，手掌オトガイ反射 palmomental reflex，把握反射 grasp reflex，バビンスキー反射（現象）Babinski reflex (phenomenon)（**図3b**），ホフマン反射 Hoffmann reflex（**図3c**），トレムナー反射 Trömner reflex などがある．

　反射の要素として求心性，遠心性線維の存在と中枢からの促通，抑制が関与する．これらにより反射の低下または消失，正常，亢進などに分けられる．錐体路障害では深部反射は亢進し，腹壁反射は減弱し，バビンスキー反射が出現する．一方，末梢神経障害ではすべての反射が消失または減弱し，病的反射はみられない．このほか新生児期には原始反射や姿勢反射がみられるが，その異常と評価についてはⅢ章 D．小児疾患（⇨p.185〜）で述べる．

b. クローヌス（間代）

　深部反射が亢進したときに膝クローヌス patellar clonus および足クローヌス ankle clonus が出現する．非持続性か持続性か，一側か両側かなどで評価し，一側性であれば錐体路障害を疑う．

5　知能障害

　知能障害は脳内の器質的病変や精神発育遅滞，意識混濁やせん妄などの意識障害によって生じる見当識 orientation，記銘力や記憶力，計算力，社会的常識の低下をいう．この中で後天的な器質的病変のため全般的な脳機能が低下した状態を認知症という．知能障害の評価は一般的に知能指数 intelligence quotient (IQ) で表され，以下に示す精神年齢 mental age (MA) と生活年齢 chronological age (CA) の比によって示される．

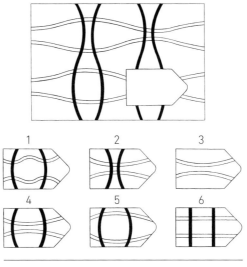

図4　レーブン色彩マトリックス検査

$$IQ = \frac{MA}{CA} \times 100$$

評　価

一般的な知能検査と主として認知症を含めた後天的な知能障害の評価を分けて述べる．

a．一般的な知能検査

1．鈴木(田中)・ビネー Binet 検査

スタンフォード・ビネー検査 Stanford-Binet test を日本版に改訂したもので，知能を精神年齢で評価できる．2歳以上を対象とする．

2．ウェクスラー成人知能検査 Wechsler adult intelligence scale（WAIS）

ウェクスラーの尺度の成人版（16歳以上）．WAIS-Ⅳは10個の基本検査と5個の捕助検討からなる．言語性・動作性IQおよび総合的IQスコアが算出される．

3．ウェクスラー小児知能検査 Wechsler intelligence scale for children（WISC）

ウェクスラー尺度の小児版で，6歳から16歳までが検査対象．

4．ウェクスラー未就学児童知能検査 Wechsler preschool and primary scale of intelligence（WPPSI）

就学前の3歳から7歳までを対象年齢とする．

5．コース立方体組み合わせテスト Kohs block design test

積み木を組み合わせ視空間認知や動作能力をみる．言語的理解の悪い症例（失語症など）にも使用できる．

6．レーブン色彩マトリックス検査 Raven colored progressive matrices（図4）

一部欠損した図形に6つのうちの1つをはめこむ課題で構成されている．

表15 簡易知能検査

	検査日：令和　　年　　月　　日　　曜日
	検査者：
氏名：　　　　　殿	生年月日：明・大・昭・平　年　月　日　歳

	質問内容	回答	得点
1	今年は何年ですか	年	
	今の季節は何ですか		
	今日は何月何日ですか	月	
		日	
	今日は何曜日ですか	曜日	／5
2	ここは都道府県でいうとどこですか		
	ここはなに市ですか	市	
	ここはなに病院ですか	病院	
	ここは何階ですか	階	
	ここはなに地方ですか（例：東北地方）	地方	／5
3	これから言う三つの言葉を言ってみてください 後でまた聞きますのでよく覚えておいてください 例：1）桜・猫・電車　2）みかん・はさみ・車 何回繰り返したか	回	／3
4	100から7を順番に引いてください	93,86,79,72,65	／5
5	3で提示した物品名を再度言ってもらう		／3
6	（時計を見せながら）これは何ですか （鉛筆を見せながら）これは何ですか		／2
7	次の文章を繰り返してもらう（1回のみ） 「みんなで、力をあわせて網を引きます」		／1
8	（3段階の命令） 「大きいほうの紙を取ってください」 「それを半分に折ってください」 「それを私にください」		／3
9	次の文章を読んで、その指示に従ってください 「目を閉じてください」		／1
10	（何か文章を書いてください）		／1
11	（次の図形を書いてください）		／1
		得点合計	／30

（注）総得点が23点以下の場合は，認知症，意識障害，その他の脳疾患を疑う．

設問3：1語に1秒かけ，繰り返してもらう．この段階でいくつ答えられたかで採点をする．
　　　　この時，1つでも誤答や思い出せない物品があれば，最高6回まで同じことを繰り返す．
　　　　これは設問5の前提になるもので，もし6回行っても全問正解できない場合は，
　　　　設問5は無意味となる．

設問4：この設問では計算力だけでなく，注意の集中についても検査しているため，
　　　　計算の途中で「93引く7は？」などと前段階の答えをいってはならない．

設問10：自発的な文章を書いてもらうのであって，検者が例文を示してはならない．
　　　　ここでいう文章とは，主語と述語があり，意味のあるものでなければならない．

設問11：角が10個あり，2つの五角形が交叉していることを得点の条件とする．

表16　DSM-5の診断基準の要約

A	1つ以上の認知領域（複雑性注意・実行機能・学習と記憶・言語・知覚-運動・社会認知）で以前の行為水準から明らかに低下しているという証拠が以下に基づいている． （1）本人，本人をよく知る情報提供者，または臨床家による，有意な認知機能低下があったという懸念． （2）標準化された神経心理学的検査あるいは定量化された臨床的評価における認知行為の障害．
B	毎日の活動において，認知欠損が自立を阻害する．
C	その認知欠損はせん妄の状況でのみ現れるものではない．
D	その認知欠損は他の精神疾患（うつ病・統合失調症など）によってうまく説明されない．

*DSM-5では認知症に加えて軽度認知障害の診断基準があり，軽度認知障害は，A．で認知機能低下が軽度，B．で認知欠損によって自立は阻害されない．

b. 認知症の検査

1. 改訂長谷川式簡易知能評価スケール

高齢者の知能障害の程度を評価するもので，30点満点であり，20点以下は認知症の疑いがある（⇨p.390，付録2）．

2. 簡易知能検査 mini-mental state examination（**MMSE**）（**表15**）

諸外国で認知症のスクリーニングテストとして用いられる．動作性検査も含まれ30点満点である．

3. 国立精研式痴呆スクリーニングテスト

認知症（痴呆性）高齢者のスクリーニングテストとして考案された．判定と指導内容が示されているのが特徴である．

その他，Diagnostic and Statistical Manual of Mental Disorders, 5th Edition（DSM-5）（**表16**）のなかにもせん妄，認知症，健忘および他の認知障害の章があり，主としてアルツハイマー Alzheimer 型認知症や脳血管性認知症，その他の診断基準が記載されている．

6　言語障害

意思の疎通（コミュニケーション）の方法としては表情，身振り・手振りなどの方法もあるが，もっとも確実で詳細な情報の伝達手段として，言語を媒体としたコミュニケーションがある．言語障害は主として脳卒中などの中枢神経疾患により生じてくるが，意識障害，精神機能の著しい低下，認知症あるいは小児の発達遅滞，脳性麻痺や口蓋裂，吃音によっても言語障害は生じてくる．この項では成人に一般的にみられる言語障害について述べる．

言語障害は大きく構音障害と失語症に分けられる．構音障害は発声・発語器官の障害により，**言語の4つの要素である「話す」「聞く」「読む」「書く」**のうち「話す」ことに異常（音の歪み）を生じる場合をいう．原則として他の3つの障害は伴わない．失語症はそのタイプにより要素的障害の組み合わせが異なるが，「話す」「書く」あるいは「聞く」「読む」障害がそれぞれ組み合わさって起こることが多い．

評価

a. 構音障害

発声・発語器官の麻痺，筋緊張異常，不随意運動などにより構音が歪んだり，置換される状態をいい，音声変化には一貫性があり，常により容易なほうへと音は歪む．

原因疾患や障害部位によりいくつかのタイプに分けられる．

1. 錐体路性構音障害

脳血管障害などの上位運動ニューロンの障害による仮性球麻痺によって起こる．

2. 錐体外路性構音障害

パーキンソン病などで筋の緊張が高まり単調で不明瞭な言語となる．

3. 小脳性構音障害

発語筋の協調運動障害により失調性発話を特徴とし，爆発的 explosive，緩徐 slurred で断綴性 scanning の言語となる．

4. 末梢性構音障害

脳幹障害や下位運動ニューロンの障害による球麻痺で起こる．

5. 筋性構音障害

重症筋無力症や筋炎などの筋疾患による障害で起こる．

b. 発語失行

発語失行 verbal apraxia は発語に際し構音とプロソディー（リズム，抑揚，速度）の障害を呈する失行症状で，左半球前言語野に病巣をもつ場合が多く，運動失語（ブローカ失語 Broca aphasia）に合併しやすい．しかし，単独でも発症する．

c. 失語症

脳の器質的病変により音声言語と文字言語の両方を含む表出と理解の障害をきたした状態を失語症という．失語症の主な症状として以下の症状がある．

1. 喚語困難

頭で考えていることが言葉として表出されない状態．

2. 錯語

想起した言葉と異なる言葉（語性錯語）あるいは音（音韻性錯語）が出る．

3. ジャーゴン

意味不明の言葉が出てくる状態．感覚失語（ウェルニッケ失語 Wernicke aphasia）にみられやすい．

その他計算，文法の障害に加え，読字の障害（失読）や書字の障害（失書）などが加わる．失読，失書は失語症のない状態でも単独で存在する．

失語症の分類にはさまざまなものがある．質的な分類として以前はシュエル Schu-ell やジェンキン Jenkin の分類が用いられた時期もあったが，最近では再び**古典的分類**が用いられてきている（⇨p. 86，表32）．さらに詳細な診断と治療の効果をみるために**標準失語症検査** standard

表17　高次脳機能障害の診断基準

I．主要症状等	
1.	脳の器質的病変の原因となる事故による受傷や疾病の発症の事実が確認されている．
2.	現在，日常生活または社会生活に制約があり，その主たる原因が記憶障害，注意障害，遂行機能障害，社会的行動障害などの認知障害である．
II．検査所見	
	MRI，CT，脳波などにより認知障害の原因と考えられる脳の器質的病変の存在が確認されているか，あるいは診断書により脳の器質的病変が存在したと確認できる．
III．除外項目	
1.	脳の器質的病変に基づく認知障害のうち，身体障害として認定可能である症状を有するが上記主要症状（I―2）を欠く者は除外する．
2.	診断にあたり，受傷または発症以前から有する症状と検査所見は除外する．
3.	先天性疾患，周産期における脳損傷，発達障害，進行性疾患を原因とする者は除外する．
IV．診　断	
1.	I〜IIIをすべて満たした場合に高次脳機能障害と診断する．
2.	高次脳機能障害の診断は脳の器質的病変の原因となった外傷や疾病の急性期症状を脱した後において行う．
3.	神経心理学的検査の所見を参考にすることができる．

language test of aphasia（**SLTA**）や**ウエスタン失語症総合検査** western aphasia battery（**WAB**）がある．その他失語症に用いられる検査として**実用コミュニケーション能力検査** communicative abilities in daily living（**CADL**）がある．CADLは言語コミュニケーションのレベルを実際の生活の場面で用いられる課題として5段階で評価するもので，容易な課題から困難な課題まで順位付けがなされている．

7　高次脳機能障害

　脳卒中，頭部外傷などの脳障害によってさまざまな高次脳機能障害を呈する．高次脳機能障害という言葉は認知障害全般を指し，失語，失認，失行のほか記憶障害，注意障害，遂行機能障害，社会的行動障害などが含まれる．2001（平成13）年度に開始された高次脳機能障害支援モデルにおいて行政的な観点から**表17**に示されるような高次脳機能障害診断基準が示された．

　ここでは比較的出現頻度の高い高次脳機能（意識，言語は他の項で）の評価法について以下に述べる．

a．失　認

　失認とは，感覚系を通じて外界の対象，空間，自己の身体の情報は大脳に伝達されているが，それを認識できない状態をいう．感覚様式ごとに視覚失認（見えているが認識できない），触覚失認（触って物を認識できない），聴覚失認（音をきいて認識できない）などに分けられる．これらは他の感覚様式を利用して認識が可能である．

図5 図形模写
左無視がある．

図6 アルバートの検査用紙
線分を1つずつ消去していき消去のし忘れをみる．

1. 半側視空間失認あるいは半側空間無視 unilateral spatial neglect（USN）

臨床上もっとも遭遇する機会が多い失認の1つで左右両側にみられるが，右半球障害による左半側空間無視がより重度でリハビリテーション上問題になる．

評　価

a）図形の模写（図5）
図形を模写させて手本に対して無視があるかをみる．

b）自発描画
口頭で指示した図形を自発的に書かせ無視の程度をみる．

c）抹消試験
線分（アルバート Albert の検査用紙）（図6），図形，文字などの課題を抹消させる．左半側空間失認では左端，あるいは左下の見落としが多い．

d）線分二等分試験
簡便な方法で，水平な線を二等分させ，中央からの偏位の大きさ（通常1cm以内）から無視を判断する．

e）BIT 行動性無視検査 behavioural inattention test（BIT）
通常検査と行動検査よりなる．前者は半側空間無視の古典的検査を網羅したもので線分あるいは文字・星印抹消試験，模倣試験，線分二等分試験，描画試験よりなる．行動検査は日常生活場面を模した課題で，写真課題や音読課題などが含まれる．

2. 地誌的（見当識）障害
病室を離れると戻れない，知っている地名を地図上に記せないなど地誌上の記憶，認知の障害．

3. 身体失認
指示されて身体各部を示したり，部位を命名したりできない．

4. 相貌失認
顔であること，顔の部分，表情・男女・老若の識別や既知の顔の同定ができないなどの障害を実際の場面や写真などを用いて検査する．

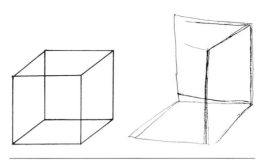

図7 構成失行
立方体の模写．左側の無視と構成障害を認める．

その他手指失認，左右失認，失書，失算が認められるものにゲルストマン症候群 Gerstmann syndrome がある．

b. 失　　行

一般に麻痺などの運動障害がないかあっても軽度で，意図的でない動作は可能であるが，課題（言語指示あるいは動作の模倣による）を課せられた動作が，十分理解できるにもかかわらず，できなくなるか，スムーズさを欠く場合をいう．感覚障害，失語症，失認，精神症状などにも影響される．

1. 観念運動失行
複雑な系列的行為の遂行の障害．動作のやり方を知らない，あるいは知っていてもうまくできない．動作の模倣など物品使用以外の行為も障害される．

2. 観念失行
物品の使用障害がある．マッチでろうそくに火を付けるとき，マッチ箱にろうそくをこするなど，対象を正確に使用できない．運動そのものは正確である．

3. 肢節運動失行
身体の一部分の意図的な運動が統合的にできなくなった状態．

4. 構成失行
図形や積み木などの立体を模写したり，指示により絵や図形などの空間的な形態の構成能力の障害を検査する．左右脳半球により描画の構成障害の差がある（**図7**）．

5. 着衣失行
更衣動作の障害で，上下，左右，裏表など着衣と身体部分の関連付けができなくて起こる失行症状．

その他行為の障害として運動維持困難 motor impersistence がある．これは指示されて閉眼，開口，挺舌などを長く維持することができない状態をいい，2つの動作を組み合わせるとより困難な課題となり陽性率が高くなる．

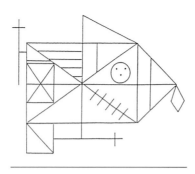

図8　レイ・オステライト複雑図形検査

c. 注意力障害

　注意力テストにはさまざまなものがあり，現在臨床で，聴覚的語音反応検査 audio-motor method（AMM），視覚的文字抹消検査 letter cancellation test，paced auditory serial addition test（PASAT），trail making test（TMT）などが用いられている．また，前頭葉機能検査法の代表的なものにウィスコンシンカード分類検査 Wisconsin card sorting test（WCST）がある．これはカテゴリーが異なった4枚のカードを指示された課題に応じて分類するもので，誤反応や指示の展開の障害などを評価する．

d. 記憶障害

　記憶は保持される期間から短期記憶と長期記憶に分けられる．一般的には前者の評価法がよく用いられる．

1．短期記憶の検査

a）言語性記憶

1）改訂版ウェクスラー記憶尺度 Wechsler memory scale-revised（WMS-R）

　記憶指数 memory quotient（MQ）が算出される．言語性，視覚性，一般性記憶と注意力，集中力，遅延再生の5つの記憶の側面を測定できる．

2）三宅式記銘力検査

　単語の即時再生の検査で有関係と無関係の課題がある．

b）視覚性記憶

1）ベントン視覚記銘検査 Benton visual retention test

　図形を提示し記憶させ，それを再生させる課題により記銘力を測定する．

2）レイ・オステライト複雑図形検査 Rey-Osterrieth complex figure test

　図8に示すような複雑な図形を提示後再生させる．

2．リバーミードテスト Rivermead behavioral memory test（RBMT）

　展望記憶あるいは前方視的記憶の検査として最近開発された．日常記憶をベースにした言語性と視覚性の学習課題が入っている．WMS-Rと異なる特徴をもち，お互いに補完的に用いられる．

3. 長期記憶の検査

手続き記憶の検査法としてハノイの塔（あるいはtower of Toronto）がある．

e. 遂行機能障害

遂行機能とは日常生活でなんらかの問題に遭遇した際，それを解決していくために動員される，一連の複雑な認知・行動機能の総称で，これが障害されるのが遂行機能障害である．遂行機能障害の行動評価法としてはbehavioural assessment of the dysexecutive syndrome（BADS）が用いられている．

8 心理障害

個人の心理的特性について性格および適性，知能などにより客観的評価を行うものを心理テストという．単一のテストで心理的側面を表すのは不可能である．そのためいくつかのテストや診察，面談を組み合わせて評価を行う．

a. 性格検査
1. 質問紙法
ａ）矢田部・ギルフォード検査 Yatabe-Guilford test（Y-G test）

120項目の質問形式で「はい」「いいえ」で答える．A型からE型の5つの性格（プロフィール）に分けられる．

ｂ）ミネソタ多面的人格特性目録検査 Minnesota multiphasic personality inventory（MMPI）

550項目からなる．妥当性尺度と臨床尺度があり，妥当性尺度では信頼できる回答をしているかが評価される．

ｃ）顕在性不安尺度 manifest anxiety scale（MAS）：不安検査

慢性不安が評価される．

ｄ）コーネル健康調査指数 Cornell medical index（CMI）：健康調査票

身体的および精神的自覚症状を男女別に質問する評価法である．神経症のスクリーニングテストとして使用される．

ｅ）ベンダーゲシュタルト検査 Bender gestalt test

9個の図形を被検者に模写させて分析する．器質的疾患の鑑別や情緒障害の診断を行う．

2. 投影法
ａ）ロールシャッハテスト Rorshach test

偶然にできたインクのしみを左右対称形にしたカードを10枚みせ，絵がどのようにみえたかを問うことで性格を判断するものである．

ｂ）文章完成テスト sentence completion test（SCT）

書き出しの部分が示された文章の残りの部分を完成させ，その内容から性格を判断する．

c）絵画統覚検査 thematic apperception test（TAT）
絵をもとに物語を創造させることで性格を判断する．
　　d）HTP（house, tree, person）テスト
被検者に家，木，男性像，女性像を描画させ性格を判断する．
　　e）絵画欲求不満テスト picture frustration study（PF study）
欲求不満の程度を絵に対する反応より評価する．
　　その他バウムテスト Baum test などがある．
3．作業検査法
　　a）内田・クレペリン精神検査 Uchida-Kraepelin psychodiagnostic test
数字を加える作業を通して性格を検査する．

b．うつの評価

　他者評価によるハミルトンのうつスケール Hamilton raiting scale for depression と，自己評価法であるツング Zung の自己評価式抑うつ尺度 self-rating depression scale（SDS）がリハビリテーション領域で比較的多く用いられている．

　以上のほかに，明確な診断基準をもち，さまざまな器質的精神疾患，内因性精神病の診断に有用な **DSM-5**（⇨p. 41，表16）がある．

9　発達障害

　子供は精神的にも身体的にも成長し，思考も身体活動も複雑な課題をこなすことができるようになり，社会に適応した行動が可能となってくる．ここでいう成長 growth は量的な拡大を意味し，個々の部位・機能が成熟する場合を表す言葉として発達 development が用いられる．すなわち子供は成長し発達する．成長の評価は量的に示すことで，容易であるが，発達の評価は多面的な要素があり，さまざまな評価法が考案されている．

a．成長の評価

　乳幼児の身長，体重，胸囲，頭囲の身体発育値は厚生労働省が10年ごとに調査を行って作成している．個々の測定値の評価でなく，とくに身長と体重を組み合わせた評価法（指数）は臨床上有用である．身長 L（cm），体重 W（kg）で表したとき，

　　カウプ指数 Kaup index　　　　$\dfrac{W}{L^2} \times 10^4$

　　ローレル指数 Rohrer index　　$\dfrac{W}{L^3} \times 10^7$

　　比体重　　　　　　　　　　　$\dfrac{W}{L} \times 10^2$

となる．

b．発達の評価

発達の検査法には，① 知能を評価するもの［鈴木（田中）・ビネー検査（⇨p.39），WISC（⇨p.39）など］，② 行動より発達段階を評価するもの（日本版デンバー式発達スクリーニング検査など），③ 発達の個別を評価するもの（フロスティグテスト Frostig test，グッドイナフ人物画知能検査など）がある．① は心理検査のところで述べたため，本項では ②，③ を中心に説明する．

行動発達を評価する方法では，ゲセル Gesell 流の発達に伴う各種行動の獲得から年齢月を対応させようとする考え方になっている．これで求められる発達指数 developmental quotient (DQ) は以下の式になる．

$$発達指数（DQ）=\frac{発達年齢月}{暦年齢月}\times 100$$

平均的な発達では発達年齢月と暦年齢月とは等しく，DQは100となる．

1．遠城寺式乳幼児分析的発達検査法
0歳から4歳8ヵ月までを評価．

2．津守式乳幼児精神発達診断法
0歳から7歳までを評価．

3．日本版デンバー式発達スクリーニング検査 Denver developmental screening test (JDDST)
0歳から6歳までが対象で，粗大運動，微細運動－適応，言語，個人社会的行動の4つの領域で評価を行う．

4．ミラーニ・コンパレッティの発達チャート Milani-Comparetti developmental chart
0歳から2歳までの自発的行動と誘発反応から月齢を割り出している．脳性麻痺の診断に有用である（⇨p.391，付録③）．

5．運動年齢検査 motor age test
上下肢別に運動年齢が出生から72ヵ月まで作成され，点数 motor age の合計を暦年齢で除して運動指数 motor quotient を得る．

6．粗大運動能力尺度 gross motor function measure (GMFM)
GMFMは脳性麻痺における運動発達の変化をとらえる目的で考案された粗大運動能力の評価尺度である．評価方法は5歳児で可能な運動課題88項目の達成度にて判定する．実際に行わせて採点する．

7．子どもの能力低下評価法 pediatric evaluation of disability inventory (PEDI)
6ヵ月から7.5歳レベルの小児を対象に開発された．測定項目は機能的技能197項目，複合的活動20項目からなり，セルフケア，移動，社会項目の3領域からなる．

8．フロスティグテスト
4歳から7歳11ヵ月までを対象に視知覚の発達程度を検査．

9．Illinois test of psycholinguistic abilities (ITPA) 言語学習能力検査
3歳から8歳までの言語能力検査．

表18 神経発達よりみた反射と運動神経

中枢神経系の成熟レベル	該当レベルでみられる反射および反応	運動発達	月齢
脊髄	手の把握反射 陽性支持反応 逃避反射 交叉性伸展反射 自動歩行 踏み直り反射	腹臥位 背臥位	新生児
脊髄〜橋	対称性緊張性頸反射 非対称性緊張性頸反射 緊張性迷路反射 モロー反射		2ヵ月
中脳 (立ち直り反射)	頸立ち直り反射 体幹立ち直り反射 迷路性立ち直り反射 視性立ち直り反射 ランドー反射 パラシュート反射	四つ這い 座位	6ヵ月 9〜10ヵ月
大脳皮質 (平衡反応)	腹臥位および背臥位における傾斜反応 跳躍反応 hopping reaction シーソー反射 see-saw reflex	つかまり立ち つたい歩き 歩行 走る	12ヵ月 14ヵ月 2歳

10. グッドイナフ人物画知能検査

3歳から10歳までが対象.

c. 新生児の診察

中枢神経の成熟に応じてみられる反射が異なってくる(**表18**).生後2ヵ月では反射は脊髄から橋に移り,緊張性頸反射がよくみられるようになる.次いで中脳を中心とした立ち直り反射が有意になり10ヵ月前後で大脳皮質レベルの平衡反応がみられるようになる.それぞれの反射は**表18**に示された部位でよく誘発される.

1. 脊髄反射 spinal reflex

脊髄に反射中枢をもつ反射.

a) 把握反射 palmar grasp, plantar grasp

小指(手足とも)側より触刺激を与えると握ろうとする反射.母指球や掌面を圧迫しても誘発される.

b) 逃避反射 withdrawal reflex

足底を針などで刺激すると両足を屈曲して引っ込める反応.

c) 交叉性伸展反射 crossed extension reflex

背臥位で一側の下肢を伸展し,膝を固定し,足底部に刺激を与えると,反対側の下肢に屈曲

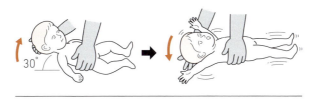
図9　モロー反射

運動が起こる．
d）踏み直り反射 placing reflex
新生児を抱きかかえ机の端で足背を接触すると机の上に踏み上がろうとする動作をする．
e）自動歩行（足踏み反射 stepping reflex）
新生児を抱きかかえ足底を床に着けると歩くような動作（自動歩行）をする．
　その他脊髄レベルの反射に**陽性支持反射（反応）**positive supporting reflex（reaction）がある．

2．脊髄・橋レベルの反射
a）モロー反射 Moro reflex（図9）
　もっとも反射が出やすい方法は背臥位で頭を支える手を急に放して頸部を伸展する方法である．両上肢が伸展，外転し，抱きつこうとする動作が正常でみられる．消失や非対称が異常．
b）非対称性緊張性頸反射 asymmetrical tonic neck reflex（ATNR）
　背臥位で頸部を一方に回旋させると顎の向いたほうに上肢の伸展が起こり，後頭部の向いたほうに上肢（肘）の屈曲が起こる．
c）対称性緊張性頸反射 symmetrical tonic neck reflex
　頸部を前屈させると上肢は屈曲し，下肢は伸展する．逆に頸部を伸展すると，上肢が伸展，下肢が屈曲する．
d）緊張性迷路反射 tonic labyrinthine reflex
　背臥位で頸部を軽く後屈させると四肢の伸展が起こり，腹臥位で頭部を前屈させると四肢が屈曲する反射．
e）吸啜反射 sucking reflex
　生後より存在する反射で，口腔内に指を入れると強い力で吸い付く．口腔内にとらえた乳首より乳を吸う反射．
f）乳探索反射 rooting reflex
　口唇付近を刺激すると乳を吸おうとして唇を突き出し，乳首をとらえようとして顔を向ける反射．

3．中脳レベルの反射
　中脳レベルの反射は立ち直り反射 righting reflex である．
a）頸の立ち直り反射 neck righting reflex
　新生児にみられる唯一の立ち直り反射．頸部を一方向に回転させると，体が一体となって回転する．5〜6ヵ月ごろにみられる立ち直り反射は頸部のあとに肩，体幹，骨盤が順に回転する．

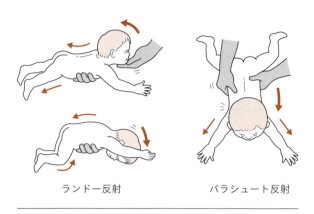

図10 ランドー反射とパラシュート反射

b）視性立ち直り反射 optic righting reflex
体幹を左右一方に傾けると顔が正中位に立ち直る．

その他，迷路性の立ち直り反射 labyrinthine righting reflex，頭への身体立ち直り反射 body righting reflex on the head，体への身体立ち直り反射 body righting reflex on the body がある．

c）ランドー反射 Landau reflex
乳児を腹臥位で水平に保持し，頭部を自動的あるいは他動的に挙上すると，体幹・下肢が伸展する．次に頭部を前屈させると体幹・下肢が屈曲する反応（**図10**）．生後6ヵ月から2歳半ころまでみられる．

ボイタ法 Vojta method で使われるランドー反射は腹臥位水平抱きの発達をみたもので，以下のように第1相から第3相までがある．**図10**に示すような頭位による体幹・下肢の反応が起こるのはボイタ法の第3相に達してからである．

第1相：頭部，体幹，四肢は軽度屈曲（生後1ヵ月半まで）
第2相：頭部は肩の高さまで，ほかは同じ（1ヵ月半〜4ヵ月まで）
第3相：頭部，体幹が伸展する．6ヵ月で骨盤レベルまで伸展が広がる．

d）パラシュート反射 parashute reflex
児を抱きかかえて急に落下させると，上肢，手指を伸展して体重を支えようとする．8ヵ月前後からみられる（**図10**）．

4．大脳皮質レベルの反射
平衡反応が主体である．傾斜反応や四つ這いや座位での平衡反応がある．

a）跳躍反応 hopping reaction
小児を立たせ左右に倒すと頭が立ち直り反対側の下肢が交差して重心をとる．前後でも重心をとる動作がみられる．生後10ヵ月ごろよりみられる．

その他乳児期にみられる反射としてガラン反射 Galant reflex がある．これは，背部の一側を刺激する（末梢側から頭側へ）と体幹を刺激した方向に弓状に曲げ，反対側は凸になる．生後

3ヵ月ごろまでは左右対称にみられる．これら原始反射の消失の時期に関してはミラーニ・コンパレッティの発達チャートを参照されたい（⇨p.391，付録③）．

d. 反射の異常

消失すべき反射が残存する場合，中枢神経系の障害が疑われる．もっとも頻度の高い異常は非対称性緊張性頸反射の残存である．生後3ヵ月を超えてみられる場合は異常とみなされる．その他対称性緊張性頸反射が顕著にみられる例や引き起こし反射で体幹の反り返りや棒状に起立する例は異常とみなされる．

10 廃用症候群

廃用症候群は disuse syndrome の和訳でヒルシュベルク Hirschberg の著書のなかで過用症候群 overuse syndrome，誤用症候群 misuse syndrome とともに用いられたのが初めてである．一方クルーゼン Krusen の教科書ではそれに該当する用語はなく，デリサ DeLisa のそれでは immobility という用語が使われている．その他，immobilization，inactivity も使用され，内科領域では脱調整という意味で deconditioning が用いられる．

ヒポクラテス Hippocrates は「運動により体は鍛えられ，安静にて退化する」と最初に述べた．なんらかの原因により安静臥床を強いられると身体の各器官に変調を生ずる．これも廃用症候群といわれる．その原因としては，① 急性疾患や外傷によるベッド上安静，② 麻痺による神経筋活動の制限，③ ベッド上不良肢位，④ 無重力空間内などである．以下各器官に生ずる廃用症候群の症状を示す．ただし注意すべきこととして，これらの症状がみられたときに，安静の影響以外に器質的疾患が原因である可能性を考えることが大切であり，安易に廃用症候群と判断してはならない．

1．中枢神経系

異常感覚と疼痛の閾値の低下，活動性の低下，自律神経失調，情緒障害（不安うつ症候群 anxiety depression syndrome），知的能力低下，心理的荒廃

2．筋骨格系

筋力低下，筋萎縮，持久力低下，関節拘縮，骨粗鬆症

3．心循環系

心臓予備力低下，1回心拍出量低下，安静時心拍数増加，起立性低血圧，深部静脈血栓症・肺塞栓症，最大酸素摂取量の低下

4．呼吸器系

肺活量低下，予備呼気量減少，最大換気量低下，換気血流比低下，肺炎，咳嗽メカニズムの障害

5．消化器系

胃腸管活動の低下（便秘），消化腺（唾液，膵液）の活動低下，食欲低下

表 19 ICS の分類

	蓄尿時	排尿時
膀胱機能	・正常 ・過活動	・正常 ・低活動 ・無収縮
尿道機能	・正常 ・不全	・正常 ・閉塞

6. 内分泌・泌尿器系

尿路結石（高カルシウム尿症），電解質（Na，Ca，P，S，K，Mg）の負の平衡，利尿（ナトリウム利尿），糖耐性低下，尿失禁（中枢神経系の影響もあり）

7. 皮 膚

緊張度 turgor の低下，皮下脂肪の減少，巻き爪，褥瘡

11 排尿障害

　膀胱は平滑筋である排尿筋と内尿道括約筋，および横紋筋である外尿道括約筋からなる袋状器官である．排尿筋，内尿道括約筋は自律神経である骨盤神経および下腹神経によって支配される．一方で，外尿道括約筋は体性神経である陰部神経によって支配され，随意的な収縮，弛緩が可能である．

　排尿は，尿道括約筋が弛緩すると同時に排尿筋が活動して膀胱を収縮させることにより起こる．一方，蓄尿時では，骨盤神経の活動が抑制されて排尿筋が弛緩し，下腹神経と陰部神経の活動により内・外尿道括約筋が持続的に収縮している．また，下腹神経は排尿筋も支配しているため，排尿筋の弛緩にも関与する．橋にも排尿中枢があり，大脳の指令を受けて排尿筋収縮と尿道括約筋弛緩の指令を脊髄に送るとともに，排尿筋と尿道括約筋の協調運動にかかわる．尿意は，膀胱の伸展受容器からの求心性神経活動が骨盤神経を経由して脊髄，さらに脳に送られて感知される．この求心性神経活動は脊髄で下腹神経に伝えられて蓄尿が維持される．

　排尿障害はリハビリテーション治療を受ける患者の重要な合併症として，あるいは排尿障害そのものがリハビリテーション治療の中心と考えられる場合も少なくない．そのため排尿機構の解剖生理に根ざした診断，検査，評価が大切である．

評　価

　診断は問診として，排尿障害（尿閉，排尿困難，頻尿，失禁）の有無，頻度，日中か夜間か，膀胱の尿の貯留感，排尿後の残尿感，排尿障害に関係する合併症や薬物投与の有無を質問する．国際的には国際尿禁制学会 International Continence Society（ICS）の分類が用いられる（**表 19**）．

a. 病態による評価

1. 排出障害（閉塞症状）
排尿困難と尿閉からなる．低活動性膀胱や利尿筋括約筋協調不全 detrusor sphincter dyssynergia (DSD) が原因．

2. 蓄尿障害（刺激症状）
頻尿，夜間尿，尿意切迫，失禁などの症状がある．

3. 尿意の異常
末梢神経や脊髄の損傷による求心系の障害に加え，広範囲の脳障害にみられる．

b. 検査による評価

1. 一般検査
尿（定性，定量），細菌培養，残尿測定（⇨p.74，B．臨床検査）．

2. 神経学的検査
皮膚感覚（とくに会陰部），運動麻痺の有無と程度，反射（球海綿体反射，肛門括約筋反射，病的反射）．

3. X線検査
単純X線，コンピューター断層撮影 computed tomography (CT)（⇨p.76），磁気共鳴画像 magnetic resonance imaging (MRI)（⇨p.76）および，膀胱造影や静脈性腎盂造影 intravenous pyelography (IP)（⇨p.74）による評価．

4. 尿流動態検査（⇨p.74）

5. 超音波検査
腹部超音波による残尿量の測定．

12 摂食嚥下障害

摂食嚥下障害は食物が口腔，咽頭，食道を通過して胃に入る過程に生じる障害であり，脳血管障害，外傷性脳損傷，神経筋疾患，呼吸器疾患などで高率にみられる．臨床的に摂食嚥下は5期に分けることが多い（図11，図12）．

1. 先行期 anticipatory stage
食物を認知し，口に入れるまでの判断をする時期．

2. 準備期 preparatory stage
食物を口腔内に取り込み，必要に応じて咀嚼し，食塊を形成する時期．

3. 口腔期 oral stage
口腔から咽頭へ食塊が送り込まれる時期．

4. 咽頭期 pharyngeal stage
嚥下反射が生じ，食塊が咽頭から食道に送り込まれる時期．

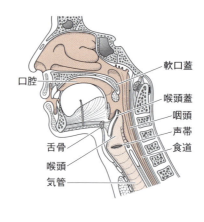

図11 口腔，咽頭，喉頭の模式図

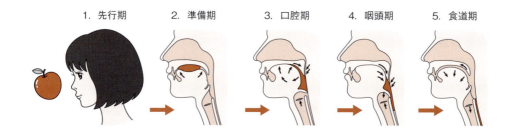

図12 摂食嚥下プロセス

5. 食道期 esophageal stage

食塊が蠕動運動により食道から胃に運ばれる時期．

評 価

食事中や食後のむせ，湿性嗄声，誤嚥性肺炎の既往などがあれば摂食嚥下障害の存在が疑われる．わが国で頻用されるスクリーニング検査としては，質問紙法，反復唾液嚥下テスト repetitive saliva swallowing test（RSST），改訂水飲みテスト modified water swallowing test（MWST）などがある．水飲みテストは，臨床場面では，飲水量の変更やとろみ水を用いて評価を行う場合もある．詳細な評価のためには，嚥下造影検査 videofluoroscopic examination of swallowing（VF），嚥下内視鏡検査 videoendscopic evaluation of swallowing（VE）が有用である．正常では嚥下反射時には舌骨が前上方に挙上し，喉頭蓋が喉頭を閉鎖し，食道入口部が開大して食塊を咽頭から食道へと送り込む．嚥下造影検査，嚥下内視鏡検査では，喉頭侵入（食塊が喉頭に入っているが，声門下までは達していない状態），誤嚥（食塊が声門下に達する），咽頭残留（嚥下終了後

の咽頭への食塊残留），嚥下反射の遅延の有無などを評価する．誤嚥時にむせが生じるかどうかも重要である．また，摂食嚥下障害患者に対しては口腔ケアを十分に行うことが大切である．

13 心機能障害

心臓の病態としてはうっ血性心不全，虚血性心疾患，不整脈などがあげられる．そのために，心不全や冠動脈障害，不整脈に対する検査，胸痛の鑑別のための各種の心電図検査が行われる．

a．一般的検査

1．胸部X線検査
心拡大，心胸比増大，胸水の有無をみる．

2．心電図
不整脈，徐脈，頻脈，虚血性変化，心肥大をみる（安静時・負荷時・ホルター心電図がある）．

3．末梢血
貧血，多血，白血球数増加などをみる．

4．電解質
とくにKとNa濃度．

5．心筋逸脱酵素
グルタミン酸オキサロ酢酸トランスアミナーゼ glutamic oxaloacetic transaminase (GOT)，グルタミン酸ピルビン酸トランスアミナーゼ glutamic pyruvic transaminase (GPT)，乳酸脱水素酵素 lactate dehydrogenase (LDH)，クレアチンキナーゼ creatin kinase (CK) およびアイソザイム．

b．冠動脈疾患の評価

1．心臓カテーテル検査
カテーテルを心臓に挿入して，心内圧（心房圧や心室圧）測定，心拍出量測定，造影剤注入による形態異常（狭窄など）や収縮異常を診断する．

2．心筋シンチグラフィー
核医学検査の1つで放射性物質を用い，心臓の代謝や虚血状態を測定する．同様の画像診断として単一フォトン断層撮影法 single photon emission computed tomography (SPECT) (⇨p.78) やポジトロン断層撮影法 positron emission tomography (PET) (⇨p.78) がある．

c．胸痛・不整脈の評価

1．運動負荷試験
虚血性心疾患の診断や運動量の決定に用いられる．一般的にはマスター2階段試験法 Master two step test (⇨p.72)，自転車エルゴメーター (⇨p.72)，トレッドミル負荷試験 (⇨p.72) などがある．エルゴメーターの負荷量は抵抗と回転数により決まり，ワット watt で表示される．トレッドミルは速度と傾斜で負荷量が決定され，多段階連続負荷法が用いられ，ブルース法

表 20　運動負荷試験が禁忌となる疾患・病態

絶対的禁忌
1. 2日以内の急性心筋梗塞
2. 内科治療により安定していない不安定狭心症
3. 自覚症状または血行動態異常の原因となるコントロール不良の不整脈
4. 症候性の重症大動脈弁狭窄症
5. コントロール不良の症候性心不全
6. 急性の肺塞栓または肺梗塞
7. 急性の心筋炎または心膜炎
8. 急性大動脈解離
9. 意思疎通の行えない精神疾患

相対的禁忌
1. 左冠動脈主幹部の狭窄
2. 中等度の狭窄性弁膜症
3. 電解質異常
4. 重症高血圧*
5. 頻脈性不整脈または徐脈性不整脈
6. 肥大型心筋症またはその他の流出路狭窄
7. 運動負荷が十分行えないような精神的または身体的障害
8. 高度房室ブロック

*：原則として収縮期血圧＞200 mmHg，または拡張期血圧＞110 mmHg，あるいはその両方とすることが推奨されている．

Bruce protocolが一般的である．負荷試験を安全に遂行するために『心血管疾患におけるリハビリテーションに関するガイドライン（2021年改訂版）』では，運動負荷試験が禁忌となる疾患・病態を絶対的禁忌と相対的禁忌に分けて規定している（**表20**）．相対的禁忌では個々の症例で運動負荷試験の有益性とリスクのバランスを評価して，有益性がリスクを上回る場合に運動負荷試験を実施する．

2．ホルター心電図

テープ心電図によって24時間記録し，1日の生活のなかで自覚症状に現れない変化をみつけるのに有効である．

3．二重積 double product

pressure-rate productともいわれ，収縮期血圧×心拍数で表される．心筋の酸素消費量を示す指標．

4．三重積 triple product

心筋の酸素消費量を示す指標の1つで，左室の平均駆出期圧（または平均動脈圧）×1分間の収縮時間（1心拍の収縮時間×心拍数）

5．心臓超音波検査

心臓の動きをリアルタイムでみるBモード法と，経時的にみるMモード法がある．心室壁の運動異常を診断しやすい．超音波（Mモード）を用い非観血的に駆出率 ejection fraction（EF）を測定することができる．

最近は血流方向をカラーで表示できるカラードプラー法も行われるようになった．

d．心機能障害に伴う能力低下の評価

能力低下の評価法にNew York Heart Association（**NYHA**）（**表21**）の心機能分類がある．

表21 New York Heart Association (NYHA) の心機能分類

class	内　容
I	身体的活動を制限する必要のない心疾患患者．日常の身体活動
II	身体的活動を軽度ないし中等度に制限する必要のある心疾患患者．日常の身体活動で，疲労，動悸，息切れ，狭心症状が起こる
III	身体的活動を中等度ないし高度に制限する必要のある心疾患患者．安静時には快適であるが日常の軽い身体活動でも疲労，動悸，息切れ，狭心症状が起こる
IV	身体的活動を制限せざるをえない心疾患患者．安静にしても，心不全症状や狭心症状が起こり，少しでも身体活動を始めようとすると不快感が増強する

14 呼吸機能障害

呼吸機能障害は自覚的に「息が苦しい」などの呼吸困難の症状から診断基準に基づいた呼吸不全まで幅広い症状，病態をカバーする．

評　価

a．一般的評価

1．問　診

問診で大切なことは症状が安静時か，労作時か，昼夜で違うか，ポジション（起座と臥位）で違うか，痰の量はどれくらいかである．また既往歴，職業歴のほか喫煙歴もきく．

2．他覚所見

自覚症状としては呼吸困難，胸部圧迫などが認められるが，他覚的所見としては呼吸筋の活動亢進・疲労，呼吸補助筋の活動，鎖骨上窩・肋骨腔の陥凹，呼吸数の増加，呼吸抑制などがみられる．

3．検　査

検査としては動脈血分析，スパイロメトリー（⇨p.307）により図13の換気機能障害が判定される．

b．呼吸不全の評価

呼吸不全は原因の如何にかかわらず，動脈血ガス（PaO_2，$PaCO_2$）が異常の値を示し生体が正常な機能を営めなくなった状態をいう．診断基準としては表22に示す厚生省（当時）の特定疾患呼吸不全調査研究班の基準が用いられる．慢性呼吸不全とは少なくとも1ヵ月以上の症状が続いた場合をいう．

c．能力低下の評価

日本ではヒュー・ジョーンズ Hugh-Jones の分類がよく用いられるが，国際的には modified British Medical Research Council (mMRC) スケール（⇨p.308，表J-6）が用いられることが多い．その他能力低下の評価法として6分間歩行試験あるいはシャトル歩行試験（⇨p.308）が用いられる．

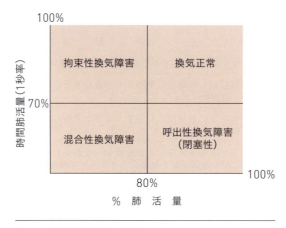

図 13　換気機能障害の分類

表 22　呼吸不全の診断基準と分類（厚生省特定疾患呼吸不全調査研究班より作成）

I	室内気吸入時の動脈血酸素分圧が 60 mmHg 以下となる呼吸障害またはそれに相当する呼吸障害を呈する異常状態を呼吸不全と診断する
II	呼吸不全を動脈血炭酸ガス分圧が 45 mmHg を超えて異常な高値を呈するものとそうでないものとに分類する
III	慢性呼吸不全とは呼吸不全の状態が少なくとも 1 ヵ月間持続するものをいう

（注）動脈血酸素分圧が 60 mmHg を超え，70 mmHg 以下のものを「準呼吸不全」状態として扱う．

15　歩行障害

　両足を用いて体を移動させることを歩行という．歩行は周期性の運動である．歩行のサイクルは**図 14**に示すように立脚期 stance phase は踵接地 heel contact，足底接地 foot flat，立脚中期 mid stance，踏み切り push off に分けられる．立脚前期から中期までを制動期 restraint，中期から踏み切りまでを前進期 propulsion と分ける場合もある．遊脚期 swing phase は加速期 acceleration，遊脚中期 mid swing，減速期 deceleration に分けられる．一側の踵接地から再び同側の踵接地までを 1 ウォーキングサイクル（1 歩行周期）という．1 サイクルは立脚期（足底が地面に着いているとき：1 サイクルの約 60％）と遊脚期（足底が地面と離れているとき：1 サイクルの約 40％）に分けられる．1 サイクルの時間は 1.03±0.10 秒である．両方の足が地面に同時に着いているときを二重支持期 double support といい，1 サイクルの約 15〜20％であるが，歩行が速くなるにつれ短くなり，走行 run のときには 0％となる．重心の位置は身体の全長の足底から約 55％のところにある．解剖学的には S1〜3 の上縁の間の前方にあり，股関節の後ろ約 1.8 cm と膝の少し前方を通る．

　歩行を評価する場合さまざまな歩行に関する用語が用いられる．以下に主な用語の説明をする．

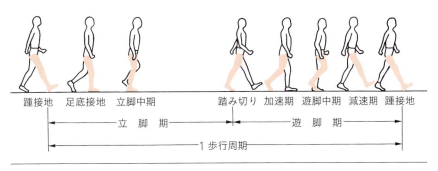

図14 歩行のサイクル

a. 歩行に関する用語
1. 基礎的用語
- 歩 step：一方の踵が着いて，他方の踵が着くまで．
- サイクル cycle：一方の踵が着き，次に同じ踵が着くまで．距離や時間を問題にするときはストライド stride を用いる．
- 重複歩長 stride length：同側の踵接地間の距離．
- 歩幅 step length：次の（対側の）踵接地間の距離．
- 重複歩幅 stride width：歩隔と同じ．
- 歩隔 step width：踵接地間の中点を結ぶ2本の線の距離．平均10 cm．
- 歩行率または歩調 cadence：ケイデンスともいわれ，単位時間内の歩数（歩/分）は80〜120ぐらい．
- 歩行速度 velocity：歩幅と歩行率との積．
- 足角 degree of toe out：進行方向に対して足部の縦軸のなす角度．歩行速度が増すにつれて小さくなる．平均7°．

2. 松葉杖歩行の種類
- 2点歩行：一方の松葉杖と対側の下肢を同時に，次に反対側を同時に運ぶ歩行．
- 4点歩行：一方の松葉杖→対側の下肢→対側の松葉杖→その反対の下肢の順で足を運ぶ歩行．
- 同時引きずり歩行：両松葉杖を前に出し，両足を引きずって手前まで運ぶ歩行．松葉杖を交互に出して引きずるのを交互引きずり歩行という．
- 小振り歩行：両松葉杖を同時に前に出し両足を振り出して松葉杖のところまで運ぶ歩行．
- 大振り歩行：小振り歩行より両足が松葉杖より前に振り出して着地する歩行．

b. 異常歩行の評価
1. 臨床的評価
歩行を評価するには直線で10 mぐらいの距離のある場所で側方のみならず前・後方から観察できるスペースが望ましい．ゆっくりとした歩行からはや足で歩かせてその変化を観察する．

表23　異常歩行の原因

1. 下肢の左右差による非対称性
2. 下肢の可動域制限（拘縮，強直）
3. 荷重部の疼痛
4. 関節の不安定性・動揺性
5. 筋力低下（末梢神経障害，筋疾患）
6. 中枢神経障害（脳性，脊髄性）
   失調性歩行，パーキンソン歩行も含む
7. 心因性（ヒステリー）

歩行障害の原因には**表23**に示すようなさまざまなものがある．そのため臨床的には歩容を観察すると同時に，脚長差，ROM制限，関節動揺性，筋力，感覚障害や疼痛の有無，痙縮や固縮などの筋トーススの異常，腱反射の亢進などの上位ニューロン障害の有無，失調の有無などの一連の神経学的評価が必要である．

2．機械による測定（歩行分析）

詳細は成書に譲るとして測定する対象により以下に分けられる．

a）点の座標の位置

頭部，肩，股・膝・足関節軸の位置とその動きを電荷結合素子 charge coupled device（CCD）カメラや光位置センサー position sensitive detector（PSD）などにより検出し解析することができる．

b）関節角度の測定

多軸あるいは単軸のゴニオメーター

c）力の測定

フォースプレートが代表的で，垂直力や前後左右の剪断力が測定できる．

c．疾患や障害部位に特徴的な歩行

1．片麻痺歩行 hemiplegic gait

脳血管障害などの片側の上位ニューロンの障害により起こる．股関節の屈筋や内転筋の緊張が高いため，体幹は前傾し，遊脚期には伸展パターンのため，ぶんまわし歩行あるいは外旋歩行，はさみ脚歩行 scissors gait となる．膝は立脚期に反張を起こすことが多く，足は尖足あるいは内反尖足になり踵接地は消失する．

2．痙性歩行 spastic gait

両側の上位ニューロンの障害による．膝伸展位で両下肢を交差して歩くため，はさみ脚歩行ともいわれる．脳性麻痺の痙性両麻痺が代表的である．

3．失調性歩行 ataxic gait

両足は広く開き，不安定である．遊脚期には下肢を高くあげ，着地の衝撃は大きい．方向転換は不安定であり，上肢は外転位を保つ．よろめき歩行ともいわれる．脊髄癆，小脳性疾患などで起こる．

4. 鶏　歩 steppage gait

下垂足の歩き方で，遊脚期に下肢を高くあげて，足尖から接地する．腓骨神経麻痺でみられる．

5. 中殿筋歩行 gluteus medius gait（**トレンデレンブルグ歩行** Trendelenburg gait）

重心の側方動揺が大きい歩行で，高度の筋力低下のある代償性跛行では重心を患側股関節上に落とすため患側へ体幹が傾斜し，非代償性跛行では患側の股関節を側方に突出させ，体幹は健側に傾く．両側の筋力低下があればアヒル歩行 waddling gait という．

6. 大殿筋歩行 gluteus maximus gait

股関節伸展筋の麻痺あるいは筋力低下による歩行．重心線が股関節の後方を通るようにするために立脚期に体幹の後方への投げ出し thrust がみられる．筋ジストロフィー症にみられる．

7. パーキンソン歩行 parkinsonian gait

膝を屈曲し，体幹を前傾する．すくみ足や小刻みな歩行を示す場合がある．上肢は体幹に近付け，腕の振りは少ない．方向転換は困難で転倒しやすい．前方突進現象 propulsion がある．

8. 跛　行 limping

一側下肢の短縮や足部の変形，下肢に荷重痛がある場合，足を引きずり，患側の立脚期を短くして歩く．脚長差は 3 cm まで代償可能である．さらに短縮すると（6〜8 cm）重心の上下の移動を防ぐため健側の膝が曲がる．疼痛性跛行では衝撃を減らすためゆっくりとした歩幅の狭い歩行である．疼痛側での立脚期は短い．

9. その他

大脳基底核障害にみられる小刻み歩行 small stepped gait や，ヒステリーにみられるヒステリー歩行 hysterical gait がある．

16　上肢機能の評価

四肢の機能を考えるとき上肢と下肢の間に著しい相違があることに気付く．下肢の主な機能は歩行であり，上肢では手指運動（動作）である．前者が比較的近位の少数の筋活動によって達成されるのに比べ，後者は遠位にある多数の小さな筋の複雑な動きの組み合わせによって達成される．そのため下肢に比べ上肢の機能評価は複雑で標準化が十分になされているとはいえないのが現状である．上肢の機能には手話など社会的な表現機能もあるが，主として握る，つまむなどの機械的機能が重要である．上肢の機械的機能には，感覚フィードバック機能，到達 reach 機能，把持などの末端機能，両手を利用した共同機能がある．

評　価

a. 臨床的評価

臨床的評価として，MMT，握力，ROM 検査，感覚検査（表在，深部，二点識別など），片麻痺機能検査法（ブルンストロームステージ）や測定障害 dysmetria，共同運動障害 asynergia，変換運動障害 dysdiadochokinesis，振戦 tremor，時間測定異常 dyschronometria などの小脳障害の評価，ピンボード，ペグボードあるいはライン定規を用いた評価法を用いる．協調性テスト

もモーターコントロールの評価に重要である．

b. 器械を用いた評価

1. 手指機能指数 finger-function quotient（FQ）

器械を用い手指機能を定量的に評価する方法としてFQがある．動作的機能，補助的機能，調節的機能がそれぞれ測定される．

2. 簡易上肢機能検査 simple test for evaluating hand function（STEF）

上肢の運動能力，とくに動きの速さから評価する．

3. 脳卒中上肢機能検査 manual function test（MFT）

片麻痺の上肢機能検査．上肢の前方挙上ならびに側方挙上，手掌を後頭部へ当てる，手掌を背部へ当てる，つかみ（球），つまみ（コインとピン），立方体運び，ペグボードで評価する．

17 ADL障害

日常行われる動作は年齢，職業，生活様式，生活習慣，環境など個人によりその内容は著しく異なるが，1つの個体として社会生活を送る場合なんらかの共通する一連の動作がある．これを日常生活活動（ADL）という．ADLは1976（昭和51）年の日本リハビリテーション医学会評価基準委員会で「ADLはひとりの人間が独立して生活するために行う基本的な，しかも各人とも共通に毎日繰り返される一連の身体動作群をいう」と定義された．その注釈の中で，ADLは残存能力を評価し，身体的運動能力にとどまらず，精神活動やコミュニケーション能力に広げられて評価される場合もあるとしている．評価法には数多くのものが発表され，評価項目や評価段階はそれぞれによって異なる．歴史的にはPULSES，カッツ・インデックスKatz index of ADL，ケニーの身辺処理評価Kenny self-care evaluationなどの評価法があるが，現在国際的にもっとも多く用いられているのはバーセル指数Bathel indexと機能的自立度評価法（FIM）である．FIMは7段階評価で，評価に多少技術を要する点はあるが，「しているADL」を評価しており，ADLの状態をより客観的に評価でき，またリハビリテーションの治療効果を反映しやすい利点もあり，リハビリテーション専門施設を中心に急速に広がってきたADLの評価法である．

評 価

1. PULSES

P：身体状況（内臓器疾患，脳障害），U：上肢，L：下肢，S：感覚（発話，視覚，聴覚），E：排泄機能，S：知的・情緒的状態の6項目．

コミュニケーションや心理的な活動の評価および機能評価に有利．

2. カッツ・インデックス

6項目を評価する．A〜Gの機能段階（7段階）がある．

3. ケニーの身辺処理評価

6つの大項目と17の小項目からなる．5段階評価．

4. バーセル指数（表24）

「できるADL」を評価．10項目からなる．合計得点は100点．点数が高いほど自立度は高い．60以上で介助が少なくなり，40以下で介助量が増え，20以下で全介助となる．

5. FIM（表25）

18の評価項目からなり，7段階評価．介助や手出しの「必要」「不要」の程度が評価される．

6. functional independence measure for children（WeeFIM）

子供のための機能的自立度評価法（⇨p.197）．

18　APDL障害

細川によれば，ADLは身辺処理と移動を行う標準的ADL（standard ADL）と，生活環境への適応を行う手段的ADL（instrumental ADL）（**表26**）に分けられ，それらが合わさって拡大ADL（extended ADL）（⇨p.363，表N-6）が形成されている．この手段的ADLは1969年にロートン Lawton により提唱され，応用動作としての生活関連動作 activities parallel to daily living（APDL）を意味するものである．手段的ADLには電話の使用，買い物，食事の支度，家事，洗濯，外出時の交通手段，服薬，家計管理の8項目が含まれる．ただし，食事の支度，家事，洗濯の3項目は男性患者の場合評価対象にならないとされている．わが国では高齢者の社会生活能力（知的能動性，社会的役割）の目安として老研式活動能力指標（⇨p.362，表N-5）がある．

19　職業前評価

作業能力の評価法にはさまざまなものがある．以下にバッテリー化された方法を説明する．

1. ワークサンプル法

実際の職業から抽出した作業を評価する方法．タワー法 testing, orientation and work evaluation in rehabilitation（TOWER）が代表的である．その他マイクロタワー法がワークサンプル法に含まれる．

2. モダプツ法 modular arrangement of predetermined time standards（MODAPTS）

オーストラリアで開発された標準時間既定法の1つで，この変法にワーカビリティーテストがある．

B．臨床検査

臨床検査にはさまざまなものがあるが，ここではリハビリテーション対象患者にとくに関係のある検査法のみとりあげ，リハビリテーション治療上どのように用いられるかを簡単に説明する．

表24　バーセル指数およびその判定基準

	自立	部分介助	全介助
1. 食　事	10	5	0
2. 移　乗	15	10-5	0
3. 整　容	5	0	0
4. トイレ	10	5	0
5. 入　浴	5	0	0
6. 歩　行	15	10	0
（車いす）	5	0	0
7. 階段昇降	10	5	0
8. 着替え	10	5	0
9. 排　便	10	5	0
10. 排　尿	10	5	0
合計点	（　　）点		

食　事
10：自立．自助具などの装着可．標準的時間内に食べ終える
5：部分介助（たとえば，おかずを切って細かくしてもらう）
0：全介助

車いすからベッドへの移乗
15：自立．ブレーキ・フットレストの操作も含む（歩行自立も含む）
10：軽度の部分介助または監視を要す
5：座ることは可能であるが，ほぼ全介助
0：全介助または不可能

整　容
5：自立（洗面，整髪，歯みがき，髭剃り）
0：部分介助または全介助

トイレ動作
10：自立．衣服の操作，後始末を含む．ポータブル便器などを使用している場合はその洗浄も含む
5：部分介助．体を支える，衣服・後始末に介助を要する
0：全介助または不可能

入　浴
5：自立
0：部分介助または全介助

歩　行
15：45 m 以上の歩行．補装具（車いす，歩行器は除く）の使用の有無は問わない
10：45 m 以上の歩行の介助歩行．歩行器使用を含む
5：歩行不能の場合，車いすにて 45 m 以上の操作可能
0：上記以外

階段昇降
10：自立．手すりなどの使用の有無は問わない
5：介助または監視を要する
0：不可能

着替え
10：自立．靴，ファスナー，装具の着脱を含む
5：部分介助．標準的な時間内，半分以上は自分で行える
0：上記以外

排便コントロール
10：失禁なし．浣腸，坐薬の取扱いも可能
5：時に失禁あり．浣腸，坐薬の取扱いに介助を要する者も含む
0：上記以外

排尿コントロール
10：失禁なし．採尿器の取扱いも可能
5：時に失禁あり．採尿器の取扱いに介助を要する者も含む
0：上記以外

表25

a. FIMの18項目

FIM運動項目（motor items）

セルフケア（selfcare）
　食事（eating）
　整容（grooming）
　清拭（bathing）
　更衣・上半身（dressing，upper body）
　更衣・下半身（dressing，lower body）
　トイレ動作（toileting）
排泄コントロール（sphincter control）
　排尿管理（bladder management）
　排便管理（bowel management）
移乗（trasfer）
　移乗：ベッド，いす，車いす
　　　　（transfers：bed, chair, wheelchair）
　移乗：トイレ（transfers：toilet）
　移乗：浴槽・シャワー
　　　　（transfers：tub or shower）
移動（locomotion）
　歩行，車いす（ambulation，wheelchair）
　階段（stairs）

FIM認知項目（cognitive items）

コミュニケーション（communication）
　理解（comprehension）
　表出（expression）
社会的認知（social cognition）
　社会的交流（social interaction）
　問題解決（problem solving）
　記憶（memory）

b. FIMの採点基準

採点基準	介助者	手出し	
7：完全自立	不要	不要	
6：修正自立	不要	不要	時間がかかる，補助具が必要，安全性の配慮
5：監視・準備	必要	不要	監視，指示，促し
4：最小介助	必要	必要	75％以上自分で行う
3：中等度介助	必要	必要	50％以上，75％未満自分で行う
2：最大介助	必要	必要	25％以上，50％未満自分で行う
1：全介助	必要	必要	25％未満しか自分で行わない

表26 手段的ADL

項　　目	得点
A．電話の使用	
1．自分から積極的に電話をかける（番号を調べてかけるなど）	1
2．知っている2，3の番号へ電話をかける	1
3．電話を受けるが，自分からはかけない	1
4．電話をまったく使用しない	0
B．買い物	
1．すべての買い物を1人で行う	1
2．小さな買い物は1人で行う	0
3．すべての買い物に付き添いを要する	0
4．買い物はまったくできない	0
C．食事の支度	
1．献立，調理，配膳を適切に1人で行う	1
2．材料があれば適切に調理を行う	0
3．調理済み食品を温めて配膳する．また調理するが栄養的配慮が不十分	0
4．調理，配膳を他者にしてもらう必要がある	0
D．家　事	
1．自分で家屋を維持する．または重度作業のみときどき援助を要する	1
2．皿洗い，ベッドメーキング程度の軽い作業を行う	1
3．軽い作業を行うが十分な清潔さを維持できない	1
4．すべての家屋維持作業に援助を要する	1
5．家屋管理作業にはまったくかかわらない	0
E．洗　濯	
1．自分の洗濯は自分で行う	1
2．靴下程度の小さなものは自分で洗う	1
3．すべて他人にしてもらう	0
F．交通手段	
1．1人で公共交通機関を利用する．または自動車を運転する	1
2．タクシーを利用し，ほかの公共交通機関を使用しない	1
3．介護人または道連れがいるとき公共交通機関を利用する	1
4．介護人つきでのタクシーまたは自動車の利用に限られる	0
G．服　薬	
1．適正量，適正時間の服薬を責任をもって行う	1
2．前もって分包して与えられれば正しく服薬する	0
3．自分の服薬の責任をとれない	0
H．家計管理	
1．家計管理を自立して行う（予算，小切手書き，借金返済，請求書支払，銀行へいくこと）	1
2．日用品の購入はするが，銀行関連，大きなものの購入に関しては援助をする	1
3．貨幣を扱うことができない	0

1 電気生理検査

a. 脳波検査 electroencephalography（EEG）

脳波検査は脳の生理的機能検査法で，画像診断などでみられる形態学的検査法とは対照的である．てんかんやクロイツフェルト・ヤコブ病 Creutzfelt-Jakob disease など特異的な所見を示す疾患の診断に用いられるほか，意識障害，認知症あるいは脳卒中などの局所病変の機能的重症度の評価に用いられる．たとえば，加齢に伴う脳機能の低下は脳波上では認知症の初期とほとんど同様な所見を示すが，認知症が高度になると，α波の周波数や出現量の減少，広汎性に徐波の増加がみられる．

評　価

波形の周波数（徐波化），振幅（低振幅），波形（棘波，スパイク），位相などで評価する．記録導出法には単極（基準電極）導出法と双極導出法とがあり，前者は汎発性・非対称性異常をとらえやすく，後者は局所病変の診断に有効である．

b. 誘発電位 evoked potential

誘発電位の代表的なものに体性感覚誘発電位 somatosensory evoked potential（SEP），視覚誘発電位 visual evoked potential（VEP），聴覚誘発電位 auditory evoked potential（AEP）などがある．これらの頭皮上から記録される大脳誘発電位には，加えられた感覚刺激によって直接的に誘発される短い潜時の刺激関連電位 stimulus-related potential と長い潜時の事象関連電位 event-related potential（ERP）とがある．後者は刺激の認知などの情報処理過程に関連するとされている．ERPには随伴陰性変動 contingent negative variation（CNV）や誘発電位後期陽性成分 late positive component（P 300）などがある．

一方，頭蓋骨の外から非侵襲的に大脳皮質を刺激する経頭蓋磁気刺激 transcranial magnetic stimulation（TMS）が開発され，運動誘発電位 motor evoked potential（MEP）の潜時，振幅，閾値，中枢伝導時間，静止期 silent period などから各種疾患の診断，予後予測に用いられている．磁気刺激は検査のみならず，ジストニーや脳卒中などの運動障害の治療にも応用されている．

c. 筋電図 electromyography（EMG）

筋電図は筋の電気的活動を記録するもので，針筋電図 needle EMG，表面筋電図 surface EMG に分けられる．針筋電図では，主として下位運動ニューロン（脊髄前角-脊髄根-末梢神経-神経筋接合部-筋）の病変を検索するのに有効である．安静時の陽性鋭波 positive sharp wave，線維性自発電位 fibrillation potential，線維束電位 fasciculation，刺入時電位の増加，急降下爆撃音（筋緊張性ジストロフィーにみられる），随意収縮時の振幅の増大あるいは低下，持続時間の延長あるいは短縮，多相性の増加，干渉波の減少などが異常所見として認められる．**表27**は安静時および随意収縮時の正常および主な疾患の筋電図の特徴を示す．表面筋電図は筋の広い範囲の活動を干渉波として取り出すことができる．運動学的評価（歩行など）や不随意運動，筋緊張異常の解析などに有用である．また等尺性収縮から積分筋電図をとり筋疲労を

表27　正常および異常筋電図

	正　常	前角細胞疾患	末梢神経障害	筋疾患
安静時				
刺入時活動（Ins. Act.）	<20 msec	延長	延長	種々
線維自発電位（Fib.）または	なし	あり	あり	まれ
陽性鋭波（P-w.）				
線維束自発電位（Fasc.）	なし	あり	まれ	なし
随意収縮時				
振幅（amp.）	0.2〜2.0 mV	2.0〜5.0 mV	0.3〜3.0 mV	0.1〜0.3 mV
持続時間（duration）	4〜12 msec	5〜20 msec	3〜15 msec	1〜3 msec
多相波（polys.）	≦1	>1	>1	>1
干渉型（Int. Patt.）	4	<4	<4	≦4（早期動員）

検索することもできる．

d. 神経伝導検査　nerve conduction study

　運動および感覚神経誘発電位の潜時を測定し，神経伝導速度の遅延，伝導ブロック（中枢からの刺激が途中でブロックされるため，末梢での刺激による振幅が大きくなる現象）の有無から損傷部位，程度を判定する．その他末梢神経の誘発検査に含まれるものにH波（筋紡錘のIa線維が求心線維で，脊髄を介してα運動神経が遠心線維である．痙縮などの評価に用いる），F波（刺激がα運動神経を逆行して脊髄に伝わり再興奮を起こし，再びα運動神経に伝わり末梢で筋収縮波形として記録される．ギラン・バレー症候群 Guillain-Barré syndrome などの脊髄近位部の神経病変の診断に有効），T波（腱反射などの機械的刺激により誘発される波形で，求心線維は筋紡錘から）などがある．また，神経筋接合部の障害（重症筋無力症など）の診断には連続刺激を応用した疲労検査が行われる．その他，顔面神経麻痺に有用な瞬目反射 blink reflex などが含まれる．

e. 神経興奮テスト　nerve excitability test（NET）

　電気刺激装置を用いて神経あるいは筋を刺激し興奮性をみるものでクロナキシーメータが主に用いられる．神経を電気刺激するとその支配筋に筋収縮がみられる．その際，刺激の持続時間が短いほど，強い刺激が必要となる．この電流と持続時間の関係を描いたものに強さ・時間曲線 strength-duration curve（SD curve）（図15）がある．被検筋がごくわずか収縮する最小の刺激電流を基電流 rheobase といい，この2倍の強さで刺激したときに最小収縮を起こす刺激持続時間（msec）を時値（クロナキシー）という．また，図15のように強さ・時間曲線は脱神経の場合は右方に移動し，部分的神経支配（不全損傷）があるときは正常波形との中間に位置する．

2　呼吸機能検査

　呼吸機能不全の状態を調べるのに各種の呼吸機能検査がある．呼吸機能検査にはスパイロメ

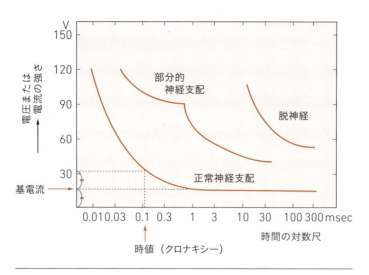

図15 強さ・時間曲線

トリー，フローボリューム曲線 flow-volume curve，動脈血ガス分析，全肺気量と残気量の測定，運動負荷試験などがある（⇨ p. 307〜）．

3 心機能検査

心機能検査には簡便な脈拍，血圧の測定があるが，より広範囲な心機能の異常をとらえる方法に心電図がある．

a．心電図
1．誘導法
心電図の誘導法には標準肢誘導，増高単極肢誘導，単極胸部誘導，特殊な誘導などがある．
2．心電図波形
正常心電図の基本波形は**図16**のようにP〜Uの山と谷からなり，各部の名称はP波，PR（PQ）間隔，PR区間，QRS波群，T波，QT間隔，U波などである．心電図をみるポイントとしては，①心拍数，②リズム，③波形の変化，④波形の高さなどがある．**図17**に主な異常波形を示す．

b．運動負荷試験
安静状態では症状は出現しないが負荷をかけると心電図に異常を生じやすいため，さまざまな運動負荷試験が行われる．
1．運動強度の表示法
a）代謝当量 metabolic equivalents（METs）
安静座位を1としてその何倍の酸素消費にあたるかを示したものである．1METは約3.5 mL/

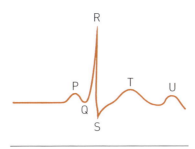

図16 正常心電図波形

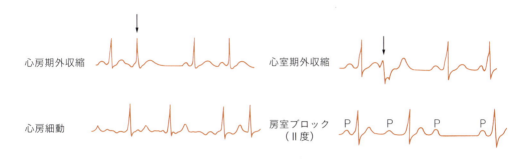

図17 主な異常波形

表28 活動レベルとエネルギー消費

労作区分	METs	酸素消費量 (mL/min・kg)	エネルギー消費量 (kcal)
きわめて軽い労作	3以下	10以下	4以下
軽い労作	3〜5	11〜18	4〜6
中等度の労作	5〜7	18〜25	6〜8
重い労作	7〜9	25〜32	8〜10
きわめて重い労作	9以上	32以上	10以上

kg/分の酸素消費に相当し，運動強度の目安になる．**表28**は活動レベルの軽いから重い順にとエネルギー消費を示したものである（⇨p.300，表J-3）．

b）ワット watt

ワット wattは仕事率（単位時間あたりの仕事量）の単位であり，エルゴメーターでの負荷の際の負荷量の単位として使われる．METsと異なり被検者の体重に影響されない．

仕事率（watts）＝負荷抵抗×単位時間あたりに進んだ距離

1 kgの負荷をかけた車輪を1分間に50回転（1回転で3 m進む車輪）させた場合

$$1\,(kg) \times 3\,(m/回転) \times 50\,(回転/min) = 150\,(kg \cdot m/min)$$
$$= 150 \times 9.8\,(N \cdot m/min)$$

$$= 150 \times 9.8/60 \, (\text{N} \cdot \text{m/sec})$$
$$\fallingdotseq 25 \, (\text{watts})$$

$$\left[\begin{array}{l} 1\,\text{kg} = 9.8\,\text{N}\,(\text{N}：ニュートン) \\ 1\,\text{watt} = 1\,(\text{N} \cdot \text{m/sec}) \end{array} \right]$$

2. 運動負荷試験

a）マスター2階段試験

2段の凸型の階段を昇降させた前後で心電図を測定する負荷試験法の1つである．3分間で行うダブル負荷と1分30秒で行うシングル負荷とがある．体重，性，年齢により昇降回数が決められている．

b）自転車エルゴメーター

自転車を一定の負荷と速度（1分間の回転数）で決められた時間動かし，負荷を与える．上肢用，臥位用のエルゴメーターもある．

c）トレッドミル負荷試験

走行速度と床面の傾斜角により負荷量を変える．負荷法にはブルース法 Bruce protocol やノートン法 Naughton protocol などさまざまなプロトコールがある．

その他簡便な負荷法として握力計による上肢負荷や反復しゃがみ運動テストなどがある．また，運動療法実施のために土肥はアンダーソン Anderson の基準を改定した方法（**表29**）を提唱したが，現状と合わない部分もある．運動負荷の禁忌については内部疾患の章を参照のこと．

d）時間内歩行試験

特別な器具を用いず容易に施行でき，運動耐用能やリハビリテーションの効果を判定するのに有用である．12分間歩行と10分間歩行および重症例には6分間歩行距離試験が行われる．

3. 自覚的運動強度 rating of perceived exertion（RPE）

ボーグ Borg は自覚的に判断する運動強度を提唱し，**表30**の左のような15段階スケール（ボーグ指数 Borg Scale）を提唱した．この点数の10倍の値は運動時の心拍数とほぼ一致する．最近では改良した修正ボーグ指数（**表30**右の10段階スケール）が作成された．心拍数単独よりも被検者の疲労度を加味できる利点がある．

4. 体力の評価

体力を評価するものにはさまざまな評価法があるが，代表的なものを以下に示す．

① 最大酸素摂取量 maximal oxygen uptake（$\dot{V}O_2\text{max}$）

動作の遂行には骨格筋への持続的な酸素の供給が必要である．これを支えるのは酸素運搬系である．これが大きいほど体力があり，激しい運動を持続することができる．測定方法には疲労困憊まで負荷を行う直接法と最大下運動時に得られる定常状態から間接的に測定する間接法がある．酸素摂取量は以下の式で求められる．

酸素摂取量＝心拍数×1回心拍出量×動静脈酸素較差

② 酸素摂取量と心拍数の組み合わせ

障害をもった患者に最大酸素摂取量を得るために疲労困憊になるまでの負荷をかけることは

表29　運動療法実施のための基準（アンダーソン・土肥）

I．訓練を行わないほうがよい場合 　1．安静時脈拍数120/分以上 　2．拡張期血圧120 mmHg以上 　3．収縮期血圧200 mmHg以上 　4．労作狭心症を現在有するもの 　5．新鮮心筋梗塞1ヵ月以内のもの* 　6．うっ血性心不全の所見の明らかなもの 　7．心房細動以外の著しい不整脈 　8．訓練前すでに動悸，息切れのあるもの II．途中で訓練を中止する場合 　1．訓練中，中等度の呼吸困難，めまい，嘔気，狭心痛などが出現した場合 　2．訓練中，脈拍数140/分を超えた場合	3．訓練中，1分間10個以上の期外収縮が出現するか，または頻脈性不整脈（心房細動，上室性または心室性頻脈など）あるいは徐脈が出現した場合 　4．訓練中，収縮期血圧40 mmHg以上または拡張期血圧20 mmHg以上上昇した場合 III．次の場合は訓練を一時中止し，回復を待って再開する 　1．脈拍数が運動前の30％を超えた場合，ただし，2分間の安静で10％以下にもどらぬ場合は，以後の訓練は中止するか，またはきわめて軽労作のものにきりかえる 　2．脈拍数が120/分を超えた場合 　3．軽い動悸，息切れを訴えた場合

*現在はインターベンション後の心機能の評価に基づいて運動療法が実施される

［土肥　豊：Medicina **13**：1068, 1976より引用］

表30　自覚的運動強度（ボーグ指数）

ボーグ指数：15段階スケール			修正ボーグ指数：10段階スケール		
6			0	nothing at all	（なし）
7	very, very light	（非常に楽である）	0.5	very, very weak	（非常に弱い）
8			1	very weak	（かなり弱い）
9	very light	（かなり楽である）	2	weak	（弱い）
10			3	moderate	（適度）
11	fairly light	（楽である）	4	somewhat strong	（やや強い）
12			5	strong	（強い）
13	somewhat hard	（ややきつい）	6		
14			7	very strong	（かなり強い）
15	hard	（きつい）	8		
16			9		
17	very hard	（かなりきつい）	10	very, very strong	（非常に強い）
18					
19	very, very hard	（非常にきつい）			
20					

［Borg GV：Med Sci Sports Exerc **14**：377-387, 1982より引用］

困難である．間嶋は間接測定法の考えを利用して一定の脈拍数（$\dot{V}O_2\,100$ あるいは $\dot{V}O_2\,120$）における酸素摂取量を障害者における体力の指標とした．

③ **無酸素閾値** anaerobic threshold（**AT**）

　一定以下の運動強度では筋組織は有酸素性代謝によって得られるエネルギーによってまかなわれるが，運動強度が上がるにつれ酸素の供給が追い付かなくなり，無酸素性代謝が参加し，その結果，乳酸の産生が急速に増大する．その分岐点をATとし，酸素運搬系の能力の指標すなわち体力の指標としている．

4 腎・膀胱機能検査

泌尿器系の検査は大きく腎機能検査と膀胱尿道機能検査に分けられる．

a. 腎機能検査 renal function test
1. 尿検査
定性と定量に分けられる．糖，蛋白，白血球，赤血球の出現によりリハビリテーション患者に合併しやすい糖尿病，腎実質障害，尿路結石を除外する．また尿培養により尿路感染の起因菌を同定する．

2. 血液生化学検査
腎機能を表すものとしてクレアチニンと血液尿素窒素 blood urea nitrogen（BUN）が大切である．クレアチニンが高い場合（たとえば糖尿病性腎症）には運動療法は禁忌となる．

3. 静脈性腎盂造影 intravenous pyelography（IVPあるいはIP）
造影剤を静注し，腎および尿管，膀胱の形態や尿路結石の有無を知る．脊髄損傷の水腎症の診断に有用である．

その他腎障害の診断に用いられるものとしてフェノールスルホンフタレイン検査 phenolsulfonphtalein（PSP）test，内因性クレアチニンクリアランス，フィッシュバーグ濃縮試験 Fishberg concentration test，腎シンチグラフィーなどがある．

b. 膀胱尿道機能検査
1. 残尿測定 residual urine measure
尿の排出障害（脊髄損傷，脳卒中の急性期，糖尿病などの末梢神経障害）のときに用いられる．最近では超音波による無侵襲性残尿測定が行われている．
- バランス膀胱：上位ニューロン障害では膀胱容量（実際には自尿と残尿との和）の20％以下の残尿，下位ニューロン障害では10％以下の残尿の場合をいう．

2. 膀胱造影 cystography（CG）
逆行性に造影剤を注入して膀胱の形態，結石，膀胱尿管逆流現象 vesicoureteral reflux（VUR）の有無をみる．

3. 尿流動態検査 urodynamic study
膀胱内圧測定，尿流量検査，尿道抵抗測定，括約筋筋電図などからなり，脊髄損傷や脳卒中による神経因性膀胱の評価に有用である．
- 膀胱内圧測定：膀胱内に生理的食塩水または二酸化炭素を注入し，「蓄尿」時と「排尿」時の膀胱内圧を計測する．同時に本人の尿意も確認し，膀胱機能の異常を評価する．
- 括約筋筋電図測定：外肛門括約筋部に表面電極を貼付し，蓄尿時には筋が活動し排尿時には弛緩するかを調べる．膀胱内圧検査と同時に行う．
- 尿道抵抗測定：膀胱からカテーテルを抜去する際に尿道内圧を測定する．
- 尿流量測定：便器型の測定装置に排尿し，排尿量，最大尿流率，排尿時間などを測定する．

5 自律神経検査

　自律神経には交感神経と副交感神経，さらには求心系である内臓求心路がある．自律神経の中枢は視床下部，大脳辺縁系，脳幹に加え小脳，脊髄などである．自律神経は内分泌系とともに心血管系や内臓機能の統御・調節にあたっている．本項では自律神経検査でリハビリテーション対象疾患に関係するものを述べる．

a. 血　圧

　起立性低血圧を呈する疾患に脊髄損傷，脊髄小脳変性症，糖尿病，シャイ・ドレーガー症候群 Shy-Drager symdrome，長期臥床による廃用などがある．逆に高血圧は脳卒中，心疾患の併存疾患として問題となり頻繁な血圧の測定が必要である．

b. 心電図

　脈拍数の減少はスポーツマン心臓にみられる．増加はさまざまな病態にみられるが，長期臥床者が活動を開始する際には頻脈となる．RR間隔（心電図のR波から次のR波までの時間）の変動係数は糖尿病など末梢性の自律神経異常をとらえるのに用いられる．

　その他，反射性交感神経性ジストロフィー reflex sympathetic dystrophy（RSD），脊髄損傷者にみられる発汗，体温調節異常や，種々の疾患による便秘，排尿障害などがリハビリテーション領域で自律神経が関与する主な病態である．

6 画像診断

a. X線

　リハビリテーション医学は主として神経筋骨格系すなわち運動系の異常を扱う学問である．そのため骨関節のX線による診断・評価は重要な意味をもつ．

1. 読影上の注意点

a）正常のX線像を知る

　成長過程にある骨は成人と異なる（骨核，骨端線など）

　骨格異型 normal variation がある（種子骨，鎖骨欠損など）

　生理的変化（脊柱前弯，後弯など）

b）基本的な変化を知る

　萎縮，溶解・破壊，硬化，壊死，新生の有無など

　病巣の形状（円形，鋸歯状）・境界（不鮮明，虫食い状）

　アライメントの変化（内外反，関節裂隙幅の拡大，脱臼など）

　遊離体（関節鼠など）の存在

2. X線計測

　臨床上よく用いられる計測法と部位を示す．

a）脊　椎
脊柱管前後径（頸椎 12 mm 以下は異常）
側弯症（コブ法 Cobb method）

b）股関節，下肢
発育性股関節形成不全（Y線，オンブレダンヌ線 Ombrédanne line，シェントン線 Shenton line，カルベ線 Calvé line，臼蓋角，central-edge angle（CE角））（⇨p.249，図G-8）
内外反膝［下肢軸：femorotibial angle（FTA）］
踵骨骨折（ベーラー角 Böhler angle）

3．特殊撮影法
断層撮影 tomography，関節造影 arthrography，脊髄造影 myelography，椎間板造影 discography，血管造影 angiography などがある．

b．コンピューター断層撮影 computed tomography（CT）

人体を透過したX線をコンピューターで処理し画像に表したもので，脳疾患をはじめ脊髄，関節疾患などの診断に画期的な有用性をもたらした．撮影は単純法と造影増強法 contrast enhancement とがある．異常CT像として吸収域の高低（high density area あるいは low density area）がある．

ヘリカル CT：テーブルを回転してらせん軌道で連続的にX線を照射して撮影するヘリカルCTがある．検査時間は短縮し小病変の検出が可能となり，少量で良好な造影効果が得られる．また，三次元画像（3D-CT画像）を再構成することも可能である．

c．磁気共鳴画像 magnetic resonance imaging（MRI）（図18）

水素の原子核すなわち陽子のコマ状の回転が磁場の強さに比例して異なってくる性質を利用して，磁場を発生する器械に被検者を入れ，体内にある水素から放出される電磁波を検出して画像状に表したものをMRIという．脳，脊髄，内臓などの病変の診断に有用である．T1強調，T2強調，プロトン密度強調画像など異なった像を得ることができる．以下はCTと比べての長所，短所である．

1．長　所
① 水平断，前額断，矢状断など任意の断面での像が得られる．CTは主に水平断．
② 放射線を使用していないので被曝がない．
③ 空気面や骨との境界での画像が鮮明（脳幹や脊髄の病変をとらえやすい）．
④ 造影剤を使わず血流の情報を得て血管を抽出することができる（MR angiography，MRA）．

2．短　所
① 強力な磁場の中にはいるため体内に金属がある場合（心臓ペースメーカー，動脈瘤クリップ，骨折固定用材料）は禁忌．
② 高磁場に頭重感を訴える人がある．
③ 器械のコストや工事費用が高い．

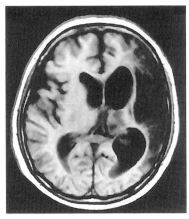
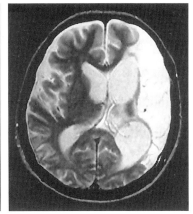

a. T1強調画像　　　　　　　　b. T2強調画像

図18　脳梗塞による右片麻痺と失語症
側頭葉中心の広範な病巣と脳室の拡大がみられる.

拡散強調画像 diffusion weighted imaging（DWI）：組織内における水分子の拡散を評価するMRIの撮像法で，組織の破壊や浮腫を敏感に描出できることから，脳梗塞の早期診断に利用される．水分子の拡散が神経線維に沿った方向に起こりやすいことを利用して，白質内の太い神経線維の走行を推定し画像化することができる．

d. 超音波

生体に超音波を投射してその反射波（エコー）を検出する．人体組織の種類や内部構造のわずかな違いによる音響学的性質の違いが利用される．表示法にはAモード法（頭部），Bモード法（腹部，心臓断層など），Mモード法（心臓弁，血管壁など）のほか，ドップラー法（心内腔，血管内血流計測）がある．心臓での駆出率 ejection fraction（EF）や膀胱での残尿量の測定に用いられる．

整形外科領域でも簡便さから腱板断裂や上腕二頭筋損傷などの診断に用いられる．また，筋・腱・靱帯の病変だけでなく，神経の絞扼性障害の診断にも応用されている．例として，手根管症候群では，絞扼部付近（とくに近位側）で正中神経の腫大が観察される．脳神経領域では頸動脈の血管Bモードエコーが用いられる．短時間で簡便に硬化性病変の診断ができ，虚血性脳血管障害急性期の病型診断に有用である．

e. シンチグラフィー（図19）

特定の組織や臓器に選択的に分布する放射性医薬品を外部から測定装置（シンチカメラ，シンチスキャナー）を用いて描出する方法をシンチグラフィーという．脳，甲状腺，肺，肝臓，心筋，腎，骨などに応用される．とくに骨シンチグラフィーでは悪性腫瘍骨転移，良性疾患（骨髄炎，無腐性壊死，異所性骨化）などリハビリテーションに関連する疾患で応用範囲は広い．

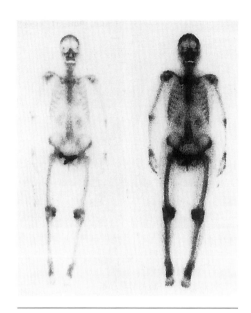

図19 シンチグラフィー
右股関節の骨頭部に集積があり，股関節骨頭壊死（リモデリング中）を示している．

f. ポジトロン断層撮影法 positron emission tomography（PET）

さまざまな放射線核種（^{15}O，^{11}C，^{18}Fなど）から放出されるポジトロン（陽電子）が消滅する際の放射線を検出して測定するもので，放射線核種を作製するための装置（サイクロトロンなど），検出器，コンピューターなどからなり脳をはじめ内臓の異常を三次元的にとらえるのに有用である．SPECTに比べ分解能，定量性に優れているが非常に高価なことが欠点である．脳血流量，脳血液量，脳代謝などの測定に用いられる．

g. 単一フォトン断層撮影法 single photon emission computed tomography（SPECT）

放射線標識薬剤としてγ線を放出する核種（^{99m}Tc，^{123}Iなど）が用いられる．分解能や定量性ではPETに劣るが，特別の設備や専門家を必要としないことが利点である．脳の血流量，血液量の測定に用いられる．

h. 嚥下造影検査 videofluoroscopic（VF）examination of swallowing

ビデオX線透視検査と直訳されるが，リハビリテーションでは主として嚥下障害患者の嚥下造影の意味で用いられる．摂食・嚥下の際の異常をとらえるために，造影剤を混ぜた水溶物と固形物を患者に与え，摂取するところを造影し，ビデオで記録するものである．口腔相の異常はもちろんのこと，1秒以内の短い時間で終了する咽頭相の異常もとらえることができ，異常の診断と訓練の効果判定に使われるのみならず患者教育用にも有用な検査法である．

C. 治　　療

1 疾病治療とリハビリテーション医療

a. 慢性疾患

リハビリテーション医療が主に扱うのは慢性疾患や障害である．慢性疾患は，従来の医学モデルでは「治らない病気」であり，病理学的経過を完全に停止・修復させることは困難である．しかし慢性疾患も，発病初期や再燃時には症状の急激な変化が起こり，これを急性期と呼ぶ．急性期には，疾病の一般的治療が優先されるが，この時期からリハビリテーション医療を同時進行させなければ，廃用性の変化が起こる．

b. リスクファクター

身体に病理学的な変化を起こさせやすくする因子のことを，危険因子（リスクファクター）と呼ぶ．外的なリスクファクターと内的なリスクファクターがあり，外的リスクファクターは，環境内にある病気を起こさせる因子，たとえば環境汚染，食習慣，喫煙などである．これに対して，内的リスクファクターとは，身体がもっているある特定の病気を起こしやすくする性質（素因）または脆弱性とも呼ばれる．

内的および外的リスクファクターが，絡み合って特定の病気を起こすことを理解する必要がある．たとえば，喫煙は肺がんの外的リスクファクターではあるが，タバコを吸ったからといってすべての喫煙者が肺がんになるわけではない．肺がんを起こしやすい内的リスクファクターをもった人間に，喫煙などの外的リスクファクターが加わることによって，はじめて肺がんが起こるのである．リスクファクターをコントロールして，病気または障害を未然に予防することをリスク管理と呼ぶ．たとえば，訓練室で起こる事故として，転倒，熱傷などがあげられるが，転倒のリスクとなるバランス障害のある患者の移動，移乗動作にとくに注意を払ったり，また熱傷のリスクのある温痛覚障害のある患者では，温熱療法の適応を慎重に検討したりする．

c. 脳卒中の急性期のリスク管理

脳卒中は，一度発症すれば，片麻痺，高次脳障害などの「治らない」障害を残す点で，さきに述べた慢性疾患の代表例であり，またリハビリテーション医療が扱うことがもっとも多い疾患の1つである．

廃用の害を防ぐための脳卒中急性期リハビリテーションの必要性は，長年にわたって強調されてきた．しかし脳卒中，とくに脳梗塞後では脳循環の恒常性が低下し体循環の影響を受けるため，血圧低下を起こす可能性のある座位耐性訓練や立位が臨床的増悪の原因となるという意見もかつてはあった．

しかし，このようなリスクがあるからといって，座位という外的なリスクファクターから完

全に退避してしまうのは極論であり，現在では脳卒中の各病態に合わせて血圧，心電図などをモニターしながら早期に座位，立位をとり，同時に運動療法を開始することが一般的な治療原則となっている．脳卒中早期リハビリテーションにおける座位開始の一般的基準は，①バイタルサインの安定，②麻痺進行の停止，③意識レベル1桁の覚醒度である．

d．ハイリスク

特定の疾病を指さないで単にリスクがあるという場合は，病的な原因で患者の生命がおびやかされている状態であることを意味する．ハイリスクとは悪性腫瘍，重症な心不全，あるいは多臓器不全さらに重症な感染症などの原因疾患によって，生命の危険がきわめて大きい状態を指す．これらの疾患は，それ自体が患者の体力を消耗させるほか，長期の臥床・安静を余儀なくされること，疾患の治療（抗がん薬，放射線治療，手術）などによって，さらに体力を消耗させられることなどから，廃用性の変化が起こりやすい．このため，このようなハイリスクの患者はリハビリテーション医療の対象となることが多い．

ただし，リスク回避のためには，ある一定の基準を設けておく必要性がある．このため，日本リハビリテーション医学会のリハビリテーション医療における安全管理・推進のためのガイドライン策定委員会において「リハビリテーション医療における安全管理・推進のためのガイドライン」が2006（平成18）年に作成され，さらに第2版が2018（平成30）年に作成されている．

運動負荷を伴う訓練の中止基準としては，血圧の上昇・低下，不整脈，意識障害，呼吸状態が不良，胸痛，筋骨格系の疼痛，頭痛，嘔気・嘔吐，めまい，発熱などがあるが，これらの原因が明確であり，全身状態が安定していると判断できる場合は，訓練を実施する方向で検討を行う．ただし，訓練を実施する際には，症状やバイタルサインの変化に注意し，訓練内容は患者の状態に応じて調整する必要がある．

『リハビリテーション医療における安全管理・推進のためのガイドライン 第2版』によると，訓練中に，①新規の不整脈，または脈拍の変動が顕著な場合，さらに随伴症状を伴う不整脈が生じた場合，②意識障害を新規に生じた場合や，意識障害が増悪傾向にある場合，③呼吸状態が急速に悪化した場合，または呼吸数やSpO_2変動が顕著な場合，さらにその他のバイタルサインが異常を伴う場合，④新規に胸痛が生じた場合，⑤新規に発症した頭痛や激しい頭痛があって，意識障害や高血圧，神経巣症状を伴う場合，⑥新規に発症した腹痛があり，その原因が不明で，バイタルサインの異常を伴う場合，⑦新規に発症した嘔気・嘔吐がある場合，⑧新規に発症しためまいがあり，その原因が不明で，バイタルサインの異常を伴う場合，⑨新規に発症した痙攣が生じた場合，⑩新規に発症もしくは急速に増悪した浮腫がある場合は，当日の訓練は中止として，精査を行うことが推奨されている．

e．リスク管理の1つとしての感染症対策

リスク管理の1つとして院内感染に関する知識が，リハビリテーション医療に携わる医療職には必要である．院内感染には，患者同士の接触による感染，医療器具，病室・訓練室の床などの器物を経由するもの，さらには治療者へあるいは治療者を経由した感染などの可能性があ

る．**メチシリン耐性黄色ブドウ球菌** methicillin-resistant *Staphylococcus aureus*（**MRSA**）による感染症には，治療者・訓練室を経由した感染の可能性がある．ウイルス性肝炎（とくにB型），クロイツフェルト・ヤコブ病 Creutzfeldt-Jakob disease，**後天性免疫不全症候群** acquired immunodeficiency syndrome（**AIDS**）などはリハビリテーション医療者への感染の危険性は比較的低いものの，いったん感染すれば重篤な結果をもたらす．リハビリテーション医療の対象となることが多い高齢者では，**インフルエンザ**は肺炎などを併発して死の転帰をもたらすこともある．したがって，リハビリテーション医療者はこれらの感染に対する教育を受けるのと，ガウンテクニックなどの感染予防の技術を習得する必要がある．

f．リハビリテーション医療の原則

　リハビリテーション医療の原則は，あらゆる手段を使って患者の内的なリスクファクターを可能な限り探り出し，同時並行して身体活動を推し進めることである．身体活動自体が外的なリスクファクターではあるが，それを細心の注意を払ってコントロールし，合併症および生命的なリスクを減少させる．リハビリテーション医療者にとっての絶対的な禁忌は，リスクを回避する目的で安静に固執し，いたずらに廃用の害を生じさせることである．

2　理学療法

　理学療法は，疾病の治療を目的として運動を使う**運動療法**および物理的な刺激を使う**物理療法**からなる治療技術である．それを行うには，治療選択に必要な評価技能と，合併症の予防が必要となる運動あるいは物理的な刺激に伴って起こる身体反応に対する知識を要する．

a．運動療法

　運動障害に対して行われるものと，**内部障害**に対して行われるものに大別される．運動療法の対象となる**運動障害**には，運動麻痺，筋力低下，関節拘縮などがあり，筋力増強訓練，ROM訓練，持久力訓練，巧緻性・協調性訓練が行われる．**内部障害**とは，運動器以外の臓器の障害によって起こるものであり，循環・呼吸器疾患，糖尿病，肥満などが運動療法の対象となる．適切な運動負荷（運動強度と運動時間）を処方することが大切であり，循環・呼吸器疾患では最大運動量の制限，また糖尿病，肥満では運動負荷による合併症の危険を考慮して運動負荷量を決める必要がある．

b．物理療法

　物理的刺激，具体的には，温熱，寒冷，光線，水圧，電気刺激を生体に与えて，生理的な反応を引き出す治療法である（**表31**）．

1．温熱療法

　局所を暖めて疼痛を軽減し，軟部組織の伸張性を高める．また，鎮静効果および局所の循環を高める作用もある．パラフィン浴，ホットパック，超短波，極超短波（マイクロウェーブ）

表31 物理療法の分類

物理学的効果	物理療法の種類	治療効果
温熱効果	超短波 極超短波 超音波 ホットパック パラフィン浴 温浴	局所の加温 循環量の増大 鎮痛 鎮静
寒冷効果	アイスパック アイスマッサージ 液体窒素の冷気	局所の冷却 鎮痛 痙縮の抑制
光線による熱効果	赤外線 低出力レーザー 直線偏光近赤外線	局所の加温 神経ブロック 痙縮の抑制
力学的効果	渦流浴 気泡浴 運動浴	水圧による浮腫の軽減 浮力による免荷
電気生理的効果	TENS TES FES	神経・筋の刺激 鎮痛 筋収縮

などの高周波，超音波および赤外線などを使う．このなかで，水や蒸気を利用する温熱（ホットパックなど）を**湿熱**と呼び，高周波や赤外線によるものは**乾熱**と呼ばれる．ホットパックやパラフィンは表在性の温熱であり，皮膚から伝導性に患部に温熱を伝えるが，深部の脂肪や筋などを加温する度合い（**深達性**）は低い．逆に超音波，超短波，極超短波は深達性が高い．温熱は汎用性があり，簡便でもあるので物理療法のなかで使用頻度が高いものであるが，**蓄熱による熱傷**の危険性が常にある．とくに末梢循環障害がある場合に局所への加熱を行うと，血管拡張と血流の増加が期待できないため，温度が上がりやすく危険である．このため慢性閉塞性動脈硬化症などでは，体幹や患肢の対側を暖め，間接的に患側の血管拡張や血流を増加させる方法（reflex heating）が用いられる．

とくに**極超短波**では，①急性炎症状態，②出血傾向がある場合，③悪性新生物，④虚血組織などは絶対的な禁忌である．また若年性骨組織，生殖器，妊娠中の腹部，浮腫組織，湿った衣服や絆創膏の上，金属（骨プレート，ペースメーカーなど）が挿入されている部位などへは直接照射するべきではないので，慎重に適応を選ぶ必要がある．

超音波も温熱効果を期待して使用されることが多い．その禁忌は上記の極超短波とほぼ同じである（ただし，金属が挿入されている場所には使用可である）が，一般的な使用強度（移動法で 5 W/cm^2 以下，固定法で 2 W/cm^2 以下）では局所の障害をきたすことは少ないとされている．

2. 寒冷療法

温熱療法が温熱作用を利用するのとは逆に，アイスパック，アイスマッサージ，液体窒素を使って発生させた冷気などによって局所を冷やすことによって疼痛，痙縮を軽減する．施行後

は必ず運動療法を行う必要があり，また頭頸部に近いところで使用すると気分が悪くなる場合があるので注意する．

3．光線療法

赤外線が代表的であり，温熱作用を使う．**低出力レーザー光線**や**直線偏光近赤外線**が除痛および痙縮の抑制，さらには星状神経節などの**神経ブロック**の目的で使われている．

4．水治療法

渦流浴，気泡浴，運動浴がある．**渦流浴**は浴槽内に渦流を起こし，**気泡浴**は気泡を発生させて，温熱作用とマッサージ効果を期待する．**運動浴**は，ハバードタンクまたはプールを使い，水中での運動を行う．浴中は浮力の作用で身体部位の重力の影響が少なく，弱い筋力で四肢を動かすことができる．下肢に対する免荷と水流の抵抗による筋力増強効果も期待できる．全身浴の場合，静水圧のため静脈還流量が増えるので，右心系への負荷が増加することに注意しなければならない．

5．電気刺激

物理療法のなかで，**機能的電気刺激** functional electrical stimulation（**FES**）は，動作再建を行う運動系 FES の発展に伴い，新しい領域を形成しつつある．

末梢神経麻痺に対して従来から行われてきた低周波刺激は，回復が期待できない損傷部以下の刺激は無意味であるが，筋の直接刺激を行って廃用性萎縮の防止を期待する．低周波刺激以外の**治療的電気刺激** therapeutic electrical stimulation（**TES**）として，高頻度パルス電流の断続，正弦波電流の断続，干渉波電流などがあり，不快感を少なくして，より強い筋収縮を誘発する．最近ではさらに麻痺筋の弱い随意収縮を検知して，患者の収縮努力に合わせた刺激を加えられる装置 integrated volitional control electrical stimulator（IVES）が開発されている．

経皮的末梢神経電気刺激 transcutaneous electrical nerve stimulation（**TENS**）は，筋の収縮を起こさずに知覚神経を主に刺激する低周波を用い，疼痛治療の目的で使われている．TENSはメルツァック Melzack ら（1965 年）が唱えた**ゲートコントロール説** gate control theory をその理論的背景としている．

3 作業療法

作業活動を患者に行わせることにより，身体機能あるいは精神機能の障害によってもたらされた能力低下を改善・維持させるのが作業療法である．**身体障害に対するもの**（機能的作業療法，ADL 訓練，自助具・上肢装具の製作，職業前評価と訓練，支持的作業療法）および**精神障害に対するもの**があるが，両者に共通する手段として，木工，金工，陶芸，織物，革細工，その他の手工芸，治療用ゲームやスポーツ，ADL，園芸，絵画，音楽，演劇などが使われる．

a．身体障害の作業療法

1．機能的作業療法

上肢を中心とする ROM の増加，巧緻性の獲得，筋力増強などの目的で行われる．技術的に

は理学療法と類似のものも使われるが，患者の能力を評価し，これらの目的を達成するのにもっとも適切な作業を選んで施行することが中心となる．

また高次脳機能障害に伴う失認などの認知障害に対しても，ADLの各動作の反復練習や，ぬり絵，碁石並べ，文字数字さがし・抹消，描画などの機能的な作業療法が行われている．これらは1つの機能を学習することによって，それが他の機能の獲得につながる学習転移の効果をねらったものである．

2. ADL訓練

ADL訓練では，①日常的な環境下での基本的な諸動作の訓練を行うことおよび，②患者の能力に合わせて，機能的な生活が営めるように生活環境を調整することの両者が行われる．病院入院中の患者の，「日常」とは，病棟での生活を意味するので，訓練室で行われ，評価される作業とは別な意味合いをもっている．

日常生活で使われる動作の評価は，作業療法のなかで行われることが多いが，ADL訓練は，病棟および家庭での生活のなかで行われ，病棟スタッフや家族などの協力が必要不可欠であり，そうでなければ活動能力の定着は望めない．また，家屋改修を含めた生活環境の調整も，建築士などの医療職以外の職種の協力が必要である．

ADLのほかに，主婦の家事，家庭内の用足し，電話など，家庭で機能的に生きていくために必要な動作の評価・訓練も作業療法の一部である．

3. 自助具，上肢装具の製作・訓練

機能の代償または補足を目的とした自助具（図20）の作製も作業療法のなかで行われる．関節リウマチ，頸髄損傷などによって起こる両側性の上肢機能の障害時に，自助具は非常に重要な役割を果たすことが多い．種々のスプリントを含む上肢装具の作製とそれを使った訓練は，手の外科領域でよく行われる．

4. 職業前評価と訓練

患者の潜在的な職業的能力を評価し，復職あるいは就職へ向けての職業訓練へつなげるための基礎的な訓練を行うことを職業前評価および訓練と呼ぶ．具体的には，身体能力，作業能力，手の巧緻性，耐久性，作業習慣，興味の対象，対人関係処理能力などを評価し，訓練を行う．作業能力の評価法として，①モダプツ法（⇨p.65），Thomasat法および一般標準職業適性検査などのテスト，②単純な熟練を要しない作業や簡単な組み立て作業を使った作業見本法，③実際の職業場面に類似した環境下での作業実習法などがある．訓練はこれらの評価に基づいて，問題の解決を図ることを通じて行われるが，施設や病院の環境下で，実際の職業訓練に近いことを行うのはおのずから限界がある．

5. 支持的作業療法

その目的は，心理的なものと身体的なものがあり，心理的には，低下したあるいは失われた身体機能に集中している心を，作業により転換させ，不安や悩みを軽減させることであり，身体的には適度な疲労による睡眠や，欲求不満にはけ口を与えることなどである．

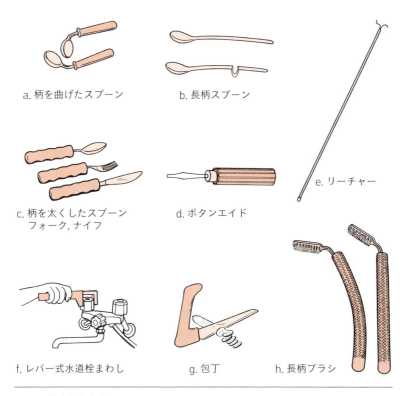

図20 代表的な自助具
障害に合わせて，さまざまな物が考案されている．スプーン，フォークなどは手指の麻痺がある場合の食事用に，リーチャー，長柄ブラシ，ボタンエイドは整容動作のために，レバー式水道栓まわし，包丁は家事を可能にするために使われる．

b. 精神障害の作業療法

精神障害に対する作業療法は，作業を通じて患者から望ましい身体機能や精神機能を引き出すことを目的として行われ，手芸，革細工，音楽，書道，職業的作業などの作業が使われる．これらの作業によって興味や関心を引き起こし，自発性と創造性を生み出させること，活動量の低下によるフィットネスの低下を補正し心身のバランスを回復させること，作業を通じて対人関係処理能力を向上させること，職業的な技能を獲得させて経済的な基盤の獲得につなげることなどを目的とする．

4 言語療法

a. 言語障害の種類

大別すると頭の中で言葉が作られる過程での障害と，言葉を音にするあるいは音としてとらえる過程の障害に分けられる．

前者としては失語症が代表的であり，その分類を**表32**に示した．表出面が主に障害される失語を**運動失語**（**ブローカ失語** Broca aphasia），理解面が主に障害される失語を**感覚失語**（**ウェ**

表32 失語症の分類

分類名	言語症状の特徴	鑑別点			
		復唱	理解	流暢性	喚語
運動失語	表出面が主に障害 プロソディ（言葉のメロディ）が障害	不良	良好	非流暢性	ほとんどなし
感覚失語	理解面が主に障害 構音，プロソディは良好	不良	不良	流暢性	錯語
全失語	言語のすべての面の重大な障害 発語がきわめて少ない	不良	不良	非流暢性	不良
超皮質性運動失語	きわめて良好な復唱能力 自発語は少ない	良好	良好	非流暢性	不良
超皮質性感覚失語	復唱能力は保存 重度の理解障害	良好	不良	流暢性	不良
健忘失語	喚語困難著明で迂回表現が多い	良好	良好	流暢性	迂言
伝導失語	復唱能力がきわめて低い 音韻性の錯語が多く発語の流れを妨げる	不良	良好	流暢性	錯語

ルニッケ失語 Wernicke aphasia）と呼ぶが，前者は言葉の流暢性が低下し，後者は流暢性のみが保たれる．言語のすべての面の重大な障害は全失語と呼ばれ，その多くは発語がほとんどできなくなる．運動失語と感覚失語の基本的な特徴は有するが，復唱が保たれているものをそれぞれ**超皮質性運動失語**および**超皮質性感覚失語**という．その他，名詞の喚語困難が主な失語が**健忘失語**（失名詞失語）であり，復唱の障害がとくに強いものが**伝導失語**である．

言葉を音にするあるいは音としてとらえる過程の障害には，構音障害，発声障害，聴覚障害がある．構音障害には麻痺性の構音障害，失調性の構音障害があり，両側性の脳障害による麻痺性の構音障害は嚥下障害が合併するほか，音韻の歪みも重度であり，仮性球麻痺と呼ばれる．

乳幼児期の聴覚障害あるいは精神発達遅滞によって，言語の習得過程が障害されて起こる言葉の遅れを，言語発達遅滞と呼ぶ．

b. 言語障害および摂食障害の治療

言葉を作る過程の障害に対する訓練の原則は，刺激-反応-強化の過程を操作し，正常な言語行動を促進することである．具体的には，読解力・自発書字・コミュニケーション能力改善などの訓練が，徐々に課題の難易度を上げながら行われる．**構音障害**の治療は，発声，発語器官の運動機能の回復を図ることを通じて行われる．

言語障害には，しばしば**摂食嚥下障害**が合併し，言語療法のなかでその治療が行われることが多い．スクリーニングテストとして，**反復唾液嚥下テスト** repetitive saliva swallowing test（RSST），水飲みテスト，構音障害の評価などが行われ，実際の摂食場面の観察も重要である．また最近は内視鏡検査 videoendoscopy（VE）および嚥下造影検査 videofluorography（VF）などの検査が一般的に行われるようになり，個々の患者の嚥下障害の病態がとらえられるようになった．治療技術としては間接嚥下訓練と直接嚥下訓練があり，前者は食物を使わない訓練であり嚥下体操を中心とし，シャキアーエクササイズ Shaker exercise（仰臥位で頭部を屈曲させ保持

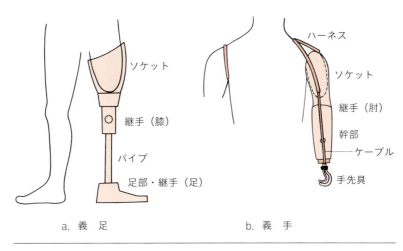

図21 義肢の模式図

し，同時に口唇を強く閉鎖し舌を口蓋におしつける訓練），アイス綿棒マッサージなどがあり，口腔の可動域の拡大および口唇・舌の筋緊張の調整と筋力増強，嚥下の誘発および過敏の低減化などを目指す．直接嚥下訓練では実際の食物を使って，摂食状態の観察および指導を行うが，あらかじめVEおよびVFを行って，嚥下能力に見合った食材および摂食方法を決めておかなければならない．

5 補装具

これらは，失われた身体の一部，あるいは能力を補填・代償するために使われる．製作にあたってさまざまな工夫がなされているものの，あくまでも機械であり，生体系とは異なった作動の仕方をする．このため機械系と生体系の界面であるいわゆるマン・マシン・インターフェース man-machine interface，たとえば義肢であればソケット，靴型装具の内底，月形芯の形状，姿勢保持装置であれば身体を支えるモジュラーパーツなどの調整が非常に大事であり，時間もかかる．

a. 義 肢

四肢の切断あるいは先天性の欠損に用い，失われた肢の形態と機能を代用するもので，上肢に用いるものを**義手**，下肢に用いるものを**義足**という．

1. 義 足

前述のインターフェースの問題に加えて，懸垂，体重支持，続いて立脚期の安定性と遊脚期のコントロールのしやすさなどが義足を製作していくうえで重要である．

義足の基本的構造は，**図21a**に示したようにソケット，パイプまたは殻による支持部，継手，足部に分けられる．各パーツをパイプでつなぐ構造のものを**骨格構造義足**，在来型で使われる外側の硬い殻で支持するものを**殻構造型義足**と呼ぶ．

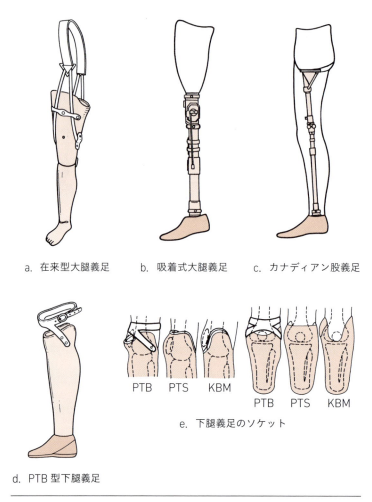

図22 各種の義足とソケット
在来型の大腿義足は吊り下げるためのバンドを使うが，吸着式の場合自己懸垂機能があるため，バンドは不要である．
下腿義足は，dのPTB式が処方されることが多いが，KBM，PTSには自己懸垂機能があり，短断端や膝関節の不安定性に対して適応がある．

　ソケットは**在来型**のように断端の収納と体重の支持をするだけの形のものと，**吸着式**と呼ばれる懸垂機構が加わったものがある（**図22a，b**）．吸着式ソケットの製作法として，従来から使われてきたギプスで型どりをする方法のほかに，コンピューターに断端形状を記憶させ，それをもとにソケットのデザインを行う **CAD/CAM**（computer aided design, computer aided manufacturing）がある．ソケットを狭めに作ることで軟部組織が圧縮されるのと骨構造にマッチした形状として接触面全体で体重を支持するのが，全面接触式 total surface bearing（TSB）ソケットであり，断端とソケット間の非接触部分が少ないため，血液の循環がよく，さらに使用感が軽いなどの利点がある．シリコン製のライナーを断端に直に装着し，外ソケットに固定されたアタッチメントにキャッチピンを差し込むことによって懸垂する**シリコンサクション**

ソケット Iceland roll on suction socket（**ICEROSS**）は，懸垂性に優れ，断端に傷を作りにくい．

股離断には，**股義足**が処方されるが，股継手を股関節の位置から45°下方のソケットの前面とした**カナディアン股義足**が機構的に優れている（**図22c**）．大腿義足の体重支持部位は，坐骨であることが多いが，坐骨をソケット内に収納してしまい，断端外側面で荷重する**坐骨収納型ソケット**を使う場合もある．下腿切断では，膝蓋腱部で荷重する patellar tendon bearing（**PTB**）型のものが処方されることが多い（**図22d**）が，その特殊型として，Kondylen Bettung Münster（**KBM**）型および Prothèse Tibiale à Emboitage Supracondylien（**PTS**）型があり，これらはソケット自体に懸垂機能がある（**図22d，e**）．

継手を付けることによって義足の自由度は増し，自然な動きに近い歩行パターンを作れるが，逆にコントロールするのがむずかしくなる．膝継手では，**多節リンク機構**を使うことにより，従来からの**遊脚相制御**に加えて，最近は**立脚相制御**も可能となってきており，転倒の原因となる膝折れを防ぐほかに，歩行パターンの自由度を増やし，さまざまな速度に対応できる**インテリジェント膝継手**が開発されている．

足部と**足継手**はその機能がお互いに重なり合っている．従来から，足継手の軸の前後にゴムのバンパーをつけた**単軸足部**か，継手を使わずに踵部に弾力のあるゴムをつけた**SACH**（solid ankle cushion heel）足が主に使われてきた（**図23a，b**）．SACH足は，踵接地時の衝撃吸収性が良好であり，耐久性に優れ，軽量である．それに対して，単軸足部は踵接地の後で足が底屈するため，膝を屈曲させようとするモーメントが少ないという利点がある．しかし，この両者ともに蹴り出し時の足の底屈力がないので，体重心が一時的に落下し，円滑な重心の移動が起きず，この傾向はとくに走ったり速く歩こうとすると顕著になる．このため走行時，急速に荷重したときの衝撃を吸収し，吸収したエネルギーの一部を蹴り出し時に推進力として利用する足部（**エネルギー蓄積型足部**）が使われるようになってきている（**図23c，d**）．

2．義　手

義手の基本的な構造（**図21b**）は，義足とほぼ同じであるが，体重を負荷する必要がないこと，能動義手の場合，手先具を動かすための力源をつけなくてはならないことが異なる点である．

義足と同じく義手のソケットは断端を収納し，力の伝達を行うが，懸吊機能を合わせもっているものもあり，その形状はさまざまである（**図24a，b**）．

身体障害者福祉法の補装具交付基準では，義手を用途別に「装飾用」「作業用」「能動式」に区分している．手先具（**図24c～f**）に関して，装飾用では可動性のない装飾用ハンドを使い，作業用ではフックやもの押さえなどの動かない手先具を使い，能動式では前二者とは異なり自力で動かすことができるフックやハンドを使うものである．一般的な能動式は，肩甲帯にたすき型に巻き付ける形のハーネスを付けて，それからケーブルを引いて手先具を動かしている（**図21b**）．この方式を使わず，モーターなどを力源に使うものを**動力義手**（⇨p.339）と呼ぶ．また，動力義手の制御を断端の筋電位を使って行うものを**筋電義手**（⇨p.340）という．

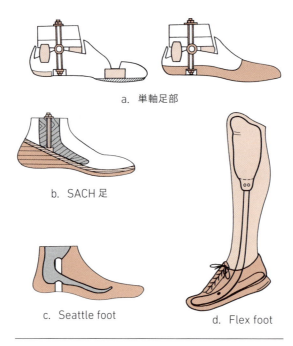

図23　単軸足継手および各種の足部
a：単軸足部は足継手の軸の前後にゴムのバンパーをつけたもの.
b：SACH足は足継手を使わずに踵部に弾力のあるゴムをつけたもの.

b. 装　具

　身体の一部を固定したり，変形を予防したり，安定性を付加したり，機能の補強・代用，あるいは痙縮の抑制をすることを目的として装着するものを装具と呼び，装着する部位によって，**上肢装具**，**体幹装具**，**下肢装具**の3つに分類される．**図25**に代表的な下肢装具を示したが，とくに短下肢装具 ankle foot orthosis (AFO) は三点支持の原則で下腿・足関節・足部を固定し，その動きをコントロールすることによって，歩行の際，これらの部位に加わるモーメントの調整を通じて，下肢全体の動きもコントロールできることなどから，装具の構造を理解し，臨床で役立たせていく上で，その基本となっている．膝関節より上まで支持部を伸ばし，膝，足関節および足をコントロールするのが長下肢装具 knee ankle foot orthosis (KAFO) であり，また膝関節のみを支持するのが knee brace である．以下，装具の装用にあたって大事な点をいくつかあげる．

1. 固定装具

　固定装具作製時は必ず三点支持の原則を忘れないこと，支持部の圧迫感が強いからといって安易に広げたり，その部位をカットすると他の部位の圧迫を強めてしまう．

2. 変形予防(矯正)装具

　変形の矯正は必ず苦痛を伴うため，長期間の装用はむずかしいことを念頭に置いておく必要がある．短期間での矯正がうまくいかない場合は，他の治療法を考えたほうがよい．変形の予

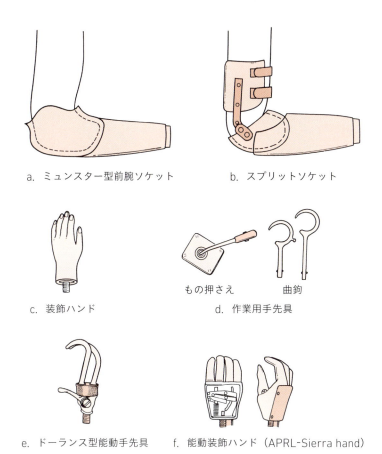

図24　義手のソケットと手先具
断端の長さに合わせて，各種のソケットがある．a, bはいずれも前腕短断端用のソケットで，ミュンスター型前腕ソケットは，顆上部支持で自己懸垂能力のあるソケットである．
手先具は，「装飾用」「作業用」「能動式」に区分されている．

防をする場合は，当然長期間の装用が前提になるので支持部の圧迫感を減らすために，支持部の性状，および形状に合わせた装具を作製する必要がある．

3. 安定性を付加および免荷する装具

　とくに下肢装具は体重を支持して，患肢の安定性を補完する必要がある．靴，足部，カフなど体重の支持に大きな役割を果たすパーツが支える部位についての生体力学的な知識を十分にもっておく必要がある．とくに靴はその適合性のチェックがおろそかになりやすい．

　骨折などで患肢に体重を負荷できない場合などに，体重を免荷する目的で装用するのが免荷装具で，**PTB式短下肢装具**と**坐骨支持長下肢装具**がある．完全な免荷を得るためには，装具の足部を完全に床から離し，支柱にも固定してはならない．

4. 機能の補強，代用をする装具

　外側型の交互歩行装具 reciprocal gait orthosis（RGO）（**図26**）や Walkabout®および Prime walk®などを使った内側型の装具はいずれも，下肢を交互に動かす動作を補完して，対麻痺の

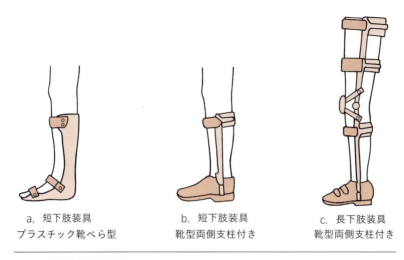

a. 短下肢装具　プラスチック靴べら型

b. 短下肢装具　靴型両側支柱付き

c. 長下肢装具　靴型両側支柱付き

図25　代表的な下肢装具

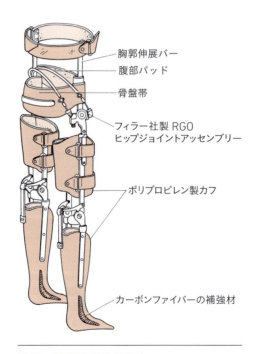

- 胸郭伸展バー
- 腹部パッド
- 骨盤帯
- フィラー社製RGOヒップジョイントアッセンブリー
- ポリプロピレン製カフ
- カーボンファイバーの補強材

図26　交互歩行装具（RGO）

歩行を補助する機能をもつ装具である．機能の補完をする場合，どのような機構でそれがなされるかよく知っておく必要がある．たとえばRGOは体幹の伸展力がなければ，下肢を動かすことができないので，体幹の伸展を許す形とし，十分な腰椎の前弯をとった形状で骨盤帯を作らなければならない．また内側型の装具には車いすに座れるという利点がある．

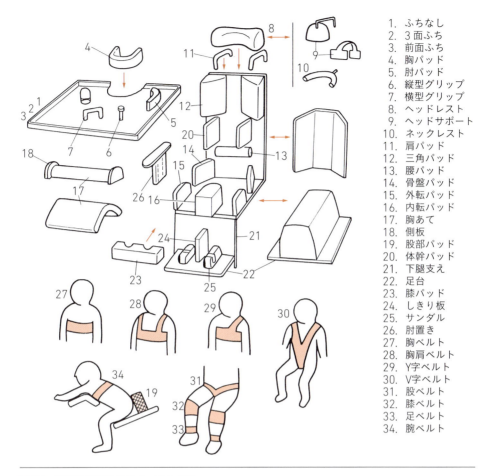

図27　座位保持装置の各パーツの名称

5. 痙縮を抑制する装具

痙縮を増強するのは，対象となる筋の活動量の多さである．痙縮を抑える目的であれば可動性の少ない装具を装用する必要がある．他の筋緊張を高くする病態，すなわち固縮やジストニーでは，装具をつけて筋緊張を低下させるのは困難である．

c. 座位保持装置

座位保持装置（**図27**）は，座位時の体幹を安定させることにより，上肢機能が十分に発揮されること，口腔・呼吸機能が有効に働くようになること，頭部が安定することによって視覚認知能力が改善されることなどを目的として製作される．使用が座位に限定されること，固定するというよりは，抗重力的な姿勢を保持させるという点から，装具とはかなり異なった性質をもっており，それがデザインに反映されないと，使用時大きな苦痛を引き起こす．

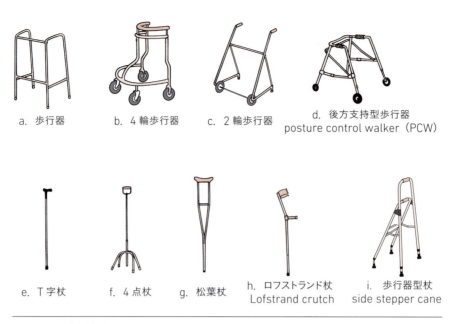

図28 各種歩行補助具
上段にあげたのが歩行器，下段が杖である．

d. 車いす

　車いすは，移動のための道具である．ただし長時間座って過ごすことも多いので，褥瘡予防のためにシートに注意を払う必要があるほか，姿勢保持の機能をもたせることもある．

　車いすの分類は，その基本的な構造によって行われ，まず駆動方法により，手動と電動に分けられ，手動のものは後輪駆動のいわゆる普通型，前輪駆動式，片手駆動式などと，介護者が手で押す手押し型に分けられる．背もたれを倒すことができるものをリクライニング式という．そのほかに特殊な用途に合わせて，スポーツ用，切断者用に作られるものもある．

　欧米では，**電動車いす**のみならず電動の三輪自動車を，ごく軽度の障害者でも日常の足として使っており，処方数も多い．人工知能を使って障害物を自動的に回避する機能をもった電動車いすも開発されている．

e. 歩行補助具

　歩行補助具には，歩行器および杖がある（**図28**）．歩行補助具を処方する理由は，① 支持基底面内に重心を保持することができない場合，② 歩行動作や，バランスを保つ努力によって痙縮が増大する場合，③ バランスをくずしたときに，ステップして転倒を防ぐ能力がないことなどである．一般的に，前後左右方向へのバランス反応が悪いものには**歩行器**を，側方はよいが前後のバランス反応が悪いものには**杖**が適応となると考えられている．ただし，いずれの歩行補助具でも，操作する上肢，手および体幹の機能の制約を受けるので，それらを考慮して選択する必要がある．

f．自助具

自助具（⇨p. 85，**図20**）は，自分で日常生活を自立させるのを助ける道具である．筋力低下の代償，ROMの制限の代償，握り動作，つまみ動作の代替，不随意運動のコントロール，両手が必要な動作を片手でできるようにするなどの目的で使われる．これらの目的に合わせて多数の機器が開発され市販されているが，日常生活で使われるありふれた道具，たとえば爪楊枝，竹ヒゴ，洗濯ばさみ，文鎮などが驚くほど便利に使われている．押しつけの処方にならないように，使用者の発想を大事にすることが，よい自助具をみつける鍵である．

6　心理的アプローチとカウンセリング

リハビリテーション医療において心理的アプローチを行うには，障害者がとる一見奇妙な態度や，医療者に対する攻撃的な言動が，その特異的な心理状況を背景にして出てくることを知っていなければならない．

a．障害の受容

自分の身体の一部を失う，あるいは社会生活上必要な能力を失った場合，人は心理的な混乱状態に陥り，その後いくつかのステップをたどって，それを自分という人間の一部として受け入れるようになるとされ，この過程は**障害の受容の諸段階**と呼ばれている．これはフロイトFreudによる対象喪失と悲哀の仕事の理論を，コーンCohnやフィンクFinkなどが発展させたものに根ざしている．障害を受けた人の心理の動きは複雑で，臨死患者の心理過程として有名なキュブラー・ロスKübler-Rossの理論に対しても，同様の批判があることから，必ずしも以下のステップを踏むとは限らないが，その心の動きを理解するにはこの基礎的な知識が必要となる．

1．心理的ショック相

初期の集中的な治療を受けている時期と重なり合い，健康なときと同じ身体像をもっている．つまりこの段階では障害者という自覚はまったくない．

2．障害否認相

自分の障害を自覚するが受け入れられない．回復への期待が強く，少しの変化も回復への前徴としてとらえて大騒ぎしたり，効果がありそうな病院を転々と移り変わったり，迷信にすがったりする．健常者に対して嫉妬や羨望を感じ，介護者に対してはわがままになり，あたりちらしたりする．また逆に障害者と自分を同一視することができず，交流を求められても応じようとせず，かえって差別的な言動をとったりする．

3．うつ反応相

自分に障害があることを受け入れるが，現実的な対応ができず，悲しい気持ちになる（うつ的になる）．自分の人間としての価値が失われたと感じやすく，実際の身体的，社会的制約に比べて，はるかに大きな制約があるように感じてしまう．無気力になり，希望を失うことも多く，自殺がもっとも多いのはこの時期である．

4. 自立への抵抗相

自分に障害があることを受け入れ現実的な対応をし始めるが，そういった対応に対して，自信がなく，感情が揺れ動いている時期．健常者に対しては劣等感をもつが，障害者に対しては親近感をもち，交流を求める．

5. 障害受容相

障害を受け入れ，障害が自己の個性（たとえば，背が高いとか低いとか，太っているとかやせているとか）の1つであり，それがあるからといって自分の人間的な価値は変わらないと考え始める時期．社会に対する対応はより積極的になり，障害者，健常者の区別なく交流し始める．

b. カウンセリング

カウンセリングとは，面接を通じて患者の心理的な問題を明らかにし，問題解決へつながるような援助を行うことをいう．カウンセリングの技術より，カウンセリングの場で，カウンセラーがとる非権威的で共感的な態度から，医療者は学ぶことが多く，このような態度を通じてしか，人間を，とくに「病む人間」を理解することはできない．同じ病気にかかっていても，あるいは同じ障害をもっていても，その社会的，心理的な側面は千差万別であり，その人がとる行動規範は病気，あるいは障害より，それまでの人生，個人としてのものの見方，生活をともにする家族，知人，職場の同僚に影響されることのほうが多い．カウンセリングという特殊な場をもたなくても，医療者は，診察，処置，評価および訓練の場で，患者に話しかけ，その話をきき，態度をみることができるが，それから得られる知見を理解し，リハビリテーション医療に役立てていく必要がある．

7 社会資源と環境整備

a. 平常時

社会的不利（参加制約）は「機能障害と能力低下の大きさ」に対する，障害を受ける前に果たしてきた「社会的な役割の質および大きさ」との相対的な差から生じてくる．それを克服するためには，社会資源（**表33**）の活用と，家庭を含めた障害者が生活する地域レベルの環境整備が不可欠となる．リハビリテーション医療者および障害者自身が，地域の社会サービス提供者たちとネットワークを作らなければ，質のよい社会サービスを受けることができない．

リハビリテーション医療者は2006（平成18）年から施行された**障害者自立支援法**（**表34**）ならびにそれが2013（平成25）年に改正された障害者総合支援法と関連法規，各種の**社会保険**および**年金制度**，これらを利用した訪問，通所，入所の相談にのる**社会福祉サービス**，さらには**介護保険制度**の基礎的な知識をもっている必要がある．しかし，実際にこれらの社会福祉サービスを受けるためには，福祉事務所，更生相談所，各市区町村の福祉担当課，社会保険事務所などの公的機関，介護支援センターおよびケアマネジャー現場のホームヘルパー，保健師，訪問看護ステーションや通所リハビリテーション，デイサービスのスタッフさらにソーシャル

表33　各種社会資源

<在宅サービス>	<施設サービス>
1. 訪問によるもの 　　医療機関からの往診 　　訪問看護 　　訪問リハビリテーション 　　訪問歯科診療 　　訪問指導 　　訪問口腔衛生指導 　　ホームヘルプサービス 　　給食サービス 　　入浴サービス 2. 通所によるもの 　　医療　通所リハビリテーション 　　保健　機能訓練事業 　　福祉　デイサービス事業 　　民間　小規模作業所 3. 入所 　　ショートステイ 4. 給付・貸付・手当 　　日常生活用具給付 　　補装具交付・修理 　　住宅整備 　　　在宅設備改造費助成 　　　高齢者居室整備資金 　　年金 　　　障害基礎年金 　　　障害厚生年金 　　手当 　　　特別障害者手当 　　　児童扶養手当 　　その他 　　　各自治体が独自に設定している諸手当	1. 福祉施設 　　介護老人福祉施設（特別養護老人ホーム） 　　養護老人ホーム 　　軽費老人ホーム（ケアハウス含む） 　　重度身体障害者更生援護施設 　　肢体不自由者更生施設 　　身体障害者療護施設 　　授産施設 2. 保健施設 　　介護老人保健施設 <移送サービス> 1. 民間移送サービス 2. 公的移送サービス <運賃割引> 1. JR運賃割引 2. 航空旅客運賃割引 3. バス運賃の割引 4. タクシー運賃の割引 5. 有料道路通行料金の割引 <その他> 1. ボランティアによる福祉サービス 2. 民間企業による有償のサービス

各自治体が独自に行っている事業や，民間ボランティアによるサービスに関しては，社会福祉協議会，自治体の福祉担当者，福祉事業所などに問い合わせてみる必要がある．

ワーカーなどと密接な連携をとる必要がある．

b．災害時

　2011（平成23）年に発生した東日本大震災においては，被災者全体の死者数のうち65歳以上の高齢者の死者数は約6割であり，障害者の死亡率は全体の約2倍であった．被災後に仮設住宅や公営災害住宅などでの生活を強いられるなかで，所属していたコミュニティの喪失に伴う孤独死も，災害を遠因としている．地震や津波などが，人間および社会がもっている「立ち向かう力（レジリエンス）」の限界を超えた時に起こるのが災害であり，その対処法は「避難」になる．避難には災害の発生前後に危険を避けること，すなわち緊急避難行動 evacuation と，被

表34　障害者総合支援法で提供されるサービス

介護給付	
居宅介護（ホームヘルプ）	自宅で，入浴，排泄および食事の介護
重度訪問介護	重度の肢体不自由者で常に介護を必要とする場合に，自宅で，入浴，排泄，食事の介護，外出時における移動支援などを行う
行動援護	自己判断能力が制限されている人が行動するときに，危険を回避するために必要な支援，外出支援を行う
重度障害者等包括支援	介護の必要性がとても高い場合に，居宅介護など複数のサービスを包括的に行う
短期入所（ショートステイ）	自宅での介護者が病気の場合などに，短期間，夜間も含め介護施設で，入浴，排泄，食事の介護などを行う
療養介護	医療と常時介護を必要とする場合に，医療機関で機能訓練，療養上の管理，看護，介護および日常生活の世話を行う
生活介護	常に介護を必要とする場合に，昼間，入浴，排泄，食事の介護などを行うとともに，創作的活動または生産活動の機会を提供する
障害者支援施設での夜間ケア等（施設入所支援）	施設に入所する場合に，夜間や休日，入浴，排泄，食事の介護などを行う
共同生活介護（ケアホーム）	夜間や休日，共同生活を行う住居で，入浴，排泄，食事の介護などを行う
訓練等給付	
自立訓練（機能訓練・生活訓練）	自立した日常生活または社会生活ができるよう，一定期間，身体機能または生活能力の向上のために必要な訓練を行う
就労移行支援	一般企業などへの就労を希望する人に，一定期間，就労に必要な知識および能力の向上のために必要な訓練を行う
就労継続支援（A型＝雇用型，B型）	一般企業などでの就労が困難な場合に，働く場を提供するとともに，知識および能力の向上のために必要な訓練を行う
共同生活援助（グループホーム）	夜間や休日，共同生活を行う住居で，相談や日常生活上の援助を行う
地域生活支援事業	
移動支援	円滑に外出できるよう，移動を支援する
地域活動支援センター	創作的活動または生産活動の機会の提供，社会との交流などを行う施設
福祉ホーム	住居を必要としている場合に，低額な料金で，居室などを提供するとともに，日常生活に必要な支援を行う
地域移行支援	障害者支援施設，精神科病院，児童福祉施設を利用する18歳以上の者などを対象として，地域移行支援計画の作成，相談による不安解消，外出の同行支援，住居確保，関係機関との調整などを行う
地域定着支援	居宅において単身で生活している障害者などを対象に常時の連絡体制を確保し，緊急時には必要な支援を行う

災に伴い自宅への復帰が困難で，避難所や仮設住宅などで暮らすことを意味する避難生活 sheltering があるが，リハビリテーション専門職がかかわるのは主に後者である．

　避難生活においてリハビリテーション専門職が提供するサービスの対象は，障害児・者のみならず，高齢者，妊産婦，乳幼児，傷病者，内部障害者および難病患者なども要配慮者として含まれる．対応が行われる場所は，主として避難所であるが，1995（平成7）年に発生した関西淡路大震災を機に提唱された福祉避難所もリハビリテーション専門職の支援を必要としてい

る．これら避難所および被災後の仮設住宅での生活でニーズが高いとされるのは，①エコノミークラス症候群，生活不活発病の予防活動，②避難所の環境評価と整備支援（とくに立ち座り，移動の動線確保，入浴，トイレなど），③福祉用具・日常生活用具（杖・車いす，バスチェアなど）の適用判定と配布，④個別リハビリテーション（動作指導，訓練など）の実施，⑤仮設住宅の応急改修と福祉用具の配置などである．

　リハビリテーション関連団体として東日本大震災の後に結成された大規模災害支援関連団体協議会 Japan Disaster Rehabilitation Assistance Team (JRAT)はこのような支援を提供しており，現在では，被災地に対して全国からの支援が届くようになりつつある．ただし，異なる地域から緊急に招集されるため，職種の構成および提供できる支援の内容が多種・多様であり，現地でそれを整理し，適切に配置する司令塔となる組識が必要になる．このため，平常時より受け入れ体制を整備しておく必要があり，とくに地域の要配慮者の情報を持つ保健師との協同が重要である．

リハビリテーション医学疾患各論

A. 脳疾患

 学習の目標

1. 脳血管障害の病型分類とその発症原因について説明できる．
2. 脳血管障害における損傷部位とその症状の特徴を説明できる．
3. 急性期リハビリテーションの注意事項を理解する．
4. 片麻痺患者の主なADL練習について説明できる．
5. 脳血管障害片麻痺患者の理学療法・作業療法・言語療法の流れを説明できる．
6. 外傷性脳損傷は局所性脳損傷とびまん性脳損傷の混在により多彩で複雑な障害像を呈することを理解する．
7. 外傷性脳損傷では急性期は意識障害と運動障害が，慢性期は認知・行動障害がリハビリテーション介入の対象となることを理解する．
8. 低酸素脳症の病態について理解し，リハビリテーションの意義を説明できる．
9. 遷延性意識障害の疾患概念ならびに類似症候を理解し，リハビリテーションの必要性を説明できる．

1 脳血管障害

疾患概念

　脳血管障害 cerebro-vascular disease（CVD）は**脳卒中** stroke ともいわれ，脳卒中は脳に卒然に（突然に），なにか重大なことが起こる（中る：あたる）ことを意味しているものである．これらは脳の血管のなんらかの障害によることから脳血管障害といわれている．

a. 脳血管障害と生命予後，リハビリテーション的予後

　脳血管障害は，1951（昭和26）年よりわが国の死因別死亡率の第1位であった．しかし，脳血管障害に対する予防，健康管理などの国民的意識の向上や対策が効を奏し，死亡率は減少し，1981（昭和56）年に第2位，1985（昭和60）年に第3位，2018（平成30）年には老衰に追いこされ4位になっている．とはいえ，依然として主要死亡原因の1つである．

　脳血管障害に含まれる疾患の代表的なものは脳内出血 intracerebral hemorrhage，脳梗塞 cerebral infarction，くも膜下出血 subarachnoid hemorrhage（SAH）などである．また，脳梗塞はその発生様式によりアテローム血栓性脳梗塞 atherothrombotic cerebral infarction，分枝粥腫型梗塞 branch-atheromatous disease（BAD），ラクナ型多発性脳梗塞 lacunar type multiple cerebral infarction と心原性脳塞栓 cardiogenic cerebral embolism に分かれる．

　また，国民の脳卒中医療に対する意識の向上，救急医療を含む医療の高度な発達とともに，内科的治療や脳外科的手術はより高度な発展をとげ，従来の治療法ではおそらく死亡していたと思われる場合でも救命できる例が多くなってきている．そのため脳卒中の病変した部分は，固定したとしても障害が残ってしまうような，脳卒中罹患者が非常に増えてきているのも事実である．

　このことは，高度の運動麻痺，感覚障害，小脳失調，失語・失行・失認など高次脳機能障害をもつ例が増加することにつながっている．つまり，積極的にリハビリテーションを行わなければならない例が増加しており，理学療法士や作業療法士，言語聴覚士などが必要となっているのである．このようにリハビリテーションのなかで脳血管障害はもっとも重要な疾患の1つである．

b. 脳血管の名称と血管支配

　脳血管は，前方から左右の内頸動脈と後方から左右の椎骨動脈の4本の血管によって栄養されている．内頸動脈は前大脳動脈と中大脳動脈に分かれ，左右の椎骨動脈はいったん頭蓋内で1本の脳底動脈になったあと，再び左右の後大脳動脈に分かれる．また，脳底部で，左右の前大脳動脈は前交通動脈で，後大脳動脈は内頸動脈と後交通動脈で結ばれて**ウィリス動脈輪** arterial circle of Willis を形成している．前・中・後大脳動脈は大脳半球に，椎骨動脈・脳底動脈は脳幹・小脳に主として血液を供給しており，このことを血管支配という（**図 A-1**）．

　前・中・後大脳動脈は脳深部へ直接入り込む穿通枝を出したあと，脳表面を回り脳内へはいる皮質枝につながる．穿通枝は前大脳動脈から尾状核，中大脳動脈から内包・被殻・放線冠，後大脳動脈から視床などを中心に栄養している．内包，放線冠には運動線維が通っているので損傷を受けると運動麻痺が生じやすく，視床は感覚の中枢なので損傷を受けると感覚障害が生じやすい（**図 A-2**）．

1. 脳内出血 intracerebral hemorrhage

　脳内出血による死亡率は高血圧などの健康管理の普及と，高齢化による脳梗塞の増加により激減し，1974（昭和49）年以降は脳梗塞の死亡率を下回るようになっている．

　脳内出血は通常，出血部位により分類されている（**表 A-1**）．多くは高血圧患者にみられる

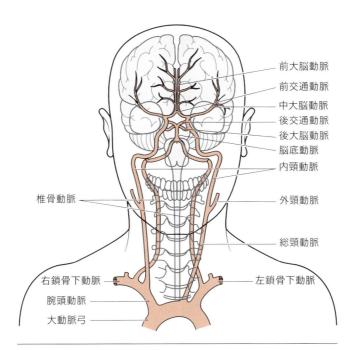

図A-1 脳血管の解剖

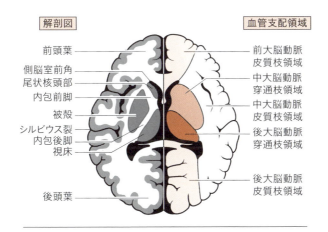

図A-2 内包レベルの脳の横断面
左に脳の解剖図，右に各部位の血管支配図を示す．脳深部は穿通枝，脳表に近い部分（皮質，皮質下白質）は皮質枝により支配される．中大脳動脈がもっとも大きな血管支配領域をもっていることがわかる．

高血圧性脳内出血であり，好発部位は被殻，視床，橋，小脳の各出血である（**図A-3**）．出血傾向（血小板減少，白血病など），脳動静脈奇形，アミロイドーシスなど高血圧以外の原因によるものは皮質下白質に生じる（皮質下出血）ことが多い．

また，神経症状は血腫により直接に神経組織が断裂されることと，血腫が周辺組織を圧迫し虚血にすることで出現する．

症状は発症後数分以内の比較的早期に完成するが，その後，数日にわたり血腫の増大や脳浮

表A-1 脳内出血の部位と局所神経症状

脳内出血の部位	局所神経症状
被殻出血	血腫の大きさによって無症状〜上肢に強い片麻痺・半身感覚麻痺, 失語, 半側無視
視床出血	半身感覚麻痺（表在・深部）
橋出血	交代性片麻痺, 四肢麻痺, 脳神経麻痺, 眼球運動障害, 眼振, 運動失調
小脳出血	小脳失調, 眼振, めまい
皮質下出血	失語・失行・失認・運動麻痺など出血部位の各皮質症状

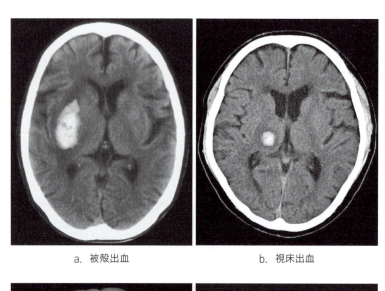

a. 被殻出血　　　　　　　b. 視床出血

c. 橋出血　　　　　　　　d. 小脳出血

図A-3　高血圧性脳内出血のX線CTおよびMRI-CT

腫により症状の増悪をみるものが10%程度にみられ注意が必要である．

以下に臨床でよくみられる被殻出血と視床出血について述べる．

a）被殻出血 putaminal hemorrhage（**外側型出血** lateral type）

脳内出血の約40％を占め，もっとも頻度の高いものであり，中大脳動脈の外側線条体動脈が高血圧や動脈硬化によって血管壊死を起こし発生すると考えられている．また，運動神経などの通路である内包の外側の部位であることから外側型出血ともいう．大出血に進展すると重篤な症状を呈することがあるが，視床出血や脳幹出血に比べると生命予後は比較的良好で2/3以上は生存でき，リハビリテーション効果の高いものの1つである．重度の高次脳機能障害が伴わなければ一般にリハビリテーション・プログラムにのせやすく経過も順調なものが多い．また外側寄りや小出血例では，血腫の消退とともに急速な症状の改善をみることもある．さらに外科的血腫除去術の適応となりうるタイプで手術後に急速な改善をみることもある．

b）視床出血 thalamic hemorrhage（**内側型出血** medial type）

視床出血は視床膝状体動脈，視床穿通動脈の破綻による出血がもっとも多い．被殻出血と対応して，内包の内側部位の出血であることから内側型出血ともいう．視床出血は，視床をはじめ脳幹に影響しやすく，脳室穿破しやすいことから生命予後は悪い．また，脳の中央部にあり外科的手術の適応にもなりにくい．加えて，意識障害，感覚障害は被殻出血より重度で，運動麻痺の改善はよくても，関節位置覚障害や視床痛が伴うと機能障害は重度化し，日常生活活動 activities of daily living（ADL）の改善も悪くなる．

なお，視床と被殻にはさまれた内包の部分で出血が起こることがあり，これを混合型出血という．これは運動・感覚線維の通路でもあり，高次脳機能障害は生じにくいが，重篤な運動感覚麻痺を生じる．

> 急性期脳内出血の治療

血腫の部位と大きさによっては外科的な治療が行われることがあるが，多くは内科的な保存療法となる．内科的には血圧降下薬による血圧管理と抗脳浮腫薬，脳保護薬などによる治療がなされる．

2．くも膜下出血 subarachnoid hemorrhage

くも膜下出血は硬膜と脳表の軟膜の間にあるくも膜下腔への出血をいう．くも膜下出血の原因は多くが**脳動脈瘤破裂**であり，その他の原因として**脳動静脈奇形破裂**が重要である．脳動脈瘤破裂は囊状動脈瘤によるものが大部分である．囊状動脈瘤の成因は，一般には先天的に動脈壁の中膜などの欠損があり，動脈硬化，高血圧などにより徐々に成育するものと考えられている（図 A-4）．

症状は突発する激しい頭痛，項部痛，意識障害，嘔吐，興奮，けいれんなどで始まり，**項部硬直**，**ケルニッヒ徴候 Kernig sign** などの髄膜刺激徴候が特徴的である．

このような症状を呈した場合，頭部 CT などで確認したあと（図 A-5）に MRA（MRI血管画像）やヘリカル CT を行い（図 A-6），早期にクリッピングや血管内手術などの脳外科的手術を行う．

くも膜下出血は，出血がくも膜下腔にとどまる場合は大きな後遺症を残すことは少ないが，

部　位	例数（名）	発生頻度（%）
中大脳動脈	2,425	36.2
前交通動脈	1,037	15.5
内頸動脈	1,245	18.6
内頸動脈-後交通動脈	1,037	15.5
脳底動脈上部-上小脳動脈	445	6.6
椎骨動脈-後下小脳動脈	123	1.8
その他	385	5.7

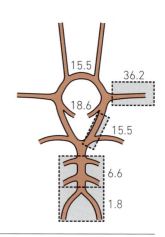

図A-4　脳動脈瘤の好発部位
中大脳動脈，前交通動脈，内頸動脈に発生する頻度が高い．
[The UCAS Japan Investigators : The Natural Course of Unruptured Cerebral Aneurysms in a Japanese Cohort, *N Engl J Med*, **366**：2474-2482，2012より著者作成]

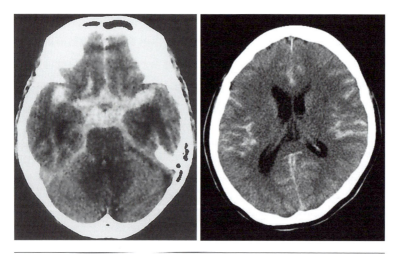

図A-5　くも膜下出血のCT
白くみえる部分（高吸収域）が，くも膜下腔である脳槽（左図）と脳溝（右図）にみられる．

血腫による脳実質への直接の圧排とその後の血管攣縮で生じた脳梗塞に伴う障害が問題となる．
　また，くも膜下腔は髄液の通り道でもあり，血腫やくも膜の癒着などで髄液の流れが妨げられると正常圧水頭症 normal pressure hydrocephalus（NPH）が生じ，認知症や失禁などさまざまな問題をきたす．正常圧水頭症の治療にはV-P（脳室-腹腔）シャントあるいはV-A（脳室-心房）シャントが行われる．
　他のくも膜下出血の原因として重要なものに脳動静脈奇形がある．とくに20〜30歳代の若いくも膜下出血患者は，これを考える必要がある．脳動静脈奇形は脳血管の先天性の奇形であり，動脈から毛細血管を経由せずに静脈に血液が流入するもので，圧が低く血管壁の薄い静脈

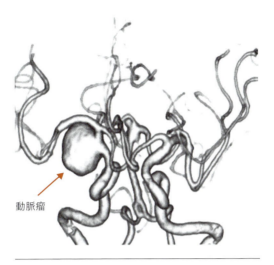

図A-6　MRA（MRI血管画像）による動脈瘤の診断

に圧の高い動脈血が直接流入するために，拡張蛇行し破れて出血をきたす．また，動静脈短絡のため周辺組織は乏血になりやすく，てんかんなどの機能障害が生じやすくなっている．

治療は病変部のガンマナイフなどによる外科的摘出術や塞栓術，放射線療法などが行われる．

3. 脳梗塞　cerebral infarction

脳血流の異常によりその灌流域の循環障害のために虚血状態が生じ，その部分の壊死をきたした場合を脳梗塞という．

脳梗塞は動脈のアテローム硬化性変化による動脈閉塞で起こる**アテローム血栓性脳梗塞**と，高血圧を主な原因とし，穿通枝の脂肪硝子変性 lipohyalinosis による閉塞性の変化によって生じる**ラクナ型多発性脳梗塞症**，糖尿病，脂質異常症が主要原因で穿通枝が主幹動脈の入口で微小アテローム斑 microatheroma により閉塞し長径1.5 cm以上の病巣をもつ**分枝粥腫型梗塞 Branch atheromatous disease（BAD）**，心臓・頸動脈由来の壁在血栓の塞栓による**心原性脳塞栓症**に分かれる（表A-2）．これらは，一過性脳虚血発作の有無，発症様式，年齢，高血圧，糖尿病，心疾患（心房細動・心臓弁膜症など）の有無などから鑑別されるが，臨床症状のみからは判別できないことも多い．

発症直後の治療として血栓溶解（t-PA）療法など数時間以内の閉塞血管の再疎通への治療と，虚血部分の周囲に機能不全に陥ってはいるが神経細胞は死滅していないペナンブラ penambra と呼ばれる部分の血流改善と脳保護を目的に治療が行われる（**図A-7**）．

a）アテローム血栓性脳梗塞　Atheromatous cerebral thrombosis

内頸動脈・椎骨動脈・脳内動脈の比較的太い血管のアテローム硬化（粥状硬化）部に血栓が付着・成育したもので，成育の条件として，① 血管病変，② 血液粘稠度（ねんちゅうど）などの性状の変化，③ 血行力学的変化の三要素が関与する．近年，アテローム血栓性脳梗塞は頻度が増しており，2015（平成27）年度の調査では脳卒中の33.2％を占めている．とくに男性ではその傾向が強く，日本人の脳梗塞が欧米化していると思われる．

表A-2 脳梗塞臨床病型の鑑別

	アテローム血栓性脳梗塞	心原性脳塞栓	ラクナ型多発性脳梗塞
頻度	約30%	約20%	約50%
危険因子	脂質異常症, 糖尿病, 高血圧, 喫煙	塞栓源となる心疾患（とくに心房細動）	高血圧, 糖尿病, 高ヘマトクリット血症
TIAの先行	約20〜30%	約10%	約10〜20%
発症様式	緩徐進行完成または突発完成	突発完成	階段状進行または急速進行
神経症候	意識障害, 高次脳機能障害	意識障害, 高次脳機能障害	ラクナ症候群, 意識障害・高次脳機能障害は少ない
画像所見	皮質枝領域, 境界領域とぎに穿通枝領域	境界明瞭な皮質枝梗塞 出血性梗塞, 脳浮腫	穿通枝領域（直径1.5 cm以下） 直径1.5 cm以上のものは分枝粥腫型梗塞（BAD）と言われ, アテローム血栓性脳梗塞とラクナ型多発性脳梗塞の中間型を示す
脳血管所見（血管造影またはMRA）	主幹動脈の狭窄・閉塞	主幹動脈の閉塞, または再開通所見	主幹動脈病変なし
心電図・心エコー	明らかな塞栓源なし	塞栓源心疾患あり	明らかな塞栓源なし
凝血学的所見	血小板, 凝固・線溶系の活性化	凝固・線溶系の活性化	有意の変化なし
リハビリテーション的問題点	皮質系大血管障害が多く, 広範で運動感覚麻痺も重度であり, 高次脳機能障害なども出現, 重度で改善に乏しいことも多い	アテローム型と同じく皮質系大血管障害が多く, 同様の症状が多いが, ときにシャワー状に異なる場所に多発することがあり, その際は神経症状が重複する	単発では穿通枝系に多く, 錐体路障害などをきたし, 皮質症状の少ない症状を呈する. しかし, 左右両側性に生じると, 体幹筋筋力低下から立位・座位耐久性低下, 仮性球麻痺, 認知症などが出現する

[高木 誠：必携脳卒中ハンドブック（田中耕太郎ほか編）, 診断と治療社, 2008より引用]

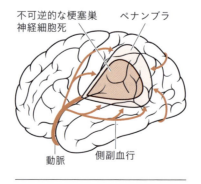

図A-7 ペナンブラ

表A-3 脳梗塞による局所神経症状

脳梗塞血管	支配領域	神経症状
前大脳動脈	前頭葉内側面，脳梁	下肢に強い片麻痺，強制把握，精神症状
中大脳動脈穿通枝	内包，被殻，放線冠	上肢に強い片麻痺，半身感覚麻痺
中大脳動脈皮質枝	前頭葉外側面，側頭葉上外側面，頭頂葉	顔面・上肢に強い片麻痺，半身感覚麻痺，失語，半側無視など
後大脳動脈穿通枝	視床	半身感覚麻痺（表在・深部）
後大脳動脈皮質枝	後頭葉，側頭葉内側底面	同名半盲，記憶障害，相貌失認，地誌的失認
脳底動脈	脳幹，小脳	交代性片麻痺，四肢麻痺，脳神経麻痺，眼球運動障害，眼振，運動失調

　脳動脈硬化以外にも血液粘稠度などに関与して血流速度・血液成分の変化（血小板凝集能など）も関連が深いことが知られている．すなわち，血栓はまず動脈硬化のような異常のある血管壁に血小板が粘着することから始まり，次々と血小板が凝集して海綿状の網目が形成され，さらに白血球が加わって血栓が発育するものと考えられている．

　閉塞部位と臨床症状との関連性について個人差が大きいのは，大脳の機能局在の個人差と側副血行路形成の良し悪しによって生じる差である．たとえば，内頸動脈梗塞では，ウィリス動脈輪の側副血行の良し悪しによって，また，中大脳動脈起始部梗塞では，前大脳動脈領域からどの程度側副血行されるかによって臨床症状は軽度なものから最重症のものまでさまざまな状態となる．症状は発症後数時間から数日で進行することもまれではない（**表A-3**）．

b）ラクナ型多発性脳梗塞 lacunar type multiple cerebral infarction

　脳の深部にみられる小穿通枝領域の小梗塞で，通常その最大径が1.5 cm以下の小梗塞巣が生じ，多発したものをラクナ型多発性脳梗塞と呼んでいる．

　MRI，CTの発達普及により高齢者の多くの症例にラクナ梗塞を見出すことができるようになり，多くは無症状で経過する（無症候性脳梗塞 asymptomatic cerebral infarction）が，多発してパーキンソン症候群 Parkinson syndromeや認知症症状を呈することもある．また，小さな梗塞でも錐体路や感覚路，基底核などに生じると，単麻痺や感覚障害，不随意運動などを生じることがある．ラクナ梗塞の血管変化は，脳内主幹動脈から分岐する穿通枝動脈に出現し，直径200 μm以下の血管に高血圧との因果関係が高い硝子様変性 lipohyalinosisと呼ばれる血管変性のものが多い．

　通常これらの病巣は両側性で，基底核・脳幹部に多発するので，パーキンソン病 Parkinson diseaseと類似の臨床症状を示すことが多い（**血管性パーキンソニズム**）．一般的な臨床症状は，回復良好な片麻痺，筋固縮，小刻み歩行，構音障害，仮性球麻痺，意欲低下，精神あるいは知能低下，強迫泣き，強迫笑いなどである．

　高齢化に伴いリハビリテーションでは，このような症例を扱う機会が徐々に増えてきている．

c）分枝粥腫型梗塞 branch atheromatous disease（BAD）

　1989年にCaplanにより提唱され，外側線条体動脈領域梗塞や傍正中橋動脈領域梗塞に生じ

やすく，ラクナ梗塞とアテローム血栓性脳梗塞の中間となる病態で，発症後しばしば症状（特に片麻痺）が進行する病態をもつ．糖尿病，脂質異常症を基礎疾患としてもつことが多く，直径400〜900 μmの穿通枝近位部に出現するアテローム硬化類似の微小粥腫 microatheroma からプラーク形成を呈し，長径1.5 cm以上の病巣となる．また急性期では死亡や重篤な後遺症を残すことは少ないが，重度な麻痺を残すこともあり，その機能予後は必ずしも良好ではない．

d）心原性脳塞栓 Cardiogenic cerebral embolism

心原性脳塞栓とは，大動脈・頸部動脈などの壁在血栓，心内血栓や空気，脂肪などが脳動脈に流れ，ある部分で閉塞するものをいう．

その発生機序により，

1）心由来のもの
① 壁在血栓：心房血栓（心房細動），心室内血栓（心筋梗塞）
② 心弁膜疾患：リウマチ熱，心内膜炎，心弁膜症
③ 心房粘液腫

2）頭蓋外動脈由来
① 粥状硬化：とくに頸動脈分岐部周辺

3）その他
① 空気塞栓：胸部外科手術後，外傷後
② 脂肪塞栓：骨折などの外傷後
③ 腫瘍塞栓：悪性腫瘍によるものなど
④ 奇異性塞栓：静脈系からの栓子が右心→左心のシャントを通して発生する塞栓．卵円孔を介する場合が多い

などに分けることができる．

高齢者にみられる心原性脳塞栓の多くは心臓に生じた血栓が剥離して脳動脈閉塞を起こすもので，なかでも非弁膜症性心房細動に起因するものが多くその予防治療は重要である．MRI，CTの普及により小梗塞まで把握できるようになり，心房細動のある例では，ない例に比べ高率に発生している．また，一過性心房細動のある例ではさらに高率である．

その他，高齢者にみられる心原性脳塞栓としては，リウマチ性心内膜炎・心弁膜症・非細菌性血栓性心内膜炎（悪性腫瘍などの消耗性疾患に伴う merantic endocarditis）・心筋梗塞などに付随して生じてくるものである．

心原性脳塞栓は，いったん閉塞した主幹動脈が塞栓子の融解によって再開通し，壊死に陥った組織へ血流が再疎通する．再疎通部位の血管透過性が亢進していることと，壊死に陥った毛細血管・細静脈が破れることにより漏出性出血が生じ出血性梗塞が起こりやすい．

リハビリテーションを行う上での危険管理については，著明な弁膜症や心筋障害などによる心不全徴候が伴わなければ，問題なくプログラムを進めることが可能な場合が多い．

発症様式は，アテローム血栓性脳梗塞などの場合は睡眠時など安静時に発症し，数時間から数日で進むことが多く，心原性脳塞栓の場合は危険因子として心房細動，心弁膜症などをもち数分で症状が突発完成する特徴をもつが，臨床症状のみでは判別できないことも多い．

4. その他

その他，脳血管障害には，脳静脈・静脈洞血栓症，ウィリス動脈輪閉塞症（モヤモヤ病）などがある．

評価・検査

神経学的検査，関節可動域 range of motion (ROM) 検査，神経心理学的検査が行われる．脳卒中急性期から慢性期にかけて症状の経過と後遺障害の診断が必要である．簡便な包括的評価尺度として以下のようなものを用いる．

急性期：national institute of health stroke scale (NIHSS)

急性期～亜急性期：Canadian neurological scale

亜急性期～慢性期：脳卒中機能障害評価法 stroke impairment assessment set (SIAS) (⇨p.30)

1. 運動麻痺の評価

脳卒中の運動麻痺には以下のような特徴的な現象がみられるので，これらを考慮しながら評価しなければならない．

① **共同運動**：各筋を個々に独立して動かすことが困難で，その運動は屈曲パターンや伸展パターンの決まったパターンで動かすことしかできない．

② **連合運動**：健側を動かすと患側の動きが誘発される現象で，同側性連合運動と対側性連合運動がある．

③ **姿勢反射**：緊張性頸反射，緊張性迷路反射，緊張性腰反射などがある．

④ **痙縮と固縮**：腱反射や筋緊張の低下や逆に痙縮 spasticity と固縮 rigidity など亢進した状態などがみられる．また，痙縮と固縮の合わさった痙固縮 rigospasticity の状態もみられる．
痙縮の評価にはアシュワース尺度変法 modified Ashworth scale (⇨p.35) などが用いられる．

運動麻痺の評価にはわが国では中枢神経麻痺を共同運動からの分離運動という運動パターン障害でとらえる**片麻痺機能検査**（**ブルンストロームステージ** Brunnstrom stage）が簡便な方法として普及している（⇨p.28）．

2. 感覚障害の評価

温痛覚，触覚などの表在覚とともに，関節位置覚などの深部感覚を評価する．身体運動においては表在覚より深部感覚障害のほうが影響が大きく，視床や橋背側部の損傷で出現することがあり，感覚性失調 sensory ataxia をきたすことがある．

3. 高次脳機能障害の評価

一般に，左大脳損傷（右片麻痺）では言語中枢が損傷を受け**失語症** aphasia になりやすく，右大脳損傷（左片麻痺）では**左半側無視**や**病態失認**などが生じやすい．

a）失語症

1）失語症の診断

失語症は大脳の中における言語の操作能力の障害で，読む・話す・聞く・書くのすべての側面に程度の差はあっても大なり小なり障害をきたす．

言語障害をもつ患者に対しまず最初に，**失語症か構音障害かの鑑別**を行う．そのためには以下の質問を試みるとよい．

① 患者の氏名，年齢，住所をきく．
② 時計，ボールペン，メガネなど日常使用している物をみせてその名称をいわせる（失語症の物品呼称テスト）．
③「動物の名前をできる限りあげてください」と命じ，1分間に10語以上いえるかどうか調べる（失語症の語列挙のテスト）．

①，②，③の質問ができなければ失語症の可能性は高い．失語症の場合，どのタイプの失語症であっても名詞の喚起が困難であるので②の質問で名称がなかなか出てこないか，誤りがみられることが多い．また，③の質問で想起できる語数が少ない場合も軽微な失語症を疑う．失語症と判断した場合はさらに詳細な症状の検討をしていく．①，②，③の質問をこなすことができれば構音障害の鑑別を行う．

2）失語症のタイプ分類

なにげない普段の会話において発話が流暢かどうかをみる．流暢であれば，感覚失語（ウェルニッケ失語 Wernicke aphasia），伝導失語，超皮質性感覚失語，失名詞失語（健忘失語）を考え，非流暢であれば，運動失語（ブローカ失語 Broca aphasia），全失語，超皮質性運動失語を考えていく（⇨p.85）．

失語症の詳細な検査には標準失語症検査 standard language test of aphasia (SLTA)，ウエスタン失語症総合検査 western aphasia battery (WAB) などがある．

b）失認・失行（⇨p.43）

4. 認知・行為障害，心理的障害

その他，脳損傷に基づくさまざまな障害があり，これらもリハビリテーションの阻害因子になりうる．

a）意識障害

1ヵ月以上続く遷延性意識障害など重度な意識障害は積極的なリハビリテーションを行うことができないが，軽症の意識障害であっても注意力低下などが伴いリハビリテーションを遅らせる要因となる．

b）自発性低下

前頭葉障害や広範な脳損傷では自発性の低下がみられる．

c）認知症

広範な脳損傷では全般的な知的機能の低下をきたす．また，前頭葉，視床などの損傷でも認知症症状がみられる．さらに，ラクナ型多発性脳梗塞では部分的に知的機能の低下したまだら健忘などがみられる．

d）感情障害：抑うつ気分，情動失禁

脳損傷による**性格変化**として特徴的なものは，左脳損傷（右片麻痺）では，頑固で生真面目，几帳面になり，うつ的傾向が強い．右脳損傷では，多幸的，注意力散漫，多弁だが無動などの特徴が出ることが多い．一般に，うつ病の検査を行うと，左麻痺のほうが行動しないため，うつ傾向と出ることがある．また，感情面でもコントロールしづらくなり泣きやすくなったり，情動失禁が生じることがある．

表A-4　脳卒中片麻痺歩行hemiplegic gaitにみられる異常歩行

体幹：前傾，側方動揺		
	患側立脚期（床に接地しているとき）	患側遊脚期（床から離れているとき）
骨盤	回旋，トレンデレンブルグ徴候 Trendelenburg sign	挙上
股	外旋，伸展不十分	ぶんまわし歩行，屈曲不十分，屈曲過剰，外旋
膝	膝折れ，膝ロッキング，膝過伸展	伸展不十分
足部	全足底同時接地，尖足，内反足	ホイップ，下垂足，内反尖足，過剰背屈
足趾	つち指	

障害構造・問題点

1. 機能障害（心身機能・身体構造の障害）

a) 左大脳半球損傷

右片麻痺（利き手の麻痺：利き手交換が必要な場合がある），右半身感覚障害，失語症，観念性失行，観念運動性失行など．

b) 右大脳半球損傷

左片麻痺，左半身感覚障害，左半側無視，注意障害，病態失認，着衣失行など．

c) 左右両側大脳半球損傷（両側性ラクナ型多発性脳梗塞の場合）

左右両側性片麻痺に加え，体幹筋力低下，仮性球麻痺（構音障害，嚥下障害），意欲低下，知的能力低下など．

d) 脳幹損傷

交代性片麻痺，脳神経症状（複視，末梢性顔面神経麻痺，めまい，耳鳴り，嚥下障害など），小脳失調．

e) 小脳損傷

めまい，小脳失調．

2. 能力低下（活動制限）

a) 基本動作能力障害

背臥位から座位，膝立ち，立位への姿勢変換と姿勢保持能力の障害．

両側性片麻痺の場合，体幹筋力の低下により立ち上がり，座位・立位保持能力などの障害が顕著である．

b) 歩行移動能力

歩容，補装具の使用状況，歩行様式などによりその状態は異なる（**表A-4**）．

c) ADL障害

1) 食事動作

利き手が障害を受けていなければ，両手動作以外の食事動作の障害はほとんどない．

利き手が障害された場合，非利き手を使うことにするならば食事内容の工夫とスプーン，

フォークなど食器の工夫により早期から自立する.

半側無視や失行のある患者は食事訓練と並行して高次脳機能訓練も行う.

2）洗面・整容動作

洗顔，歯みがき，整髪などの動作で，慢性期には**認知症**，高次脳機能障害がなければ，動作方法や自助具の使用・工夫をすることで，ほぼ自立する．ベッド・車いす上でこれらの動作を行うときには座位バランスが，立って行うときには立位バランス能力が必要になる．

3）更衣動作

更衣動作は片麻痺や関節拘縮の影響を受け着衣方法や衣服の工夫を行う必要がある．

前開きシャツでは，まず患側の上肢へ袖を通し，次に肩まで引き上げて完全に肩にかける．そして健側の上肢を後方へ回し，袖を通す．脱ぐときはこの逆を行う．

かぶりシャツは，患側上肢を袖に通し，次に健側上肢を袖に通す．健側手で衣服背部をもって上げ，頭を通してから衣服を整える．脱ぐときはこの逆を行えばよい．

ズボンも患側足から通し，健側を入れたら，寝ていれば殿部を浮かせ，座っていれば少し立ち上がってズボンを腰まで引き上げボタンやファスナーをとめる．脱ぐときは健側からズボンを下ろし，いすなどに腰掛けて患側を脱ぐようにする．

4）排泄動作

基本動作，移動動作，更衣動作が正しくできないとトイレ動作はうまくいかない．

立位バランス，移乗動作が低下している患者では，手すりをつけたり，移乗動作方法を工夫したり，ポータブルトイレや尿便器などの導入，家屋調整などを行うようにする．

5）入浴動作

もっとも困難な動作の1つで，基本動作，移動動作，更衣動作，整容動作など多くの動作が順序よく自立していなければできない．浴室ではシャワーチェアや手すりを用いたり，浴槽の縁に座ったあとで入るようにするなどの工夫をすると入浴しやすい．また家屋構造などにも影響されるので状況把握と家屋調整などを行う．

ただし，これらのADL障害については，訓練室などで行える訓練を行った後は，実際の病棟や家庭で行えるように工夫するとともに，ふだんから行うように指導しなければならない．

3．社会的不利（参加制約）

突然生じる障害のため，症状が重度であれば混乱を生じやすい．また，働き盛りの年齢では経済的問題など家庭に対する障害も大きい．高齢者では，介護者の問題なども生じてくるのできめ細やかな対応が必要である．

① 社会資源：保険の種類，介護保険，身体障害者手帳，各種地域・福祉サービス
② 介護者の問題：人的，心理的，経済的介護力の問題，ヘルパーなどの適切な配備
③ 家屋環境：間取り，段差，手すり，浴室・トイレの設備，周囲の環境
④ 職業：病前の仕事内容，配置転換，通勤方法，仕事場の対応
⑤ 生活の質 quality of life（QOL）への配慮：生活空間の拡大（車いすなどの適切な利用，買い物，娯楽，趣味，教育，自動車の運転など），身体機能に対する理解・満足度，生活への満足度に対する援助

合併症

廃用症候群に伴う関節拘縮，筋力低下，心肺機能低下，肩関節亜脱臼などがある．また，立位可能な患者では転倒により大腿骨頸部骨折や上腕骨骨折などが生じやすく，とくに大腿骨頸部骨折は寝たきりの要因になるので注意を要する．

リハビリテーション治療

1．脳卒中リハビリテーションの全体的な流れ

発症早期のリハビリテーション・プログラムはリハビリテーションとケアに重点がおかれ，とくに重度障害にはROM維持，体位変換，良肢位保持は欠かすことができない．

早期リハビリテーションの開始基準として，① バイタルサインの安定，② 麻痺進行の停止，③ Japan coma scale（JCS）(3-3-9度方式)（⇨p. 24）1桁があげられ，通常，第1〜3病日でベッドサイドリハビリテーションが開始される．座位訓練，立位訓練などが行われるが，その際のリスク管理が必要である（**表A-5**）．

姿勢変化の影響として発症当初の脳血流自動調節能の破綻から起立性低血圧を生じやすいので，血圧はむしろ高めで訓練を行う．

また，危険管理には『リハビリテーション医療における安全管理・推進のためのガイドライン　第2版』などを簡便な指標として用いる．

脳梗塞・脳内出血リハビリテーションの全体的な流れを**表A-6**に示す．くも膜下出血については術後の安静状態を加味しながら早期から始めるとよい．

2．痙縮に対する治療

片麻痺の痙縮に対する治療は，温熱療法などの物理療法，神経筋促通法，抗痙縮薬による薬物療法，A型ボツリヌス毒素による神経ブロック，バクロフェン髄注療法などがある．近年広く使われ，効果を上げているものにA型ボツリヌス毒素による神経ブロックがある．この方法は3〜4ヵ月で効果が減弱することが多く再投与が必要となる（**図A-8**）．

3．理学療法

a）ベッドサイド訓練

1）早期のポジショニング

良好な改善を得るためには初期の良肢位保持は重要である．また，痙縮が強くなっている場合は手指の伸展位保持のためタオルを握らせたり，下肢の内反尖足予防を行う．

ベッド上でのポジショニングは，肩の保護（患側が下のときは注意），上肢の機能的良肢位，股関節外旋・外転予防，膝関節過伸展防止・屈曲拘縮防止，足関節下垂・内反尖足防止などがポイントである．

2）他動的関節可動域（ROM）訓練

関節拘縮予防のために行う．とくに肩関節と足関節は拘縮を生じやすく，慎重に行わなければならない．

ROM訓練の重点項目は，上から，肩：外転・外旋・屈曲，肘：伸展，手：背屈・回内，股：外転・伸展，膝：伸展，足：背屈などであり，とくに肩と足は重要である．

表A-5　発症直後からリハビリテーションを行う際のリスク管理

抗重力位にすることの危険管理　脳循環量を減少させない
1. 血圧を下げ過ぎない，高めに保つ 　　血圧の頻回のモニター：2分間隔くらいの測定 　　血圧の低いときには行わない：訓練前値に比べ収縮期血圧で30 mmHg以下では中止 　　降圧薬使用時には注意を要する 2. 頻脈にしない 　　120回/分以下で行う 　　心房細動のときは140回/分以下 3. 顔色不良，冷汗，チアノーゼ，あくびなどの症状や疲労，動悸など自覚症状が出たら中止

表A-6　脳梗塞・脳内出血リハビリテーションの流れ

	内科・脳外科的治療	リハビリテーション・プログラム	主要目的
超急性期 発症後数日以内	バイタルサイン，神経所見 頭部X線CT, MRI 血液検査，心電図，心臓超音波検査など t-PA投与，血管内手術，血腫除去術（出血） 脳浮腫予防・減圧 脳血流維持対策 再発・進行予防	意識障害JCS 2桁以上 ROM訓練 体位変換 良肢位保持 意識障害JCS 1桁以内 上記に加え，リスク管理しながら短時間の座位・立位・歩行	廃用症候群の予防 健側・体幹筋力の維持 立位感覚の維持 心理的安静
急性期1週以内	脳浮腫予防・減圧 脳血流維持対策 再発・進行予防 栄養管理 リスク・全身管理	上記同様 進行しなければ徐々に機能を上げ実用歩行を目指す	上記同様 心理的アプローチ 機能障害的アプローチ
回復前期2〜4週	再発・進行予防 栄養管理 リスク・全身管理 合併症予防	機能回復訓練 ADL訓練 高次脳機能障害訓練 生活関連動作訓練 耐久力・体力増強訓練	心身機能障害，生活機能障害，心理的アプローチ
回復後期2〜6ヵ月 回復期病棟など	痙縮対策（薬物療法，ボツリヌス毒素投与など） 疼痛対策 （視床痛など）	機能回復訓練 ADL訓練 高次脳機能障害訓練 生活関連動作訓練 耐久力・体力増強訓練 職業前訓練 在宅環境調整	心身機能障害，生活機能障害へのアプローチ 社会・家庭へのアプローチ 障害受容・克服への心理的アプローチ
慢性期7ヵ月〜1年		高次脳機能障害訓練 職業環境調整 機能維持	社会生活活動へのアプローチ
超慢性期1年以上	再発予防・健康維持増進 整形外科的再建術	機能維持を行いながらの通常生活	社会生活活動へのアプローチ

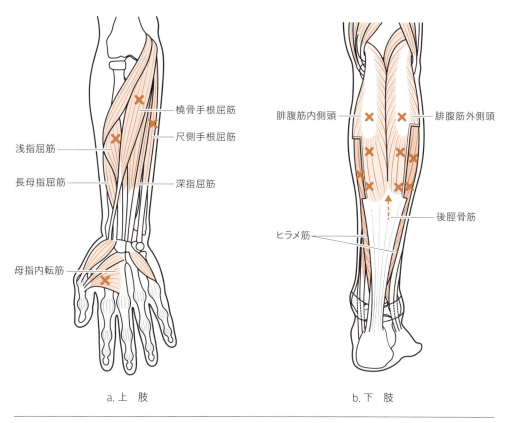

図 A-8　A 型ボツリヌス毒素の主な投与部位
↑は深部にあることを示す．

3）介助自動運動および自動運動

全身状態が安定していれば，**介助自動運動** assistive active exercise，**自動運動** free active exercise を漸次加えていく．

介助自動運動では，健側手と患側手を組んで肘伸展・挙上運動を行わせると，肩・肘の拘縮予防ともなり，その後の座位・起立時の基本的上肢パターンに結びつく．

4）ベッドアップ訓練

自覚症状や起立性低血圧に注意してベッドを上げていき，座位へと進める．

5）座位バランス訓練

ギャッチベッドなどで背もたれ座位ができるようになったら，ベッドに足を垂らして座り，座位訓練を行う．この際，上体を左右前後に揺らしてバランスを強化する．

6）車いす乗車訓練

座位バランス訓練とほぼ同時に車いすに座り，座位の耐久性を上げていく．

7）起立訓練

車いすやポータブルトイレへの移乗訓練とともに，立ち上がりの訓練を行う．

b）訓練室での訓練

1）基本動作訓練

寝返り，骨盤挙上訓練，起き上がり訓練，長座位訓練，膝立ち，三つ這い訓練，四つ這い訓練，いざり動作訓練，座位からの起立訓練などを行う．

2）平行棒内訓練

車いす座位からの起立訓練，立位バランス訓練，平行棒内歩行訓練などを行う．
歩行の型は健足と患足との位置関係より

① **相反型**：健足，患足が交互に出るもの（健足に注目して単に**前型**ともいう）
② **そろい型**：先に出た健足に，患足が横にそろうもの
③ **患足前型**：健足が常に患足の後ろをついてくるもの（健足に注目して単に**後型**ともいう）
④ **健足前型**：患足が常に健足の後ろをついてくるもの（前型の一種）

などに分かれる．患足前型→そろい型→相反型と改善していく例が多い．

3）杖歩行訓練

失調症や，高度な麻痺，上肢筋力の低下のある場合，ロフストランド杖，4点杖などを用いたほうがよいが，T字杖で間に合うことが多い．

また，杖を運ぶ時期と患足の出る時期との時間的関係で，3点歩行，2点歩行という歩行方法がある．

3点歩行は杖の出る時期に，健足・患足とも接地しているものをいう．歩行当初は，杖→患足→健足の順で杖を出してから患足が出るまでの時間が長いが，次第に短くなり，最後には杖と患足が同時に出て，**2点歩行**となる．

4）階段昇降

平地歩行がうまくなれば階段昇降訓練を行う．最初は手すりを使い，次に杖を使って試みる．
昇降パターンは，2足1段，1足1段の2種類があり，2足1段は各段ごとに両足をそろえて昇降するもので，1足1段は片足ずつ交互に昇降するものである．2足1段ではのぼるときには健足からのぼり，おりるときは患足からおりるとよい．

5）応用歩行動作訓練

屋外活動が少しでも可能になると行われる．通常の駅などの段差の階段昇降，バスステップの昇降，坂道，悪路（凹凸，砂利道），溝越え，小走りなどが行われる．

6）車いす駆動訓練

片麻痺では通常，健側の足で床をけり，健側の手で車いすのハンドリムをもって走行する．歩行の実用化ができない場合や屋外の長距離実用的移動などに使われる．

7）下肢装具療法

歩行能力を向上させるための1つの方法として，補装具療法がある．種類として長下肢装具，短下肢装具などがある（⇨p.92）．

理学療法の進め方の概略を**図A-9**に示す．

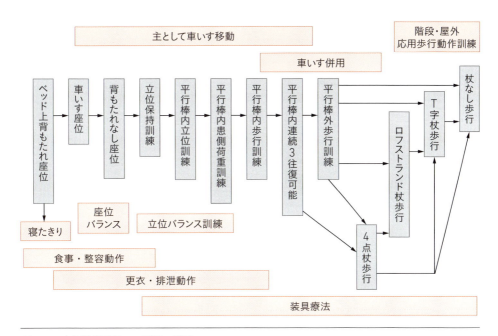

図A-9 歩行機能獲得への訓練の概略

4. 作業療法

a) ベッドサイド訓練

作業療法も早期のベッドサイドから上肢機能温存のためにポジショニング，ROM訓練，介助自動運動，自動運動，抵抗運動などを始める．注意事項などは理学療法と基本的には同じである．

急性期の作業療法の目的は，麻痺の機能障害の改善や廃用症候群予防のほかに，食事動作，排泄動作などのADLの早期自立，不安感や障害受容に対する心理的援助などである．とくにADLでは，食事・排泄は必要不可欠で介助負担の大きな項目であることから，ほかに優先して訓練を行う．

b) 訓練室での訓練

作業療法の目的として**表A-7**のようなことがあり，具体的にはサンディング(やすりかけ)，滑車(プーリー)，棒体操，輪入れ，ペグボード，紙細工，編物，刺繍，書字訓練，絵画，革細工，陶芸などが行われる．

1) 基本的な訓練

座位が30分程度安定してくると訓練室での訓練が開始される．

具体的な内容としては，患側上肢への筋再教育訓練と感覚再教育訓練を含めたアプローチ，そして健側の代償機能向上などを並行して行う．利き手が重度の麻痺の場合は，患者が十分その意味を理解した上での利き手交換も重要な訓練である．

2) 筋再教育訓練

具体的には，座位で筋収縮誘発のために患側上肢へ体重を負荷したり，臥位で上肢を挙上させて肩甲帯周辺の筋群の再教育を行ったりする．その他，輪入れやペグなどさまざまな作業場

表A-7　作業療法の目的

1. ROM保持あるいは増大
2. 筋力の強化（健側，患側）
3. 耐久力の強化
4. 協調性，巧緻性の向上
5. 集中力の養成，精神機能の向上，認知症の予防・改善
6. 気ばらし，レクリエーション
7. ADL訓練（自助具の使用訓練を含む），家事動作訓練
8. 職業前訓練
9. 失行・失認の治療
10. 装具（スプリント）の作製使用

面で出現する筋緊張の亢進や異常運動パターンの抑制も行わなければならない．

3）CI療法

近年，麻痺側上肢の改善のために，健側上肢を覚醒時に3～6時間拘束して，とくに生活場面において麻痺肢の使用を向上させる拘束運動療法 constraint induced movement therapy（CI療法）がある．訓練は運動機能に応じて課題の難易度を少しずつ上げていき，徐々にスピード，パフォーマンスを増加していく shaping課題と，衣服をたたむなどの課題訓練作業がある．これら集中的・反復的な訓練で，麻痺側上肢の不使用の習慣を是正し，使用することで大脳機能の再教育を行うことを目的としている．

4）肩関節亜脱臼に対する治療

肩下垂位で著明となり，そのまま放置すると関節包などに炎症が生じ疼痛の原因となる．弛緩性麻痺の状態では，三角巾やアームスリングなどが有効であるが，内転・内旋位の長時間の固定は拘縮の原因ともなるので注意が必要である（**図 A-10**）．肩甲周囲筋の筋収縮がみられれば筋再教育などを行うとよい．

5）肩手症候群に対する治療

治療は痛みのコントロールと二次的拘縮や筋萎縮の防止であり，肩や手の温熱療法と並行して愛護的ROM訓練やマッサージを行うとよい．また，アームスリングや車いすテーブルの工夫，手の良肢位保持のスプリント療法，手の浮腫に対するエアースプリント，肩のROM改善のための作業課題などが有効である．

6）ADL訓練

ADL評価を行い，なるべく具体的な達成目標を設定し，運動機能の状態をよく観察しながら，それに適した訓練を計画する．また，ADLに必要な座位・起立動作も含めた作業課題とし，訓練場面でのADLの獲得を目指す．さらに，病棟の看護師，理学療法士などとよく連絡をとりながら日常実際に行うADLへとつなげるようにする．

7）生活関連動作 activities parallel to daily living（APDL）訓練・職業前訓練

調理，炊事，洗濯，掃除などの家事訓練や外出，買い物などの訓練も必要に応じて行い，その人の能力やその後の必要性に応じて作業内容を選択する．

また，職業につなげる場合は，職業内容に準じて，なるべく実際の状況に応じた具体的な内

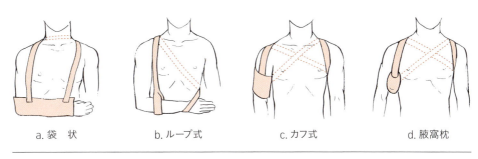

　　a. 袋　状　　　　b. ループ式　　　　c. カフ式　　　　d. 腋窩枕

図A-10　種々のアームスリング

容で訓練を行う．

8）高次脳機能障害に対する訓練

　左半側無視や身体失認は麻痺側の上下肢の扱い方やADLに与える影響も大きく，各種評価や日常生活の行動観察が重要である．そのうえで，課題やADL訓練で，患者に無視があることに気付かせ，声かけや無視側からの刺激，環境整備などを行うようにする．最近では，視線を右に10°程度ずらしたプリズムを用いて訓練を行うプリズムアダプテーションなども試みられている．その他，着衣失行，構成失行，注意力の向上などの高次脳機能障害への訓練も並行して行う．

5．言語療法

a）構音障害の訓練

　発声・発語器官に対する訓練として，リラクセーション，腹式呼吸訓練，構音器官の運動（下顎の運動，頬・口唇の運動，舌の運動など），嚥下訓練，発声訓練などが行われる．また，重度の障害の場合，五十音表の指さし，筆談などの代償手段も並行して行っていく．

　訓練では，ビデオ，ICレコーダーなどの機器も活用する．

b）失語症の訓練

　失語症のタイプと重症度によって多少異なるが，聞く・話す・読む・書く・計算能力の状態に応じて訓練を行う．

6．屋外・外出・外泊訓練

　各専門職の訓練の一環として，屋外での訓練を行う．具体的な外来通院や通勤手段に準じ，実際場面での屋外用装具の装着方法の指導，車いすの使用方法，実際の駅などの階段昇降，タクシーの乗り降り，エスカレーターの利用の仕方，切符の買い方などを理学療法士，作業療法士，言語聴覚士，看護師などが協力して訓練する．また，在宅での過ごし方について具体的な日課を計画し，実際に則した外泊訓練を行うようにするとよい．この目的は，屋外や在宅生活の実地体験をすることであるが，加えて社会生活をすることへの不安が多少なりとも緩和することもある．したがって，十分計画をしたうえで実行しなければ，患者・家族に不安と恐怖，疲労感を与えることにつながるので注意が必要である．

> **脳の可塑性**
>
> 脳の可塑性とは神経回路の伝達効率が高まっていくために必要な現象で，損傷後の修復は細胞の再新生は乏しく，神経軸索の伸長，シナプスの形成が重要である．
>
> 脳機能は，訓練などによる再学習で神経のシナプス学習をすることで，神経細胞1個あたりシナプス数が増加し，神経の側芽 colateral sprouting や樹状突起の変化が生じ，伝導効率が高まり神経ネットワークが再編成され改善する．
>
> また，損傷部位の周辺部位や反対側の同部位の脳が機能代償し再編成や新生が生じ，機能代償することがある（機能的代償 functional substitution）．また大脳の他の部位に損傷された機能が移動して改善することもあり，リハビリテーション再学習に関連性が深いと考えられている．
>
> さらに，これまで使用されていなかった効率の悪い神経回路が，脳損傷によって利用され，繰り返し使用しているうちに効率の良い回路になっていく改善もある（隠ぺい回路の利用 unmasking）．
>
> これら脳の可塑性によりいったん失われた機能が回復すると考えられている．

2 外傷性脳損傷

疾患概念

頭部に外力が加わり（頭部外傷）生じた損傷のことを外傷性脳損傷という．脳は頭蓋骨に囲まれて，強固に保護されているが，許容範囲を超える外力を受けると脳組織に損傷をきたし，さまざまな症状を呈する（表A-8）．その発現機序として，打撲した頭蓋骨の「たわみ」による直撃損傷 coup injury や，「直接外力が加わった部分と反対側の部分が損傷を受ける」反衝損傷 contre-coup，頭蓋内での脳の回転に伴う剪力損傷 shear strain，頭蓋骨への衝撃や空洞現象による陰圧で生じる損傷 cavitation などがある（図A-11）．外傷性脳損傷は，外傷の中でも頻度や死亡率が高く，救命された場合の後遺症も大きな問題となるため，リハビリテーションがきわめて重要である．

病型分類

a. 一次性損傷と二次性損傷

頭部に大きな外力が加わることによって，脳が頭蓋骨の内側に衝突したり，頭蓋内の血腫や浮腫によって損傷を受けるものを一次性損傷といい，遅発性神経細胞壊死や軸索損傷も含まれる．一方，一次性損傷のために生じた脳浮腫や脳循環障害によって引き起こされる頭蓋内圧亢進，低酸素血症，高炭酸ガス血症，血圧低下などは二次性損傷と呼ばれる．

表A-8 外傷性脳損傷（Gennarelliの分類）

1. 頭蓋骨損傷 skull injuries	3. びまん性脳損傷 diffuse brain injuries
1）円蓋部骨折 　　線状骨折 　　陥没骨折 2）頭蓋底骨折	1）軽度脳振盪 　　一時的な神経学的機能障害を認めることはあるが，意識消失は認めないもの 2）古典的脳振盪 　　一時的な神経学的機能障害を認める，または6時間以上の意識消失を認めるもの 3）持続性昏睡（びまん性軸索損傷）
2. 局所性損傷 focal brain injuries	・軽度びまん性軸索損傷 　6〜24時間の昏睡と長期ないしは永続的な神経学的ないしは認知機能障害を認めるもの ・中等度びまん性軸索損傷 　24時間以上の昏睡を認めるが，脳幹機能障害を認めないもの ・重度びまん性軸索損傷 　24時間以上の昏睡および脳幹機能障害を認めるもの
1）硬膜外血腫 2）硬膜下血腫 3）脳挫傷 4）頭蓋内血腫	

[Thomas A. Gennarelli, et al. : Influence of the type of intracranial lesion on outcome from severe head injury, *J. Neurosurg*, **56**：26-32, 1982より著者作成]

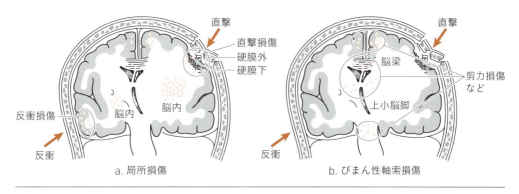

図A-11　外傷性脳損傷の発生機序

b. 局所性損傷とびまん性損傷

1. 局所性脳損傷

　局所性脳損傷は殴打などによる直撃損傷や墜落・転倒による反衝損傷によって生じ多くは前頭葉や側頭葉に発生する．頭蓋の特定の部位に作用した外力が，神経学的症候の根拠となる場合が多く，損傷部位とそれによる障害との関連性が判明しているものが多い．画像上は，脳挫傷や急性硬膜外血腫，急性硬膜下血腫，脳内血腫に分けられる（表A-8）．

a）急性硬膜外血腫

　頭蓋骨と硬膜の間に血腫が形成されたもので，受傷から意識障害をきたすまでに意識清明期のあることが特徴である．直撃損傷による頭蓋骨骨折により中硬膜動脈損傷をきたして発現す

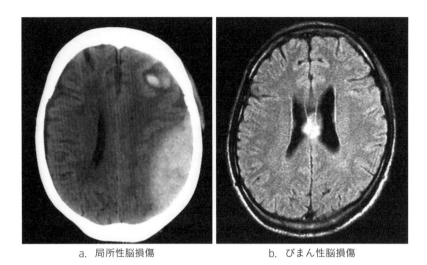

| a. 局所性脳損傷 | b. びまん性脳損傷 |

図A-12 外傷性脳損傷の画像所見
a：頭部CTで左側頭頭頂部に急性硬膜外血腫を認め，左前頭葉に挫傷性血腫を認める．
b：MRI拡散強調像で脳梁に高信号域を認める．

る場合が多い．CTでは両凸レンズ型の高吸収域をみる（**図A-12**）．脳実質の障害は少なく，早期に開頭血腫除去術を行えば予後は良好である．

b）急性硬膜下血腫

硬膜の内側で脳の表面に出血が起こり，脳と硬膜の間に血腫が形成されたもので，反衝損傷や剪力損傷によることが多く，脳実質にも損傷を伴う．受傷時より意識障害を呈することが多い．橋静脈や脳表の動静脈が出血源となり硬膜下腔に血腫が形成される場合と，脳実質の出血性挫傷によって形成される場合がある．CTでは三日月状の高吸収域がみられ，脳腫脹・浮腫が強いのが特徴的である．対処が遅れると予後不良で，死亡率も高い．外科的には血腫除去に加えて，外減圧術を行うことが多い．

c）脳挫傷

脳の挫滅によって脳実質内に壊死，出血，浮腫などが入り交じって生じたものである．直撃損傷や反衝損傷で生じる．時間とともに出血や壊死部が融合増大する．また，多くは二次的に脳内血腫となり，脳浮腫による頭蓋内圧亢進症状がみられる．外科的には減圧術を行う．

d）脳内血腫

脳挫傷による出血が脳内に溜まって血腫となったものをいう．前頭葉や側頭葉に多い．受傷直後より発生するが，数時間以上経ってから明らかになることもある．受傷直後に大きな血腫を形成するものは，剪力損傷によって脳実質内の小血管が破綻して生じる．受傷後より数時間かけて徐々に血腫が増大するものは脳挫傷を伴う小さな出血が融合したものである．頭蓋内圧亢進症状が強く，意識障害や不穏状態を示すことが多い．救命のため開頭血腫除去術を行う．

2. びまん性脳損傷

びまん性脳損傷は主として回転外力や加速度による剪断力によって生じ，頭蓋内占拠性病変

がないにもかかわらず，脳損傷と考えられる広範な症状を呈する．びまん性に広範な障害を認め，一次性のびまん性脳損傷と，低酸素脳症や局所性脳損傷に続発する二次性のびまん性脳損傷がある．画像上はびまん性脳損傷（狭義）や，くも膜下出血，びまん性脳腫脹に分けられる（表A-8）．大脳白質の神経線維が損傷（びまん性軸索損傷）するため，数ヵ月後には脳萎縮や脳室拡大を呈する．

a）脳振盪

衝撃を受けた直後に発症する一過性および可逆性に生じる意識障害や記憶喪失のことで，頭部への直接的な衝撃がなく，体が揺さぶられて生じることもある．脳深部に剪断力が加わって，神経線維が伸展され一過性の伝達不能となった状態と考えられている．このうち，軽度脳振盪は外傷時の意識障害がなく，外傷後健忘を呈する．古典的脳振盪は受傷後一過性の意識消失をきたし，頭痛やめまい，耳鳴り，ふらつき，集中力の低下を伴うこともある．一般にびまん性軸索損傷の軽症型と考えられている．しかし，数日以内に連続して脳振盪を繰り返すと，致命的な脳浮腫を生じ，死にいたることもある（セカンド・インパクト症候群）．また，何度も脳振盪を繰り返した際には，進行性に脳細胞の変性をきたし，認知機能の低下や行動異常，気分の変化を生じる場合もある（慢性外傷性脳症）．

b）びまん性軸索損傷

強い剪断力（回転加速度）が脳に加わり，脳深部の軸索線維と髄鞘が広範囲に破壊されることによって生じる．頭蓋内に占拠性病変を伴わないが，受傷直後より重篤な意識障害が持続し，除脳硬直などを伴うことが多い．CT/MRIでは明らかな血腫は認めないが，びまん性脳腫脹やくも膜下出血，脳深部（脳梁，脳幹背外側，脳室近傍の白質，大脳基底核部など）に小さな点状出血を認める（図A-12）．受傷後3～6ヵ月以内に脳室拡大を伴った脳萎縮をしばしば認めるため，CT/MRIを再検し，急性期から亜急性期の画像と比較する．予後は不良で死亡するものや植物状態に移行するもの，重篤な後遺症を残すものが少なくない．

障害構造・問題点

外傷性脳損傷では片麻痺に代表される運動麻痺以外に，小脳失調や振戦，失調性片麻痺，片側成性ジストニア，チック，ミオクローヌス，片側バリスムなど，多彩な運動障害がみられる．不随意運動は受傷後数週間から数ヵ月経ってから出現することが多い．振戦は小脳視床路の障害でみられ，姿勢保持時，運動時あるいは安静時にみられる．一方で，運動障害よりもさらに問題になるのが，高次脳機能障害である．これには脳損傷によって生じる失語症，失行症，半側無視，記憶障害などに加え，遂行機能障害や注意障害，問題解決能力の障害，社会的行動障害などが含まれる．意識が回復した後も長期的に症状が残存するため，日常生活や社会生活に大きな問題を生じる．

評価・検査

外傷性脳損傷の患者に対し，神経放射線学的検査や電気生理学的検査は必須である．頭部MRIはCTでは描出困難であった白質損傷や脳幹，脳梁病変の診断を可能にする．受傷後3～6ヵ月以内に脳室拡大を伴った脳萎縮をしばしば認めるため，急性期から亜急性期の画像と比較する．また，T2*強調画像や磁化率強調画像（SWI）のMRIは微小出血の診断に欠かせない．

> Column
>
> もともと「高次脳機能障害」という用語は，脳損傷に起因する認知障害全般をさし，この中にはいわゆる巣症状としての失語・失行・失認のほか記憶障害，注意障害，遂行機能障害，社会的行動障害などが含まれる．一方，高次脳機能障害支援モデル事業では，記憶障害，注意障害，遂行機能障害，社会的行動障害などを有する人が，日常生活や社会生活への適応に困難を有するとし，これらへの支援対策を推進する観点から，国は高次脳機能障害を「行政的に」広く定義した．

single photon emission CT（SPECT）を用いて局所脳血流を検討すると，MRIでは困難であった機能的病変の診断ができることもある．症候性痙攣を合併する可能性の高い頭部外傷では，脳波検査は必須検査である．聴性脳幹反応（ABR）や体性感覚誘発電位（SEP），視覚誘発電位（VEP）は予後を推察するうえでも重要な検査である．

a）臨床的評価

外傷性脳損傷患者の多くは受傷直後から大きな症状の変化が認められるため，経時的な評価が必要である．とくに急性期は意識状態を評価するスケールが用いられる．

意識障害の評価

意識障害の評価として Japan coma scale（JCS）や glasgow coma scale（GCS）が用いられている（⇨p.24）．また，JCSの改訂版として emergency coma scale（ECS）が，GCSの欠点を克服するために FOURスコアが用いられている．ECSは評価法が簡潔で理解や習得しやすく，より正確に患者の意識レベルを評価できる．自発的な開眼・発語または覚醒しているといえる動作（合目的な動作）のなかで，どれか1つを観察できるかにより，意識レベルを評価する（**表A-9**；表内の略語については，L：Localize（局所），W：Withdraw（引く），F：Flexion（屈曲），E：Extension（伸展）を表す．）．FOURスコアは，目の反応，運動反応，脳幹反射，呼吸パターンの4項目にそれぞれ0〜4点をつけて意識障害を評価する（**表A-10**）．

b）神経心理学検査

片麻痺や失調症をはじめとする種々の運動障害に加え，注意障害，失語症，健忘症などの神経心理学的症状や性格の変化，異常行動など，症状が多彩であり，リハビリテーションを施行するためには詳細な検討が必要である．

意識が清明となれば，ベッド上で左右の上下肢の筋力低下や協調運動，不随意運動の有無を調べる．端座位が可能になれば，脳卒中のようにブルンストロームステージ Brunnstrom stageを用いて評価することが容易となるが，失調や振戦などを伴うこともあるのでよく観察することが大切である．また，病状が安定したら，種々の高次脳機能障害に対する詳細な評価を行う．神経心理学的検査は多くの時間を要するが，患者の症状は各々に異なるため，画一的な介入は

表A-9 Emergency Coma Scale（ECS）

Ⅰ．覚醒している（自発的な開眼，発語または合目的動作をみる）
　1．見当識あり
　2．見当識なしまたは発語なし
Ⅱ．覚醒できる（刺激による開眼，発語または従命をみる）
　10．呼びかけにより
　20．痛み刺激により
Ⅲ．覚醒しない（痛み刺激でも開眼，発語および従命がなく，運動反応のみをみる）
　100L．痛みの部位に四肢を持っていく，払いのける
　100W．引っ込める（脇を開けて）または顔をしかめる
　200F．屈曲する（脇を閉めて）
　200E．伸展する
　300．動きがまったくない

［日本神経救急学会ECS検討委員会：新しい意識障害評価法ECSの開発，日神救急会誌，**17**：p67，2004より許諾を得て転載］

表A-10 FOUR Score

	Eye response	Motor response	Brainstem reflex	Respiration pattern
4	開眼あり 追視，まばたきあり	グー，チョキ，パーができる	瞳孔，角膜反射あり	挿管なし 通常の呼吸
3	開眼あり 追視なし	痛みを手で払う	片側の瞳孔散大	挿管なし Cheyne-Stokes呼吸
2	大声で呼ぶと開眼	痛みに屈曲反射	瞳孔，角膜反射 いずれか消失	挿管なし 不規則呼吸
1	痛み刺激で開眼	痛みに伸展反射	瞳孔，角膜反射 いずれも消失	人工呼吸による補助呼吸
0	痛み刺激でも閉眼	痛みに反応なし 全般性ミオクローヌス	瞳孔，角膜，咳反射 すべて消失	自発呼吸なし すべて強制呼吸

［Eelco F. M. Wijdicks, et al.：Validation of a new coma scale-the FOUR score, Annals of Neurology, **58**(4)：585-593, 2005より引用］

困難である．患者の有する障害像を正確に捉えたうえで，個々の症例に適した訓練プログラムを考慮するためにも，詳細な高次脳機能評価（**表A-11**）は必要であり，患者と家族に評価の必要性を十分に説明して行う．

認知機能の評価

　全般的な認知機能はウェクスラー成人知能検査 第4版（WAIS-4）やコース立方体組み合わせテストが用いられる（⇨p.39）．

　記憶障害を総合的に評価するためには，改訂版ウェクスラー記憶尺度（WMS-R）やリバーミードテスト（RBMT）が用いられる（⇨p.46）．

　外傷性脳損傷では，前頭葉に障害をきたすことが多く，記憶障害や知能障害だけでなく，注意障害や遂行機能障害，社会行動の障害を詳細に評価する必要がある．そのため，簡易知能検

表A-11 代表的な神経心理学的検査

知能・精神機能	行為・認知
・ウェクスラー成人知能検査（WAIS-Ⅲ） ・ウェクスラー小児知能検査（WISC-Ⅳ） ・改訂長谷川式簡易知能評価スケール ・mini-mental state examination（MMSE） ・montreal cognitive assessment（MoCA） ・Kohs立方体組み合わせテスト ・レーヴン色彩マトリックス検査（RCPM）	・標準高次動作性検査（SPTA） ・標準高次視覚検査（VPTA） ・BIT行動性無視検査
	言語
	・標準失語症検査 ・WAB失語症検査
	その他
記憶	・behavioural assessment of the dysexecutive syndrome（BADS） ・Wisconsin card sorting test（WCST） ・trail making test（TMT） ・frontal assessment battery（FAB） ・語想起課題 ・かなひろいテスト
・Wechsler memory scale revised（WMS-R） ・rivermead behavioral memory test（RBMT） ・Benton視覚記銘検査（BVRT） ・Rey-Osterreith複雑図形（ROCF） ・auditory verbal learning Test（AVLT） ・三宅式対語記憶検査 ・標準言語性対連合学習検査（S-PA） ・ハノイの塔	

［前島伸一郎ほか：脳卒中による高次脳機能障害，日本医事新報，4763，pp24-31，2015より許諾を得て転載］

表A-12 Glasgow Outcome Scale

1. dead	死亡
2. vegetative state	植物状態
3. severely disabled	身体的・精神的障害のため，日常生活に介助を要する
4. moderately disabled	ある程度の神経学的・知的障害があるが，日常生活を自立しておくことができる
5. good recovery	後遺症がないかわずかに障害を残すが元の生活に戻れている

［B Jennett, et al.：Disability after severe head injury：observations on the use of the Glasgow Outcome Scale, *Journal of Neurology, Neurosurgery, and Psychiatry*, **44**：285-293，1981より引用］

査（MMSE，⇨p.41）や改訂長谷川式簡易知能評価スケール（HDSR，⇨p.391，付録2）のみで評価することは勧められない．注意障害には，標準注意検査法（CATS）やtrail making test（TMT）などが用いられる．遂行機能機能については遂行機能症候群の評価（BADS）やWisconsin card sorting test（WCST）などが用いられる．人格変化や社会行動の障害はneuropsychiatric inventory（NPI）やfrontal behavioral inventory（FBI）を用いて評価する．

　長期的な転帰の指標としてGlasgow outcome scale（GOS）がしばしば用いられる（**表A-12**）．これは機能予後を死亡，植物状態，重度障害，中等度障害，良好な回復という5段階に分類したものであるが，認知面の評価は難しく，リハビリテーション医療の現場ではあまり役に立たない．そこで，後者の3つのカテゴリーをそれぞれ2つに分割し，8段階に分類したものが，extended Glasgow outcome scale（GOS-E）である．評価基準をより明確に定義しているため，検者間信頼性と内的妥当性に優れている．disability rating scale（DRS）は，配点は異なるが

GCSの3項目に食事・排泄・整容動作のための認知能力や一般的機能状態，就労の可能性を追加したもので，0〜30点（0点は障害なし，30点は死亡）で評価する．急性期から慢性期の脳外傷における機能障害，能力低下，社会的不利の変化を評価する．採点が容易で，評価が簡潔のため十分な専門知識がなくても評価できる．

日常生活活動（ADL）の評価にはfunctional independence measure（FIM）が用いられる（⇨p.65）．FIMは介護負担度の評価が可能であり，信頼性と妥当性がある．また，外傷性脳損傷患者に用いるために拡張したfunctional assessment measure（FAM）も使われる．FAMは，FIMの18項目に，認知，行動，コミュニケーション，社会的活動にわたる12項目を追加した30項目で使用される．

合併症

外傷性脳損傷では，出血や浮腫の増大，低血圧，低酸素，頭蓋内圧亢進，脳血管攣縮，頭蓋内感染，痙攣発作などによって，二次的な損傷が拡大する．また，頭部以外の外傷を伴うことも少なくない．とくに重度の場合，多発外傷を伴うことも多く，顔面，四肢，体幹の骨折だけでなく，胸腹部の損傷にも注意する．術後の合併症として，脳内出血，硬膜下血腫，硬膜外血腫，気脳症，感染症などもある．

機能予後

外傷性脳損傷の機能予後は，受傷時の年齢や教育歴，職歴，受傷前の性格，社会環境因子などが大きく影響する．脳損傷による機能障害のみならず，他の部位の外傷による障害，たとえば四肢の骨折や血気胸，出血性ショックなどの影響を忘れてはならない．一般に外傷性脳損傷の機能予後は昏睡の期間と相関が高い．すなわち，6時間以上続く昏睡は重症で，長引くほど予後は不良である．また，受傷時の年齢，対光反射の消失，眼球運動異常などが重要である．受傷後の健忘が14日以上続くものは予後不良である．

リハビリテーション治療

かつては外傷性脳損傷の診療は，初期診療から社会復帰まですべてを脳神経外科医が単独で担っていたが，専門診療はもちろんのこと，病院前救護や救急部門，手術部門，集中治療部門，リハビリテーション部門など診療部門が細分化し，さまざまな局面での診療内容が高度化したことによって，各職種が協働すべき時代となった．リハビリテーションも病状が落ち着き，転院してから専門病院で始めるのではなく，急性期の医療現場から積極的に提供される．外傷性脳損傷では，症例によって呈する神経症状や合併症が異なるため，画一的な訓練は困難であり，患者の障害像を正確に捉えたうえで，個々の症例に適した訓練プログラムを考慮するべきである．

外傷性脳損傷は発現機序も損傷の状況も，脳血管障害とは大きく異なる（図A-13）．すなわち，脳血管障害では運動麻痺を中心とした身体機能障害が主な問題であるのに対し，外傷性脳損傷では運動機能障害に加え，認知機能障害や行動・性格変化などが問題となることも例外ではなく，そのような症例は復学や復職をゴールとすべき若年男性に多い．したがってリハビリテーションにおいては，身体機能障害に対するアプローチのみならず，認知・行動障害に対するアプローチも必要である．

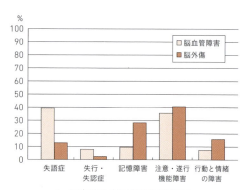

	脳外傷	脳血管障害
原因疾患	瀰漫性軸索損傷 低酸素脳症	脳梗塞 脳出血
臨床症状	急性期は意識障害 全般性認知障害 人格・性格変化 不定愁訴が多い	巣症状（失語・失行・失認）
自覚症状	障害の認識に乏しい 家族の認識と乖離	障害による不便さを感じる
画像所見	全般性脳室拡大，脳萎縮	局在性病変
神経心理学的検査	人格や性格は評価し難い	高次脳機能障害の評価

a. 全体像の比較

[益澤秀明：脳外傷による高次脳機能障害-その特徴と見逃されやすいポイント，脳と神経，55(11)：933-945，2003 を参考に作成]

b. 発生する高次脳障害の比較

[高次脳機能障害全国実態調査委員会：高次脳機能障害全国実態調査報告，高次脳機能研究，36(4)：492-502，2016 より著者作成]

図A-13　外傷性脳損傷と脳血管障害の比較

　急性期は，意識障害だけでなく多発外傷などさまざまな合併症を伴うことが多い．このためまずは，褥瘡，関節拘縮，筋力低下などの二次的合併症（廃用症候群）の予防に努める．集中治療室の管理下に置かれている場合は，種々のモニタリングや急変時の対応が可能である．頭位は30°の挙上が頭蓋内圧を有意に低下させるためによいとされている．全身状態が安定し，他の合併症がなければ，より積極的なリハビリテーションを行う．神経症状の悪化がなく，全身状態が安定し，意識障害がなければ，自動運動を促し，離床を進める．加えて，記憶障害や注意障害，遂行機能障害を始めとする高次脳機能障害に対する評価を行い，一貫した訓練計画を立案する．

　運動麻痺は比較的軽度のものが多いが，失調や振戦などの不随意運動を伴うこともある．そのため，病棟や訓練場面で転倒の危険はあらかじめ把握しておく．外傷性脳損傷によって認知機能が損なわれた場合は，早期から医学的リハビリテーションプログラムとして各障害に応じた認知リハビリテーションを行う．これは日常生活場面における対処能力を改善するために必要な問題解決能力の障害を改善させることを目的とする．注意・集中力の低下，遂行機能や運動プログラミングの障害，知覚や判断の障害，学習や記憶の障害，情報処理速度の障害，コミュニケーション障害に加え，脳損傷後に生じたパーソナリティの障害なども対象となる．これらの治療では，障害を認識させ，患者自身の判断が正しいかどうかについて治療者側からのフィードバックを行うことが必要である．また，高次脳機能障害による生活障害に対応するため，認知リハビリテーションを行う際には，医師，看護師はもとより理学療法士，作業療法士，言語聴覚士，臨床心理士，ソーシャルワーカーなど多職種からなるチームアプローチが必要となる．

　高次脳機能障害を有する患者は，家族による援助も長期間を必要とする．家族にとっては，患者の身体的障害よりも，人格変化や知的障害が大きな負担となるため，家族に対して十分な病状説明を行い，その対処法を指導しておく必要がある．患者は若年者が多いため，就労・就学の問題もあり，学校や職場関係者への働きかけは重要である．とくに復学・復職を目標とす

る場合，回復期から復学・就労に類似した環境を作り，家族支援を行いながら，医療と福祉，教育現場，職場と連携し，連続した医療体制を構築することが重要である．すなわち認知機能の回復だけでなく，患者の障害に対する気づきを高め，それを受け入れられる環境を作っていくことが大切であり，このような流れを理解したうえで，医学的リハビリテーションプログラムに引き続き，生活訓練プログラム，職能訓練プログラムをシームレスに行うべきである．

3 低酸素脳症

疾患概念

低酸素脳症は，循環不全または呼吸不全などにより，脳に十分な酸素供給ができなくなり脳の障害をきたした病態のことである．組織への血流量の低下（虚血）と血液の酸素運搬能の低下（低酸素血症）が混在していることが多く，低酸素性虚血性脳症 hypoxic-ischemic encephalopathy とも呼ばれる．心筋梗塞や致死性不整脈，重症肺炎，急性呼吸窮迫症候群，肺塞栓などの心肺疾患や，急性中毒，心停止，窒息などが原因となる．

障害構造・問題点

脳が低酸素状態に対して代償できる値は PaO_2 で 40 mmHg が限界であり，それ以下では脳に障害をきたす．平均動脈圧が 60 mmHg 以下では脳灌流圧を維持できず，脳血流は低下し，脳が障害される．心停止により脳への酸素供給が途絶えると，意識は数秒以内に消失し，3〜5分以上続くと，心拍が再開しても脳障害を生じうる．酸素消費量の多い灰白質は，白質と比較して障害されやすく，海馬，基底核，視床，海馬，大脳皮質に病変がみられる．

低酸素脳症の症状として，意識障害のほか，記憶障害や皮質盲，視覚失認，バリント症候群 Bálint syndrome などの高次脳機能障害，対光反射や角膜反射の障害，四肢筋トーヌスの低下，痙攣重積発作，ミオクローヌスやアテトーゼなどの錐体外路徴候を伴うことがある．

評価・検査

低酸素脳症の診断には，発症時の状況に関する詳細な病歴聴取と丁寧な神経学的診察が必要で，頭部 CT/MRI がもっとも有用な検査である．急性期には脳浮腫による皮髄境界の不鮮明，脳溝の圧排・消失が特徴的で，MRI 拡散強調画像では大脳皮質や視床，基底核での高信号域がみられる．慢性期には皮髄境界不鮮明は残存するも，脳溝の圧排・消失は認められなくなり，脳萎縮がみられ，T1 強調画像，T2 強調画像で，基底核や後頭葉皮質に異常所見を認める（**図 A-14**）．脳波は大脳皮質の機能障害の推定や不随意運動と痙攣発作の鑑別のために必須の検査であり，低酸素脳症では多様なパターンの異常脳波が出現する．なかでも一側性周期性放電 lateralized periodic discharges（LPDs）は，予後不良の所見のひとつとされている．また重積状態のひとつである post-anoxic status epilepticus（PSE）は予後不良の所見である．体性感覚誘発電位の両側の皮質成分 N20 の消失は予後不良を示す指標として重視されている．

合併症

心停止蘇生後の患者では，侵襲性高血糖や代謝亢進に基づく高体温を発症することが多く，機能予後を悪化させる．心機能や全身状態は改善されるのに対して，腸粘膜の透過性は亢進

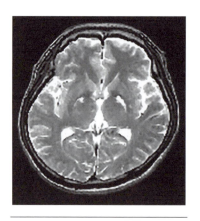

図A-14　低酸素脳症患者の慢性期MRI
大脳皮質のびまん性萎縮，両側の基底核にT1強調像，T2強調像で高信号の病変がみられる．

> **Column**
>
> ### 遅発性低酸素白質脳症 delayed post-hypoxic leukoencephalopathy
> 酸素血症や一酸化炭素中毒などによる急性期の意識障害から回復した数日から数週間後に，神経症状の増悪と頭部画像所見の悪化を認めるまれな病態である．一過性で短時間の脳虚血が，遅発性に神経細胞の障害をきたすことが知られており，白質における脱髄によって，ミエリンが細胞死に陥るためと考えられている．意識障害や高次脳機能障害，パーキンソン症状，精神症状などが出現する．
>
> ### ランス・アダムス症候群 Lance-Adams syndrome
> 低酸素性虚血性脳症の発症後，数日もしくは数週で皮質の興奮性亢進に伴う動作時ミオクローヌスを呈する症候群である．随意運動に伴って生じる急激かつ不規則な不随意運動で，表面筋電図ではその運動に関与する全ての筋群に持続の短い同期性の筋収縮を認める．知能低下は比較的少ないが，軽度から中等度の小脳性失調，てんかん，高次脳機能障害を伴うこともある．

し，敗血症症候群の前段階に発展していく．肝臓や膵臓，腎臓の障害から多臓器不全の病態を形成することもある．最終的には，感染症を併発して死にいたる経過が多い．

　転帰不良を予測する因子として，心拍再開後24時間以内のミオクローヌス・てんかん重積状態の出現，瞳孔反応や角膜反射の消失，および3日後の運動反応の消失または四肢の異常伸展反応がある．

リハビリテーション治療

速やかに心肺蘇生を実施し，その原因を同定すると共に，適切な呼吸循環管理により二次性脳障害を最小限にすることが大切である．侵襲性高血糖や代謝亢進に基づく高体温に対しては，低体温療法などの脳保護療法が行われる．また，脳圧亢進に対する治療や痙攣発作に対する投薬を行う．

生命の危機を脱した後も，意識障害や運動麻痺，不随意運動，高次脳機能障害などが残存することが多いため，リハビリテーションの適応となることが多い．ただし，前述の内科的合併症を伴う場合も多く，運動負荷には十分に注意しながらリハビリテーションを実施する．機能障害が残存することもまれではないため，家族・介護者に対する指導も併せて行うことが望ましい．

4 遷延性意識障害

疾患概念

遷延性意識障害は，脳の広範な損傷や断裂が原因で長期間にわたり生ずる意識障害のことをいう．植物症あるいは遷延性植物状態とほぼ同義に使われる．思考と行動を制御する大脳は機能していないが，視床下部と脳幹は機能しており，睡眠周期や体温，呼吸，血圧，心拍，意識などの生命維持に必要な機能は制御されている状態である．患者は重度の昏睡状態に陥るため，さまざまな生活場面での介護を必要とする．

障害構造・定義

遷延性意識障害の原因として，かつては交通事故やスポーツ，転倒などによる頭部外傷がもっとも多かったが，近年では，高血圧性脳出血やくも膜下出血，脳梗塞などの脳血管障害の急性期治療が飛躍的に進み，救命率が向上したことから，長期間の意識障害を呈する患者が急増している．また，窒息，呼吸不全などによる低酸素脳症や脳腫瘍，脳炎なども遷延性意識障害を引き起こす原因となる．

JennettとPlum（1972年）は，"覚醒しているにもかかわらず，外界に順応した反応が欠如しており，意思の疎通であるところの精神活動を行っている徴候が認められない状態"を「persistent vegetative state（遷延性植物状態）」と定義し，その診断基準を，①自発呼吸の存在（人工呼吸器から離脱），②全身状態良好，③糞尿失禁状態，④睡眠・覚醒リズムが保たれている，⑤終日寝たきり，⑥経管栄養，の6つの項目が1ヵ月遷延するpersistentもしくは3ヵ月以上持続するpermanentものとした．

同じ頃，日本脳神経外科学会（1972年）は，①自力移動が不可能，②自力摂食が不可能，③屎尿失禁状態，④意味のある発語が不可能，⑤簡単な従命以上の意思疎通は不可能，⑥追視はあっても認識は不可能の6項目が，種々の治療にもかかわらず3ヵ月以上続いた場合に「遷延性意識障害（植物状態）」であるとした．

評価・検査

病状を確認したうえで，脳波や聴性脳幹反応，体性感覚誘発電位などを用いて脳の活動を確

表A-13 状態スケール

10項目合計で10点満点
・十分な自発呼吸がある． ・自発開眼がある． ・開閉眼のパターンがある． ・嚥下運動がある． ・無意味ながらも四肢の自発運動が認められる． ・表情の自発変化がある． ・無意味ながらも発声を認める(気管切開の場合，発声を予想される) ・周囲への関心を示す． ・合目的的運動がある(意志を伝えようとする行動，表情があればよい)． ・自発的な意味のある発語を行う
評価は最良の反応で行う 気管切開のため判定できない時は0点としてスコアに「T」と記す

[松居 徹ほか：慢性期重症意識障害に対する脳脊髄電気刺激療法の現況，脳神経外科学会誌，**7**(1)：14-23，1998より著者作成]

認する．また，原因疾患・病変を同定するために，頭部 CT や頭部 MRI，脳血流検査などの画像検査が行われる．ただし，回復期以降には病変の同定に苦慮することも多いため，急性期における十分な評価が必要である．すなわち，検査を通して治療介入の可能性を判断(**表A-13**)することで，その後に生じうる遷延性意識障害のリスクを軽減させるための方策が検討されるべきである．なお，急性期によく用いられる glasgow coma scale (GCS) や japan coma scale (JCS) では，開眼の状態を意識レベルの指標とするため，慢性期には正確な判断が困難となる．「状態スケール」は患者の覚醒状態を観察し，10点満点で評価する．点数が低いほど重症となる．

遷延性意識障害の類似症候

遷延性意識障害の類似症候には，部分的に自己または周囲を認識しているという行動上の根拠が，最小ではあるが確実にある最小意識状態 minimally conscious state，意識は保たれ，開眼していて外界を認識できるが，完全四肢麻痺と球麻痺のため，意志の伝達が不可能となった状態である閉じ込め症候群 locked-in syndrome，睡眠と覚醒のリズムはあり，覚醒時には開眼しているが，意思の疎通は全くとれず，手足の動きもみられない無動性無言症 akinetic mutism，無動性無言に似た症状が，前頭葉を含めた大脳皮質の広範な障害でもみられる失外套症候群 apallic syndrome，生命維持に必要不可欠な脳幹の機能が不可逆的に損傷されている状態で，意識は回復せず，心肺停止となり死にいたる脳死 brain death がある．

機能予後

予後はその原因や持続期間によって異なる．すなわち，原因が広範囲の低酸素脳症や虚血性脳疾患と比べ，可逆的な代謝性疾患や外傷性脳損傷，限局した炎症の場合は比較的予後が良好である．成人で外傷性の場合，1ヵ月間植物状態にあった患者では33％が受傷後3ヵ月以内，52％が受傷後1年で意識を回復するが，6ヵ月時点で植物状態であった場合に1年で意識回復する率は16％に低下する．この割合は小児で外傷性の場合は若干良くなるが，非外傷性の植

物状態では成人・小児とも回復の可能性は著しく少ない．外傷性では1年，非外傷性（低酸素脳症など）では3ヵ月持続した植物状態の回復の可能性はきわめて低い．若年の患者は高齢者に比べて運動機能を回復しやすい．遷延性意識障害が持続する場合には，原因となった脳損傷後6ヵ月以内に死亡することが多い．死因は通常肺感染症，尿路感染症，または多臓器不全であるか，原因不明の突然死もある．残りの患者の多くは期待余命が約2～5年であり，5年以上生存する患者は約25％に過ぎない．

合併症

遷延性意識障害の患者は，その原因として何らかの脳損傷を伴っていることに違いはなく，運動麻痺や種々の脳神経麻痺を有することが多い．そのため，食事を自力でとることができず，発語も困難で，便失禁や尿失禁をきたす．このため，寝たきりの期間が長くなると，身体の柔軟性も失われ，十分な肺の収縮や拡張が難しくなる．誤嚥による肺炎や，尿路感染症を起こすことも少なくない．これらは容易に生命の危機に直結する．発熱や喀痰量の増加，呼吸が不安定な状態は，介護負担を増大させ，在宅生活を支援する介護者にとって，きわめて大きな身体的，精神的負担となる．

治療

脳代謝賦活薬，脳循環改善薬などを投与する内服薬物療法のほか，脊髄硬膜外腔に電極を埋め込み刺激を行う脊髄後索電気刺激法や，視床に電極を埋め込み刺激を行う脳深部電気刺激法，さらに頸部に電極を埋め込み刺激を行う迷走神経刺激法，手から電気刺激を行う正中神経刺激法などの電気刺激療法がある．

リハビリテーション治療

長期の臥床によって，体重で圧迫されている部分の血流が滞り，皮膚の一部がただれたり傷ができ，褥瘡となる．また，背中側や下肺野に痰が溜まりやすくなり，放置すると無気肺となり肺の機能が著しく低下する．これらの予防をするため，定期的に体位変換を行う必要がある．関節拘縮や筋力低下，骨萎縮が生じるため，できるだけROMを保てるような運動を行う．また，口腔ケアを行い，口腔内を清潔に保って，誤嚥による肺炎予防を行う．合併症の発症予防が主な目的となるが，意識の回復などがみられる場合は，コミュニケーション手段の確立や摂食嚥下機能の改善なども目的となる．また家族指導も重要であり，家族の精神的ケアを行いながら，介助指導などを実施することが望ましい．

B. 脊髄疾患

学習の目標

1. 脊髄損傷の病態について理解をする．完全麻痺と不全麻痺の違いを知る．機能障害に加えて，生じやすい合併症について理解する．
2. 脊髄損傷の評価について理解する．ASIAの神経学的分類と機能障害尺度を知る．
3. 脊髄損傷のリハビリテーションについて急性期から自宅復帰，職場復帰までのながれを理解する．損傷レベルに応じたアプローチを理解する．
4. 二分脊椎の疾患概念，症状，特有の合併症，リハビリテーションの概要について理解する．
5. 脊髄血管障害，脊髄空洞症，HTLV関連脊髄症について疾患の特徴を知る．

1 脊髄損傷

疾患概念

a. 概　要

脊髄に損傷を生じると，障害部位およびそれより下位の脊髄の麻痺を生じて，支配域に運動障害，感覚障害，自律神経障害をきたす．脊髄損傷の原因には，外傷によるものと，腫瘍，血管障害（⇨p. 160, ③ 脊髄血管障害），感染（⇨p. 162, ⑤ HTLV関連脊髄症），先天奇形（⇨p. 155, ② 二分脊椎）などの非外傷性のものがある．直接損傷された前角細胞や神経根に支配されている骨格筋は**弛緩性麻痺**になり，一方，上位運動ニューロンの支配は断たれるが前角細胞や神経根自体に損傷がない領域は**痙性麻痺**となる．一般に，頸髄が損傷されると痙性の**四肢麻痺** tetraplegia を生じ，胸髄が損傷されると痙性の**対麻痺** paraplegia，腰仙髄や馬尾神経が損傷されると弛緩性の対麻痺になる．

四肢麻痺や対麻痺がほぼ消失することもあるが，脊髄がいったん壊死に陥れば回復は容易ではなく，脊髄や神経根の障害の程度に応じて完全または不全麻痺を残存する．脊髄内に限局した障害を生じれば，その部位に特有な臨床症状を呈する（**図 B-3** 参照）．

b. 疫　学

脊髄損傷の発生頻度は人口100万人当たり約40人/年であり，その中で75%は頸髄損傷である．男女比は4：1であり，10歳代後半〜30歳と50〜60歳代に発生のピークがある．脊髄損傷の原因は，交通事故，高所転落，転倒の順であり，若年者ではオートバイ事故，浅い水への飛び込みなど，高齢者では転倒による過伸展損傷が多い．

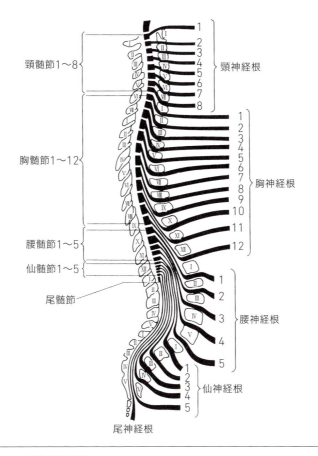

図 B-1　脊柱管と脊髄
成人では脊柱管の方が脊髄長より長い.
[日本作業療法士協会編:身体障害―作業治療学1,協同医書出版,p.180,1994 より引用]

c. 機能解剖

1. 脊髄と椎体の関係

　脊髄は頸髄,胸髄,腰髄,仙髄,尾髄からなり,それぞれ8対,12対,5対,5対,1対の神経根を有する.脊髄長は脊柱管よりも短いため(**図 B-1**),頸髄と胸髄の神経根は斜め下方に走行し,腰髄以下の神経根はほとんどまっすぐに下行し馬尾神経となる.そのため損傷髄節レベルと損傷椎体高位は完全には一致しない.腰椎レベルではその解離は大きくなり,第1腰椎骨折では馬尾神経と仙髄節の一部が損傷される.

2. 脊髄の分節性支配

　四肢・体幹の骨格筋の大部分は脊髄により分節性に支配されている.主な筋の支配髄節は,三角筋:C5,6,上腕二頭筋(C5キーマッスル):C5,6,上腕三頭筋(C7キーマッスル):C6,7,8,深指屈筋(C8キーマッスル):C7,8,T1,小指外転筋(T1キーマッスル):C8,T1,腸腰筋(L2キーマッスル):L1,2,3,4,大腿四頭筋(L3キーマッスル):L2,3,4,前脛骨筋(L4キーマッスル):L4,5,S1,長指伸筋(L5キーマッスル):L4,5,S1,腓腹筋(S1

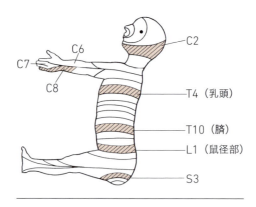

図 B-2 感覚の分節性支配
皮膚感覚は，分節性に支配されている．上下肢を前方に伸ばす姿勢にすると分かりやすい．

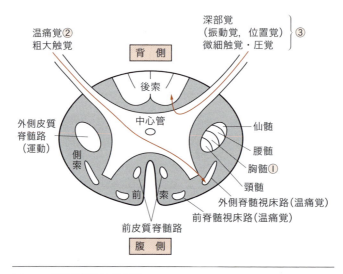

図 B-3 脊髄横断面と神経路
頸髄の横断模式図である．上位運動ニューロンは側索にある外側皮質脊髄路を，一部は前索にある前皮質脊髄路を下行する．温痛覚一次ニューロンは後根を通り，後角で二次ニューロンを介して対側側索の外側脊髄視床路，一部は前索の前脊髄視床路を上行する．深部覚一次ニューロンは後根を通り，後索で二次ニューロンを介して上行する．

キーマッスル）：L5，S1，2である．皮膚感覚も分節性に支配されており（**図 B-2**），とくに胸髄レベルでは障害高位判定に特異的な筋がないため感覚障害のレベル診断が重要である．

3. 神経経路

　脊髄横断面では内部に H 型をした灰白質がある．灰白質前部は前角と呼ばれ，多くの運動性細胞が含まれている．灰白質は白質に取り囲まれており，白質は多数の有髄線維を含み，その部位により前索，側索，後索と呼ばれる．主な神経路（**図 B-3**）は，前索：前脊髄視床路（温痛覚），前皮質脊髄路（運動），側索：外側皮質脊髄路（運動），外側脊髄視床路（温痛覚，粗大触覚），後索：薄束・楔状束（微細触覚・圧覚，振動覚，位置覚）であり，脊髄内部に限局した

障害を生じた症例では，機能局在に一致した特有な臨床症状を示す．

a) 中心型

脊髄中心管周辺の障害により中心型脊髄損傷を生じ，下肢に比べ**上肢や手指により強い運動麻痺**を生じる．これは外側皮質脊髄路（**図 B-3①**）の内側に頸髄への神経線維が存在し，外側に腰髄への神経線維が走行しており，頸髄中心部に損傷を生じると内側に位置する上肢への神経線維がより障害され，外側に位置する下肢への神経線維は比較的温存されるためである．中心型脊髄損傷は，高齢者に多い（⇨p.155）．

b) 側部型（**ブラウン・セカール症候群** Brown–Séquard syndrome）

脊髄の半側が損傷され，損傷髄節に一致した弛緩性運動麻痺と全感覚障害，同側損傷髄節よりも下位の痙性麻痺と深部感覚障害（**図 B-3③**），反対側の温痛覚障害を生じる（**図 B-3②**）．

c) 前側部型

前索と側索が損傷され，痙性麻痺と温痛覚障害を生じる．

d) 後側部型

後索が損傷され，微細触覚・深部感覚障害を生じる（**図 B-3③**）．

e) 横断型

運動と感覚のすべてが障害される．

4. 脊髄血管（図 B-11 参照）

脊髄の主な動脈は椎骨動脈から生じる**前脊髄動脈**と後脊髄動脈である．前脊髄動脈は脊髄前 2/3 の前索・側索を灌流し，後脊髄動脈は脊髄後 1/3 の後索と後角を灌流する．この脊髄動脈は肋間動脈，腰動脈，外側仙骨動脈などの脊髄枝と交通するが，太くて直接脊髄動脈に達するのは数本だけである．中でも胸髄下部から腰髄上部の間で前脊髄動脈にはいる血管は臨床的にも重要であり，**大前根動脈**（**アダムキービッツ動脈** Adamkiewicz artery）と呼ばれる．

評価・検査

a. 機能障害（心身機能・身体構造の障害）

1. 全身状態

意識レベルを観察し，血圧，脈拍，呼吸数，体温を測定する．排尿・排便状態に関して情報を集め，皮膚の状態も観察する．頸髄～上位胸髄損傷患者では，可能な時期になれば斜面台を利用して臥位と立位で血圧と脈拍数の変化をチェックする．

2. 神経学的評価

a) 脊髄損傷高位

損傷高位は機能が正常に残存している最下位髄節で表す．この最下位髄節の決定には米国脊髄損傷協会 American Spinal Injury Association（ASIA）/国際脊髄学会 International Spinal Cord Society（ISCoS）の神経学的レベル（高位）neurological level（NL）がよく用いられる．（⇨p.140 b) 神経学的重症度）たとえば，第 6 頸髄節支配筋（橈側手根伸筋）の機能が残存し，第 7 頸髄節支配筋（上腕三頭筋）以下の機能が消失している場合は，C6 レベルあるいは C6 機能残存と表現する．胸髄レベルでは基準となる筋がないので感覚障害レベルを用いる．

ザンコリ Zancolli **分類**は四肢麻痺患者の手指機能再建のために作成された上肢機能分類であ

表 B-1　ザンコリ分類

臨床群	最下位機能髄節	基本機能筋	サブグループ
Ⅰ．肘屈曲	C5	上腕二頭筋 上腕筋	A：腕橈骨筋（−）
			B：腕橈骨筋（＋）
Ⅱ．手関節伸展	C6	長・短橈側 手根伸筋	A：手関節伸展が弱い
			手関節伸展が強い B：1. 円回内筋（−） 　　　橈側手根屈筋（−） 　　　上腕三頭筋（−） 　　2. 円回内筋（＋） 　　　橈側手根屈筋（−） 　　　上腕三頭筋（−） 　　3. 円回内筋（＋） 　　　橈側手根屈筋（＋） 　　　上腕三頭筋（＋）
Ⅲ．指伸展	C7	総指伸筋 小指伸筋 尺側手根伸筋	A：尺側指の完全伸展 　　橈側指と母指の麻痺
			B：すべての指の完全伸展と 　　母指の弱い伸展
Ⅳ．指屈曲と母指伸展	C8	深指屈筋 固有示指伸筋 長母指伸筋 尺側手根屈筋	A：尺側指の完全屈曲と 　　橈側指と母指の弱い屈曲 　　完全母指伸展
			B：すべての指と母指の 　　完全屈曲 　　手内筋の麻痺 　1. 浅指屈筋（−） 　2. 浅指屈筋（＋）

り（**表 B-1**），C5〜8レベルの機能を詳しく分類できる．サブグループの筋力判定は医療機関によりばらつきはあるが，「弱い」は徒手筋力テスト（MMT）3まで，「（−）」はMMT2までとする意見もある．

b）神経学的重症度

脊髄損傷の神経学的重症度の評価には，以前**フランケル** Frankel **分類**が用いられていた．フランケルA：完全損傷，B：不全重度損傷（感覚のみ残存），C：不全中等度損傷（運動非実用），D：不全軽度損傷（運動実用的），E：脱落症状なし，である．現在では，フランケルの分類を改変したASIAの機能障害尺度（**表 B-2**）が用いられている．

神経学的重症度を包括的に評価するには，**ASIA/ISCoSの神経学的分類**（**図 B-4**）と **ASIAの機能障害尺度**（**表 B-2**）を用いる．神経学的分類は筋力と感覚の評価値で判定し，機能障害は，機能障害尺度で評価する．以前は能力低下も評価に含まれており，1992年版では，機能的自立度評価法 functional independence measure（FIM）を用いて判定することになっていたが，

表B-2　ASIA機能障害尺度

- □ A＝完全：S4, 5の運動および感覚機能の喪失
- □ B＝不全：S4, 5を含み神経学的レベル以下の感覚機能は残存しているが，運動機能は消失している．
- □ C＝不全：神経学的レベル以下の運動機能が残存している．神経学的レベル以下のキーマッスルの少なくとも半分以上は筋力3未満である．
- □ D＝不全：神経学的レベル以下の運動機能が残存している．神経学的レベル以下のキーマッスルの少なくとも半分以上は筋力3かそれ以上である．
- □ E＝正常：運動および感覚機能は正常

2000年版で脊髄損傷の評価に最良との根拠が不十分で削除された．上下肢の運動は，基準となる筋をMMT（0～5）で評価し，その合計点を運動スコア（0～100）とする．感覚はC2髄節からS4～5髄節の基準となる部位の触覚と痛覚を，消失0，障害1，正常2，に評価し，それぞれの合計点を触覚スコア（0～112），痛覚スコア（0～112）とする．

最下位髄節はASIA/ISCoSの神経学的レベル（高位）neurological level（NL）によって決定する感覚レベルとは，痛覚と微細触覚が共に正常な一番尾側の髄節高位とする．運動レベルとは，臥位のMMTで少なくとも3以上ある一番尾側のキーマッスルで，1つ上の髄節のキーマッスルが正常である髄節高位とする．正常な感覚と重力に抗せる筋力（MMT3以上）をもつもっとも下位の神経レベル（高位）を神経学的損傷高位 neurological level of injury（NLL）とする．

ASIAの神経学的分類に基づけば，最下位仙髄節の機能（肛門感覚，深部肛門感覚 deep anal pressure，肛門の随意的収縮）が完全に消失すれば**完全麻痺**であり，最下位仙髄節の機能が一部でも残存（仙髄回避 sacral sparing）すれば**不全麻痺**である．

c）その他の理学的評価

深部腱反射，バビンスキー反射 Babinski reflex，クローヌスを評価する．また，他動的に四肢を動かし，筋トーヌスの亢進・減弱を判定する．痙縮の評価にはアシュワース尺度変法 **modified Ashworth scale**（MAS，⇨p. 35，表14）を用いる．

d）電気生理検査

神経伝導検査，体性感覚誘発電位，磁気刺激，針筋電図（前角細胞や神経根の障害判定）を施行する．

3．関節可動域

上下肢の主関節の関節可動域 range of motion（ROM）を測定する．

4．不安，抑うつ

顕在性不安尺度 manifest anxiety scale（MAS），コーネル健康調査指数 Cornell medical index（CMI），抑うつ尺度などの質問紙形式の不安検査や抑うつ検査をする．

5．脊椎・脊髄の障害

X線写真（単純），CT，MRIを撮影する．

急性期のMRI像では，脊髄浮腫はT2強調像で高信号，出血は低信号を示す．慢性期では軟化，壊死，空洞化はT1強調像で低信号，T2強調像で高信号となる．

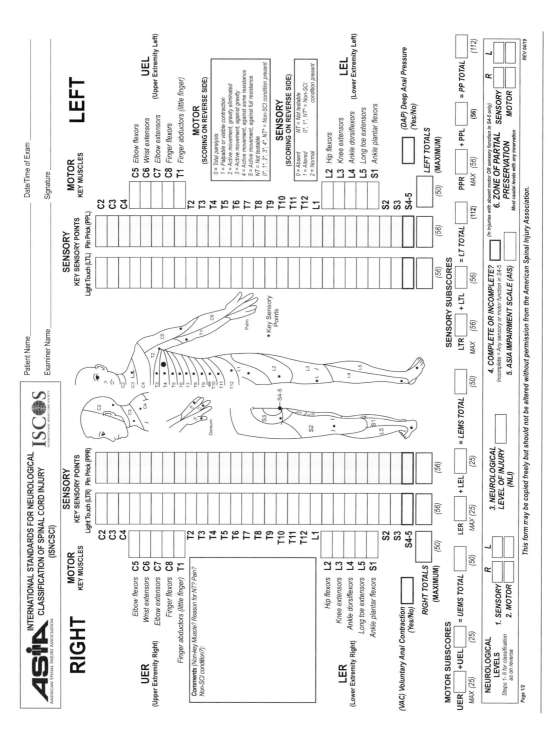

図B-4 米国脊髄損傷協会（ASIA）/国際脊髄学会（ISCoS）（2019）の神経学的分類

脊椎の固定性は手術記事を参照するか，直接脊椎外科医から情報を得る．

b．能力低下（活動制限）
1．ADL
　日常生活活動（ADL）の評価にはバーセル指数 Barthel index や FIM を，生活関連動作にはフレンチャイ活動指数 Frenchay activities index などを用いる．脊髄損傷に特異的な ADL 評価法として脊髄障害自立評価法 spinal cord independence measure（SCIM）がある．6ヵ月より7歳程度の場合，子どものための機能的自立度評価法 **WeeFIM**（functional independence measure for children）やリハビリテーションのための子どもの能力低下の評価法 PEDI（pediatric evaluation of disability inventory）を用いて ADL を評価する．

2．歩行障害
　歩行障害の特徴，杖，装具の効果を評価する．歩行不能者では車いすの操作を観察する．

c．社会的不利（参加制約）
1．家庭復帰
　家族の状況，介護者の有無，住環境，経済状況などの情報を得る．
2．社会復帰
　活用できる社会資源，介護支援態勢，移動手段を評価する．
3．復職，復学
　職務内容，職場環境，通勤手段，会社の対応を評価する．学生では，通学手段，学校環境などを評価する．

> 障害構造・問題点

a．機能障害（心身機能・身体構造の障害）
1．運動障害
　受傷直後は，損傷髄節以下のすべての反射が消失し，随意運動もない．この状態は**脊髄ショック** spinal shock と呼ばれる．球海綿体反射が回復すると脊髄ショックを脱している．脊髄ショックはおおむね24時間〜3ヵ月で回復するが，損傷髄節以下の腱反射と筋トーヌスが亢進すれば**痙性麻痺**に，出現しなければ**弛緩性麻痺**となる．

2．感覚障害
　感覚（表在感覚：温痛覚・触覚，深部知覚：振動覚・位置覚）は，損傷の程度に応じて，消失，鈍麻，過敏となる．損傷髄節領域に**感覚異常帯**（**過敏帯**）を伴ったり，損傷髄節以下に疼痛を伴うことがある．

3．呼吸障害
　呼吸筋麻痺により**換気量と咳嗽力が低下**する（**表 B-3**）．また，自律神経障害の合併により気道内分泌物が増加する．また，慢性期には，胸郭の可動性が低下して換気能力も低下する．とくに咳嗽力が低下すると，肺炎，無気肺などを合併し痰が出せなくなり致命的となる．
　C4レベルでは，横隔膜の機能は残存しているが，初期に人工呼吸器が必要な場合もある．

表B-3 呼吸筋と呼吸様式

レベル	呼吸様式	呼吸筋
C2	頸部	補助呼吸筋
C4	人工呼吸器離脱可	横隔膜C3〜5
T10	胸郭運動可能	内外肋間筋T1〜12
T12	十分な咳嗽力	腹直筋T7〜12

表B-4 損傷部位と排尿反射

	核上型	核・核下型
損傷部位	S1よりも上位	S2〜4,神経根
排尿反射	あり	なし
排尿形式	叩打	腹圧,手圧

C3レベルでは人工呼吸器からの離脱が困難なため,在宅でも使用する必要がある.

4. 排尿障害

排尿中枢は,S2〜4レベルにある.脊髄損傷により大脳皮質や脳幹の高位排尿中枢との連絡が断たれると,膀胱感覚が消失し排尿の随意的コントロールができなくなる.

受傷直後は脊髄ショックとなり,すべての排尿反射は消失し膀胱感覚はなく,排尿の随意的コントロールは不能で尿閉状態となる.脊髄ショック期は無菌の間欠導尿を行うことが望ましいが,閉鎖式無菌的カテーテル留置が行われることもある.脊髄ショック期を脱すると,排尿中枢や神経根に障害がなければ排尿反射が出現してくる.冷水テストが回復の確認に利用される.

四肢麻痺患者などで排尿中枢より上位に損傷があるタイプは核上型と呼ばれ,膀胱充満やその他の部位の刺激により反射的に排尿筋の収縮を生じる(表B-4).このとき,尿道括約筋が弛緩すれば尿失禁を生じ,弛緩しなければ尿閉となる.排尿反射と同時に尿道括約筋の反射的収縮が起こる排尿括約筋協調不全も多い.一方,対麻痺患者などで,排尿中枢や神経根に損傷があるタイプは核・核下型と呼ばれ,排尿筋や尿道括約筋の反射的収縮・弛緩が困難で尿閉となる.腹圧や体動,膀胱充満により尿失禁をきたす.

脊髄損傷者の排尿方法は,損傷レベルと排尿中枢との関係,利尿筋と括約筋の機能,上肢機能,介護力などによりその基本的方針が決まる.核上型神経因性膀胱であればトリガー・ポイント trigger pointをみつけ叩打により反射性排尿を試みるが,残尿が多い(100 mL以上)か高圧排尿となる場合は清潔間欠自己導尿法を行う.上肢機能障害のために叩打や自己導尿が困難な四肢麻痺者では,状況を総合的に判断して膀胱瘻,介助者導尿,経尿道的尿道括約筋切開術,カテーテル留置が行われる.核・核下型であれば腹圧・手圧排尿を試み,残尿が多い場合は清潔間欠自己導尿法を追加する.

排尿管理が不適切であれば腎,尿管,膀胱に結石を生じやすく,膀胱尿管逆流 vesicoureteral reflux(VUR)や腎盂腎炎をきたすことがあり,敗血症や腎不全にいたることもある.また,長期の尿道カテーテル留置により尿道瘻や萎縮膀胱をきたすこともある.

5. 排便障害

　排便中枢は，排尿と同じ S2～4 レベルにある．胃から上行結腸までは迷走神経により支配されているので，同部の機能障害は生じない．しかし，大腸の肛門側 2/3 と直腸は仙髄節から生じる骨盤内臓神経に支配されているので，受傷直後は腸管の蠕動が消失，麻痺性イレウスをきたしやすい．脊髄ショックから回復すると，蠕動運動は出現するが，便秘になりやすい．便意は消失または減少するが，尿意同様，代償的な感覚が出現することがある．排便障害の対策として，線維成分の多い食事，緩下薬，坐薬，浣腸，洗腸，適度な運動（腹部マッサージを含む）などを試みる．なお洗腸とは，暖めた生理的食塩水をカテーテルを用いて肛門あるいは盲腸ポートより大腸内にゆっくりと注入して排便させ，回収液がきれいになるまで注入・排液を繰り返す方法である．

6. 性機能障害

　男性の陰茎勃起の中枢は S2～4 にある．核上型の場合は反射性勃起を認めるが，核・核下型では勃起は困難である．射精は障害され，精子数，運動率ともに減少する．女性では性器の感覚は消失するが，性行為自体は可能であり，内分泌系にも異常は生じない．妊娠は可能であるが，T5 レベル以上では，自律神経過反射の対策が必要である．

7. 自律神経障害

　交感神経節前線維は胸髄，腰髄，仙髄から，また，副交感神経節前線維は仙髄から出ているので，脊髄損傷により障害レベル以下の自律神経症状を呈する．麻痺域の皮膚血流や発汗が障害されるので体温調節が困難となり，外気温上昇により体温が上昇しやすく，うつ熱を生じる．腹腔内血管や筋内血管の調節障害により 起立性低血圧 を生じる．心臓支配も断たれていれば心拍数も増加しにくい．排便障害や排尿障害は必発の自律神経症状である．

　T5 レベル以上の脊髄損傷では，膀胱充満，褥瘡，創傷，膀胱炎，便秘，手術侵襲などの末梢刺激により自律神経の過剰な反射をきたすことがある．自律神経過反射 autonomic hyperreflexia を生じると，血圧が急激に上昇し，顔面紅潮，頭痛，発汗，徐脈，鼻閉を生じ，放置すると脳出血をきたすことがある．多くの場合，膀胱充満が原因であるので，まず導尿を試みることが大切である．

8. 血栓症

　麻痺域の血管収縮や筋ポンプ作用の低下により，血液がうっ滞し下肢に 深部静脈血栓症 deep vein thrombosis（DVT）を生じることがある．深部静脈血栓を生じると，片側下肢が突然腫脹し，下肢を挙上しても改善しない．約 90% は受傷後 1 ヵ月以内に発生し，中高年の脊髄損傷者に多くみられる．血液検査で D-ダイマーが高値になることが多い．治療には血栓溶解療法や抗凝固療法を行い，下大静脈フィルターを留置し，致命的な 肺塞栓 を予防する．下肢静脈エコーで浮遊血栓を認める場合は下肢の ROM 訓練は原則禁忌となる．予防には，弾性包帯，他動運動，間欠的空気圧迫装置を行う．

9. 痙　縮

　脊髄損傷により，脊髄反射弓の活動が亢進した状態である．適度な痙縮は，移乗動作や立位保持，褥瘡予防などに有益であるが，過度な痙縮は関節拘縮や ADL 障害を招く．温熱-寒冷

表B-5 残存機能レベルと拘縮肢位

残存機能	拘縮肢位
C4	肩甲帯挙上と内転
C5	肩外転，肘屈曲
C6	肘屈曲，前腕回外，手背屈，手指屈曲
C7	手指伸展

療法，低周波刺激，抗痙縮薬の内服やフェノールブロックやボツリヌス毒素療法などで対処している．また，重度な痙縮では髄腔内バクロフェン投与が行われる．

10．褥瘡

褥瘡は持続的圧迫により生じる皮膚や皮下組織の阻血性壊死であり，麻痺域で骨が突出している荷重部に生じやすい．褥瘡の直接の原因は阻血であるが，摩擦，湿潤，栄養障害などがあれば，より褥瘡を生じやすくなる．好発部位は，仙骨部，大転子部，踵，後頭部であり，車いす使用者では，坐骨部や尾骨部である．褥瘡を放置すると敗血症や骨髄炎を併発することがあり，体位変換を行い局所の除圧を励行する．空気室構造，ゲルやウレタンなどのクッション，フローテーションパッドを用いて殿部の圧分散を図る．

11．消化器・腸管障害

急性期には，消化性潰瘍の合併が多い．消化管出血などの急性腹症を生じても，感覚障害のため典型的な症状を欠くことに留意する．自律神経過反射，異和感，食欲不振，放散痛，発汗などの症状があれば，消化管出血を念頭に置く．

12．疼痛

脊髄損傷の疼痛は，損傷脊髄，損傷脊椎，軟部組織，心因性などが原因と考えられる．脊椎や軟部組織由来の疼痛は徐々に軽減するが，麻痺域の不快な疼痛が残存することが多い．鎮痛薬や物理療法は通常無効である．

13．心理的問題

偶然の事故で脊髄損傷を生じることが多く，患者本人および家族のショックは大きい．急性期には，不安になりパニックとなったり，抑うつ症状を示すことが多い．障害の受容は，病前性格，障害の原因・程度，対人・社会的関係などの要因が絡み，複雑であり容易ではない．

症状や治療・訓練の意義や経過を十分説明し，不安の解消に努める必要がある．とくに各スタッフの対応に差がないように気を配る必要がある．同じ脊髄損傷患者の存在は助けになる（ピアサポート）．心理的な評価やカウンセリングなども必要となり，薬物治療を行う場合もある．

14．関節拘縮

不良肢位，痙縮，筋緊張の不均衡などで関節拘縮が出現しやすい（**表B-5**）．肩甲帯や肘の拘縮はプッシュアップの障害となり，手指伸展拘縮はC6レベル患者のテノデーシス効果（腱固定作用効果：指の屈筋群が利いていなくても手関節を背屈すると相対的に屈筋腱が緊張して指が屈曲する効果）を妨げ，把持が不能となる．

15．異所性骨化

股関節，膝関節，肩関節，肘関節などの大関節は異所性骨化を生じやすくROMが制限される．粗暴なROM訓練は，軟部組織の微細な出血を招き異所性骨化を生じる．関節の熱感腫脹，アルカリホスファターゼ値の上昇，骨シンチグラフィーや超音波エコーの異常所見があれば，異所性骨化と診断する．大きくADLを制限する場合は，外科的治療を行う．

16．骨萎縮

麻痺域の下肢骨には，**廃用性の骨萎縮**を認める．

17．皮膚合併症

感覚障害があるので，熱傷，凍傷，挫傷を生じやすい．陥入爪（巻き爪）を合併しやすい．

18．外傷性脊髄空洞症

慢性期に運動麻痺の増強，感覚障害の上昇，原因不明の疼痛が生じた場合は，脊髄空洞症を疑いMRI検査を行う（⇨p.161，④脊髄空洞症）．

b．能力低下（活動制限）

1．ADL障害

寝返り，起き上がりは，C6レベル以下になると可能なものが多くなる．座位保持は，C6～T4では可能であるがバランスは良好ではない．T10以下になれば体幹筋が十分働き座位は安定する．

プッシュアップは，肘の伸展が可能なC7レベル以下では確実に行え，C6レベルでも肘の過伸展を利用して可能な者もいる．移乗は肘伸展力が十分強ければ可能であるが，高低差の解消やトランスファーボードの利用を行いアプローチ方法の選択に配慮が必要である．

その他の機能レベルとADLは**表B-6**に示す．

2．立位・歩行障害

訓練室レベルでは，装具に工夫すれば四肢麻痺患者でも立位，歩行は不可能ではない．しかし，実用的には膝の伸展が可能なL3レベルからであり，両側短下肢装具と杖で歩行できる．

3．上肢機能障害

上肢のリーチの拡大，つまみ，握り機能の向上のため，C5～C7レベルの四肢麻痺患者に対して上肢機能再建術を行う場合がある．移行筋に十分な筋力があり，各関節に拘縮がないことが成功の鍵となる．

c．社会的不利（参加制約）

1．家庭復帰

対麻痺では，車いすでのADLがほぼ自立するため，家庭復帰への阻害要因は比較的少ない．一方，四肢麻痺では，介護力の確保，住宅改修や介護機器の導入による介護量の軽減化を図る必要がある．

2．復職・復学

復職は，障害レベルと職種，会社側の受け入れの余裕に左右される．現職復帰が困難でも，

表B-6 機能レベルとADL

機能レベル	残存筋	運動	移動手段	ADL	装具など
C1〜3	顔面筋, 舌筋 胸鎖乳突筋 僧帽筋	首の固定回旋 肩甲骨挙上	電動車いす 介助用車いす	環境制御装置	人工呼吸器
C4	横隔膜		電動車いす	マウススティック(本のページめくり, パソコン)環境制御装置	
C5	三角筋 上腕二頭筋	肩屈曲・外転 肘屈曲・前腕回外	車いす(平地のみ, ハンドリムにノブ付) 電動車いす	食事, 髭剃り, 歯みがき(自助具)	BFO スプリングバランサー ポケット付手背屈装具
C6	橈側手根伸筋	手関節背屈	車いす(ハンドリムにゴム) 下位型:自動車運転可能	排便(フロアー式トイレ, 坐薬挿入), 整容(洗面, 化粧), 上衣着脱可, 書字, 自己導尿	手関節駆動式把持装具 RICスプリント 長対立装具 ユニバーサルカフ 万能カフ
C7	上腕三頭筋 橈側手根屈筋 指伸筋	肘伸展 手関節屈曲	車いす(ハンドリムにゴム) 自動車運転可能	排便自立(洋式トイレ, 手すり) 食事・整容(自助具なし)プッシュアップ(容易), 移乗(容易), 入浴(整備された環境), 下衣着脱可	短対立装具 ユニバーサルカフ 万能カフ
C8〜T1	指屈筋群 手内筋	指屈曲 手指巧緻動作	普通型車いす		上肢装具不要
T6	上部肋間筋 上部背筋	上部体幹の安定	大振り歩行 普通型車いす		骨盤帯付長下肢装具＋松葉杖, 交互歩行装具＋ロフストランド杖
T12	腹筋 胸椎部背筋	骨盤の引き上げ	(階段昇降可能) 普通型車いす		長下肢装具＋松葉杖, 交互歩行装具＋ロフストランド杖
L3	大腿四頭筋	膝伸展	実用歩行 普通型車いす		短下肢装具 杖

BFO:balanced forearm orthosis

　対麻痺では座業が可能なため再就労の可能性は高い．必要があれば職業訓練施設へ紹介する．四肢麻痺では，卓上作業も困難なことが多いが，IT機器を利用した在宅就労のケースも増えている．

　復学は学校側の対応が良好なことが多く，比較的実現可能である．通学や学校内移動手段の確保が重要である．

　実際に復学，復職を行うと，長時間の社会活動による褥瘡の発生，排尿・排便管理などの問題が生じる．

リハビリテーション治療

a. 急性期治療

急性期の治療は脊椎外科医，整形外科医，リハビリテーション科医などが行う．

1. 全身管理

呼吸器，循環，体温，尿路に注意を払い，全身管理を行う．頸髄損傷では，肺炎，麻痺性イレウス，胸髄損傷以下では，尿路感染症，褥瘡が致命的な障害となることが多く，また，多発外傷を伴うことも多いので注意が必要である．

2. 損傷脊椎の保存療法

脊椎の損傷程度により固定法を選択する．脊髄の浮腫防止にステロイド薬を投与することがある．

3. 損傷脊椎の手術療法

脊柱管内に骨片が入り込んで脊髄や神経根を圧迫する場合は除圧術が，脊髄に不安定性がある場合は自家骨や金属を用いた固定術を行う．

金属による内固定（インストルメント） により早期リハビリテーションが可能であるが，脊椎の可動域が制限されADLに支障をきたすことがある．

b. 四肢麻痺のリハビリテーション

1. 急性期

早期より訓練を開始し，二次障害や合併症の発生を防ぐことが重要で，看護スタッフとの連携が必要である．

a）関節拘縮予防

損傷脊椎の安静固定を行うため，その他の関節にも拘縮を生じやすい．残存筋力に応じて拘縮を生じるので（表B-5），この反対方向へのストレッチを行い，良肢位を保持し，必要があれば装具を使用する．

頸椎に不安定性があれば，肩関節のROM訓練は肩甲帯を固定し，肩関節は外転，屈曲90°にとどめる．粗暴なROM訓練が異所性骨化を招くことがあるので慎重に行うべきである．

b）褥瘡予防

褥瘡予防の目的で，2時間ごとの体位変換を行う．

c）筋力強化

上肢の自動介助運動，徒手抵抗運動を行う．

d）呼吸理学療法

・排痰訓練：頭部を下げて喀痰を排出しやすい姿勢を保持して体位排痰を行い，タッピングやバイブレーターで胸郭に振動を与え分泌物を遊離させる．咳に合わせて季肋部を内上方へ押し上げる咳嗽介助で痰を喀出させる．損傷脊椎の固定が損なわれないように注意する．

・胸郭可動性の維持：胸郭の徒手的圧迫や伸張，アンビューバッグなどを利用して，胸郭の可動域を維持する．

・呼吸筋の強化：鼻より吸気し，口すぼめで吐かせる呼吸誘導法や呼吸訓練具を用いた呼吸訓

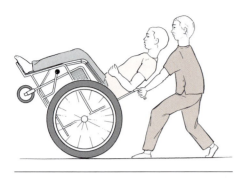

図B-5 車いす乗車中の起立性低血圧発生時の対処

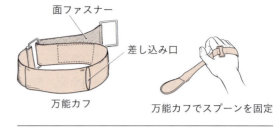

図B-6 万能カフ

練を行う．横隔膜の筋力強化には砂囊（500g程度）や徒手抵抗を利用する．

e）ADL支援

ナースコールのセッティング，食事介助，自助具作製などを行い，ベッド周りのADLの自立，介助，支援を行う．

f）精神的支援

患者の訴えをよくきき，不安の解消に努める．患者とスタッフとの信頼関係を築くため，スタッフ間での意思統一を図る．

2．亜急性期

a）座位訓練

最初は血圧，心拍数をモニターまたは適宜測定しながら，ギャッチアップ座位を行い，徐々に慣らしながらリクライニング車いすへ移行する．頸髄損傷では起立性低血圧を生じやすいので，座位耐久性が向上するまで訓練を反復する．

b）起立訓練

血圧，心拍数をモニターしながら，斜面台を利用して60°程度から起立刺激を開始する．血圧が収縮期で20 mmHg以上低下したり気分不良を訴える場合は，ただちに頭部を低くし脳血流を確保する（図B-5）．反復訓練を行い，徐々に起立角度や時間を増やす．この際，腹帯や弾性ストッキングを使用するのもよい．座位耐久性が得られれば，起立テーブルを用いて起立訓練を行う．

c）ADL訓練

・食事動作

C5レベルでは，手関節背屈保持スプリントに角度調節可能なスプーンを取り付け，食事を試みる．C6〜7レベルでは，万能カフやホルダー付スプーンを利用して食事が可能であり（図B-6），また，両手で食べ物を把持することが可能である．C8レベルでは自助具は不要である．

・整容動作

自助具を利用して，髭剃りや歯ブラシを使用する．

・その他

C5レベルであれば，ペンホルダーを利用して，書字，読書，パソコン操作などが可能であ

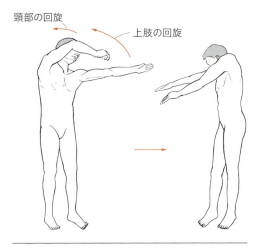
図B-7　寝返り（C6レベル）

る．C5～6レベルでは，スプリングバランサーなどの設置を行う．
3．慢性期
a）全身調整
起立台，車いす駆動などを行う．
b）残存筋筋力強化
抵抗運動により残存筋の筋力強化を行う．
c）基本動作訓練
・寝返り訓練：頸部の回旋と上肢の回旋を利用して寝返りを行う．自立するのはC6レベル以下である（**図B-7**）．
・起き上がり訓練：ひもやベッド柵を利用する．麻痺レベルと残存筋力で決まる．
・マット座位：長座位の訓練をする．長期臥床や脊椎の内外固定のため体幹が固くなっていることが多い．
・プッシュアップ訓練：移乗時にもっとも重要な動作であり，また，褥瘡予防としても大切である．三角筋，広背筋，大胸筋，前鋸筋の活動が必要であり，C7レベル以下では上腕三頭筋の筋力が強いので問題は少ない．C6レベルでは，肩外旋・前腕回外位で肘をロックさせてプッシュアップを行う（**図B-8**）．
・移乗動作訓練：C6レベル以上では，移乗筋といわれる上腕三頭筋が弱く，移乗に介助やホイストを利用することが多い．C7レベルでは，高低差をなくし，前方移乗（**図B-9**），または，トランスファーボードを利用して側方移乗が可能となる．
・車いす駆動訓練：必要な筋は，三角筋，大胸筋，前鋸筋，上腕二頭筋である．C5～7レベルでは手の把持力が弱いので，ゴム手袋やすべり止めを付けたハンドリムを利用する．
d）ADL訓練
・C4レベル：マウススティックやヘッドポインターでのキーボード操作やページめくり，電動車いすの顎コントローラーの操作，環境制御装置操作environmental control system（ECS）

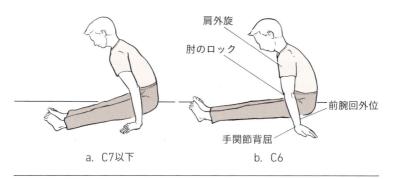

図B-8 プッシュアップ

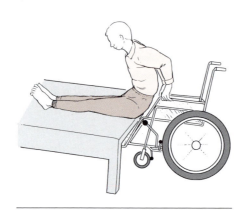

図B-9 前方移乗

の習熟を試みる．
- C5レベル：手関節固定装具を装着して食事や整容の一部は可能となる．
- C6レベル：**テノデーシス効果**（⇨p.146）**を利用した把持**が可能となる．ズボンの着脱，入浴訓練も適応となる．トイレは身体障害者用に限定され，坐薬挿入器，集尿器などの自助具が必要である．
- C7レベル：側方移乗もでき，起居動作は容易となる．ピンチができないので万能カフや坐薬挿入器が必要である．トイレ移乗を含め，訓練が進めば洋式トイレの使用が可能になる．環境が整えば，車いす使用でADLは自立する．

e）装具

- balanced forearm orthosis（BFO），ポータブルスプリングバランサー：肩関節と肘関節のコントロールが不十分な症例に適応があり，肩周囲筋が弱くても上肢を動かせる．
- 長対立装具：C6レベルに適応があり，手関節の背屈を保持し母指と示指の対立を効果的にし，食事，髭剃り，書字などを可能とする．
- 手関節駆動式把持装具（フレキサーヒンジスプリント）：C6レベルでテノデーシス効果を利用し手指での把持を可能とする装具で，RIC型，Rancho型，Engen型などがある．

f）車いす

C5レベル以上では電動車いすが必要であり，上肢や顎で操作レバーを動かすように工夫する．起立性低血圧がある症例にはリクライニングタイプを選択する．C5レベルからC7上位レベルではハンドリムの把持が困難なので，ハンドリムを樹脂やゴムで覆うかノブを取り付ける．C7レベル～上部胸髄レベルでは普通型車いすでよいが，体幹バランスがやや不良である点を考慮する．

g）福祉機器

- 環境制御装置：残存筋の動きを利用して，制御装置のスイッチを操作し電気製品を操作する．
- ホイスト：高位頸髄損傷患者の移乗には不可欠で，床走行式，天井走行リフターなどがある．
- IT機器（パソコン含む）：手指機能に応じて入力装置を選択する．コミュニケーション媒体ともなり，復職，復学に大きな力となる．

h）家屋改修

本人や家族の希望・意思を尊重し，家屋状況や経済状態をも考慮して家屋改修を行う．通常，玄関・敷居の段差を解消し，車いすの通路を確保し，トイレと浴室を車いすが使用できるように改修する．介助量軽減のためにホイストやエレベーターを設置することもある．頸髄損傷の体温調節障害に対しては室内にエアコンを設置する．

c．対麻痺のリハビリテーション

1．急性期

a）ROM訓練

上位胸椎損傷の場合は，肩関節のROM訓練は外転・屈曲90°までとする．下部腰椎損傷の場合では，股関節のROM訓練で屈曲を20～45°に制限する．粗暴なストレッチを避け，異所性骨化に注意する．

b）褥瘡予防

褥瘡を予防する目的で2時間ごとの体位変換をする．

c）筋力強化

鉄アレイや砂嚢を用いて上肢の抵抗運動による筋力強化を行う．

2．亜急性期

a）ROM訓練

上肢は自動運動，下肢は他動運動によるROM訓練を行う．

b）上肢筋力強化

車いす駆動には，上腕二頭筋，上腕三頭筋，三角筋，広背筋，大胸筋，前鋸筋が重要であり，プッシュアップには上腕三頭筋が重要である．抵抗運動によりこれらの筋群を強化する．

c）起立訓練

最初は血圧，心拍数をモニターしながら，ギャッチアップ座位を行い，徐々に慣らしながらリクライニング車いすへ移行する．

胸・腰髄損傷では，頸髄損傷ほどの起立性低血圧は生じないが，斜面台を用いて起立性低血

圧がないことを確認する．拘縮予防や骨萎縮防止の目的で，起立テーブルによる起立訓練を行う．

3. 訓練期
a）筋力強化
残存筋の抵抗運動による筋力強化を行う．

b）基本動作訓練
- 座位：T10レベルまでは座位バランスが悪く，座位バランス訓練が必要である．寝返り，背臥位から長座位，長座位から四つ這いなどを行う．
- プッシュアップ：上肢の筋力を強化するとともに，マット上でプッシュアップの訓練をする．
- 移乗：ベッドと車いす間の移乗訓練を行う．側方移乗が基本であるが，バランスが悪い場合は前方移乗を行う．可能であれば，床面と車いすの間の移乗訓練も追加する．
- 車いす操作：斜面地走行や回転訓練を行い，バランス能力や持久力の向上を図る．次に，段差越えや不整地走行に備えてキャスター上げの訓練をする．退院前には，実際の道路を走行し社会復帰に備える．

c）立位訓練
立位訓練は上肢や残存体幹筋の強化になるばかりではなく，起立性低血圧の予防や内臓機能の向上，尿路結石や骨粗鬆症の予防，痙縮の軽減，心理的効果も認められる．麻痺レベルに応じて長下肢装具，短下肢装具などを使用する．

d）歩行訓練
対麻痺者は装具などを使用すれば歩行可能であるが，不全麻痺や下位腰髄損傷例を除くと**実用性には乏しい**．体幹およびそれ以下に不安定性があれば骨盤帯付長下肢装具，膝・足関節に不安定性があれば長下肢装具，足関節に不安定性があれば短下肢装具を作製する．まず，平行棒内で立位バランス訓練，歩行訓練を行い，杖歩行へ進む．以前は，松葉杖と長下肢装具で大振り歩行，小振り歩行，4点歩行，2点歩行などの訓練を行ったが，近年，対麻痺では，交互歩行装具を用いる．

交互歩行装具として，advanced reciprocating gait orthosis（ARGO），内側股継手付長下肢装具（Walkabout, Prime Walk, HALO®）が用いられ，機能的電気刺激 functional electrical stimulation（FES）を組み合わせることもある．不全麻痺ではハーネスで吊り上げて行う部分荷重トレッドミル歩行訓練も行われている．近年，外骨格型の歩行補助ロボットも使われている．

e）自動車運転
自動車への移乗訓練，車いす積み込み下ろし訓練を行う．アクセル，ブレーキを手で操作するレバーを取り付ければ運転に支障はない．

f）家屋改修
玄関・敷居の段差を解消し，スロープの勾配を適切にする．ドア開口部や回転スペースなどの車いすの通路を確保し，トイレと浴室を車いすが使用できるように改修する．

g）身障者スポーツ
健康増進の目的で，車いすマラソン，テニス，バスケットボールなどが盛んに行われるよう

になってきた．いくつかの大会は成績を競う純然たる競技として開催されている．

d. 高齢者脊髄損傷の特徴

　転倒など軽微な外力で頸部を**過伸展**し**中心型頸髄損傷**を生じる．**骨傷を欠く**ことが多く，保存療法が原則である．頸椎症，脊柱管狭窄症，後縦靱帯骨化を合併していることが多い．脳卒中や糖尿病などの生活習慣病の合併も多く，若年者に比して**生命的予後は悪い**．

　機能的には，上肢，とくに手指に高度の障害を有する不全痙性四肢麻痺を生じ，最終ゴールは同損傷レベルの若年者よりも低くなる．配偶者も高齢であり，自宅での介護力不足が大きな問題となる．

e. 小児脊髄損傷の特徴

　交通事故，スポーツ事故が原因で受傷することが多く，**骨傷が明らかでない**こともある．脊髄ショックの期間が長く，あとで麻痺が判明することもある．**成長発達とともに訓練プログラムを追加**する必要がある．また，**成長に伴い脊柱側弯**や関節拘縮・変形を生じるので配慮が必要である．

　成長発達とともにADL自立を促し，学校生活や社会生活を学ぶことが大切である．また，親の障害受容や過保護なども問題となる．

2　二分脊椎

疾患概念

　二分脊椎 spina bifida は，胎内で発生中に背側脊柱管が癒合できず，椎弓や棘突起が欠損する疾患である．**腰仙椎移行部**（L4，5）に多く，脊髄障害を伴うこともある．分娩1万件あたり2～6人の頻度であり，環境や遺伝などの要素が複数関係する**多因子遺伝**と考えられている．妊娠前よりの葉酸投与に予防効果がある．

a. 潜在性二分脊椎症

　椎弓欠損のみで，神経障害はないことが多い．皮膚欠損はないが，皮膚陥凹，母斑，脂肪腫，多毛をみることもある（**図 B-10**）．

b. 嚢胞性二分脊椎症

1. 髄膜瘤 meningocele

　脊髄は正常で椎弓のみ欠損し，髄膜のみが脱出する．神経症状は原則としてない．

2. 脊髄髄膜瘤 myelomeningocele

　椎弓は欠損し，髄膜と脊髄組織が脱出する．24～48時間以内に髄膜と脊髄組織を脊髄腔内へもどす**外科的処置が必要**である．

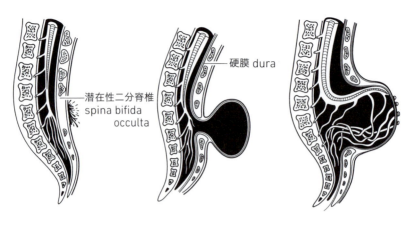

a. 潜在性二分脊椎症　　b. 髄膜瘤　　c. 脊髄髄膜瘤

図 B-10　二分脊椎模式図
髄膜と脊髄組織が脱出する脊髄髄膜瘤に神経症状が合併する.
[嶋田智明：理学療法評価, p.246, メディカルプレス, 1997 より引用]

表 B-7　残存レベルと変形

シャラードの分類	残存レベル	残存機能	変　形
I	〜T12		後弯, 側弯 カエル脚肢位・尖足
II	L1 L2	股関節屈曲	側弯 股関節屈曲変形・脱臼, 内反尖足
III	L3 L4	股関節内転・膝関節伸展	股関節屈曲内転変形・脱臼, 膝伸展変形, 内反足
IV	L5	足関節背屈, 股関節外転・外旋, 膝屈曲	股関節屈曲内転変形・脱臼, 踵足
V	S1 S2	足関節底屈	凹足, つち趾
VI	S3		

Sharradは二分脊椎児の下肢麻痺のタイプを下肢筋の動きと下肢変形をもとに6群に分類した.

障害構造・問題点

a. 機能障害（心身機能・身体構造の障害）

1. 運動神経麻痺

瘤が高位であるほど神経症状は強い. 麻痺は必ずしも横断的ではなく, 不均一に分布することが多い.

2. 感覚神経麻痺

褥瘡の原因となる.

3. 四肢・体幹変形

a) 各麻痺レベルにより特有の肢位変形を示す(表 B-7).

b）手術療法

足関節の変形に対して，軟部組織解離術や腱固定・延長術が行われる．骨成長が停止した段階では，関節固定術，整復と骨切り術が行われる．股関節周囲筋不均衡や股関節脱臼・拘縮に対する手術や脊柱変形に対する固定術が行われる．

4．膀胱直腸障害

多くは核・核下型の**神経因性膀胱**を生じ，腹圧・手圧排尿または清潔間欠自己導尿法 clean intermittent catheterization（CIC）を用いて排尿管理を行う．残尿を放置すると，膀胱炎，結石，膀胱尿管逆流（VUR）を生じ，腎盂腎炎となり，腎不全にいたる場合もある．膀胱尿管逆流を生じれば，腹圧・手圧を止め清潔間欠自己導尿法で管理するか，泌尿器科的治療が必要である．

5．中枢神経合併症

a）**水頭症**

脳脊髄液の循環不全のため脳室拡大をきたし，知的レベルの低下や麻痺が悪化する．二分脊椎の70〜80%に水頭症が合併する．多くは生後1年以内に発生する．治療として**脳室腹腔短絡術（V-Pシャント術）**を行う．

b）キアリ奇形Ⅱ型 Chiari malformation

小脳，脳幹の一部が脊柱管に落ち込み，水頭症の原因となりやすい．脊髄髄膜瘤を伴う．脳幹が障害されると嚥下困難・呼吸障害を招く．

c）**脊髄係留症候群** tethered cord syndrome

他組織に癒着した脊髄が成長とともに下方に牽引され神経因性膀胱や下肢麻痺などの脊髄症状が出現する．

d）大脳の形成異常

知能低下やてんかんの原因となる．

e）脊髄空洞症

キアリ奇形に合併しやすい（⇨p.161，④脊髄空洞症）．

f）褥　瘡

感覚障害や下肢・足部変形のため坐骨部と足部に**褥瘡**を生じやすい．

b．能力低下（活動制限）

1．歩行障害

残存機能が胸髄レベルであれば骨盤帯付長下肢装具で，L1〜2であれば長下肢装具で歩行可能であるが実用的ではない．L3以下で短下肢装具で歩行できれば歩行は安定する（**表B-8**）．中枢神経の合併症や下肢・足部変形により実用性は左右される．

2．ADL障害

成長発達に応じて自立を促す．

c．社会的不利（参加制約）

教育に配慮が必要となり，障害や状況に応じて特別支援学校，特別支援学級，通常学級へ就

表B-8 麻痺レベルと歩行能力

シャラード の分類	残存 レベル	装具 訓練	装具 実用	ホッファーの分類
I	〜T12	車いす HKAFO, RGO+杖	車いす	NA
II	L1 L2	HKAFO, (RGO+杖) KAFO+杖	車いす	NFA
III	L3	KAFO+杖	KAFO+杖	HA
III	L4	AFO（+杖）	AFO+杖	HA
IV	L5	装具なし	AFO	CA
V	S1	不要（足底装具）	不要（足底装具）	CA
V	S2	不要（足底装具）	不要（足底装具）	CA
VI	S3	不要	不要	CA

1. community ambulators（CA）：屋内外歩行可能（装具不問），長距離は車いす
2. household ambulators（HA）：屋内装具歩行可能，屋外は車いす併用
3. non-functional ambulators（NFA）：訓練では装具歩行可能，日常生活は車いす
4. non-ambulators（NA）：すべて車いす

Hoffa は二分脊椎児の移動能力を下記の4段階に分類した．この分類は歩行能力を日常生活での歩行も含めて評価するのが特徴である．

学する．通学手段や学内移動手段の確立，自己導尿の場所の確保が必要である．このほか，就労や結婚・出産において不利益を被る可能性がある．

評価・検査

a. 損傷レベル

移動能力は麻痺レベルにより規定される．下肢の変形と下肢麻痺の所見を用いたシャラード Sharrad 分類が使用されることが多い（**表B-7**）．新生児や乳幼児の場合，筋力や感覚の評価は困難であり，筋や腱の緊張，腱反射，自動運動の観察，外的刺激への反応などで推測する．

b. 関節可動域

股関節，膝関節の拘縮変形は，歩行に大きな影響を与え，装具作製にも影響する．

c. 四肢・体幹の筋バランス

麻痺筋のアンバランスは，成長期に強調され，脊柱側弯や関節変形・脱臼にいたることがある．

d. 発達段階

運動発達年齢，精神発達年齢などの発達段階の把握は，リハビリテーション・プログラム作成上，麻痺レベル決定とともに重要である．

e. ADL テスト

6ヵ月～7歳程度の場合，子どものための機能的自立度評価法 functional independence measure for children（**WeeFIM**）やリハビリテーションのための子どもの能力低下の評価法 pediatric evaluation of disability inventory（PEDI）を用いて ADL を評価する．

f. 歩行能力

歩行能力の分類にはしばしば，ホッファー Hoffer の分類（**表 B-8**）が使用され，シャラードの分類との関連が示されている．近年は functional mobility scale（FMS）も用いられる．麻痺レベルよりも歩行能力の低下している例は，中枢神経合併症，尿路・シャント感染，廃用，肥満，老化などの原因が考えられる．

> リハビリテーション

麻痺レベルに応じた対応に加え，年齢に応じた配慮を行う．また，障害が多岐にわたるため，チーム医療での対応が必要となる．

a. 新生児期

麻痺レベルに応じて関節の変形・拘縮を生じることが多く，他動的 ROM 訓練や良肢位保持，装具療法が必要である．腹臥位にて股関節の屈曲を防ぎ，上肢の支持性や頸部の伸展を高める．

b. 乳児期

首がすわれば，**床上動作訓練**を開始する．おもちゃなどを使い，**両手動作**を引き出す．ロールを抱かせ，座りの安定感を引き出す．プローンボードで四つ這いになり，上肢の支持力を高める．座位保持までの発達が大きく遅れることはない．座位保持可能となれば**装具などを利用して立位訓練**を行う．遊びを組み合わせて立位の時間を伸ばし，耐久力をつける．早期からの立位訓練は，股関節脱臼や足部変形の予防になる．

c. 幼児期

訓練にある程度能動的に参加できるので，残存筋の強化，歩行訓練（または車いす）が可能となる．3歳には松葉杖歩行が可能となる．就学前には，学校内生活へ適応できるように車いす訓練，歩行訓練（階段含む），トイレ動作，排尿・排便管理（清潔間欠自己導尿法を含む）などの日常生活訓練が必要である．就学の際，**関係機関（学校，教育委員会など）と連携**して就学準備を整える．

d. 学童期

長時間座位の姿勢でいるため，**褥瘡予防**が大切である．成長期には，体幹，下肢の変形が進行しやすいため，起立訓練を行い良肢位を保持する．一度獲得した歩行能力も**肥満，骨折，廃用**などで低下することが多い．とくに肥満防止は重要であり，スポーツへの参加，食事指導な

どを行う．車いす使用者も起立訓練を行う．

e. 成人期
就職，結婚，出産などの社会参加に障害となることがある．

f. 装具療法（表 B-8）
高位麻痺の立位訓練には，parapodium，骨盤帯付長下肢装具（スタビライザー付きを含む）が用いられる．交互歩行装具 reciprocating gait orthosis（RGO）を使用すると交互歩行が得られる．低位麻痺で足関節の不安定なものには短下肢装具を，膝関節の不安定なものには長下肢装具を作製する．足部の不安定なものは，靴型装具や足底装具を用いる．装具だけでは安定しない場合には posture control walker（PCW）などの歩行器，杖を用いる．また，成長期の側弯に対して体幹装具を使用することもある．

3 脊髄血管障害

脊髄血管障害には，前脊髄動脈症候群 anterior spinal artery syndrome，脊髄動静脈奇形 arteriovenous malformation of the cord（spinal AVM），硬膜下・硬膜外血腫，実質内出血などがある．脳血管障害に比べ頻度は低い．MRI により診断は容易となった．

a. 前脊髄動脈症候群

疾患概念

前脊髄動脈症候群では，アダムキービッツ動脈の閉塞などにより前脊髄動脈の支配する脊髄前 2/3 の虚血を生じる（図 B-11）．この部位には皮質脊髄路，脊髄視床路，前角細胞があり，運動障害と温痛覚障害を生じる．塞栓，解離性大動脈瘤，腫瘍，外傷，大動脈瘤手術などが原因となる．

評価・検査

外傷性脊髄損傷と同様である．

障害構造・問題点

機能障害，能力低下，社会的不利は外傷性脊髄損傷と同様である．突然の痛みに続き脱力を生じ対麻痺または四肢麻痺になり，**解離性感覚障害**（温痛覚が障害され，振動覚，位置覚が温存される）を呈するのが特徴である（⇨図 B-3）．

リハビリテーション

椎体に骨傷がないので，急性期の安静固定は不要である．

b. 脊髄動静脈奇形

疾患概念

脊髄動静脈奇形は，脊髄内部や表面で動脈と静脈が直接吻合する血管奇形で，胸腰髄が好発

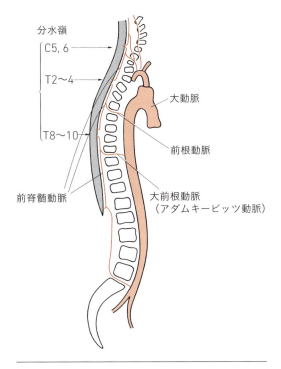

図B-11 脊髄への血行支配
脊髄腹側は1本の前脊髄動脈, 背側は2本の後脊髄動脈より血流を受けている. 前脊髄動脈は複数の神経根動脈により還流されており, 特に胸腰髄ではアダムキービッツ動脈1本により支配されていることが多いので, この動脈の閉塞や損傷により前脊髄動脈症候群を生じる.

部位であり, 男性に多い. 脊髄の血流障害や圧迫で, 筋力低下やしびれが徐々に悪化する. 出血をきたすと突然麻痺が発生する. 治療は, 外科的に摘出するか, 塞栓術を行う.

障害構造・問題点

機能障害, 能力低下, 社会的不利は外傷性脊髄損傷とほぼ同様であるが, 強い根性疼痛を生じることがある.

リハビリテーション

動静脈奇形が摘出されていれば, 早期より移乗訓練や歩行訓練が開始できる. 動静脈奇形が残存する場合は, 脊髄圧迫や虚血の進行を避けるために**怒責や腹圧は避ける**ようにする.

4 脊髄空洞症

疾患概念

脊髄空洞症 syringomyelia は, 脊髄内に空洞 syrinx を生じて神経症状を呈する疾患である. 病因は不明であるが, 空洞が脊髄を圧迫, 温痛覚障害をはじめさまざまな脊髄症状を生じる. キアリ奇形Ⅰ型, キアリ奇形Ⅱ型(二分脊椎), くも膜炎, 脊髄腫瘍, 脊髄損傷などに多く合併

する.

　治療は主に対症療法であるが，空洞が拡大し麻痺が進行する場合は，病因に合わせて大後頭孔拡大術や空洞短絡術（空洞-外膜下腔シャント）を行う.

評価・検査

　造影CTやMRIで診断する．空洞は，MRIではT1強調画像で境界明瞭な低信号域，T2強調画像で高信号域となる．臨床評価は外傷性脊髄損傷と同様である．

障害構造・問題点

a. 運動麻痺

　キアリ奇形の場合，肩，上肢にかけて筋萎縮や麻痺を生じ，痙性対麻痺を生じる．体幹筋麻痺のために，側弯や斜頸を生じることがある．

b. 感覚障害

　頸髄に病変があれば，上腕から胸部に広がる**ジャケット型（宙吊り型）の温痛覚障害**を認める．感覚障害に伴い肩や肘に**神経病性関節症**を生じることがある．

c. 自律神経障害

　発汗障害を伴うことがある．

　その他の機能障害，能力低下，社会的不利は外傷性脊髄損傷に準じる．

リハビリテーション治療

　上肢のROM訓練や筋力維持訓練を行う．症状の進行とともに一度身につけた能力を失うため，現在の障害に合わせて再学習する．

　キアリ奇形の場合，進行は緩徐で自然寛解する例もある．神経症性関節症を合併しやすいため，肩肘関節の関節保護に努める．感覚障害があるので，皮膚の傷害に注意する．上肢機能障害に対しては，自助具を作製して代償させ環境を整える．下肢麻痺が加われば，床上動作，起き上がり，移動の確立を図る．

　キアリ奇形I型は幼児期〜学童期に出現しやすいため，家屋の改修，地域とのかかわり，介護力の確保，学校生活の再適応が必要となる．

　当初は，**非麻痺域の疼痛コントロール**が大きな問題となる．麻痺域の火傷に注意しながら，温熱療法や経皮的電気刺激などの物理療法を行うことが多い．廃用の予防とADLの維持に努める．能力が著しく低下する場合，本人の**心理的負担**はかなり大きくサポートが必要である．

　脊髄外傷後かなりの年月を経て発生することがあるため，しばしば，訓練意欲の低下や加齢によるものと誤解されることもある．

5 HTLV関連脊髄症

概念・疫学

　HTLV関連脊髄症 HTLV-I associated myelopathy (HAM) は，成人T細胞白血病 adult T cell leukemia（ATL）を起こすレトロウイルス human T cell leukemia virus type Ⅰ（HTLV-Ⅰ）による緩徐進行性の脊髄麻痺である．

病変部位は**中枢神経のみ**であり，末梢神経は障害されない．**男女比は1：2～3**であり，発症年齢は平均44歳である．この脊髄障害はHTLV-Ⅰの感染分布と一致し，九州，沖縄で7割を占める．感染経路は母子垂直感染と，輸血や性行為の水平感染とがある．

根治療法はなく，**対症療法**を行う．免疫抑制薬（ステロイド薬など）を使うこともある．

評価・検査

血清や**髄液中の抗HTLV-Ⅰ抗体**を測定する．その他の臨床評価は外傷性脊髄損傷に同じである．

障害構造・問題点

a. 機能障害

1. 運動麻痺

下肢に優位な**痙性麻痺**を生じるが，進行すると体幹筋の筋力低下をきたすこともある．手指振戦を呈することもある．

2. 痙縮

下肢の痙縮が亢進する．

3. 関節可動域制限

著しい痙縮や固縮のために，股関節内転，膝関節屈曲，内反尖足の変形を生じる．

4. 膀胱直腸障害

神経因性膀胱は初期より必発であり，また，便秘傾向になる．

b. 能力低下

1. ADL障害

歩行，階段昇降が障害されやすい．歩行障害ははさみ足歩行と内反尖足が特徴である．障害が高度になれば，移乗や入浴に支障をきたす．

2. 応用的動作

女性の比率が高いことから，**家庭での家事動作**が問題となる．

c. 社会的不利

1. 家庭復帰

不全対麻痺であり，多くは家庭生活が可能であるが，緩徐進行性のため長期間の在宅ケアを必要とする．

2. 復職，復学

通勤，通学手段の確立，職場や学校内での移動手段の確保が必要である．座位作業や学習自体に支障はない．

リハビリテーション治療

進行性の疾患であるため，**各病期に応じて**訓練内容を追加する．

a. 機能障害

痙性麻痺に対しては，活動性を維持し歩行訓練を行い，廃用性筋力低下を予防する．関節拘縮に対しては，三角形のブロックを用いた内転筋の持続伸張，治療台を用いたハムストリングの持続伸張，起立台を用いた下腿三頭筋の持続伸張を行う．ホームプログラムとして，上記のストレッチを指導し，抗痙縮薬の内服やフェノールブロックを追加する．

b. 能力低下

歩行障害に対しては，まず，股関節内転筋群，ハムストリング，下腿三頭筋のストレッチを行う．内反尖足が強ければ靴べら型プラスチック短下肢装具や両側支柱付靴型短下肢装具を処方し，必要があれば両側ロフストランド杖を用いる．歩行が困難になれば車いすを作製する．ADLは比較的維持されているが，移乗，入浴の訓練が必要である．

c. 社会的不利

家庭や生活環境を調査し，車いすでの生活ができるように家屋改造，環境整備，社会資源の活用を試みる．

C. 関節リウマチとリウマチ性疾患

学習の目標

1. 関節リウマチとリウマチ性疾患の疾病概念および障害内容・経過について理解する.
2. 関節リウマチの病態生理とそれに基づく治療体系の進歩を説明できる.
3. 関節リウマチの診断基準と疾患活動性評価法の知識を獲得する.
4. 関節リウマチのリハビリテーションについて学習する.

1 関節リウマチ

疾患概念

a. 関節リウマチの病態概念と新しい展開

　関節リウマチ rheumatoid arthritis（RA）は**関節滑膜の炎症**を中心とする原因不明の免疫異常に基づく全身性疾患である．RAは膠原病の中でもっとも頻度が高く日本に推定60万人の患者がいるとされ，男女比はおよそ1：4で**女性に多く**，好発年齢は20～60歳であるが**30～50歳の発症が特に多い**（近年，高年齢になり発症する報告もある）．その特徴は自己免疫反応のターゲットとなる関節滑膜破壊による**多発性関節炎が，寛解と増悪を繰り返しながら進行する**

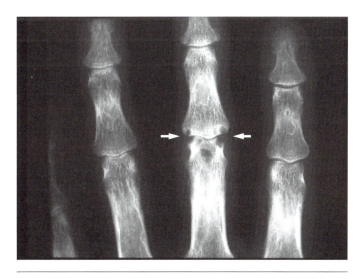

図C-1　**RA患者の手指単純X線像**
PIP関節にRAに特徴的な骨びらんと骨破壊を認める.

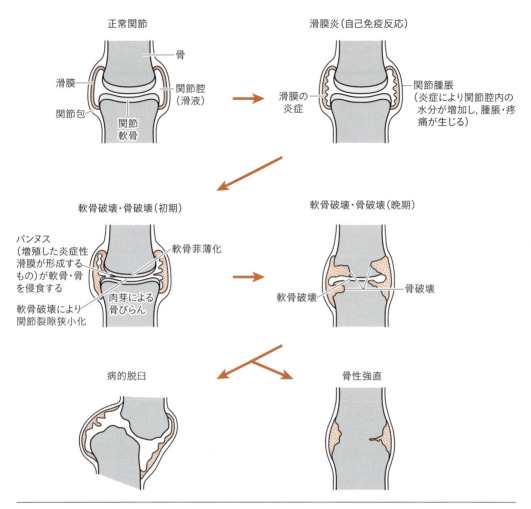

図 C-2　RA の病態の進展

ことであり（図 C-1），軟骨と骨の破壊に進展すれば関節破壊をきたす．さらに進行すると関節強直や病的脱臼にいたって，重篤な疼痛と変形が生じ日常生活活動（ADL）が障害される（図 C-2）．初発症状は主として**手指や足趾の小関節（DIP 関節は一般的にはまれ）**の腫脹・疼痛と朝のこわばりであるが，病勢が進行すれば大関節の炎症へと波及していく．関節以外にも腱，皮膚，眼，肺，全身症状（発熱，食思不振，体重減少，貧血など）も生じる．多くの患者では炎症の寛解と増悪を繰り返して慢性的に進行するが，症状が寛解すると長期間にわたり再燃しないタイプや，炎症が治まらずに関節破壊が急速に増悪するタイプも存在するので，RA の経過は個人差が大きい（季節や天候も経過に関係する）．

　RA の発生機序は未だ不明であるが，一般的には遺伝的因子に喫煙やウイルス感染などの環境因子が影響した結果，自己免疫反応が引き起こされたものと考えられている．近年，関節破壊のメカニズムに対する研究が進み，**この自己免疫反応**により滑膜に集積したマクロファージなどの免疫細胞が TNF-α，IL（インターロイキン）などの**サイトカインを分泌して破骨細胞**の

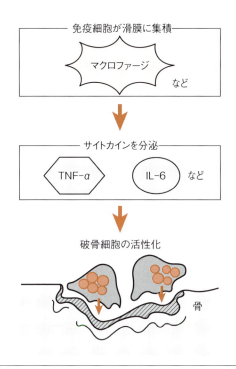

図C-3　解明されてきた関節リウマチ（RA）の関節破壊メカニズム
罹患関節の関節液や関節滑膜中には，TNF-α，IL-6などのサイトカインが存在し，破骨細胞の活性化により骨破壊が生じる．また，滑膜細胞からのタンパク質分解酵素の放出により，軟骨破壊が生じる．

活性化による骨破壊や滑膜細胞からのタンパク質分解酵素の放出による軟骨破骨が生じていくものと考えられている（**図C-3**）．

こうした知見により，**抗サイトカイン療法**（サイトカインを阻害する薬剤）などを用いる**生物学的製剤**や**分子標的型抗リウマチ薬**などが開発され，これらと薬物療法の中心的存在である**メトトレキサート（MTX）を含む疾患修飾性抗リウマチ薬disease modifying antirheumatic drugs（DMARDs）**による薬物療法，また関節可動性を保持して除痛と支持性を獲得する人工関節置換術，そして新しく展開し始めているリハビリテーション療法との組み合せが，総合的なRA治療として飛躍的な進歩を遂げている．すなわちRAの経過と予後が治療によって大きく変化する時代になったといえる．しかしこれら3つの療法の施行状況は施設によって差があることも事実である．また，薬物療法には重篤な副作用［**DMARDsには肝障害・腎障害・間質性肺炎・骨髄抑制など，生物学的製剤には感染症（肺炎，結核）・アレルギー・悪性腫瘍など分子標的型抗リウマチ薬には感染症悪性腫瘍など**］の存在や，薬剤適応の可否，薬価が高いなどの問題点が，さらに人工関節置換術には感染や耐久性，脱臼のリスクなどの問題点がある．

b．分類基準の進歩

RAは関節炎を基本とする自他覚的症状，画像所見および血液所見により診断される．1987

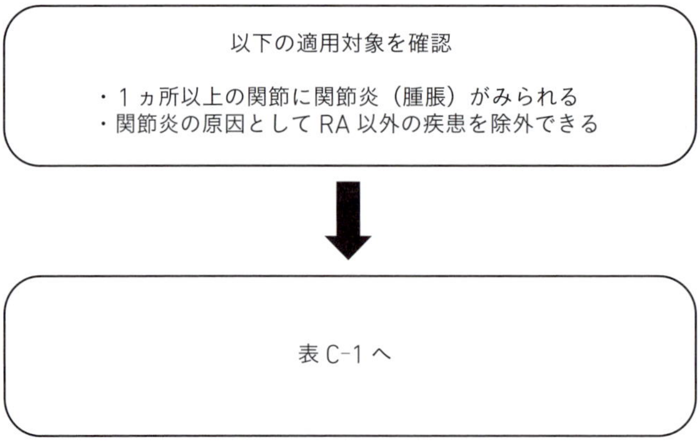

```
┌─────────────────────────────┐
│    以下の適用対象を確認      │
│                             │
│ ・1ヵ所以上の関節に関節炎（腫脹）がみられる │
│ ・関節炎の原因としてRA以外の疾患を除外できる │
└─────────────────────────────┘
              ↓
┌─────────────────────────────┐
│         表C-1 へ            │
└─────────────────────────────┘
```

図C-4 関節リウマチの分類基準（1）
［2010年米国リウマチ学会・ヨーロッパリウマチ学会より著者作成］

表C-1 関節リウマチの分類基準（2）

● 下記4項目の総スコアが合計6点以上で関節リウマチと分類する

◆罹患関節（滑膜炎が存在する関節数）*1：	0〜5点
1ヵ所の大関節：	0点
2〜10ヵ所の大関節：	1点
1〜3ヵ所の小関節：	2点
4〜10ヵ所の小関節：	3点
11ヵ所以上の関節（少なくとも1つは小関節）*2：	5点
◆血清学的検査（抗CCP抗体・RF）：	0〜3点
抗CCP抗体*3およびRF陰性：	0点
抗CCP抗体またはRF弱陽性：	2点
抗CCP抗体またはRF強陽性：	3点
◆炎症反応（CRP/ESR）：	0〜1点
CRPおよびESR正常：	0点
CRPまたはESR異常高値：	1点
◆関節症状の持続時間：	0〜1点
6週間未満：	0点
6週間以上：	1点

①除外関節：DIP，第1CM関節，第1MTP関節
②小関節：MCP，PIP，MTP2-5，第1IP関節，手関節
③大関節：肩，肘，股，膝，足関節
＊1 罹患関節の評価には，圧痛・腫脹などの所見や超音波検査・MRIなどの画像検査により確認される場合を含む
＊2 評価に使用する大関節と小関節以外に顎関節・肩鎖関節・胸鎖関節などのその他の関節を含めることが可能である
＊3 抗CCP抗体：抗環状シトルリン化ペプチド抗体　RF：リウマチ因子
［2010年米国リウマチ学会・ヨーロッパリウマチ学会より著者作成］

年より米国リウマチ学会 American College of Rheumatology（ACR）の分類基準が使用されていたが，確定診断に時間を要すること（関節の観察期間が6週間は必要，また発症初期にX線像の変化はとらえにくい）を踏まえて2010年にヨーロッパリウマチ学会と合同で新しい分類基準

表C-2 スタインブロッカーのstage分類とACR改訂のclass分類

a. stage分類

stage I（初期）
＊1. X線検査上骨・軟骨の破壊像がない
2. X線検査上軽度の骨粗鬆症はあってよい

stage II（中期）
＊1. X線検査上骨粗鬆症がある．
＊2. 関節変形はない．
3. 軽度の軟骨破壊はあってよい
4. 関節近傍の筋萎縮はあってよい
5. リウマチ結節，腱鞘炎などの関節外軟部組織の病変はあってよい

stage III（進行期）
＊1. X線検査上，骨粗鬆症および骨・軟骨の骨破壊性変化がある
＊2. 亜脱臼，手の尺側偏位，関節過伸展などの関節変形がみられるが，線維性または骨性強直はみられない
3. 強度の筋萎縮を認める
4. リウマチ結節，腱鞘炎などの関節外軟部組織の病変はあってよい

stage IV（末期）
＊1. 線維性または骨性強直が存在する
2. Stage IIIの項目を満たす

＊：必須項目

b. class分類

class I：日常生活活動（日常の自分の身の回りの世話，職場での活動，趣味・スポーツなどの活動）が可能
class II：日常の自分の身の回りの世話および職場での活動は可能であるが，趣味・スポーツなどの活動は不可能・制限される．
class III：日常の自分の身の回りの世話は可能であるが，職場での活動および趣味・スポーツなどの活動は不可能・制限される．
class IV：日常の自分の身の回りの世話，職場での活動，趣味・スポーツなどの活動は不可能・制限される．

が発表（**図C-4**，**表C-1**）された．新基準では総合的な判断により発症早期からの治療開始が可能となった（新規患者には分類基準を用いる．長期罹患患者では，X線像でRAに典型的な骨びらんがみられる，あるいは過去に分類基準を満たしていたと考えられる場合にRAと診断する）．

c. RAの評価法

RAの評価では，スタインブロッカーSteinbrockerのstage分類（破壊・変形の評価）とスタインブロッカーのclass分類をもとにACRによって改訂されたclass分類（機能障害の評価）（**表C-2**）が有名だが，最近ではより正確な疾患活動性の評価のために，disease activity score28（DAS28）（**表C-3**），simplified disease activity index（SDAI）や，clinical disease activity index（CDAI）（**表C-4**）などが用いられている．その他に，ACRコアセット（**表C-5**），modied health assessment

表 C-3　DAS28

1. 圧痛関節数 (Tenderness 28；T28)：28 関節の圧痛関節数
   肩 (2) 肘 (2) 手 (2) MCP (10) 母指 IP (2) PIP (8) 膝 (2)
2. 腫脹関節数 (Swelling 28；S28)：上記の 28 関節の腫脹関節数
3. 赤沈値 (ESR)(mm/h) または CRP (mg/dL)
4. 患者による全般的健康状態 (GH)：100 mm スケールを用いた VAS

①上記の 4 項目を次の計算式にあてはめて DAS28 を算出する.
　ESP による DAS28 $= 0.56 \times \sqrt{T28} + 0.28 \times \sqrt{S28} + 0.70 \times \ln(ESR) + 0.014 \times GH$
　CRP による DAS28 $= 0.56 \times \sqrt{T28} + 0.28 \times \sqrt{S28} + 0.36 \times \ln(CRP+1) + 0.014 \times GH + 0.96$
②得られた値によって疾患活動性を分類する
　2.6 未満：寛解
　2.6 以上で 3.2 以下：低疾患活動性 (low disease activity)
　3.2 より高値で 5.1 以下：中疾患活動性 (moderate disease activity)
　5.1 より高値：高疾患活動性 (high disease activity)

表 C-4　SDAI と CDAI の算出方法

1. SDAI：simplified disease activity index
   ＝圧痛関節数＋腫脹関節数＋医師の疾患活動性全般評価 (VAS で 0〜10 cm)
   ＋患者の疾患活動性全般評価 (VAS で 0〜10 cm)＋CRP
   寛解：≦3.3, 低疾患活動性：3.3＜かつ≦11, 中疾患活動性：11＜かつ≦26, 高疾患活動性：26＜

2. CDAI：clinical disease activity index
   ＝圧痛関節数＋腫脹関節数＋医師の疾患活動性全般評価 (VAS で 0〜10 cm)
   ＋患者の疾患活動性全般評価 (VAS で 0〜10 cm)
   寛解：≦2.8, 低疾患活動性：2.8＜かつ≦10, 中疾患活動性：10＜かつ≦22, 高疾患活動性：22＜

注1) 圧痛関節数と腫脹関節数は表 C-3 (DAS-28) の 28 関節の評価
注2) SDAI＝CDAI＋CRP 値
注3) VAS＝visual analogue scale

表 C-5　ACR コア・セット

1. 圧痛関節数：68 関節の圧痛関節痛
   顎 (2) 胸鎖 (2) 肩鎖 (2) 肩 (2) 肘 (2) 手 (2) MCP (10) 母指 IP (2) DIP (8)
   PIP (8) 股 (2) 膝 (2) 足 (2) 足根 (2) MTP (10) 母趾 IP (2) PIP (8)
2. 腫脹関節数：66 関節の腫脹関節数
   上記の 68 関節のうち股関節を除いた 66 関節
3. 患者による疼痛評価：100 mm スケールを用いた VAS[*1] など
4. 患者による全般活動性評価：100 mm スケールを用いた VAS など
5. 医師による全般活動性評価：100 mm スケールを用いた VAS など
6. 患者による運動機能評価：mHAQ[*2] などを用いる
7. 急性反応物質の測定：赤沈または CRP

例えば項目1 (圧痛関節数) と項目2 (腫脹関節数) の双方が 50% 以上改善し, 残りの 5 項目の中で 3 項目以上がそれぞれ 50% 以上の改善をみた場合 "ACR50% 達成" という.
[*1] VAS：visual analog scale
[*2] mHAQ：modified health assessment questionnaire

questionnaire (mHAQ)(身体機能評価などとして：**表 C-6**), X 線所見により関節破壊の進行を分類する Larsen の grade 分類などがある.

表C-6 modified health assessment questionnaire（mHAQ）

	困難なし 0点	やや困難 1点	かなり困難 2点	できない 3点
1. 靴ひも結び・ボタンかけも含めて自分で身支度ができますか？				
2. 就寝・起床の動作ができますか？				
3. いっぱいに水が入っている茶碗・コップを口元へ運べますか？				
4. 戸外で平坦な地面を歩けますか？				
5. 体全体を洗いタオルで拭けますか？				
6. 腰を曲げ床にある衣類を拾えますか？				
7. 蛇口の開閉ができますか？				
8. 車の乗り降りができますか？				

得られた回答の平均値をmHAQ点数とする

障害構造とリハビリテーション評価

a. 機能障害

1. 関節症状

　朝のこわばりmorning stiffnessは関節症状の特徴をよく表しており，重要な所見である．なぜ朝にこわばるかというと，RAでは炎症反応によって関節腔内の水分量が増加するが（関節水腫），就寝中は関節を動かさないために水分がさらに貯留し，起床直後の朝に関節が腫脹しこわばった状態となるためである．これは「運動開始時にぎこちなさを感じる」と表現される場合もある．朝のこわばりは症状内容と持続時間を評価することがポイントである．

　疼痛もRAのかかえる深刻な問題である．疾患の進行，運動や荷重などにより疼痛が増強してADLは低下し，心理面にも影響してQOLを著しく低下させる．また，関節および周囲の軟部組織や靱帯・腱組織にストレスがかかるという点も重要である．RAの疼痛評価には，視覚アナログ尺度visual analogue scale（VAS）やフェイススケールなどを用いて経時的な評価を行う．

2. 関節変形

　RAではROM制限の発生は必須であり，増悪を繰り返せば関節強直へと進展する．**RAによる代表的関節変形**を表にまとめた（**表C-7**）．

　発症初期には手や足の小関節［中手指節間関節（MCP関節），近位指節間関節（PIP関節），手関節，中足趾節間関節（MTP関節）など］を中心に，左右対称性に炎症が多発することが多い［ただし遠位指節間関節（DIP関節）に初発することは一般的にはまれである］．したがって**関節変形も手や足の小関節から発症していく**．RAの関節変形は，関節を構成する骨・軟骨破壊による不安定性に，動作時の外力・荷重・靱帯や腱損傷・周囲筋のスパスム（攣縮）が複雑に関与して発生するので，どのメカニズムが原因で変形が生じているのかを考えれば効果的な

表C-7　RAの代表的な変形

スワンネック変形		指のMCP関節が屈曲し，PIP関節過伸展，DIP関節屈曲
ボタン穴変形		指のPIP屈曲，DIP過伸展
母指のZ変形		母指IPの過伸展，側方屈曲
ムチランス型RA		PIP，MPの離断短縮型変形
MP関節の尺側偏位		手のMP関節で手指が尺側に傾斜
MP関節での掌側脱臼		MPでの指骨の掌側脱臼で中手骨頭が突出
手関節	掌側脱臼，尺骨の脱臼	手関節遠位が掌側に脱臼，遠位橈尺関節脱臼
肘関節	屈曲拘縮	肘関節の脱臼，伸展制限
肩関節	亜脱臼，屈曲制限	肩関節の運動制限
足部	外反母趾，つち趾，鉤爪趾	さまざまな足部変形
足関節	外反内反変形	足部の内反，外反
膝関節	外反膝，動揺膝	膝の外方への変形，不安定性
股関節	骨頭や臼蓋の変形	骨頭の変形，中心性脱臼
頸椎	環軸関節亜脱臼	環軸関節の亜脱臼による頸髄の圧迫

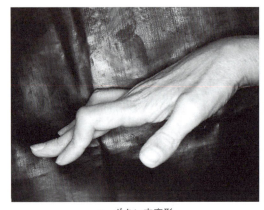

a. ボタン穴変形

PIP関節の破壊により屈曲変形が生じ，腱の間にできた間隙から骨が突き出るようにみえるので，ボタン穴とボタンの様になる．また，腱の相対的障害によりDIP関節は過伸展となる．

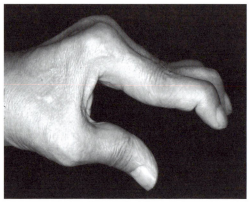

b. スワンネック変形

MCP関節の基節骨掌側亜脱臼，掌側板の弛緩や損傷などにより，相対的にPIP関節の過伸展とDIP関節の屈曲を生じて，白鳥の首の様にみえる．

図C-5　ボタン穴変形とスワンネック変形

変形の予防と治療につながる．

　手指では**ボタン穴変形**と**スワンネック変形**（図C-5）が有名であるが，これらは手の整形外科的外傷でも起こりうる．また**尺側偏位**（図C-6）は，RAに特有なMCP関節の亜脱臼による変形であり，示指から小指までが尺側へ傾斜する．その他に母指のZ変形（図C-6）やMCP関節での指骨の掌側脱臼（中手骨頭が突出）などがあるが，手指腱，とくに屈筋腱の作用を見逃してはならない．RA患者の手は外観的に変形が強くて力が入りにくく，骨吸収が急速に進行して手指関節の破壊が高度になると**ムチランス型**（図C-7）に進展して，手指関節の動揺性・短縮が生じる．また手関節でも隣り合う遠位橈尺関節の脱臼により前腕の回内・回外機能が阻

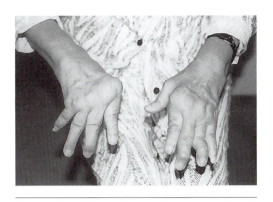

図C-6 右手(MP関節)の尺側偏位
左手母指はZ変形(IP関節の過伸展と側方屈曲)および第3・4指のスワンネック変形を呈している．
［土肥信之先生の厚意により提供］

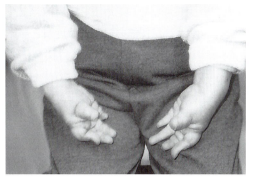

図C-7 ムチランス変形の手
高度な関節破壊により手指は短くなる．
［土肥信之先生の厚意により提供］

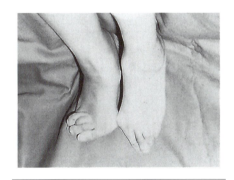

図C-8 関節リウマチによる足部の変形
RAでは足部の回内，足アーチの扁平化，関節破壊を伴うので高度になりやすく疼痛の原因となる．なお左足は三角変形となっている．
［土肥信之先生の厚意により提供］

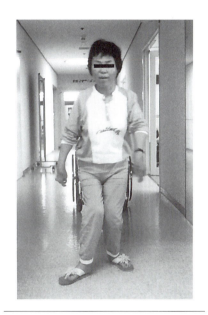

図C-9 膝の変形(立位姿勢であることに注意)
膝は屈曲拘縮および外反変形(X脚)となりやすい．歩行時のエネルギー消費は大きい．
［土肥信之先生の厚意により提供］

害されたり，手関節遠位の掌側脱臼が起こって手の使用が困難となる．

　他方，足部の変形は(とくに初期で)見逃されやすい．足部全体として回内扁平となり，MTP関節の疼痛・足根骨の破壊や変形，さらには母趾のMTP関節の亜脱臼により外反母趾を呈することが多い(図C-8)．進行すれば母趾突出部の疼痛と炎症から歩行障害や荷重困難となるため，足部の観察は発症早期より不可欠である．

　RAが進行すれば大関節の炎症や全身症状をきたす．下肢では立位歩行時の荷重関節である股関節と膝関節が問題となり，とくに膝の屈曲拘縮と外反変形(X脚)が生じやすい(図C-9)．

また，股関節の屈曲拘縮や中心性脱臼はRAに特徴的な骨破壊と荷重による変形として有名である．上肢では肘関節の屈曲・伸展がともに制限され，破壊が進めば不安定性と脱力により物の持ち運びが困難となる．さらに頸椎の滑膜に炎症が及ぶと，C1（環椎）〜C2（軸椎）間の横靱帯が緩んで，環椎が軸椎に対して前方に亜脱臼する**環軸関節亜脱臼**を生じ，頭痛・運動感覚障害などの頸髄圧迫症状が出現する．とくに頸椎前屈の強制は環椎の前方移動が進行して頸髄損傷・急死（呼吸障害）の原因となる．

RAの**ROM評価時には疼痛を回避して測定する**ことが重要である．無理に動かせばリハビリテーションの拒絶や関節破壊につながるだけでなく，頸部などでは頸髄損傷のリスクを引き起こす．また股関節の屈曲拘縮は膝関節の屈曲拘縮に隠されていることもあり，歩行や起居動作時には注意を要する．

3．関節外症状

長期にわたるRAでは，破壊関節の負担が腱や靱帯にまで及んで**腱鞘炎や腱・靱帯断裂**を生じやすい．また**関節以外の部位に多彩な症状**が出現する．眼では上強膜炎（視力低下），皮膚では関節の伸側にみられる皮下結節（リウマトイド結節），心臓では心膜炎，呼吸器では間質性肺炎・肺線維症や胸膜炎・胸水貯留，腎臓・消化器などでは続発性アミロイドーシスによる臓器障害，神経では手根管症候群による正中神経圧迫，などが代表的なものである．またRAは慢性的に継続する炎症のために発熱や全身倦怠感を生じ，さらに関節破壊により**動作時のエネルギー消費は増大**して，易疲労感→食欲不振→体重減少→貧血といった**全身症状の悪循環**に陥ることが多い．

4．筋力低下

RAでは腱・靱帯損傷や動作時疼痛も伴うために徒手筋力テスト manual muscle test（MMT）では評価困難であることも多く，経時的変化もとらえづらい．MMT評価時には**ROM検査と同様に疼痛を回避して測定**するが，末梢の小関節ほど愛護的に行わなければならない．例えば握力は一般の握力計では測定できないほど微弱であることも多く，その場合は血圧計のカフを握りやすくしたものに，あらかじめ20 mmHg程度まで空気を満たしたものを握らせて，細かい圧の変化を握力として測定するなどの工夫が必要である．

5．上肢機能障害と下肢機能障害

ピンチ（つまみ）と**グリップ**（にぎり）の障害はRAに特徴的な上肢機能障害であり，食事・整容・更衣などセルフケアの阻害因子となる．また**リーチ**の障害は，肩関節と肘関節のROMが同時に制限されると顕著になり，基本動作や家事動作にも影響を及ぼす．一方，**下肢機能障害では股関節および膝関節の屈曲拘縮や足部変形**による立位アラインメントの障害と，股関節伸筋である大殿筋と膝関節伸筋である大腿四頭筋の筋萎縮の複合要因によって，主として立ち上がり動作や歩行が障害される．このように上肢機能の3大要素であるリーチ・グリップ・ピンチと，下肢機能における股関節ならびに膝関節のROM・筋力と足部変形の評価は，RAの機能予後を左右する重要なポイントである．

6．心理障害

RAでは慢性的に機能障害が進行し疼痛をかかえる結果，在宅ADLや職場・社会生活に悩

みを生じ，いわゆる**リウマチ性気質（抑うつ気分など）**になることがある．**動作時の疼痛増強（その動作を行うとまた痛くなるのではないか）**を心配することが多く，さまざまな心理的評価が施行される．

b．能力低下

ADLではセルフケアの障害，立ち上がりや移動動作の障害を中心として，とくに股関節障害では和式トイレの使用・浴槽の出入りや靴下の着脱が困難となる．評価法としては，機能的自立度評価法（**FIM**）（⇨p. 66，表24），**mHAQ**（**表C-5**）などがある．RAにおけるADL評価の注意点としては，日内変動に留意して測定時刻を検討する，自助具や疼痛の有無の確認を行うことである．さらにADLを患者自ら工夫し自立にいたっているケースも多く，RAの「しているADL」評価は実践的なADL面の理解につながる．

c．社会的不利とQOL

RAは生活全般に特有の支障をきたすため，家屋および周辺環境の評価が必須であり，さらに在宅での介助者の有無や利用可能な社会資源の情報も重要である．社会的不利の評価にはCraig Handicap Assessment and Reporting Technique（CHART）があり，さらにQOLの評価にはArthritic Impact Measurement 2（AIMS2）やShort Form-36（SF-36）などが用いられている．

RAのリハビリテーション

a．リハビリテーションのポイント

多発性・進行性・破壊性をもつRAの特徴により，**疾患活動性に応じた適正な運動負荷と過用（overuse）の防止**，疼痛による訓練の中断とプログラムの変更，そしてリウマチ性気質に留意し，関節炎の活動性とリハビリテーションの進行状況を踏まえた短期ゴールの設定とその修正を検討することがポイントである．また朝のこわばりに配慮した訓練時間帯の調整，薬物の副作用とくにステロイド薬や免疫抑制薬の使用による**訓練時の易感染状態の回避**，理学療法や作業療法後の疲労・疼痛増強に配慮した運動負荷量のコントロールを行う．さらにステロイド関節炎を防ぐ意味で，ステロイドの関節内注入時には関節保護のために，主治医の指示期間は局所安静を図り運動は行わない．全身状態（全身倦怠感，発熱，体重減少，食欲不振，貧血など）の観察も不可欠である．

b．リハビリテーションプログラム

近年RAのリハビリテーションでは，①**予防的アプローチ（変形予防・関節保護技術・心理など）**，②**維持代償的アプローチ（自助具・補装具・環境設定・生活指導など）**，③**治療的アプローチ（物理療法・徒手療法など）**，④**回復的アプローチ（積極的運動療法など）**の4つの要素が提唱されており（前2つは**基礎的リハビリテーション**，後2つは**応用的リハビリテーション**ともいう），これらを**炎症活動期**と**炎症非活動期**，**RA寛解例**と**関節破壊進行例**に応じて組み合わせる方法が試みられている．いずれにしても，**関節炎症の活動性を的確に把握すること**で，その状況に応じた訓練内容と負荷量により適切に介入しなければならない．以下にRAの

リハビリテーションについて，炎症活動期と炎症非活動期，RA寛解例と関節破壊進行例に分けて解説する．

1. 炎症活動期のリハビリテーション

炎症活動期はRAの発症初期のみならず，慢性に経過中でも「再燃」という形で起こりうるし，朝のこわばりを始めとする日内変動や天候にも左右されるために，正確に判定する必要がある．**この時期の関節への負荷は関節炎症を増大させて関節破壊を早めるので禁忌**である．したがって**安静**と**関節変形予防**が**原則**となるが，不必要な安静は廃用へとつながるため，注意深い観察のもと炎症所見と自覚症状の改善状況に応じて，医師の指示により物理療法・運動療法を徐々に行っていく．

またRAの関節変形は，炎症非活動期における動作の増加に基づく荷重・重力や外的ストレスによるところもあるが，炎症活動期の骨・軟骨破壊による不安定性と関節周囲筋のスパスムの影響も原因となるため，**炎症活動期においても変形は進行する**ことを念頭に置き，迅速な対応が必要である．以下に炎症活動期のポイントを記す．

a) 罹患関節の安静と生活指導

炎症活動期は関節の安静が基本であるが，**罹患した関節を中心に安静肢位をとり変形を抑止する**ことが望ましい．後述する装具やスプリントで安静固定を行うのもよい．さらにこの時期の生活指導としては正座や階段昇降を避ける，重量物を持ったり運んだりしないなどが重要である．

b) 装具やスプリントの使用

罹患関節の安静・変形予防を得るためには装具やスプリントが用いられることがある．ただし装着による疼痛や皮膚症状に注意する．

c) 鎮痛のための物理療法（炎症急性期には不可であることに注意）

炎症活動が低下すれば，医師の指示により**温熱・水治療法**（ホットパックやパラフィン浴・渦流浴）などを併用する．しかし関節温上昇はコラゲナーゼによる関節破壊進行を促すリスクもあるため温度や時間に留意する．また，用手的マッサージや経皮的電気刺激（TENS）も施行される．特に温熱・水治療法により疼痛を緩和した状態でROM訓練などの運動療法を行うと効果的であり，朝のこわばりにも良い．ただし，金属への加熱により熱傷の誘因となるため，人工関節置換術後の関節などに対する超短波や極超短波などの施行は禁忌である．

d) ROM訓練

RAの関節は動作によって破壊されやすいため，とくに炎症活動期は愛護的な関節アプローチが大切であるとともに，**ROM訓練はある程度炎症活動の治まった時期に医師の指示により行う**．具体的には朝のこわばりが改善してきた時間帯に，疼痛のない範囲で緩徐に自動運動か自動介助運動を行なう．温熱・水治療法との組み合わせが効果的である．

e) 筋力維持運動

炎症活動が改善してくれば，医師の指示による**等尺性収縮**により関節を動かさず，また負荷をかけずに，疼痛自制内の肢位で関節包がもっとも弛緩した状態で，筋力維持を図る方法が有効である（ただし，心呼吸器系・血圧などには十分注意する）．

図 C-10　器具を使用した体操の例

2. 炎症非活動期のリハビリテーション

炎症非活動期の治療目標は，炎症活動期に生じた関節機能低下を改善して，さらなる変形を予防することにある．朝のこわばりや血液中の炎症所見・X線所見などの改善により，医師の判断でRAのステージや疾患活動性に応じて積極的な訓練を開始する．基本的には温熱・水治療法を踏まえたROM訓練・筋力増強訓練から，基本動作訓練や装具や自助具の使用も視野に入れたADL訓練へと順次進めていく．さらに関節保護技術などの生活指導も欠かせず，症状の再燃にも注意が必要である．以下に炎症非活動期のポイントを記す．

a）ROM訓練，体操

炎症活動期からの長期安静による影響も考慮して愛護的に行う．とくに手指や足趾のような小関節では，関節の破壊が容易に起こるので十分に留意する（手関節部で伸筋腱の断裂を起こすこともある）．そのため手指では，関節面に負荷をかけないように長軸方向へ牽引しながら行ったり（Mennell手技），温熱・水治療法によりこわばりや疼痛を軽減してから施行すると効果的である．ROM訓練は自動介助運動から少しずつ他動運動にシフトするが，コッドマン体操（⇨図G-1）や棒体操もROM目標角度の細かな設定や運動の自己調整が可能な点で有用である．水治療法では，温浴による関節・筋への影響や心理面でのリラクセーション，鎮痛効果，水圧抵抗による筋力増強が可能である．また自分自身で施行できるように工夫されているリウマチ体操や器具などを使用した体操もある（図C-10）．

b）筋力増強訓練

筋力増強訓練は等尺性収縮が主体であるが，RA早期例で関節破壊がない場合や炎症を示す関節が少数であったり，内科的治療により疾患活動性が顕著に抑えられれば，実際のADL場面を考慮した等張性収縮運動も検討する．筋力訓練時には重錘バンドやチューブ，ゴムバンドなどを利用すると抵抗がかけやすい．なお筋力がMMTにて0または1の場合には，筋電図バイオフィードバック療法が効果的である．

c）基本動作訓練・移動訓練・上肢機能訓練

ベッド上の寝返り・起き上がり，座位バランス，立ち上がり・立位バランス，そして移乗動作・移動訓練（歩行・車いす）と上肢・手指機能訓練を，RAのステージや疾患活動性に応じて施行する．その際，下肢を主体とした荷重関節や手指などの小関節には過負荷を避けないと関

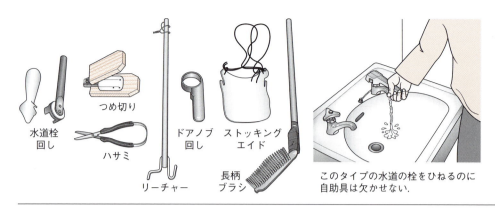

図C-11　RAの自助具

節破壊の誘因となる（後述の関節保護技術参照）．また，**疼痛を起こさず少ないエネルギー消費で可能な動作**を考案していくことが重要である．移動訓練時は機能障害レベルに合わせて，杖（肘台付き）・歩行器・車いす（操作に工夫など）などが使用される．なおこれらの訓練は，**整形外科的手術の後療法的な要素もあり**，術者からの手術に応じた段階的な処方内容や関節負荷の指示に注意する．

d）ADL訓練

RAにおける理学療法および作業療法は，**身の回りのADL**からアプローチするのが現実的であり，荷重関節や手指などの小関節の負担を可能な限り軽減した動作（後述の関節保護技術参照）を身に付けさせる．また生活上では，トイレ動作と入浴動作の難易度が高く，立ち上がりやしゃがみ込みが困難で，抱き上げ介助やリフト浴を用いることもある．

訓練の際はADL各項目における**動作を分解した部分的課題**から開始し，今までの生活習慣に沿って**達成感を持たせる**ことが重要である．また患者と相談の上，**各種自助具をADL自立と関節保護技術の目的で積極的に使用**していく（**図C-11**）．例えばドアノブ回しのように微少な握力を補うものや，棒の先にフックをつけたリーチャーのようにリーチ能力を補うものの使用頻度が高い．柄付きスプーンやストッキングエイドなども便利であり，こうした自助具の組み合せによってADL動作を獲得することが可能である．さらに起き上がりや立ち上がりなどの動作開始や動作変換時にも困難が生じるため，対象者の状態に合わせてベッドの工夫や車いすのシート・トイレの便座の高さを調整する．

手段的ADLでは**家事動作が主体**となるため，必ず耐久性を考慮した方法を指導しなければならない．たとえば調理中はいすを使う，物を運ぶときにはワゴンを使うなどである．

e）関節保護技術　joint protection technique

関節保護技術はRAに特有の生活指導であり，**すべてのRAに適応される**ためきわめて重要である．その原則は，①**小関節および荷重関節への負担を極力減らして少しでも大関節を使用**すること，②**関節変形を助長させる方向への力学的ストレスを防止**すること，③**エネルギー消費の少ない効率的な動作を選択して全身症状の悪循環を防止**すること，④**疼痛の生じない動作**

a-1. 誤った方法
手指への負担が強く，手指の関節破壊が進み変形が助長される．

a-2. 正しい方法
両手を使い手指への負担を軽減する．

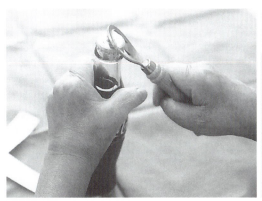
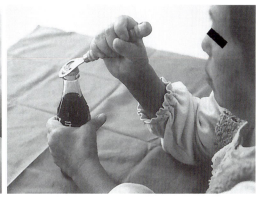

b-1. 誤った方法
手指屈筋腱への負荷は手指関節変形を助長する．

b-2. 正しい方法
手関節で押し上げるようにする（大きな関節を用いる）．

図C-12　関節保護技術の例

［土肥信之先生の厚意により提供］

を検討すること，などである．これらの原則に沿った関節保護技術の例を**図C-12**に示す．いずれの技術においても，関節保護とエネルギーバランスに重点を置き，変動する疼痛と疲労度をコントロールすることが大切である．

f）生活指導

原則は**長期的な関節機能保持**と**ADL動作維持**，そして心理的支援にある．生活指導のポイントとしては以下の通りである．

① 炎症活動期には安静にし，関節変形や破壊が急激に進行することに留意しつつ炎症非活動期には機能維持・向上と変形予防を図る．

② 握力やつまみが弱く手の変形も生じるため，自助具などを使用して手指への負担を軽減するとともに（薬も手指でつままないで手掌にのせて服用する），関節保護技術を獲得して，ADL動作を円滑化する．

③ 基本動作では立ち上がり動作を可能な範囲で維持しないと，歩行の機会が減少して歩行困難となってしまうことに注意する．

④ リウマチ性気質に対して，動作時の疼痛増強への不安を含めて適切な心理的アプローチを図り，安心した生活を導く．

g）環境整備

その主体は家屋評価に基づく住宅改修である．玄関・居室・トイレ・風呂などが中心となるが，手すりや台の設置から段差解消，ホームエレベーターや自動昇降機にいたるまで幅広い．いずれにしてもRAの障害レベルを基本に，今までの生活様式を生かし患者自らが可能な範囲で動ける環境の構築を，経済的負担も十分に踏まえながら検討する．また生活環境面では，高い枕や机は避ける，物をみるときは目線と同じ高さにする，対象者の状態に合わせいすやベッドの高さを調整するなどが重要である．

h）補装具療法

RAの補装具が実用的なものとなるためには，医療者側がRAの疾患特性と運動学的特性に基づき，関節の不安定性・動作時の外力・荷重・靱帯や腱損傷・周囲筋のスパスムの中でどのメカニズムが原因で変形が生じているのかを検討しなければならない．そしてその補装具の目的（安静固定・鎮痛，変形予防・矯正，機能の安定性・補強・代用など）を明確にして，その使用方法を含めて医療者側と患者が理解して製作することが不可欠である．また補装具処方においては治療と生活の両面から検討しなければならない．具体的には疼痛の原因やADLの妨げにならず繰り返し使用でき，装着感が良く軽量で，RAの手指や上肢の機能障害を踏まえて自己装着が可能なものが原則である．

このように適合した補装具を処方したとしても，多数かつ対称性に関節が破壊される病態特性のために，RAでは継続使用が不可能となる場合があり，弾性包帯やサポーターによる軟性固定の方が望ましいこともある．さらに補装具との摩擦により，特有の皮膚症状がより深刻なスキントラブルに進展するリスクも高い．また緩徐な進行過程のRAの場合は，適切な工夫によってADL動作が可能となることも多い．これらを踏まえた上で医療者側と患者とが一体となって補装具に対する検討を重ねることが大切である．以下に主な補装具を記す．

1）頸椎装具

環軸関節亜脱臼（神経症状のない場合）については，そのレベルに応じて頸椎の過屈曲を制限するためにポリネックカラー（図C-13）などの各種頸椎装具を処方する．

2）上肢装具

特に手指へ処方されるものには，母指の逆スワンネック変形用スプリント，尺側偏位矯正スプリント（図C-14），スワンネック変形やボタン穴変形に対する指輪式装具，手関節安静固定用コックアップスプリントなどがある．また腱や靱帯の損傷には注意する．

3）下肢装具

足部変形や疼痛に対する装具（図C-15）が多い．他に中足骨バーやパッド，アーチサポート，リウマチ靴やチャッカ靴（内外果の高さに工夫・柔かい素材），ロッカーソール，膝痛に対する装具やサポーター，などが処方される．これらはフットケアとして有用であるが，無理な矯

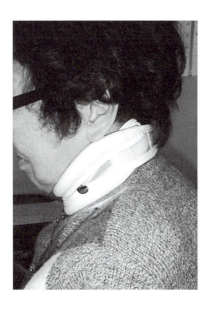

図C-13　頸椎カラー
環軸椎脱臼は頸椎の屈曲(下を向く姿勢)で増強する．頸椎の過屈曲防止のために頸椎カラーを装着させる．
[仲村一郎：リウマチとその類縁疾患，髙橋邦泰，芳賀信彦(編)：整形外科学テキスト，第4版，p. 264，南江堂，2017より許可を得て転載]

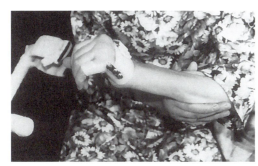 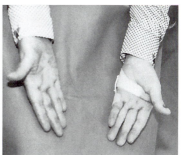

図C-14　尺側偏位矯正スプリント
手指尺側偏位を予防し日常生活での使用も可能にした機能的装具はよく用いられる．
[土肥信之先生の厚意により提供]

正を行ってはならない．

なお足部において関節(とくにMTP関節)の痛み，外反母趾，足根骨の破壊・変形などがみられる場合，さまざまな靴の工夫が必要となる．

4) その他の補装具

手指と手関節に負荷が掛かれば，プラットホーム杖(肘台付)の使用が必要となることがある．車いすは屋内では自走用，また屋外では介助用を用いることが多い．自走用のブレーキはRAでは関節保護の観点からもトグル式のレバーを延長して手掌部などで操作可能なタイプにするとよく(図C-16)，アームレストは生活形態に合わせて，デスク型(食事時にテーブル下に入る)や脱着型(移乗方法の円滑化)などを検討する．

3. RA寛解例と関節破壊進行例(低疾患活動例を含む)のリハビリテーション

RAリハビリテーションの新たな展開として，①RAの発症早期から薬物療法により十分な寛解状態が得られた例には，積極的な「応用的リハビリテーション」，すなわち治療的アプロー

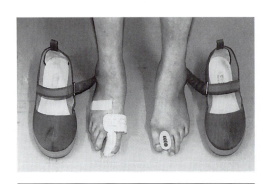

図C-15　足部矯正用装具靴
左足のものは指間にはさむものであるが有効である．
[土肥信之先生の厚意により提供]

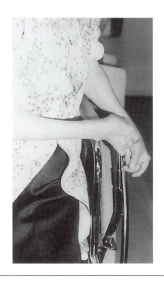

図C-16　車いすのブレーキ操作の工夫
RA患者にとって困難な動作の一つである．手指を使わず手関節部を使用して両手で操作しているよい例である．ブレーキバーは延長してある．
[土肥信之先生の厚意により提供]

チと**回復的アプローチ**を基礎的リハビリテーションを踏まえて施行する一方，②**薬物療法により低疾患活動性となってもいくつかの関節に障害が残存したり，一過性機能増悪あるいは重度の関節破壊と肢体不自由を有する例**には，「**基礎的リハビリテーション**」，すなわち**予防的アプローチ**や**維持代償的アプローチ**などで介入する試みが模索されている．

ここで注目すべき点は，①において発生しやすい「**寛解した関節の過用（overuse）による症状再燃**」である．これに対しては，たとえ関節炎症の劇的な改善を認めても，ADLや家事動作，職場復帰や社会生活は必ずゆっくりとしたペースで進めるとともに，活動性向上と過用症候が相対するものであることを本人に十分認識させる．さらに寛解した関節には2つのアプローチ，すなわち積極的なROMや筋力増強訓練と有酸素的運動療法により耐久性や持久性を向上させる方法と，動作の際に適切な筋・関節への負荷設定と関節保護技術の指導により関節への外的ストレスによる影響を最小限に抑止する方法とが考察されており，両者のバランスを図ることが必須である．

2 リウマチ性疾患のリハビリテーション

リウマチ性疾患のリハビリテーションではRAのリハビリテーションの理念である「**疾患活動性に応じた適切な運動負荷＋過用防止＋薬物の副作用**（とくに易感染状態）**への配慮**」を順守しながら，当該疾患の病態特性に沿ってアプローチを行うのが一般的である．以下に代表的疾患のポイントを記す．

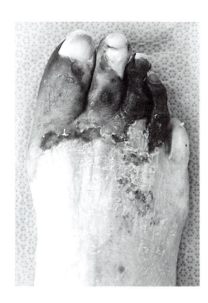

図C-17　悪性関節リウマチ
悪性関節リウマチに伴う血管炎のために生じた足趾の壊疽．
[仲村一郎：リウマチとその類縁疾患，髙橋邦泰，芳賀信彦（編）：整形外科学テキスト，第4版，p. 264，南江堂，2017より許可を得て転載]

1．悪性関節リウマチ

　RAの関節炎と変形に加えて，**血管炎**を併発して**難治性の関節外症状を呈する病態**を**悪性関節リウマチ** malignant rheumatoid arthritis（**MRA**）と呼ぶ．厚生労働省により特定疾患公費助成対象（難病）指定がなされている．好発年齢は50代とRAより高齢であり，女性に比較し男性に多い点もRAとは異なる．

　関節外症状として発熱，体重減少，皮下結節，間質性肺炎などがあり，**血管炎は全身の臓器に多彩な症状**をきたす[多発性単神経炎・紫斑・皮膚潰瘍・指趾壊疽（**図C-17**）・心筋炎・胸膜炎・消化管出血や梗塞・眼（上強膜炎）など]．検査では血液中の炎症所見やリウマトイド因子の高度亢進，血清補体値低下がある．全身状態が回復した後のリハビリテーションはRAに準ずるが，訓練中の局所圧迫や生活上の打撲で内出血を生じやすく，血管炎による多臓器症状などリハビリテーションの阻害因子となる要因が多い．

2．若年性特発性関節炎

　若年性特発性関節炎 juvenile idiopathic arthritis（**JIA**）は**16歳未満の小児に発症する原因不明の慢性関節炎**であり，小児が症状を訴えられずに手足を屈曲してじっとしているなど，**成人のRAとは違う点も多く注意**を要する．JIAは3つのタイプに分類され，**全身型（Still病）**（高熱・サーモンピンク皮疹・リンパ節腫脹・肝脾腫・心膜炎や胸膜炎といった全身症状を伴い，炎症は多関節に及ぶ），**多関節型**（関節炎が5ヵ所以上のもので成人のRAに類似する），**少関節型**（関節炎が4ヵ所以内のもので障害は下肢の大関節を主体として眼のぶどう膜炎（進行すると視力障害）を併発する）がある．RAに準じたリハビリテーションは成長障害や変形の予防のために，全身状態の安定がみられたら可及的にROM訓練から行う．関節腫脹と疼痛に注意しながら，過用症候に十分に配慮する．また遊びやゲームなど小児にとって楽しめるアプローチを工夫して，長期にわたり継続できるよう指導する．

3. 強直性脊椎炎

10歳代後半〜30歳代の男性に好発する全身性の慢性炎症性疾患である．仙腸関節炎や竹様脊柱（bamboo spine）による骨癒合により，脊椎可動性は低下して前屈姿勢および腰痛を呈し，加えて下肢の大関節炎により運動制限は著明となる．さらに関節外症状として，虹彩毛様体炎・肺線維症・大動脈弁閉鎖不全などを合併する．検査所見ではHLA-B27が陽性となる．適度な運動療法は，本疾患の関節症状の進行予防に有効とされ，病態の特徴である脊柱や胸郭の可動性訓練を中心に，四肢ROM訓練・体幹筋強化・呼吸訓練などが施行される．

4. 全身性エリテマトーデス（SLE）

抗核抗体など多様な自己抗体を産生して全身性の慢性炎症症状を引き起こす，膠原病の中ではもっとも多様な臓器障害を生じる疾患である．15〜40歳の女性に好発する．発熱や全身倦怠感，皮疹（円枝状皮疹；ディスコイド疹が特徴的）・紅斑（蝶形紅斑が特徴的），日光曝露などによる光線過敏，寒冷曝露などによるレイノー現象（寒冷・ストレス刺激にて発作性末梢細動脈が痙攣→虚血→皮膚蒼白から紫より赤へ），多発性関節炎，心膜炎・胸膜炎，血液異常，腎障害，精神症状・中枢神経障害（脳血管障害・けいれんなど），などが特徴である．治療はステロイドと免疫抑制薬が中心であり，感染症・脳血管障害・腎不全が予後の決定因子となる．リハビリテーションは多臓器障害のリスク管理に十分に配慮して，障害部位に応じたアプローチ（RAや脳血管障害に対するリハビリテーションなど）と生活指導を行う．

5. 全身性強皮症

中年女性に多い原因不明の全身性の結合組織病変で，手指に始まる全身皮膚硬化や関節拘縮をきたすとともに，手指のレイノー現象がリハビリテーション上のポイントとなる．肺線維症や嚥下障害などを含めて全身的に症状が進展する．治療は対症療法のみであり，リハビリテーションでは全身の皮膚保護や関節拘縮予防とROM維持などの調整運動・生活指導を図り，またレイノー現象に対しては，寒冷は症状を悪化させるため，手袋の使用などにより保温に努める．

6. その他

いずれも関節症状に加えて，シェーグレン症候群では口腔内乾燥・乾燥性角結膜炎，ベーチェット病では口腔，皮膚，眼，陰部の炎症や潰瘍・血管病変・中枢神経症状，フェルティFelty症候群では脾腫・白血球減少，などが併存する．またリウマチ性多発筋痛症は50歳以上の女性に多く発熱，全身倦怠感，体重減少と頸肩腕痛や骨盤帯の筋肉痛，朝のこわばりなどを認める．

D. 小児疾患

学習の目標

1. 運動障害児の評価ができるようになる．
2. 脳性麻痺の病態を理解できるようになる．
3. 脳性麻痺の運動障害の評価ができるようになる．
4. 脳性麻痺の治療法を理解し，運動の処方ができるようになる．
5. 脳性麻痺児，重度心身障害児の教育・社会的問題を理解できるようになる．

1 脳性麻痺

定義

脳性麻痺 cerebral palsy（CP）は単一の疾患名を示す病名ではなく，種々の原因で発育途上の脳に非進行性の病変が生じた脳原性運動機能障害の総称である．**脳性麻痺の定義**は歴史的な変遷があり，国によっても微妙に異なっている．わが国では「受胎から新生児期（生後4週以内）までの間に生じた，脳の非進行性病変に基づく，永続的なしかし変化しうる運動および姿勢の異常である．その症状は満2歳までに発現する．進行性疾患や一過性運動障害，または将来正常化するであろうと思われる運動発達遅延は除外する」［厚生省脳性麻痺研究班，1968（昭和43）年］とする定義が一般的に用いられている．

疾患概念

脳性麻痺の病態像を明らかにするために定義に基づいた内容を検討する．

① 脳の器質的病変に起因する運動障害である．

脳実質になんらかの損傷があって運動機能に障害をもたらす．損傷部位によって発現する症候は異なる．新生児期を過ぎてからの脳炎や頭部外傷後の運動障害はたとえば「脳炎後遺症による運動障害」とか「頭部外傷後遺症による運動障害」とし，また，染色体異常，変性疾患，脳腫瘍などによる運動障害は一般に脳性麻痺からは除外される．

② 病変は脳の未熟な発育途上に生じる．

中枢神経系の構造の成熟は脊髄から脳幹を含む上位中枢へと進む．胎児期から新生児期にはいまだ上位中枢の髄鞘化が不完全である．大脳皮質下構造より皮質の髄鞘化が遅れることは原始反射 primitive reflex の出現や抑制と関係する．運動の基本的要素は早期に髄鞘化の起こる皮質下にあり，皮質は髄鞘化につれてこれらを協調的に制御する．

③ 脳の病変は固定し，それ以上進行せず，また一過性のものでもない．

変性疾患や脳腫瘍などの進行性の疾患は除外されている．また，感染症などによる一時的な運動障害も含まれない．

④ 永続的であるが変化しうる運動と姿勢の異常である．

運動麻痺そのものは永続的であるが，障害されていない脳の他の部分の発達や身体の成長に伴って多様な変化が起こる．また，関節拘縮や筋力低下など低運動による二次的な廃用症候群によっても姿勢・運動は変化する．

⑤ 脳損傷症候群として種々の障害を合併することがある．

脳性麻痺には，精神発達遅滞，けいれん発作，視聴覚障害，認知障害，学習障害，行動異常など種々の合併症を伴うことがある．

発生頻度

脳性麻痺の発生率は，1,000人の出生に対して0.6～5.9人と報告によって大幅な差異がある．周産期医療の進歩，早期治療などによって発生率は減少し，わが国では**脳性麻痺の発生率は0.2%前後**と考えられている．成熟児の脳性麻痺の発生率が減少する一方で低出生体重児からの発生率はむしろ増加傾向にあり，重度の障害児の比率が高まっているという報告もある．

原因

脳性麻痺の原因発症の時期を胎生期，周産期，出生後の3期に区分すると，
① 胎生期：細菌性・ウイルス性疾患，薬物，放射線被曝など
② 周産期：無酸素症（仮死），高ビリルビン血症による核黄疸，低出生体重児，脳血管障害など
③ 出生後：頭部外傷，脳炎，脳髄膜炎，脳血管障害など

があげられる．米国脳性麻痺発育医学協会American Academy for Cerebral Palsy Developmental Medicine（AACPDM）の原因分類（**表D-1**）では胎生期のものとして脳形成障害，水頭症，小頭症などの遺伝性疾患を含んでいる．発症原因はこれまで周産期危険因子として，**① 低出生体重児**，**② 出生時仮死による無酸素性脳症**，**③ 重症新生児黄疸**の3つが重要とされてきた．しかし，新生児や低出生体重児に対する医療技術の進歩によって，種々の予防・対策法が確立し，単純にこれらを発症原因としてとらえることが難しくなっている．

従来は出生体重2,500 g未満の児を在胎週数にかかわらず，未熟児と呼んできたが，現在は低出生体重児 low birth weight infant（LBWI）と定義されている．

出生体重から，低出生体重児（2,500 g未満），極低出生体重児（1,500 g未満），超低出生体重児（1,000 g未満）と分類され，いずれも死亡率や脳性麻痺の発症率が高いハイリスク新生児 high-risk neonatal infantである．

病理

超音波検査，MRI，CTなどの画像診断技術の進歩に伴い，低出生体重児などの脳損傷の特徴が明らかになってきた．

a. 脳室周囲白質軟化症 periventricular leukomalacia（PVL）

在胎週数が26～32週の極低出生体重児に多くみられる．側脳室後角外側部の白質に斑点

表 D-1　脳性麻痺の分類 [AACP（現 AACPDM），1956]

I．生理学上の分類（運動面）	C．出生後	b．視野欠損
A．痙　直 spasticity	1．外　傷	2．運動面
B．アテトーゼ athetosis	2．感　染	a．運動障害での共同偏位
1．緊張性 tension	3．中毒性	b．注視障害
2．非緊張性 non-tension	4．血管損傷	c．固定スパズム
3．ジストニー dystonia	5．無酸素症	d．固定斜視
4．振　戦 tremor	6．新生物や遅れて出てくる障害	e．内斜視
C．強　剛 rigidity	IV．補足的分類	f．外斜視
D．失　調 ataxia	A．精神面の評価	g．上斜視
E．振　戦 tremor	精神発達遅滞があれば，その程度	h．下斜視
F．アトニー atonia	B．体格・成長状態	i．眼　振
G．混　合 mixed	1．体格の評価	j．外転筋仮性麻痺
H．分類不能 unclassified	2．成長のレベル	G．聴機能
II．部位別分類	3．骨年齢	1．周波数域での難聴
A．単麻痺 monoplegia	4．拘縮	2．音圧レベルでの難聴
B．対麻痺 paraplegia	C．けいれん発作	H．言語障害
C．片麻痺 hemiplegia	D．姿勢と移動運動パターン	V．神経解剖学的分類
D．三肢麻痺 triplegia	E．眼と手の協調パターン	VI．機能・能力別分類（重度別）*
E．四肢麻痺 quadriplegia（tetraplegia）	1．優位眼	クラス I
F．両麻痺 diplegia	2．眼球運動	クラス II
G．重複片麻痺 double hemiplegia	3．眼　位	クラス III
III．原因別分類	4．注　視	クラス IV
A．出生前	5．輻輳	VII．治療段階による分類**
1．遺伝性	6．捕捉アプローチ	クラス A
2．子宮内因性	7．把　持	クラス B
B．周産期	8．手の操作	クラス C
1．無酸素症	9．利き手	クラス D
2．外傷および出血	F．視機能	
3．体格・体質による	1．知覚面	
	a．弱視	

*VIの分類　クラスI：行動に制限のない脳性麻痺児　II：行動的に軽度～中等度に制限のあるもの　III：中等度～重度制限　IV：有用な動作のないもの

**VIIの分類　クラスA：治療を要しないもの　B：軽い装具治療を要するもの　C：装具を要し，脳性麻痺治療チームの指導を要するもの　D：長期の入院治療を要するもの

[児玉和夫：脳性小児麻痺，新小児医学大系13-D，中山書店，p 74, 1983 より引用]

状，線状の軟化巣として認められる．PVLは進展すると囊胞化して囊胞性脳室周囲白質軟化症（cysticPVL）となる．**図 D-1a** は2歳男児のMRIである．側脳室に接した白質にPVLの高信号領域が認められる．**図 D-1b** のようにPVLの好発部位が下肢を支配する錐体路に一致することが多いため痙直型両麻痺を呈しやすい．また，病巣の広がりによっては視覚連合野が侵され，中枢性の視覚障害から視覚認知障害を合併することもある．早産が予測される場合に母体にステロイド薬のベタメタゾンを投与するとPVLの発症を減少させるという報告がある．

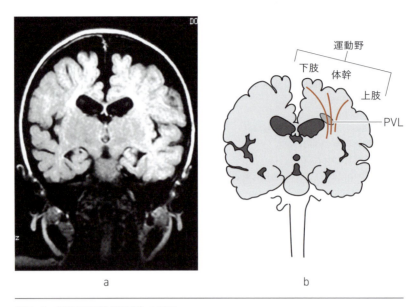

図 D-1 脳性麻痺（2歳男児）のMRI

b. 脳室内出血 intraventricular hemorrhage（IVH）

早産による極低出生体重児の脳内出血の多くはIVHで水頭症や脳室拡大の原因となる．IVHはPVLに比べると後遺障害が少ないといわれているが，運動や言語発達の遅滞のほかに多動などの行動異常がみられることがある．

脳性麻痺にみられるその他の脳病変には，海馬や扁桃体など大脳辺縁系の形成不全や回旋異常などがみられる．

▎麻痺の部位別分類▕

運動麻痺の広がりの程度によって，① 単麻痺 monoplegia, ② 対麻痺 paraplegia, ③ 片麻痺 hemiplegia, ④ 三肢麻痺 triplegia, ⑤ 四肢麻痺 quadriplegia（tetraplegia），⑥ 両麻痺 diplegia, ⑦ 重複片麻痺 double hemiplegia, に分類される．対麻痺は元来は脊髄性麻痺に対して使われているもので，一般に脳性麻痺では用いられない．**両麻痺は脳性麻痺固有のもの**で，厳密には四肢麻痺であるが，麻痺の重症度が上肢よりも下肢が重いものをいう．

▎病型による分類▕

脳性麻痺は運動障害の性質もしくは種類によって，① 痙直 spasticity, ② アテトーゼ athetosis, ③ 固縮（強剛）rigidity, ④ 運動失調 ataxia, ⑤ 筋緊張低下 atonia, ⑥ 振戦 tremor, ⑦ 混合 mixed, などに分類される（**図 D-2**）．アテトーゼはさらに緊張性 tension, 非緊張性 non-tension, ジストニー dystonia, 振戦 tremor の4型に分類される．

アテトーゼ型の一群の運動異常をまとめてジスキネジア dyskinesia とか hyperkinetics と表現されることもあるがあまり一般的ではない．

原因と病型の関係は必ずしも確かな対応があるわけではない．満期仮死産ではその程度によって重度の四肢麻痺になりやすく，病型は痙直，アテトーゼ，混合型など多様である．重症

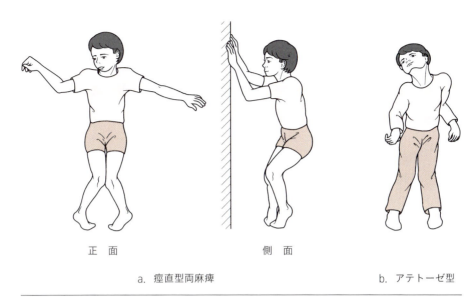

　　　　正　面　　　　　　　　側　面
　　　　　　a. 痙直型両麻痺　　　　　　　　　b. アテトーゼ型

図D-2　特徴的な立位姿勢

黄疸ではアテトーゼ型の発症が多い．
　出生直後の新生児期にはいずれも筋緊張が低下したいわゆる筋緊張低下児floppy infantの状態であることが多い．

病型別の症状

a. 痙直型

　痙直（痙縮）は他動運動で示される筋緊張亢進の特殊な一型で，一般にはその原因が錐体路障害によるとされ，種々の**錐体路徴候**が出現する．
① 伸張反射stretch reflexが亢進する．
　筋を他動的に伸張すると当初は強い抵抗を感じるが，筋が引き伸ばされるにつれて抵抗が急激に減少する折りたたみナイフ現象clasp-knife phenomenonがみられる．この筋緊張亢進は上肢では主として屈筋群に，下肢では伸筋群に優位に出現する．そのために上肢では他動的伸展運動で，下肢では他動的屈曲運動でこの種の抵抗を強く感じる．
② バビンスキー反射Babinski reflexなどの錐体路徴候を示す病的反射が出現する．
③ 腱反射が亢進し，クローヌスが出現する．
　クローヌスは筋・腱の急激な他動的伸張によって，律動的な筋収縮が不随意的に連続して起こる現象をいう．足関節運動でもっとも出現しやすいが，手関節や膝関節にもみられる．伸張反射の亢進によるもので，錐体路徴候の1つである．
④ 病的連合運動（連合反応）が出現する．
　連合反応は身体の一部の筋に強い力を発揮させると，他の部分に筋収縮や運動が誘発されることをいう．片麻痺の健側肢の随意運動が患側肢の不随意的な運動を起こすのが連合反応である．

⑤ 座位では円背姿勢となる．

　痙直型では頸部の安定（頸すわり neck control）は比較的早期に完成する．座位姿勢は屈筋優位の円背姿勢でいわゆる割り座姿勢となる．

⑥ 二次的な関節拘縮が起こる．

　筋緊張亢進で随意運動が障害されることで体幹・四肢の関節に種々の拘縮が生じる．立位姿勢や歩行動作に直接影響する下肢の股関節内転筋の拘縮では**はさみ脚肢位** scissoring，足関節底屈筋の拘縮で**内反尖足変形** equinovarus foot がよくみられる．足関節外反筋・足関節底屈筋の過緊張により，外反扁平足変形（pes planovalgus）をきたすこともある．内反筋群と外反筋群の緊張のバランスにより足部の内外反傾向が決まる．

⑦ けいれん発作（てんかん発作）がある．

　けいれん発作は脳の神経細胞の過剰な同期的発射活動によって，全身強直-間代発作，四肢の一部の強直発作，脱力発作，欠神発作などを引き起こす．発作の強弱はあっても，同一個人ではほぼ同じ型の発作を繰り返すことが多い．

⑧ 精神発達遅滞がある．

　けいれん発作を繰り返すごとに多数の神経細胞が崩壊して精神活動の荒廃を進行させる．痙直型はアテトーゼ型のものに比べると相対的に知的レベルの低い場合が多い．

⑨ 感覚統合障害がある．

　大脳皮質の感覚野に障害があると，末梢からの感覚情報を具体的な総合された感覚として認識する機能が欠落する．その結果として感覚統合障害や失認が起こる．脳性麻痺児では**図と背景の認識障害**が特徴的といわれている．

b．アテトーゼ型

　アテトーゼの語源は「一定の肢位がない」という意味のギリシャ語に由来し，神経学的用語としては，ゆっくりとした速度で絶え間なく動いているある種の指の動きを示すものとして用いられた．

① 不随意運動がある．

　アテトーゼの不随意運動の発現に関する生理学的な定説はいまだ明らかではない．病理学的所見からは線条体，大脳基底核の淡蒼球および視床の変性，破壊との関係が明らかにされており，この3つの部位とこれらに抑制作用を及ぼす大脳皮質運動野からの回路のいずれかの部位になんらかの損傷があるときに起こるものとされている．痙直が錐体路障害によるものであるのに対して，アテトーゼは**錐体外路障害**によるものといえる．

　アテトーゼ型では痙直型と同様に出生直後は一般に筋緊張が低下している．その後に異常運動が発現するようになると，筋緊張は低下 hypotone・亢進 hypertone が混在して緊張の動揺を示す．異常運動の多様性は筋緊張の時間的・空間的な活動要素，情緒的要素，身体部位の位置関係の要素などで規制される．空間における頭部の位置や，頭部と体幹の相対的位置関係によっても変動するのは姿勢反射の影響と考えられる．

　不随意運動は運動時や精神的に緊張したときに起こりやすく，顔面，体幹，四肢のいずれに

も起こるが，とくに上肢に著明である．不随意運動は動作を行う部位だけではなく他の身体部位にも及ぶ．この異常運動は，症例により，また同一症例においても無軌道で不定にみえるが，そこにはある一定の規則性が存在するものとされている．
② 腱反射の亢進はない．
　錐体路徴候を示す腱反射の亢進やバビンスキー反射などの病的反射は出現しない．ただし，原始反射・姿勢反射の消長には異常があり，年長児でも非対称性緊張性頸反射に強く影響された姿勢で，両上肢を同時に正中位に保持できなかったり，食事動作が障害されたりする．
③ 関節拘縮は一般に起こらない．
　アテトーゼ型の幼児期に関節拘縮が起こることはまれである．むしろ過剰な不随意運動で関節動揺性が増加して疼痛や脱臼，亜脱臼をきたすことがある．緊張性アテトーゼ tension athetosis の年長児には膝関節屈曲拘縮や内反尖足変形などの二次的変形を生ずることがある．
④ 言語障害が著明である．
　アテトーゼ型脳性麻痺の言語は発語・発声器官の運動障害，筋緊張の過度な動揺による運動の不安定性，協調運動の困難さなどで不明瞭でききづらい独特の発話となる．
⑤ 知的理解力は正常に保たれていることが多い．
　痙直型に比べると相対的に知的レベルの荒廃は少ないが，運動障害，言語障害などにより学習の機会が量的・質的に制限されるために必ずしも十分な進歩は望めない．

c. 固縮（強剛）型

　固縮は痙直と同様に筋緊張亢進の1つの型で，通常は錐体外路障害と密接な関係があるとされている．この型の出現はまれである．
① 筋緊張の亢進がある．
　痙直が伸張反射の相動的 phasic な亢進状態であるのに対して，固縮はいわば筋の持続的 tonic な亢進を指す．それらの量的，質的な差異は通常筋電図によって明らかとなる．
　固縮の徴候は，筋伸張に対する抵抗が持続的で，鉛管を曲げていくときの感じに似ているときには鉛管様現象 lead pipe phenomenon，抵抗が断続的なときには歯車様現象 cogwheel phenomenon という．
② 腱反射の亢進はない．
　錐体路徴候を示す腱反射の亢進やクローヌスの出現，病的反射の出現はない．
③ 関節可動域の制限がある．
　固縮は拮抗筋となる双方に出現するために，関節運動全般にわたって一様に平均した持続的な運動抵抗性をもたらす．

d. 失調型

　失調型の診断は，上肢では随意運動が発現し，下肢では立位，歩行が行われる段階までは不可能で，乳児期に失調型と診断されることはほとんどなく，発症もまれである．
① 筋緊張の低下がある．

筋緊張低下は精神発達遅滞でも起こり，その鑑別が必要であるが，困難な場合が多い．
② 姿勢バランスが不安定となる．
③ 小脳症状を示すことがある．

痙直，アテトーゼ，固縮による障害とは異なった目的動作失調で，目的箇所に適切に手足を到達させることができない状態（企図振戦）をいう．眼球振盪や過計測症などもみられる．

④ 言語障害や視力障害を伴うことが多い．

失調型の言語障害の特徴は，構音を誤らないようにするために各音が長引いたり，音と音の間隔が間延びしたりして発話が全体に緩徐になる（失調性構音障害）．

e．混合型

定型的な各病型の症状が混在したものを混合型とする．実際には痙直型に錐体外路症状とくにアテトーゼが加わったものが多い．幼少期には痙直，固縮，筋緊張低下など型分類が不可能なものや混合型であったものが，年長期になって各型固有の症状に固定化する．アテトーゼ運動があって腱反射が亢進していれば，アテトーゼ＋痙直 athetoid with spasticity の混合型となる．筋電図学的に固縮と痙直の混在をみるものを rigo-spastic type とするものもあるが，臨床的には痙直型のものを指しているようである．

診　断

脳性麻痺は早期に治療を開始するほど治療効果が高い．しかし，乳児早期であればあるほどその診断はむずかしい．重症例を除くと生後4ヵ月以内に脳性麻痺と診断することは困難で，生後8ヵ月以内でも困難なことが多いとされている．しかし近年は画像診断の進歩により，かなり早期に診断またはリスクの存在が確認できるようになり，疑わしい場合にも早期治療の対象とすることが多い．

1 出産歴，生育歴

妊娠，分娩，新生児期の状況，乳幼児期の発達過程，家族の認識や育児方法などの詳細を記録する．

2 身体所見

成長，栄養，体質など一般的身体所見のほかに，けいれん発作の有無，循環・呼吸器系，嚥下機能などの消化器系，視聴覚などの感覚器系，自律神経系，覚醒・睡眠の状況などをみる．そのほかに必要に応じて CT，MRI，脳波，X線その他の臨床検査を行う．運動器系については，自発運動，不随意運動，筋緊張の状態およびこれらの肢位による変化，姿勢反射，運動発達の段階などから病型診断が可能となる．そのほかに異常行動や自傷行為の有無，言語障害の有無などをみる．

診察ではいきなり触診したり操作を加えることをせず，患児の姿勢，自発運動の有無などの特徴をよく観察することが重要である．脳性麻痺の診断の根拠としてとくに重要なのは，**筋緊張の異常，原始反射・姿勢反射の異常，運動発達の遅延の有無**の3項目である．

表D-2 原始反射の出現時期（月齢）

モロー反射	0〜4
足踏み反射	0〜2
手掌把握反射	0〜4
足底把握反射	0〜9
交叉性伸展反射	0〜2
非対称性緊張性頸反射	1〜2
対称性緊張性頸反射	6〜8
緊張性迷路反射	0〜5
ランドー反射	4〜11

出現・消退時期は1〜2ヵ月の個体差がある．

表D-3 乳幼児の粗大運動獲得の通過率が50％をこえる月齢

首のすわり	3〜4
寝返り	4〜5
一人座り	7〜8
はいはい（高ばい）	7〜8
つかまり立ち	8〜9
一人歩き	13〜14

［厚生労働省：平成22年乳幼児身体発育調査より作成］

a. 筋緊張の異常

　筋は完全に弛緩した状態でも筋の物理化学的性状による弾性，刺激に対する神経筋の反応などで，筋には一定の緊張が存在し，これを正常筋緊張 normal muscle tone という．生理学的には運動開始に備えた筋の準備状態，臨床的には触ったときの筋の硬さ，他動的に筋を引き伸ばしたときに感じる抵抗感が正常な筋緊張である．

　脳性麻痺の筋緊張異常は，大脳皮質運動野，皮質脊髄路など錐体路系の損傷による伸張反射系の異常，大脳基底核などの損傷による錐体外路系の異常，姿勢反射の異常などが原因となる．その結果，痙直，固縮，筋緊張低下などの諸相を呈する．脳性麻痺の筋緊張の診断においては，背臥位ではしばしば緊張性迷路反射の影響で伸筋群が強く反応することがあるので，その影響の少ない側臥位でみることが望ましい．

b. 原始反射・姿勢反射の異常

　姿勢反射 postural reflex は重力という刺激に反応するように感覚系からの入力が身体部位の筋に適切な緊張をもたらし，身体の位置や姿勢および運動に平衡を保たせる反射を指す．**原始反射**についての厳密な定義は現在のところ存在しない．一般的には原始反射は正常児において出生時もしくは乳児期に固有にみられ，発達とともに消失する反射群を指す．その一部は成人になっても潜在的に残遺して姿勢と運動に影響する（**表D-2**）．大脳皮質をはじめとする上位中枢神経組織の構造と機能が未熟な時期には下位神経組織への制御機構が十分に働かず，主として脊髄に反射中枢をもつ反射，反応が優位となる．原始反射が出現すべき時期に欠如したり，消失すべき時期を過ぎても存在している場合は中枢神経系の異常が疑われる．

　原始反射の消退に伴い，立ち直り反応やバランス反応などの姿勢反射が出現する．正常児においても反応を誘発するとき，同一の操作を加えても出現したりしなかったりするのは，①反射・反応の出現・消退時期には個人差がある，②自発運動と他動運動により応答が異なる，③睡眠・覚醒・啼泣時などの状態により応答が異なるためである．

c. 運動発達の遅延

　出生直後は大脳皮質から下行する神経線維は細く，伝導速度は遅く，樹状突起を欠き，シナ

プス数は少なく，運動行動は皮質からの影響を受けない反射機構によるものがしばらく続く．生後3〜4ヵ月までの乳児の運動は脳幹，脊髄の反射によるものが多い．それ以降運動神経は次第に皮質の制御を受けるようになる．頭や眼の定位調節機能，座位保持，立位，歩行などの粗大運動を順次に獲得していく（**表D-3**）．課題遂行が可能となる時期は個人差があり一定ではないが，出現する順序は定まっている．

> 随伴症状

小児病学的には脳性麻痺では，① **てんかん重積発作**，② **周期性嘔吐症様発作**，③ **高熱症候群**，の3つが重視されてきた．周期性嘔吐症様発作は上気道感染や精神的緊張の後で突然ぐったりして激しい嘔吐が起こる．意識障害も起こり傾眠から昏睡状態にまでいたることがあり，アシドーシスを伴うこともある．アテトーゼ型に多くみられるが，重度の痙直型にも起こる．原因はストレス耐用力低下に基づく一種のショック状態と考えられている．高熱症候群は特別の誘因がないのに弛張熱が持続し，自律神経失調症状と脳症状をきたすものをいう．原因は不明であるがアテトーゼ型に多く，体温調節機能不全が考えられている．

a．けいれん発作（てんかん発作）

けいれん発作は痙直型片麻痺，両麻痺，四肢麻痺に多く，アテトーゼ型でもみられる．脳性麻痺全体での合併頻度は30〜40％程度である．脳波の異常所見は，徐波，左右差，異常速波などの基礎律動異常と，棘波，高振幅発作性徐波群などの発作性律動異常があり，とくに棘波は高頻度に出現する．けいれん発作に対しては抗けいれん薬を投与し，適時に脳波検査や薬剤の血中濃度を測定して適量を決定する．指示どおりに服用されることで重積発作を予防することができる．

b．言語障害

言語障害は脳性麻痺全体で65〜95％という高頻度に合併する．発声も困難な重症例から日常生活での会話は可能な例まで症状は多様である．コミュニケーション障害は42％に発生するといわれている．一般に言語が不明瞭で家族以外には理解できないことが多い．言語は心身の成長に伴って自然に発生してくる能力ではなく，学習によって獲得されるものである．したがって言語の学習では，① 知能のレベル，② 聴力障害の有無，③ 発語器官の構造・機能の障害の有無，④ 学習意欲の有無，⑤ 脳損傷の程度などに左右される．

痙直型の言語の特徴は音の高さはやや低く，強さは小さめで，旋律は変化に乏しい単調なものが多い．アテトーゼ型の言語の特徴は高さや強さが激しく変動して爆発的にきこえることがある．発声時に顔面や頸部の筋の強い緊張によって異様な声となる．声の質は圧迫性，気息性あるいは鼻声となることもある．

c．知能障害

知能は，学習する能力あるいは経験によって獲得していく能力と定義されるものとすれば，運動機能障害により，知的発達，とくに速度を要求される要素の習得には困難があるといえる．

脳性麻痺全体で知的障害を約80%に合併し，IQ 70以下のものが全体の40%以上を占めるといわれる．病型別ではアテトーゼ型がもっとも高く，痙直型，固縮型，失調型の順に低くなる．知能低下が環境による経験的なものか，素因的な規制によるものかについては議論のあるところである．

脳性麻痺のIQ検査には一般にウェクスラー児童用知能検査 Wechsler intelligence scale for children-revised（WISC-R）（6～16歳に適用）が用いられる．その下位検査は言語的材料に基づく言語性検査と非言語的材料による動作性検査に分けられている．言語，運動に障害をもつ脳性麻痺児に正常児用の検査を課してその結果を標準と比較することの妥当性には多くの問題を含んでいることは否めず，他の種々の検査法が検討されている．

d．学習障害

文部省（当時）協力者会議・最終報告の定義（1999年7月）によれば，「学習障害とは，基本的には全般的な知的発達に遅れはないが，聞く，話す，読む，書く，計算する又は推論する能力のうち特定のものの習得と使用に著しい困難を示すさまざまな状態を指すものである．学習障害は，その原因として，中枢神経系に何らかの機能障害があると推定されるが，視覚障害，聴覚障害，知的障害，情緒障害などの障害や，環境的な要因が直接の原因となるものではない．さらに，社会性の困難，運動の困難，注意集中，多動による困難を併せ持つことも少なくない」としている．

低出生体重児では，神経学的障害を認めない場合でも，学習障害や行動障害のリスクが高く，就学後に学習上および行動上の問題を生じる頻度が高い．極低出生体重児の約半数が学習障害のリスクをもち，言語能力，読書力，書字，算数，注意集中，運動のすべての分野で対照群に劣ることが報告されている．また，精神発達が正常な学童期の超低出生体重児のうち，学習行動上にも影響する注意欠如多動性障害 attention deficit hyperactivity disorder（ADHD）も，一般の学童より高頻度であるとされている．

e．感覚障害

視覚障害は脳性麻痺全体で約30%にみられる．眼症状の主なものは斜視と視神経萎縮で弱視はそれほど多くない．斜視は痙直型に多くみられ，視神経萎縮は精神発達遅滞と合併することが多い．聴覚障害は脳性麻痺全体で約40%にみられる．とくに重症黄疸によるアテトーゼ型に高音部難聴がしばしば認められる．これは特定の周波数域だけに難聴が起こるのではなく，周波数が高くなるにつれて難聴の度合いも強くなる．皮膚感覚では二点識別やものの形の識別能に障害があったり，手足の皮膚にふれられることを極端に嫌う例があり，おそらくなんらかの異常感覚が存在するものと思われる．知覚認知の障害としては脳性麻痺では奥行きの認知障害，とくに背景と図の区別が明確でなかったり，両者の混乱が生じることが多い．

f．成長障害

脳性麻痺児の身体的成長は正常児に比べると一般にその外形が小ぶりであるのが特徴であ

る．身長を縦断的に年齢ごとの推移でみると，標準値を超えるものもあるが，分散が大きく，平均値は各年齢で標準値を下回る．体重も同様であるが，とくに5〜6歳の学童期にいたる時期の低値が著明である．身体的成長の指標とされる骨年齢も同時期を境に低値を示す．成長に関連する成長ホルモンなどの内分泌系の代謝は，脳性麻痺ではとくに異常は認められない．このような成長障害の原因の1つは脳障害に付随する運動機能の障害によるものであることが示唆される．

栄養障害も成長障害の原因の1つと考えられる．咀嚼・嚥下障害，吸啜障害，離乳の遅延，感染症の反復などが栄養障害の原因となる．長引く経管栄養や半流動食の投与は摂取される食物の絶対量の不足，口腔の運動機能の発達を阻害する．

機能評価

機能評価はいわば疾患の診断に相当するもので，治療方針や治療目標，治療効果の判定，予後予測などに不可欠である．**証拠に基づく医学** evidence-based medicine (**EBM**) が重要視されている．治療効果を客観的，定量的に判定できる標準化された評価法が必要となっている．従来は運動発達の順序性を中心にとらえる検査・測定法が用いられていたが，最近では言語，コミュニケーション，社会的習慣などを含んだより日常生活活動 activities of daily living (ADL) にかかわる事柄を包括的に評価できる方法がさかんに検討・開発されている．

a. 運動年齢テスト motor age test (MAT)

正常児は6歳で身体的な独立，将来の自立に必要な運動能力をもつことが可能であるという前提に従って，出生から72ヵ月までの正常児を標準にした検査法である．テストは上肢運動年齢と下肢運動年齢からなる．運動年齢と暦年齢から運動指数 motor quotient (MQ) を算出する．

b. ミラーニ・コンパレッティの発達チャート

出生から2歳までの正常児の運動発達を自発的行動（姿勢コントロール，能動的運動）と誘発反応（原始反射，立ち直り反応，パラシュート反応，傾斜反応）の相互の促通・抑制関係が月齢に従って記されている（⇨p.391，付録［3］）．

c. 粗大運動能力分類システム gross motor function classification system (GMFCS)

脳性麻痺児の粗大運動能力を5段階（レベルⅠ〜Ⅴ）に区分して，年齢ごとに重症度を判定するシステムである．さらにレベルごとに長期的な経過予測がたてられる．GMFMとともに近藤らによってそれらの有用性が検討され，日本語版も報告されている．

d. 粗大運動能力尺度 gross motor function measure (GMFM)

脳性麻痺児の粗大運動能力の変化を経時的に測定し，治療効果の判定に有用な尺度である．種々の検討がなされ，標準化された方法で広く用いられている．評価項目は，臥位と寝返り（17項目），座位（20），四つ這いと膝立ち（14），立位（13），歩行，走行とジャンプ（24）の5つの領域88項目を0から3点の4段階で採点し，合計点を算出する．採点は各項目に定められたガ

イドラインにそって行う．評価項目が多いためにテストには1時間前後を要する．

e. 脳性麻痺簡易運動テスト simple motor test for cerebral palsy (SMTCP)

GMFMの項目のうち，採点の全段階の分布する反応性のよい31項目を抽出して構成したテスト法である．項目は臥位（7項目），座位（6），四つ這いと膝立ち（5），立位（7），歩行（6）からなる．比較的短時間で行えるよい方法である．

f. 子どものための機能自立度評価法 functional independence measure for children (WeeFIM)

成人用の機能的自立度評価法 functional independence measure (FIM) をもとにして小児の評価に必要な修正を加えた子供のための機能的自立度評価法である．生後6ヵ月から7歳程度の小児を対象としており，小児のADLの共通尺度として有用である．評価項目は成人のFIMと同様に18項目，評価尺度も7段階に区分されているが，内容の一部が小児に適用するように修正が加えられている．テストは30分以内で行うことができる．

g. 子どもの能力低下評価法 pediatric evaluation of disability inventory (PEDI)

乳幼児の機能状態を包括的に評価する方法である．対象とする年齢は生後6ヵ月から7.5歳の小児である．測定項目は，セルフケア（8項目），移動（7），社会的機能（5）の3領域20項目からなり，内容はADLに関連したものが大要を占めている．測定尺度は，機能的技能，介護者による介助および修飾の3つの尺度により測定される．やや複雑であるが，実施時間はおよそ1時間とされている．

h. その他

運動発達や機能評価の方法にはゲゼルGesellの発達診断テスト，イリングワースIllingworthの基準，ブラゼルトンBrazeltonの新生児行動評価法，フロスティグテストFrostig test，津守式乳幼児精神発達診断法，遠城寺式乳幼児分析的発達検査法など多くの方法が考案されている．

治療

脳性麻痺の病状は出生直後から存在して乳幼児期，学童期，成人期へと継続する．したがって脳性麻痺では医学的治療とともに教育的側面での配慮が必要となり，**療育**という言葉が用いられる．治療と教育を並行して進めることが重要で，一方に偏重してはならないとする考え方で両者を一体化した概念である．

日本リハビリテーション医学会では，種々の治療法が存在するなかで，実際にエビデンスに基づいた治療（EBM）がどこまで可能なのかについて，『脳性麻痺リハビリテーションガイドライン 第2版』を作成した．同書では，現行最新のEBMによる推奨治療方法はなにかを明らかにすることを試み，あわせて脳性麻痺の診断，評価，就学，社会福祉などについても分析を加えている．

近年は脳性麻痺の早期診断，早期治療開始の必要性が強調され，実際にその効果が発生率の減少として現れている．脳性麻痺の治療の方法には，①運動療法，②作業療法，③手術療法，

④薬物療法，⑤装具療法，⑥言語療法などがある．

a．早期診断と早期治療

　中枢神経系の発育は身体組織のなかではとくに早期に完成する．脳は出生時に400gほどであった重量は6ヵ月後には800g，7～8歳で成人の90％以上に達する．脳の重量と容積の増加は，神経細胞数の増加ではなく，神経細胞の軸索や樹状突起が延長してシナプス連結が密になることによる．神経細胞はいったん損傷されたらその細胞は再び分裂・再生が起こらない．しかし中枢神経系が損傷されると，脳のもつ可塑性plasticityによって残存する神経線維から新しい芽が出て別の枝を形成する発芽現象sproutingが起こり，新しい経路やシナプス形成ができることがライズマンRaismanらによって動物実験で確かめられている．

　人間の脳で同様の現象が起こるかについては確証はないが，神経組織の可塑性の存在が期待できる未分化の段階で，しかも関節拘縮などの随伴症状が起きていない時期からの治療は有効性が期待できる．すでに脳の解剖学的・機能的分化が完了したあとでは姿勢・運動の異常パターンは固定して，正常化の可能性はきわめて少ない．脳性麻痺は早期の確定診断は困難であるが，疑徴が認められる脳性麻痺危険児risk babyは診断が確定する以前より可能な限り早期から治療を開始すべきである．

b．運動療法

　脳性麻痺の治療の主体は運動療法である．運動療法で用いられる手技は，治療としての機能訓練であると同時に診断や評価の要素も含まれている．運動療法は体幹・四肢のいわば末梢の運動器の操作によるもので，これは脊髄反射弓レベルまではなんらかの影響を及ぼしていることは確からしい．しかし脳の機能系の再組織については十分に解明されていない．中枢神経系の種々のレベルの相互作用の結果として刺激効果の意義を明らかにしようとするハリスHarrisによるmultiple-loop modulationの仮説がある．

　運動療法の目的は，①筋緊張異常の減少，②正常な姿勢・運動パターンの獲得，③二次的な変形・拘縮の予防である．種々の治療手技が開発されているが，これらの主に運動障害の機能回復と促進を図る手技を総称して**ファシリテーション・テクニック**という．

　具体的な手技や個々の脳性麻痺児にどのように適応するかの詳細はそれぞれの成書にゆずる．手技の理論的根拠，運動パターンの変化のとらえ方，用いられる手技の意味などはそれぞれ独自のものをもつが，共通していることはいずれの方法も基本的には反射・反応・自発運動における運動パターンを指標として，その発達順序にそって診断・評価し，治療方法を決定していく点である．これらの手技は，

　①中枢神経活動の促通と抑制を目的に固有感覚などの感覚系に操作を加える
　②個々の筋・関節の運動よりも全体の協調運動を重視する
　③運動発達過程における運動の変化を利用する
　④条件付け，反復，強化，応答の汎化などの心理学における学習理論を応用する
　などであり，主な手技の特徴を以下に述べる．

1. ボバース法 Bobath method（**神経発達的アプローチ** neurodevelopmental approach）

① 随意運動は姿勢反射の発達なしには遂行しえないことから，正常な姿勢反射，姿勢保持に必要な抗重力筋の筋緊張，運動の制御機構を重視する．
② 異常姿勢反応と異常筋緊張を抑制する．
③ 小児の扱いや遊びを通じて機能的な運動パターンを獲得させ，食事，整容，更衣などの日常生活活動の自立を促す．
④ 乳児期は姿勢保持，手の機能，移動動作，呼吸機能，言語・知的発達は相互に関連するものとして同時に訓練の対象とする．
⑤ 変形や拘縮の発生を予防する．

2. ボイタ法 Vojta method

① 正常運動の要素として，直立機構（抗重力機構），姿勢調節機構（姿勢反射），相動運動機構（phasic な随意運動）の3つを重視する．
② 運動パターンは全身の筋が協調して作用する協調複合体である．
③ 正常運動パターンの誘発刺激で病的運動パターンを抑制する．
④ 反射性運動パターンの基本として反射性匍匐と反射性寝返り運動を重視して，一定のトリガーポイント trigger point の触・伸張・圧刺激でこれらを誘発する．

3. フェイ法 Fay method（**神経筋反射療法** neuromuscular reflex therapy）

① 乳児の運動発達過程は系統発生学的に魚類，両生類，爬虫類の運動様式と類似する．
② 同側の上下肢を一緒に動かす同側性の運動は両生類レベルの特徴であり，両上肢を一緒にまた両下肢を一緒に動かす運動は両生類あるいはそれより高いレベルにみられ，左右前後肢の交差性反対運動はさらに高次の運動パターンとなる．
③ これらの系統発生学的な運動様式の過程を小児に応用し，同側性腹這い運動，反対側性腹這い運動，四つ這い運動，直立歩行へと訓練を進める．

4. ルード法 Rood method（**感覚運動アプローチ** sensorimotor approach）

① 皮膚の摩擦・圧迫 brushing，タッピング tapping，アイシング icing などで感覚受容器を刺激し，筋活動の促通と抑制を図る．
② 筋機能は姿勢保持のような重作業に働く場合と，運動や速度にかかわる軽作業に働く場合の2型に区分される．
③ 筋機能の発達順序を，移動性の発達する時期，安定性が加わる時期，安定性のうえに移動性の発達が始まる時期，運動巧緻性が発達する時期の4期に区分し，治療はこの順序に従って進めていく．
④ 適切な刺激で筋を促通，活性化，抑制することで小児がうずくまった状態から寝返り，四つ這い，起立，歩行へと進歩するようになる．

5. 固有受容性神経筋促通法 proprioceptive neuromuscular facilitation（PNF）

① 固有感覚受容器の筋紡錘，ゴルジ腱器官 Golgi tendon organ は筋・腱が引き伸ばされると興奮し，インパルスが脊髄前角細胞に伝達され，筋収縮を起こさせる．この現象を利用した，当初ポリオの不全麻痺筋強化のための治療体系であったものが脳性麻痺の治療にも応用される

ようになった.

② 随意運動は単一筋によることはまれで，多くの場合は複数の筋群で遂行される．また，筋の解剖学的な起始・停止の関係から，四肢の斜め方向ないしはらせん方向（対角回旋）の運動で筋はもっとも効果的に収縮する．このことから対角回旋方向の総合運動パターン diagonal and spiral mass movement pattern を重視した訓練パターンとする．

③ 使用される手技は，最大抵抗，筋の伸張，拮抗筋収縮で動筋収縮を促通（slow reversal, slow reversal hold, rhythmic stabilization），関節の牽引・圧縮，リラクセーションなどがある．

④ これらの促通法はすべての脳性麻痺児の訓練に適応されるものではなく，病型によって適切な手技が選択される．

実際の脳性麻痺児の治療に際してどの手法によるかは治療を行うものの立場によるが，ヤコブ Jakob は「個人的にはどの方法もよいと思う．たとえば感覚運動アプローチは患児の初期に用い，続いて平衡・姿勢反応を利用した神経発達的アプローチを行い，患児が進歩したら最後にPNFを用いるであろう．だからすべての手法を用いることになる」としている．

c. 作業療法

脳性麻痺の治療訓練は，種々の場面で職種を超えたものであることが多い．理学療法士も作業療法士も，場合によっては保育士も児の扱いには共通の手技を用いる．とくに作業療法の領域で重要なものに**感覚統合療法** sensory integrative therapy（SIT）がある．脳性麻痺の運動障害は単なる運動発達の遅延のみでなく，筋緊張異常を伴った異常感覚が運動障害をもたらす1要因と考えられる．触覚，固有感覚，前庭系を経由して身体に入力される感覚情報を円滑に処理できるように制御する．そのほかに作業療法士がより関与するものとして**セルフケア**の訓練，**嚥下訓練**などがある．

d. 手術療法

脳性麻痺の治療の主体は運動療法にあり，整形外科的治療は機能改善を獲得するための補助的手段に位置付けられる．新生児から乳児期は手術の適応はなく，起立・歩行が開始される時期から手術療法が少しずつ導入され，もっとも適応されるのは学童期である．

1. 整形外科的手術の適応

① 年齢は4〜5歳ないしはそれ以上であること．

② 対象は主として痙直型脳性麻痺であること．

手術は痙直，固縮による変形に対して行われることが多いので痙直型，固縮型が主な対象となる．失調型は手術対象となることはない．アテトーゼ型も手術対象となることは少なく，脱臼などで手術を行ったときに当該部位の改善の代わりに身体の他の部位に不随意運動などが増強する**症状の転移** athetoid shift が起こることもあるので注意を要する．

③ 部位は主として下肢であること．

上肢が手術対象となることはきわめてまれである．下肢は起立，歩行と移動動作に結びつくため，安定性と支持性の機能改善が主要なものとなる．

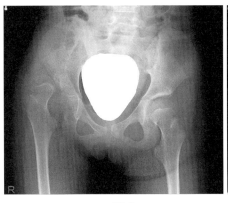
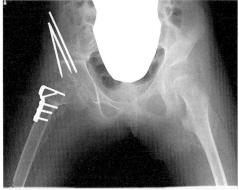

a. 手術前　　　　　　　　　　　　b. 手術後

図D-3　脳性麻痺児の股関節脱臼
右股関節脱臼に対して，股関節周囲筋解離術，ソルター Salter 骨盤骨切り術と大腿骨減捻内反骨切り術（DVO）を施行した症例．手術後は右股関節脱臼が整復されている．

④ 治療期間が短縮すること．
⑤ 装具や杖が不要となること．
⑥ 訓練や介護がしやすくなること．

直接に随意運動などの機能改善に結びつかなくとも，訓練や介護を目的として手術が行われることがある．

2. 手術の対象

a）神　経

選択的後根切断 selective dorsal rhizotomy（SDR）：痙縮の強い筋に関する神経の後根を選択的に切断

末梢神経切断：閉鎖神経（股関節内転筋），脛骨神経（下腿三頭筋）など

末梢神経フェノールブロック：4～6％のフェノール液を神経幹に注入

b）筋・軟部組織

筋腱切断：股関節内転筋，腓腹筋，大腿二頭筋など

腱延長：アキレス腱など

筋腱移行：手指筋，前後脛骨筋，ハムストリング，股関節周囲筋解離術（股関節脱臼）など

c）骨・関節

骨切り術：骨盤・大腿骨（股関節脱臼）（図D-3），外反母指など

関節固定：三関節固定，距骨下関節固定（足部変形）

頸椎後方制動：主として成人アテトーゼ型の頸髄症の椎弓形成術など

d）機能的電気刺激　functional electrical stimulation（FES）

手術療法ではないが，従来脳卒中片麻痺や脊髄損傷など上位運動ニューロン障害による麻痺筋に対して表面電極法や埋め込み電極法で電気刺激（20～80 Hz）を加えて筋収縮させ，立位や歩行を起こさせる方法である．最近脳性麻痺でも試みられるようになった．痙直型片麻痺で

下腿三頭筋手術時に前脛骨筋とヒラメ筋に電極を埋め込み，尖足歩容の改善を目的とするなどである．

e. 薬物療法

1. 抗けいれん薬

よく用いられる抗けいれん薬はヒダントイン系，バルビタール系，バルプロ酸ナトリウム系である．投与法は発作型に応じた薬物を選択して単剤で抑制効果をみる．少量から始めて血中濃度を測定しながら有効濃度まで漸増する．有効量を超えても発作の抑制がなければ他剤に変更するが，この際には第1剤を漸減，第2剤を漸増して切り替えていく．

2. 筋弛緩薬

筋緊張亢進に対して中枢性筋弛緩薬の塩酸トルペリゾンやバクロフェンが用いられることがある．これらは脳幹，脊髄におけるシナプス反射抑制効果があり，痙直を軽減させる作用がある．筋弛緩薬は原因療法ではなく，運動療法を効果的に進めるための補助手段に過ぎない．

抗けいれん薬や筋弛緩薬の投与時間は，訓練の時間帯との関係を十分に検討して決定することが重要である．

3. A型ボツリヌス毒素（BoNT-A）

BoNT-Aはボツリヌス菌によって産生される菌体外毒素で，神経筋接合部におけるアセチルコリンの分泌抑制作用がある．この作用を治療目的に応用して当初は斜視の治療に使用され，後に痙性斜頸の筋弛緩などに用いられている．近年は痙直型や緊張性アテトーゼ型の脳性麻痺にもその有効性が報告されて用いられるようになった．緊張の亢進した筋に直接注射し，姿勢や歩行機能の改善を目的とする．以前は成人の体幹筋のみに使用が認められていたが，現在では2歳児以上の脳性麻痺児の下肢痙縮に伴う尖足にも適応承認されている．

装具

脳性麻痺の装具使用目的は，① 変形・拘縮の予防と矯正，② 訓練の用具，③ 機能障害に対する代償的役割，④ 不随意運動の抑制，⑤ 体重支持などである．

装具使用にあたっての留意事項は，① 軽量であることが望ましいが激しい運動に耐える強度も必要であること，② あくまでも機能改善の補助手段の1つであること，③ 身体の成長に伴って逐次改変すること，④ 漫然と長期使用することなく常に適応を考慮することなどである．脳性麻痺で用いられる主な装具は以下のとおりである．

a. 短下肢装具 ankle foot orthosis（AFO），short leg brace（SLB）

下腿から足底に及ぶ下肢装具で，足関節制御のほか反張膝など膝関節制御の目的にも用いられる．脳性麻痺では痙直性尖足，外反尖足，内反尖足，踵足などが適応となる．

b. 長下肢装具 knee ankle foot orthosis（KAFO），long leg brace（LLB）

大腿から足底に及ぶ下肢装具で，主に膝関節と足関節の制御に用いられる．膝関節の屈曲変形や反張膝などが適応となるが，膝関節を固定すると歩行時の生理的な膝の屈曲運動を制限す

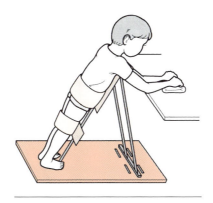

図D-4　プローンボード（腹臥位起立板）

るため，脳性麻痺の長下肢装具は一般に訓練用のみに用いられる．

c．夜間装具 night orthosis，夜間副子 night splint

夜間就寝中の拘縮予防や矯正を目的とした装具で，痙直性尖足によく用いられる．股関節内転筋拘縮によるはさみ脚肢位 scissoring に対しては股関節外転位保持装具があるが，装具の長期使用よりも閉鎖神経ブロックや内転筋腱切離術のほうが有効であることが多い．

d．上肢装具

脳性麻痺では上肢装具が処方されることはまれである．痙直型の上肢では前腕回内，手関節掌屈，母指屈曲・内転，手指屈曲などの変形をきたすことが多く，その予防，矯正に手関節背屈装具や母指対立装具が用いられることもある．アテトーゼ型の不随意運動を定常的に装具で抑制することはできないが，書字などの動作時に重りをつけた装具の装着で不随意運動を一部抑制することができる．

e．立位保持具

立位保持具は下肢の変形・拘縮予防，抗重力筋強化などに有効である．また，上肢が自由に使えるために手の随意性を促通することができる．スタビライザーは長下肢装具を安定板に固定したものであるが現在はあまり用いられない．プローンボードは板の上に腹臥位となり傾斜角を可変できるものでよく用いられている（**図D-4**）．テーブルつきの歩行器型の立位保持具もある．

f．座位保持装置

姿勢のコントロールが不十分で，座位保持が不安定となる例で用いられる．

1．普通型

既製の材料や部品を選択し，組み合わせて製作するもので，モジュラー（プレーナー）型ともいわれる．機能障害の程度や成長・発達の経過に応じて変更・適合させることができる．背

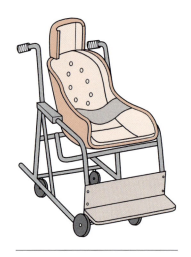

図 D-5　モールド型座位保持装置と車いすの組み合わせ

図 D-6　SRC 歩行器
北九州市総合療育センターにて開発された

もたれや座面の角度を調節できるリクライニング式のものもある．木製の工房いすといわれるものが一般的で，その他既製品にオルソチェアなどがある．

2．モールド型

　変形が高度の場合は体形を石膏シートなどで採型して，これをもとにウレタンやプラスチック材を真空成形して製作する．体形に一致した全面接触型で，座位は安定する．ただし，通気性に乏しいこと，座面が柔軟性に欠けることに対する対策が必要となる．モールドシートを車いすに取り付けることもできる（**図 D-5**）．

g．歩行器・杖

　杖は学齢期に達しても実用歩行能力が得られない場合に適応される．上肢機能が比較的良好な痙直型両麻痺では短下肢装具と松葉杖の組み合わせが一般的である．ロフストランド杖は上肢機能と体幹のバランスが良好のときに用いられる．**図 D-6** は木馬型の SRC 歩行器 spontaneous reaction control walker で学齢期以前にも用いられる．体幹が支持されるために直立位が保持され，足で床を蹴って移動することが可能となる．さらに上肢が自由になるために，机上動作を促通することができる．

h．車いす

　車いすは独歩不能か杖歩行の実用性獲得が困難の場合に適用される．また，自力移動が可能の場合にも介護・搬送用に使われることがある．将来的に歩行能力の獲得が見込まれたり，歩行訓練意欲がある場合の車いす利用は注意を要する．標準型車いすがもっとも多く処方される．アテトーゼ型では下肢で床を蹴って後方に進む操縦方法による場合もある．車いすの処方では個人の身体条件に適合するように車輪，座面，ベルト，姿勢保持部品などを工夫する．

幼児期や重度障害児には介助用のバギーがあり，そのまま自動車に乗せられるものもある．電動車いすは操縦能力のほかに状況を的確に判断する能力が必要である．

教育・職業・社会

身体に障害のある児童に対する公費医療給付として，**児童福祉法で定めた育成医療制度**がある．早期療養を目的として肢体不自由児施設，同通園施設，同療護施設，重症心身障害児施設などが設けられている．

今日では学校教育法で重症心身障害児を含めて義務教育を受ける機会が保障され，一般普通学校，特別支援学級への通学のほか，肢体不自由特別支援学校が設けられている．さらに寝たきりで通学不能の児童に対しては訪問学級制度がある．

学齢期を過ぎてからの就労については，身体障害者雇用促進法による雇用強化で，脳性麻痺も多少ともその恩恵に浴してはいるものの，現実には正規雇用につながるものの数は多くない．とくにアテトーゼ型の就労が困難となっている．軽作業にしても就労の条件はADL，とくに歩行が自立して，最低でも小学校卒業程度の学力が必要とされている．

2　筋緊張低下児

疾患概念

筋緊張低下児（ぐにゃぐにゃ児 floppy infant）は，四肢の筋緊張が著明に低下した児を総称したものである．floppyとは締まりのない状態を表す言葉で，いわゆるぐにゃぐにゃした感じを示す．症状は出生時より出現するが，異常としてとらえられるのは主として乳児期である．

原因・診断

主病変は脳，脊髄，末梢神経，神経筋接合部，筋および一部の結合組織性代謝疾患で起こる．筋疾患か，神経筋疾患かの鑑別には，筋電図，クレアチン・クレアチニン代謝量，血清酵素活性量などの測定や筋組織病理による．

a．理学的診断

筋緊張の診断には視診・触診による理学的所見による部分が大きい．筋原性疾患では一般に生後より筋緊張低下がみられる．脳性麻痺のような中枢神経性疾患でも出生時から乳児期前半は著しい筋緊張低下を示すことが多いが，徐々に筋緊張が亢進し，痙直が出現する．筋緊張低下は必ずしも永続的な状態を示すものではなく，疾患の経過するある時点での状態を表すものである．

b．血清酵素活性

筋疾患では血清中のALT・AST，CK，LDH，アルドラーゼ，トランスアミナーゼなどが上昇する．また，尿中クレアチン上昇とクレアチニン減少がみられる．神経原性疾患では多くは正常値を示す．これらは他の臓器の疾患でも上昇しうるから，それらの疾患との鑑別が必要である．

症状

筋緊張低下・腱反射低下 hypotone-hyporeflex を示すものは，脊髄性筋萎縮症，各種の筋ジストロフィー，先天性ミオパシーなどの筋または神経筋接合部の異常を原因とする疾患にみられる．筋緊張低下・腱反射亢進 hypotone-hyperreflex は脳性麻痺などの中枢性神経疾患とある種の結合組織性代謝疾患にみられる．

デュボウィッツ Dubowitz の筋緊張低下児症候群 floppy infant syndrome の3徴候に，① いかなる姿勢もとることができる，② 他動的な関節運動に抵抗がない，③ 過関節可動性を示す，がある．筋緊張低下児の症状は，① 頸部の不安定：定頸の遅延（不能），② 姿勢の不安定，③ 随意運動の不安定：拮抗筋相互の協調的活動や運動の開始・持続・停止の筋活動制御の不全，自発運動量の減少，④ 変形：股関節脱臼，足部背屈・外反，脊柱側弯，胸郭のフレアリング，⑤ 呼吸機能低下：呼吸筋の緊張低下，⑥ 咀嚼機能低下：口唇，舌，頰の不活発，顔面筋の不活発（表情に乏しい），⑦ 筋力低下・筋萎縮，⑧ 知能障害：疾患によって異なる，などがある．

治療

筋緊張低下児は疾患概念ではなく徴候を示すものである．したがって原因疾患の治療が優先される．一部の脊髄性筋萎縮症患者に対しては，治療薬が開発され保険適用となっている．小児の発育過程に伴う共通課題としては，① 呼吸・循環器系，栄養，感染症予防などの全身管理，② 運動発達の促通，③ 抗重力機構の促通，④ 筋緊張・筋力の増強，⑤ 変形・拘縮などの二次的障害の予防，などが中心となる．

筋力を増強し，筋活動の協調性を改善する方法の1つに PNF (⇨p.199) がある．末梢に操作を加えて固有感覚刺激を増強し，望ましい運動パターンを引き出そうとするものである．用いられる手技は，運動抵抗，筋の伸張，関節の牽引・圧縮，四肢の対角回旋運動パターンなどである．実際には固有感覚受容器だけでなく，表在感覚受容器も刺激される．

3 重症心身障害児

定義

重症心身障害児とは身体的，精神的障害が重複し，かつ重症である児童をいう．その名称は疾患あるいは診断名を表す医学的用語ではなく，社会的，行政的概念を示すものである．肢体不自由児という名称も同様であるが，これらの用語は児童福祉法第43条に法的定義をみることができ，内容の概略は以下のとおりである．

肢体不自由児：上肢，下肢または体幹の機能の障害のある児童
重症心身障害児：重度の知的障害および肢体不自由が重複している児童

重度を指す程度は，運動障害は身体障害の1，2級，具体的には歩けない，独りで座れない寝たきりの状態を指し，知能障害は IQ が35以下のものを重症心身障害児としている．

病像

重症心身障害児の病因は多様である．主なものは，低酸素症または仮死出産，髄膜炎・脳炎，低出生体重児などであるが，不明の出生前原因によるものも多数認められる．

病像の特徴は①重度の低酸素症または仮死，髄膜炎・脳炎，未熟児などの既往をもつ，②多くは痙直と固縮の要素をもつ，③姿勢は原始反射の影響を強く受けたものとなる，④意味のある自発的活動はほとんどみられない，⑤意味のある発語がほとんどなく，コミュニケーションが困難である，⑥けいれん発作はほとんど必発する，⑦視聴覚などの感覚障害を合併する，⑧脊柱側弯，股関節脱臼などの変形，拘縮，脱臼がみられる，⑨嚥下障害がある，などである．

感染症や誤嚥による呼吸器疾患や栄養障害の予防などの全身管理に留意するとともに，自発運動の促通，二次的な関節拘縮や変形の予防のための関節運動，気分の発揚や精神的な安定が得られる環境を設けて愛護的な治療・介護を行うことが重要である．

リハビリテーション治療

重症心身障害児に対してリハビリテーションを実施するうえでの留意点は以下の通りである．

① 安全の確保をする．気管切開やエアウェイ，人工呼吸器，胃瘻，経鼻経管栄養チューブの使用などの医療的ケア（後述）を要する児や著しい骨萎縮，関節拘縮を呈している児が多いため，事故発生が死の転帰に直結する可能性も高い．そのため，担当医・担当看護師とも緊密に連携をするとともに，日常の介護者からも十分な情報の収集を行ったうえで実施する．とくに，体位変換や移乗介助で人手を要すると判断した場合には複数のスタッフで対応する．

② ほとんどの症例が姿勢運動機能，上肢機能，摂食嚥下機能，コミュニケーション能力と全般的・複合的に課題を抱えているため，医師と理学療法士・作業療法士・言語聴覚士および日常の介護実施職種との連携は必須である．わずかな変化であっても，新しくできるようになったことを見出すことにより，日常の介護者のモチベーションが向上する．

③ 対象児の意思表示のサインを見落とさないよう留意する．表情や態度のみならずバイタルサインにも着目し，対象児にとって受け入れやすいリハビリテーション手技を目指す．

④ 日常の介護者への指導を重視する．手技のポイントを個別に図や写真の入った具体的なガイドにまとめることも効果的である．

⑤ 日々の変化が乏しいため，意識的に定期的な評価を行い，振り返ることが重要である．新しい課題の発見につながる場合もある．

医療的ケア

重症心身障害児の療育は，施設入所志向から在宅療育志向に変化している．在宅療育では施設への通所のほか，地域の肢体不自由特別支援学校や特別支援学級へ通学していることが多い．緊急の医療的処置については，保護者が最低限度の手技に精通していることが多い．学校では養護教諭以外の教員が個別に医療的処置の手技を研修している場合もあるが，その是非については教員自身の意向や教育委員会の承諾など法的根拠を含めて問題となることが多い．主治医の指導の下で認定された医療的ケアが教員によって行われることもある．

重症心身障害児で日常的に実施される医療的ケアは，①口鼻腔内の分泌物の吸引，②経鼻経管栄養用のチューブ管理，③気管切開部・エアウエイの管理，④胃瘻経管用チューブ管理，⑤膀胱尿道カテーテル管理，⑥けいれん発作時の処置，⑦食事介助時の誤嚥処置，⑧軽微な外傷

の処置などがある．

社会的ケア

重症心身障害児の施設入所は，児童福祉法の改正に伴い，2006（平成18）年10月以降，原則として契約入所となった．また，2021（平成24）年には，重症心身障害児施設は肢体不自由児施設とともに医療型障害児入所施設として施設種別が統合された．保護者の不在や保護者による契約が困難と考えられる限定された場合には措置入所となる．いずれの場合も地域の児童相談所の決定による．

介護保険制度の施行で高齢者の介護負担が軽減されてきている．それに比べて重症心身障害児と介護者（保護者）に対しては利用できる社会的サービスが著しく少ない．高齢者の場合は介護者の身体的負担よりも精神的負担が大きいとされている．障害児の場合は能力低下が直接介護者の身体的負担の大きさに関連してくる．近年では，障害児支援事業として，上記の2種類の入所制度によらない，施設との直接契約による短期入所制度も行われているが，障害児と同時に保護者へのさらなる公的支援制度の充実が必要である．

E. 神経筋疾患

学習の目標

1. パーキンソン病による障害およびその薬物コントロールの意味をよく理解する．また重症度分類とリハビリテーションの方法を述べることができる．
2. 多発性硬化症は，中枢神経系の脱髄疾患であり，中枢神経系の多様な障害を呈することを説明できる．
3. 重症筋無力症は，神経筋接合部のアセチルコリンレセプターに対する自己抗体が原因となる臓器特異的な自己免疫疾患であることを知り，その障害構造を理解する．
4. 筋萎縮性側索硬化症は，上位・下位両者の運動ニューロンが障害される疾患であり，球麻痺症状，手の筋萎縮からくる特徴的な変形を説明できる．
5. 筋原性疾患の障害構造および進行度をよく理解し，そのリハビリテーション対処法を述べることができる．

1 パーキンソン病

疾患概念

　パーキンソン病 Parkinson disease は，原因不明の**進行性の慢性変性疾患**である．40歳以下の若年から発生することもあるが，加齢とともに発生頻度は増加し，50～65歳で発症することが多い．わが国での有病率は人口10万人あたり100～180人と推定されている．男女差については，ほぼ同数である．脳の病理学的所見では，中脳黒質のドパミン神経細胞の変性がみられ，細胞内にはレビー小体 Lewy body という細胞封入体が出現する．この変性により神経伝達物質であるドパミンが減少し，受容体のある線条体での運動調節が働かなくなる．パーキンソン病と鑑別すべき疾患としてパーキンソン症候群があり，変性疾患（進行性核上性麻痺など）に加え，脳血管性パーキンソン症候群（CTで基底核を中心に虚血性病変），薬剤性パーキンソン症候群（向精神薬など），正常圧水頭症がある．鑑別診断はパーキンソン病であれば安静時振戦，運動症状の左右差，頭部 MRI，CT は正常，心筋シンチグラフィーでのメタヨードベンジルグアニジン metaiodobenzylguanidine（MIBG）集積低下，L-ドパが有効であることがあげられる．

障害構造

　パーキンソン病の運動症状（錐体外路症状）の四大症候は，**安静時振戦 resting tremor**，**筋強剛 rigidity**，**無動 akinesia**・**寡動 hypokinesia**，**姿勢反射障害 postural reflex distur-**

図 E-1 パーキンソン病にみられる特徴的な前屈位姿勢と四大徴候

表 E-1 パーキンソン病の主要な徴候

安静時振戦	安静時，4〜6 Hzの律動的，交代性
筋強剛	鉛管様，歯車様
無 動	寡動，動作緩慢，仮面様顔貌
姿勢反射障害	体幹前傾・前屈，肘・股・膝関節の屈曲，母指内転
歩行障害	小刻み歩行，すくみ足，ひきずり，上肢の振りの欠如，突進現象
手指の変形	MP関節屈曲，DIP関節やや伸展
姿勢反応障害	立ち直り反応障害，突進現象
構音・嚥下障害	小声，加速言語，すくみ言語，咀嚼障害
自律神経症状	便秘，流涎，脂顔，起立性低血圧，膀胱直腸障害，発汗障害
精神症状	抑うつ状態，認知症

bance であり（**図 E-1**），それに伴い多くの複雑な障害が加味されている．さらに自律神経症状や精神症状があげられる（**表 E-1**）．

a．安静時振戦

静止時にみられる振戦で，初発症状として多くみられる振戦は，左右差のある 4〜6 Hz の緩徐で律動的な収縮を繰り返すものである．とくに手指での振戦は薬をこねるような特徴的な動き pill-rolling movement をする．

b．筋強剛

他動的に関節を屈伸させたときに持続的に筋の抵抗として検者に感じられる．抵抗の程度は筋の屈伸の速度とは関係がない．痙縮 spasticity とは違い，錐体外路徴候として出現するものである．関節可動域で一様に抵抗が持続するものを**鉛管様強剛** lead pipe rigidity，歯車のようなガクガクとした抵抗を示すものを**歯車現象** cogwheel phenomenon と呼ぶ．

c. 無動・寡動

寡動は日常生活活動 activities of daily living（ADL）のなかで動きが少ないことを指し，すべての動作の開始と変換が障害されている．顔貌は表情に乏しく，まばたきが少なく**仮面様顔貌** masked face と呼ばれている．また動作緩慢は，動きの開始や動作が遅いことを指す．**小字症**もみられる．進行すると無動となり動けなくなる．

d. 姿勢反射障害

立位では身体を前傾し，肘および膝関節は軽度屈曲する特異な姿勢をとる．また立位で前方から後方に外力を加えると，そのまま後方に棒のように倒れるか，後方に突進するようになり，バランスを崩しやすい．

e. 歩行障害

歩行は前屈位で歩幅が小さく，よちよち歩きとなる（**小刻み歩行**）．歩行開始時には足底が地面から離れず，足が前方に出ない（**すくみ足**）．しかしいったん歩き出すと次第に身体の前傾姿勢は強くなり，早足（**突進現象**）となり転倒しやすくなる特徴がある．

f. 構音障害，嚥下障害

不明瞭でかぼそい声で話す．呼吸筋，咽頭筋，喉頭筋の固縮や寡動によるものである．重度になると咀嚼，嚥下障害をきたしてくる．

g. 自律神経症状および精神症状

自律神経症状では便秘，流涎，脂顔，起立性低血圧，膀胱直腸障害がある．精神症状では抑うつ状態や認知症が存在し，病勢の進行とともに増強する．

評　価

潜行性に発病し，初期症状は振戦が多く，次第に歩行障害が増強してくる．パーキンソン病の分類に**ホーン・ヤール** Hoehn & Yahr **の重症度分類**があり，よく使用されている．また**生活機能障害度**として厚生労働省研究班のまとめた分類がある（**表 E-2**）．ホーン・ヤール重症度 stage Ⅲ以上で，かつ生活機能障害度がⅡ度以上の者は，特定疾患治療の対象となる．ところでこれらの評価では症状の日内変動などの評価が不十分であり，1日の変化がわかる記録が必要である．

リハビリテーション治療

パーキンソン病の症状を改善する薬剤として，補充療法薬である L-ドパが出現して以来驚くべき効果をみせ，さらに寿命があまり変わらなくなってきた．現在治療薬として L-ドパのほかに，抗コリン薬，塩酸アマンタジン，ドパミン受容体アゴニストなどが用いられている．しかし進行に伴い症状の**日内変動（wearing-off, on-off 現象）**と**ジスキネジア** dyskinesia の出現，さらに**幻覚，妄想，せん妄**などの精神症状がみられ，投薬の調整をすることになる．薬剤によるコントロールが困難となった重症例では，姿勢障害や歩行障害が増強し，日常生活上

表E-2　パーキンソン病の臨床的重症度分類

ホーン・ヤールの重症度分類		生活機能障害度	
Stage I	一側性障害のみ，通常，機能障害は軽微，またはなし	I度	日常生活，通院にほとんど介助を要しない
Stage II	両側または身体中心部の障害，ただし，身体のバランスの障害は伴わない		
Stage III	姿勢反射障害の初期徴候がみられるもの．これは，患者が歩行時に向きを変えるときの不安定や，目を閉じ足を揃えて立っている患者を押してみることで明瞭となる．身体機能はやや制限されているものの，職業の種類によっては，ある程度の仕事が可能である．身体的には独立した生活を遂行することができ，その機能障害度はまだ軽微ないし中程度にとどまる	II度	日常生活，通院に部分介助を要する
Stage IV	病気が完全に進行し，機能障害高度．患者はかろうじて介助なしで起立および歩行することはできるが，日常生活は高度に障害される		
Stage V	介助がない限り寝たきり，または車いすの生活を余儀なくされる	III度	日常生活に全面的な介助を要し，独立では歩行起立不能

表E-3　パーキンソン病（生活機能障害度，厚生労働省研究班）の理学療法・作業療法

I度	関節可動域訓練 姿勢矯正訓練 歩行訓練 片足立ち，片膝立ちなどのバランス訓練
II度	姿勢矯正訓練，関節可動域訓練 四つ這いでのバランス訓練 歩行訓練（目印，号令など視覚的・聴覚的刺激の負荷） ADL訓練
III度	廃用症候群の予防 呼吸訓練

の障害が増大する．

　パーキンソン病に対するリハビリテーション治療にあたっては，その薬物療法の影響を把握することが重要である．また薬物療法のため，より複雑な障害をきたしていることもつかんでおく必要がある．

a. 機能障害（心身機能・身体構造の障害）に対するアプローチ（表E-3）

　筋強剛や拘縮，姿勢障害に対しては体幹・四肢の**関節可動域** range of motion（ROM）**訓練**，**伸張訓練**（筋ストレッチ）や**姿勢矯正訓練**を行う必要がある．また姿勢調節として**バランス訓練**を行う．歩行障害に対しては**姿勢矯正訓練**に加えて**リズム**に合わせての上・下肢の運動，また床上に歩幅に合わせ横線などの目印をつけると，すくみ足が改善し，歩行が容易になる．

b. 能力低下（活動制限）に対するアプローチ

　発症2年以内では多くの患者が日常生活，通院にほとんど介助を要さないが，10年以上経過すると約半数がADL上で自立困難となる．歩行障害では平地歩行よりも段差越えや段階昇降のほうが容易であることが多く，訓練あるいは生活にはこれに似たように目印を床上に線引きすることも歩行を容易にする．また広い廊下よりも狭い場所などでは歩行が困難となる．このように詳細に環境を調査し，実際の歩行の場面を想定しながら能力を最大限に利用するよう訓練を行う必要がある．重症になると寡動や姿勢障害のため運動をすることが少なくなり，運動量の確保と廃用症候群の予防が重要といえる．

c. 社会的不利（参加制約）に対するアプローチ

　無動の強い患者では，周囲の者が運動を促す必要がある．また細かい生活指導および生活環境への配慮も重要である．重度になると，在宅生活を送るために家族の負担は大きくなり，その軽減を図るため介護方法の習得が必要である．さらに，無動による機能低下のため，脱水や肺炎の合併が多くなる．口腔内ケアや食塊の選択も必要となってくる．

2　多発性硬化症

疾患概念

　多発性硬化症 multiple sclerosis（MS）は，**脳・脊髄の白質が多発，散在性に脱髄**を起こす慢性炎症性疾患であり，**寛解と増悪**を繰り返し，時間的・空間的多発を特徴とする．病理学的には斑状の脱髄（脱髄斑）がみられる．原因として，自己免疫学的な機序が関与していると考えられる．しかし人種あるいは地域によって発生に特徴があり，欧米の白人に多い．有病率は，わが国では人口10万人に対して8～9人で増加傾向にある．発病年齢は15～50歳で，20歳代にもっとも多く，男性に比べて女性で発生比率が高い．

障害構造

　初発症状は**視力低下，しびれ感，感覚鈍麻**がもっとも多く，**運動麻痺，複視，排尿障害**など多種多様な症状を呈し，かつ寛解と再発を示す場合は本症が疑われる．発熱，熱い風呂に入浴すると（hot bath test），一時的な神経伝達障害により神経症状が増悪したり視覚がぼやけたり（**ウートフ Uhthoff 徴候**）することがある．侵されやすい部位は**視神経と視交叉，脊髄の側索と後索，脳幹と小脳**であり，視神経のみの場合は球後視神経炎という．脊髄障害のひとつとして頸部の他動的前屈で背部に下方へ向かう放散痛がみられるレルミット徴候も特徴的な症状である．本症には鑑別診断をも兼ねた，診断基準がある．再発を繰り返すうちに多彩な症状を認めるようになる（**表E-4**）．

評価

　病巣の広がりと，寛解と再発を起こすために，そのときどきにより障害度は異なり，予後予測をたてることはむずかしい．身体障害度の評価には，クルツケ Kurtzke 総合障害度スケール expanded disability status scale of Kurtzke（EDSS）があり，歩行能力に加え，錐体路，脳幹，感

表E-4 経過中に認められる神経症候(%)

視力障害	60	バビンスキー	82
複視	48	深部腱反射亢進	66
眼筋麻痺	23	小脳失調	50
眼振	37	知覚障害	79
構語障害	35	脊髄レベル以下	50
顔面神経麻痺	31	帯状括約感	24
運動麻痺	82	排尿障害	55
対麻痺	39	急性横断性脊髄炎	27
四肢麻痺	16		
片麻痺	32		
単麻痺	21		

[深澤俊行ほか：障害像と評価，臨床リハ**5**(3)：235-240，1996より作成]

覚，膀胱直腸，視覚，精神機能を機能別障害度で評価する．多発性硬化症機能評価 multiple sclerosis functional composite（MSFC）も利用される．また，QOL評価は患者に有用な介入や支援に役立つ．

リハビリテーション治療

a. 急性期のリハビリテーション

現在，根治療法はないが，急性増悪時にはなるべく早期よりステロイドパルス療法が行われる．その効果が認められないときは，血液浄化療法が試みられる．寛解時における再発予防薬として，インターフェロンβおよび免疫抑制薬が有効であるとされている．発病初期の増悪・再燃には安静を保ち疲労を避ける必要がある．しかし廃用症候群の予防のために**良肢位保持，ROM保持**は重要であり，さらに他動運動，自動他動運動もできれば施行することが必要である．

b. 慢性期のリハビリテーション

多発性の病巣のため多彩な障害を示してくる．主な障害は視神経障害による**視覚障害**，脊髄障害による**対麻痺，四肢麻痺，膀胱直腸障害**，錐体路障害による**片麻痺**，小脳障害や脊髄後索**障害による失調症**などであり，どの要素が主体かを判断しリハビリテーションアプローチをたてなければならない．MSの患者は疲労を訴えることが多く，軽度から中等度の運動強度で機能訓練を行う．また体温の上昇に伴って症状が一時的に悪化することがあるため**温熱療法**や室内温度などに注意を要する．さらに注意すべき点として，脊髄障害の回復期に運動誘発性の有痛性強直性痙攣を起こすことがある．

3 重症筋無力症

疾患概念

重症筋無力症 myasthenia gravis（MG）は，**自己免疫疾患**の1つであり，神経筋接合部のシナプスに存在するニコチン性アセチルコリン受容体に対する抗体が生じ，**神経筋接合部の伝達が**

表 E-5　重症筋無力症診断基準

1. 自覚症状

(a) 眼瞼下垂　　　　　(e) 言語障害
(b) 複視　　　　　　　(f) 呼吸困難
(c) 四肢筋力低下　　　(g) 易疲労性
(d) 嚥下困難　　　　　(h) 症状の日内変動

2. 身体所見

(a) 眼瞼下垂　　　　　(f) 嚥下障害
(b) 眼球運動障害　　　(g) 構音障害
(c) 顔面筋力低下　　　(h) 呼吸困難
(d) 頸筋筋力低下　　　(i) 反復運動による症状増悪（易疲労性）、休息で一時的に回復
(e) 四肢・体幹筋力低下　(j) 症状の日内変動（朝が夕方より軽い）

3. 検査所見

(a) 塩酸エドロホニウム（テンシロン）試験陽性（症状軽快）
(b) Harvey-Masland試験陽性（waning現象）
(c) 血中アセチルコリン受容体（AChR）抗体陽性

4. 鑑別診断

　眼筋麻痺，四肢筋力低下，嚥下・呼吸障害をきたす疾患はすべて鑑別の対象になる．
　Eaton-Lambert症候群，筋ジストロフィー（ベッカー型，肢帯型，顔面・肩甲・上腕型），多発性筋炎，周期性四肢麻痺，甲状腺機能亢進症，ミトコンドリアミオパチー，進行性外眼筋麻痺，ギラン・バレー症候群，多発神経炎，動眼神経麻痺，Tolosa-Hunt症候群，脳幹部腫瘍・血管障害，脳幹脳炎，単純ヘルペス・その他のウイルス性脳炎，脳底部髄膜炎，側頭動脈炎，ウェルニッケ脳症，Leigh脳症，糖尿病性外眼筋麻痺，血管炎，神経ベーチェット病，サルコイドーシス，多発性硬化症，急性播種性脳脊髄炎，フィッシャー症候群，先天性筋無力症候群，先天性ミオパチー，ミオトニー，眼瞼痙攣，開眼失行

5. 診断の判定

　確実例：「1. 自覚症状」の1つ以上，「2. 身体所見」(a)～(h)の1つ以上と(i)、(j)、「3. 検査所見」(a)、(b)、(c)の1つ以上が陽性の場合
　疑い例：「1. 自覚症状」の1つ以上，「2. 身体所見」(a)～(h)の1つ以上と(i)、(j)、「3. 検査所見」(a)、(b)、(c)が陰性の場合

［厚生労働省指定難病検討委員会，2014］

障害される疾患である．**胸腺**の異常が合併する．小児から高齢者まで広範に発症するが，女性に多く，有病率は人口10万人あたり11人程度である．わずかの運動で疲労しやすく，筋力低下が起こり，運動能力が落ちる．

障害構造

　眼瞼下垂，外眼筋の障害による**複視**，咽頭喉頭筋の障害による**嚥下障害**，**構音障害**，四肢近位筋の障害による**歩行障害**，**上肢挙上運動障害**などの機能障害が生じる．MGの診断は**表 E-5**のように厚生労働省研究班により示された指針がある．診断の1つとして誘発筋電図があり，活動電位の振幅の**減衰現象**waningがみられる．これらの障害は朝方は軽度で，夕刻には増悪し，日内変動があり，またストレスや感染により悪化する．

　急激な呼吸困難をきたす状態を**クリーゼ**と呼び，感染，術後，妊娠・出産，ストレスなどにより発症することがあり，気道の確保，呼吸管理が必要となる．

リハビリテーション治療

ステロイド薬，免疫抑制薬の投与，血液浄化療法による免疫学的治療が主流である．抗コリンエステラーゼ薬は補助的薬剤として使用される．また胸腺摘出術は若年者で有効とされる．

機能維持の点では筋力低下と易疲労性のため休息を入れながらの活動がよいとされている．また，調子のよい時に ROM 訓練および軽度の自動他動運動を行い，早期より廃用の予防に主体をおく．

4 運動ニューロン疾患

疾患概念

運動ニューロン疾患 motor neuron disease（MND）とは，運動ニューロンが選択的に，進行性に変性する原因不明の疾患を総称していうが，一般に MND とは，筋萎縮性側索硬化症 amyotrophic lateral sclerosis（ALS）を指す．ALS は上位運動ニューロンと下位運動ニューロンが変性に陥る．また脳神経のうち舌下神経核，副神経核，迷走神経核にも変性が認められる．El Escorial 改訂 Awaji 基準が臨床的によく使用されている．ALS の発病率は 10 万人当たり 1〜3 人といわれる．男女比では男性に多い傾向があり，発症年齢は 50 歳代に多い．そのほかに二次運動ニューロンのみを侵す脊髄性筋萎縮症 spinal muscular atrophy（SMA），また球症状のみを示す進行性球麻痺 progressive bulbar palsy（PBP）がある．また広義にはクーゲルベルク・ウェランダー病 Kugelberg-Welander disease，ウェルドニッヒ・ホフマン病 Werdnig-Hoffmann disease，若年性上肢遠位部髄節性筋萎縮症，さらに家族性対麻痺 familiar spastic paraplegia（FSP）なども含まれる．

障害構造

上位運動ニューロンと下位運動ニューロンの障害が混在し，いずれかの病巣が強いかによって障害も変わってくる．運動ニューロンのみが変性することから，感覚障害は認めない．一般に運動障害は一側上肢遠位部の筋萎縮から始まることが多く，次第に対側上肢，下肢，体幹，顔面に拡大する．しかし眼筋と外肛門括約筋は障害を受けない．手の筋萎縮は著しく，猿手やわし手（鉤爪変形）をとることが多く，また下肢においては痙性麻痺が目立つものから，弛緩性に始まり下垂足や鶏歩をとるものがある．脳神経運動核の障害により構音障害，嚥下障害，そのほかに強制失笑などを示すことがある．また呼吸障害は呼吸筋麻痺や横隔膜麻痺により生じてくる．ALS の多くは常に速い進行性であり，2〜5 年で呼吸筋麻痺，誤嚥性肺炎で死にいたることが多い．

評　価

病態の多様性のため，個々の症状を把握し対応することになる．腱反射や筋力低下，筋萎縮といった臨床所見，筋電図による脱神経所見が重要となる．

リハビリテーション治療　（表E-6）

根本的な治療法はなく，出現してきたおのおのの障害にきめ細かく対処することが重要である．四肢の運動障害に対しては，障害の軽度なうちは筋力低下および変形予防のため自動運動

表E-6　リハビリテーションと機器の利用（病態により順不同）

機能訓練	機器（レンタルも考慮）
関節可動域維持	車いす（普通型・電動）
筋力維持	特殊寝台
呼吸訓練	シャワーチェアー
歩行・移動・起居動作訓練	手すり・スロープ
上肢ADL訓練・自助具	ポータブルトイレ
嚥下障害に対する工夫	文字盤・意思伝達装置
（やわらかい食塊，姿勢，食事回数の増加）	人工呼吸器（予備電源も含む）
	吸引器

訓練，**ROM訓練**を施行することが望ましい．また進行してきた状態においては種々のスプリントを工夫する必要が出てくる．歩行障害においても障害に応じては装具を考える．歩行が不能となった重度の障害では，**電動車いす**が必要となり，微細な筋の動きや吸気や呼気を利用しての操作可能な装置を工夫する．コミュニケーションでの問題では，文字盤や微細な残存筋の動きを利用しての伝達方式や，透明アクリル板で文字盤を作製し患者の視線の動きによって文字を知る方法，さらに**環境制御装置**を活用する場合は，入力スイッチ（タッチセンサーや呼気を利用したスイッチ）を考えて解決する．**嚥下障害**では，末期には誤嚥することが多くなるため，顎を引いた姿勢など頸部の肢位による工夫が必要である．さらに障害が重度となれば，窒息・誤嚥性肺炎など致命的状態を生じるため，経管栄養に切り替えたり，胃瘻増設によって栄養を補給する必要がある．呼吸障害に対しては，呼吸理学療法を必要とし，障害が軽度な場合では，マスクを介した非侵襲人工呼吸 noninvasive ventilation（NIV）の利用を行う．障害度が強くなると気管切開を余儀なくされ，人工呼吸器管理となるが，管理を十分にすれば長く生命を維持することが可能である．

5　脊髄小脳変性症

疾患概念

脊髄小脳変性症 spinocerebellar degeneration（SCD）は，小脳型運動失調を主症候とする小脳あるいは脊髄の進行性変性疾患の総称であり，その原因は不明なものもあるが，しばしば遺伝性を示す．遺伝しない孤発性のものが2/3，遺伝性が1/3であり，頻度は10万人当たり4〜5人程度と推察されている．一般にSCDの診断は病歴，神経学的所見およびMRIによる萎縮の所見により行われるが，孤発性，遺伝性脊髄小脳変性症および遺伝性痙性対麻痺に大きく分けられ，臨床の場で使用されている（**表E-7**）．また分子遺伝学を中心とする医学の進歩により，**遺伝子の解析**が進み，従来ほとんど同じ臨床症候を示してきた症例であっても，違った疾患であることがわかってきている．遺伝子異常から，多くの疾患分類，臨床的特徴があげられてきている．本疾患の臨床症状は緩徐に進行するが，何らかの原因で体調不良を生じると急速に悪化することがある．

表E-7　脊髄小脳変性症の臨床病理学的分類

1) 孤発性脊髄小脳変性症
   (1) 多系統萎縮症 multiple system atrophy（MSA）
      ・オリーブ橋小脳萎縮症 olivopontocerebellar atrophy（OPCA）
      ・線条体黒質変性症 striatonigral degeneration（SND）
      ・シャイ・ドレーガー症候群 Shy-Drager syndrome（SDS）
   (2) 皮質性小脳萎縮症 cortical cerebellar atrophy（CCA）
   (3) その他
2) 遺伝性脊髄小脳変性症
   (1) 常染色体優性遺伝性（SCA群，DRPLA，その他）
   (2) 常染色体劣性遺伝性（フリードライヒ Friedreich 型運動失調症，その他）
   (3) その他
3) 遺伝性痙性対麻痺 hereditary or familiar spastic paraplegia（HSP）

［厚生省運動失調症調査研究班より作成］

障害構造

ホームズ Holmes によれば，運動失調は，① 筋緊張低下による弛緩状態と反応の障害，② 軽度の筋力低下と易疲労性，③ 随意運動の速さ，規則性，出力の異常，④ 共同運動障害である．運動障害として，① **起立・平衡の障害**，② **筋トーヌス低下** hypotonia，③ **測定異常** dysmetria，④ **運動分解能異常** decomposition，⑤ **交換運動障害** dysdiadochokinesis，⑥ **歩行障害** gait disturbance である．ほかに **不随意運動**（ミオクローヌス，アテトーゼ，ジストニー，舞踏運動），**自律神経障害**（起立性低血圧，排尿障害，インポテンツ，発汗障害など），**精神・知能障害**（うつ状態，知能低下など）である．

評価

脊髄小脳変性症についての特有な評価方法はあまり利用されていない．一般的な運動失調に対する評価はあり，日本語版 SARA（scale for the assessment and rating of ataxia）が作成されており，歩行，立位，座位，言語障害，指追い試験，鼻-指試験，手の回内・回外運動，踵-すね試験の8項目により評価する．この他に，国際協調運動評価尺度 international cooperative ataxia rating scale（ICARS）などもある．

リハビリテーション治療　（表E-8）

a. 機能障害（心身機能・身体構造の障害）に対するリハビリテーション

集中的なリハビリテーションにより，機能改善が得られ，その効果は数ヵ月持続すると考えられている．

1. 固有受容性神経筋促通法 proprioceptive neuromuscular facilitation（PNF）

人間の運動は対角線・らせん的運動がもっとも理にかない，また筋は伸張位からの最大抵抗に抗して収縮させることが不均衡な拮抗筋の強化と耐久性に一番効率がよいという説から，失調にも効果があるという．

2. 重り負荷

ホームズが **重り負荷** の効用を述べている．足関節上部，手関節上部および腰部などに重りを

表E-8 脊髄小脳変性症のリハビリテーション

運動失調	固有受容性神経筋促通法，重錘バンド，弾性帯，フレンケル体操，バランス訓練，エアロバイク
筋力低下（二次性のものも含む）	筋力維持訓練，補装具の導入，離床時間の確保
環境整備	家族への介助方法の指導，生活様式の変更，家屋改造
合併症予防	関節拘縮予防，肺炎予防

負荷して固有感覚入力の強化を行うと運動失調は軽減する．下肢では 300 〜 800 g，上肢では 200 〜 400 g の重錘などを関節上部に巻くか，足底板としておもり負荷を用い運動をさせる．

3．弾性緊縛帯

サポーターなどの弾性帯で関節部を緊縛すると，運動失調は軽減する．緊縛帯は四肢の近位部に装着するともっとも効果がみられる．

4．フレンケル体操

フレンケル Frenkel により脊髄癆の治療として提唱されたが，運動失調にも用いられている治療法である．固有感覚入力の強化を図り，協調運動を再獲得させることにあり，反復訓練とその訓練に集中することである．

運動失調の機能障害に対するアプローチを述べたが，実際には運動の速さ，保持時間，支持面，重心位置および巧緻性を十分に考慮し，その機能障害度に従って運動療法を行うべきである．

b．自律神経障害に対するリハビリテーション

1．排尿障害

排尿障害は定期的に排尿させる膀胱訓練や清浄間欠自己導尿法を施行する．しかし障害が進行すると集尿器あるいは尿道留置カテーテルを使用せざるをえない．

2．起立性低血圧

夜間における頭部挙上，長期臥位を避け，反復した起立訓練を，それも急激な起立は避け，また下肢への弾性包帯や弾性ストッキングの利用を試みる．SCDの中には食事後に低血圧を認める例があり，起立訓練を控え安静を保つ必要がある．

c．能力低下（活動制限）に対するリハビリテーション

上述した機能障害に対するアプローチは，一時的に効果をみるとされ，その持続性はいまだ明白ではない．できるだけ能力維持ができるよう，動作訓練，日常生活の工夫を行う．補装具や福祉機器は積極的に取り入れるようにする．また転倒により受傷すると，重篤な能力低下をきたすことがあり，転倒回避のための環境整備が重要となる．

表 E-9　進行性筋ジストロフィーの分類

	デュシェンヌ型	ベッカー型	肢帯型	顔面肩甲上腕型	福山型
性	男性	男性	男・女	男・女	男・女
遺伝形式	伴性劣性	伴性劣性	常染色体劣性および優性	常染色体優性	常染色体劣性
発症年齢	4歳以前	5〜25歳	10〜20歳	20〜30歳	1歳未満
主な罹患筋	腰帯筋 肩甲帯筋	腰帯筋 肩甲帯筋	腰帯筋 肩甲帯筋	顔面筋 肩甲帯筋	四肢近位筋 顔面筋
進行	急速	緩徐	緩徐	緩徐	緩徐
歩行不能	12歳以前	10〜20歳代以後	発症後20年以上を経て	上肢の挙上不能 歩行は可	女児は歩行可あり
転帰	20歳代前後 呼吸器治療による延命	天寿を全う	中年期ごろ	天寿を全う	10歳前後

d. 社会的不利（参加制約）に対するリハビリテーション

患者の**環境の整備**，つまり起居動作や移動動作に対しての工夫が必要である．家屋内の移動では手すりを設置することや床からの立ち上がりを容易にし転倒防止のために食器棚などの身の回りの家具類を低くし，倒れないように安定化し，つかまりやすくすることも考えられる．機能面の障害をなるべく生活様式を変えることによって補う必要がある．しかし障害度が強くなればその限界はおのずとあり，**患者の不安の除去**と患者の家族を含めた心理的支持療法も必要となる．

6　筋ジストロフィー

筋疾患 myopathy とは**筋そのものの病変**により筋力の低下をきたし，運動能力に障害が生じる疾患群をいい，そのうち筋線維の変性，壊死を主病変とし，進行性の筋力低下をみる遺伝子疾患の総称を筋ジストロフィー muscular dystrophy といい，この疾患は次のいくつかに分類できる．

疾患概念

進行性筋ジストロフィー progressive muscular dystrophy（PMD）は，単一の病気ではなく，臨床症状や遺伝方式が異なっていくつかの型に分類できる（**表 E-9**）．① ジストロフィン異常症（**デュシェンヌ型** Duchenne muscular dystrophy（DMD）/ベッカー型 Becker muscular dystrophy），② 肢帯型筋ジストロフィー limb-girdle muscular dystrophy（L-G），③ **顔面肩甲上腕型筋ジストロフィー** facioscapulohumeral muscu-lar dystrophy（FSH），④ 福山型筋ジストロフィーが主要な型として分類されている．筋緊張症候群としては常染色体優性遺伝を示す筋強直性（緊張性）ジストロフィーがある．病理組織学的には筋線維の変性および壊死線維の存在，筋線維の大小不同，筋鞘核の増加と中心移動，間質結合組織の増加や脂肪浸潤などが認められる．原因としてデュシェンヌ型やベッカー型では性染色体上のジストロフィン遺伝子の異常が明らかにされ，筋細胞の細胞骨格蛋白質である**ジストロフィン**が，欠損あるいは異常産生することが知ら

れている．X染色体劣性遺伝のため母親や姉妹は保因者である可能性がある．DNA解析や筋生検での筋ジストロフィン抗体による染色で判明する．常染色体遺伝型では原因遺伝子によりさまざまな異常が解明されている．

障害構造

それぞれの病型は筋萎縮の発生する部位，発症年齢，進行速度，生命予後などによって差異を認め**表E-9**のごとくであるが，PMDのなかでもっとも頻度の高いDMDについて述べる．1歳から1歳半以上経て処女歩行するものが約半数で，それ以後に歩行にいたるものがほとんどである．2～5歳には転倒することが多く，歩行は**アヒル歩行** waddling gaitをとる．この歩行の特徴は両下肢を開き腹部を突き出し両膝を屈曲し，上半身を左右にゆさぶり，つま先歩行となることである．さらに臥位からの立ち上がりには，両下肢を大きく開き，極度に体幹を前屈し，手掌を床につき，次いで膝に片手をあてがい少し立ち上がったところで他方の手を膝につき，安定したところで徐々に大腿部に手を移動し，腰部を伸ばし起立する．これを**登攀性起立** climb up on his legまたはガワーズ徴候 Gowers' signという．筋萎縮は四肢近位部からはじまるが，本疾患の特徴である下腿後部の腓腹筋およびヒラメ筋に脂肪組織による肥大が認められ，あたかも筋が肥大したようにみられ，これを**仮性肥大**という．5歳以降になると肩甲帯や背部の筋萎縮が著明になり，筋力低下が著しくなる．また腰椎前弯が出現する．10歳ごろには歩行困難となり，以前よりみられた脊椎の**前弯および側弯**が急速に進行する（**図E-2**）．また**股・膝関節の屈曲拘縮**，**足部の内反尖足変形**，**肘関節の屈曲拘縮**が目立ってくる．肩関節は安定せず，患児の腋窩部に手を入れ抱き上げようとしたときに，ずり落ちてしまう．このような現象をすり抜け現象 sliding-through phenomenonという．床での移動は**ずり這い移動**となる．手指機能は，四肢および体幹の機能に比べれば比較的遅くまで保たれている．末期になると呼吸筋にも障害を受け，無治療では20歳までに**呼吸不全**または**心不全**にて死にいたるが，呼吸器の利用により延命が可能となっている．ベッカー型は5～25歳で発症し，動揺性歩行や歩行困難などの初期症状がみられ，進行は緩徐である．35歳ごろより歩行不能となるが，ほぼ天寿を全うする．

筋強直性ジストロフィーは20～30歳で発病し，顔面筋，頸筋，前腕および下腿に進行性の筋力低下を認める．また物を強く握ると指を開けない**グリップ・ミオトニー**，筋腹をハンマーで叩くと局所収縮が生じ，すぐに弛緩しない叩打ミオトニー，舌を叩くと舌がクローバー状の変形を起こす舌ミオトニーが観察される．特徴ある容貌で前頭部に**若禿**，**知能障害**，**白内障**，**内分泌異常**，**カルシウム代謝異常**，**性腺萎縮**などを合併する．筋電図では特徴ある**急降下爆撃音**を生じる．

評　価

筋力の低下による機能障害および知能障害は，諸家により種々分類されている．機能障害度として**厚生省筋ジストロフィー研究班による8段階の分類法**（**表E-10**）がある．下肢の機能，とくに起立歩行を中心に分類している．上肢については上肢機能障害度として松家らによる9段階の分類がある．ADLについては厚生労働省筋ジストロフィー研究班よりADL（身辺処理動作）検査表が示されている．

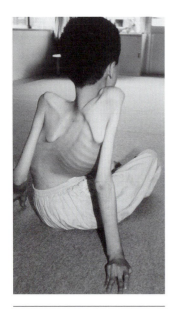

図E-2 脊椎の側弯

表E-10 機能障害度新分類

ステージ		
1		階段昇降可能
	1a	手の介助なし
	1b	手の膝おさえ
2		階段昇降可能
	2a	片手手すり
	2b	片手手すり＋手の膝おさえ
	2c	両手手すり
3		いすから起立可能
4		歩行可能
	4a	独歩で5m以上
	4b	1人では歩けないが，物につかまれば歩ける（5m以上）
5		四つ這い
6		ずり這い
7		座位保持可能
8		座位保持不可能

[厚生省：筋ジストロフィー症の疫学，臨床および治療に関する研究，昭和57年度研究報告書（祖父江逸郎班長），厚生省神経疾患研究委託費，1983]

表E-11 進行性筋ジストロフィー（PMD）の理学療法・作業療法

歩行期	起立・歩行の維持 関節拘縮の予防 在宅ケア		
車いす期	移動能力の維持 脊柱変形の防止 関節拘縮の予防 呼吸訓練	下肢装具 座位体幹装具	介護機器 環境制御装置
臥床期	呼吸障害	非侵襲的陽圧換気 排痰機器	

リハビリテーション治療 （表E-11）

a. 機能障害（心身機能・身体構造の障害）に対するリハビリテーション

廃用性萎縮への対策，予想される変形の発生，増悪を防止することにある．起立歩行障害に対しては，なるべく長く現在の機能の維持を目的に治療を行うべきである．**起立台でのアキレス腱の伸長**と関節の屈曲拘縮に対しての **ROM改善** にあたる．また呼吸障害には胸郭の可動域を保つような**呼吸運動訓練**を行う必要がある．

b. 能力低下（活動制限）に対するリハビリテーション

筋の**過用を避ける**ため，抵抗運動はしない．起立歩行の維持を図るために，下肢装具を利用することがある．この効用は変形，とくに脊柱の側弯の増悪を予防することにある．また**体幹保持用座位装具**についても配慮する．歩行不能となる時期には脊柱の変形は急速に進展する．

その進展予防のために適宜病態に応じ，車いすをはじめ**体幹保持用装具**を処方する．ADLの動作上の工夫として，代償的な動作の利用，自助具の利用を行う．さらに機能障害が重度になり，手指機能のみが残存している場合，電動車いすを考慮し，また人工呼吸器を装着した車いすをも処方する．これらは重度な能力低下を最大に拡大することで，閉じ込められた心理状態から開放する効果もある．

7 多発性筋炎・皮膚筋炎

多発性筋炎 polymyositis（PM）は筋炎症状による筋力低下がある．四肢や上眼瞼に定型的な紅斑を認めるものは皮膚筋炎 dermatomyositis といわれ，いずれも膠原病に含まれる．関節痛，間質性肺炎，嚥下障害などを併発することがあり，それぞれが治療の対象となる．疾患の原因となる抗核抗体が特定され，それによる病型の違いも解明されてきた．

疾患概念

筋力低下（近位筋優位），**筋酵素の上昇**（CK，アルドラーゼなど），筋電図所見と筋生検所見が特異的である．小児から老年まで幅広い年齢層にみられ，女性に多い．薬物療法として，ステロイド薬，免疫抑制薬があげられる．

診断および症状

主要症状は急性，亜急性または慢性に進行し，急性期にはときに筋痛がみられる．レイノー症状がみられることもある．筋力低下は肩甲帯および下肢帯（または骨盤帯）にみられるのが特徴的である．ほかに顔面筋，頸筋，咽頭筋などの筋力低下および筋萎縮を示す．皮膚症状としては紅斑（ゴットロン徴候，ヘリオトロープ疹）がみられる．筋生検では筋線維の変性と炎症性反応，結合組織の増生，検査所見では血清 CK 活性の上昇，筋電図検査では安静時に異常侵入時活動，奇異性高頻度放電など，随意収縮時では短持続，低振幅，多相性の増加などの筋原性の変化がみられる．

合併症としての**悪性腫瘍**や急速進行性の間質性肺炎は生命予後にかかわり，治療方針に大きく影響する．

障害構造

a. 筋力低下（活動制限）

上肢筋では三角筋，上腕二頭筋，上腕三頭筋，下肢筋では大腿四頭筋，内転筋群，大腿屈筋群に筋力低下が著しくみられる．頸部の支持筋，傍脊柱筋の障害は大きい．それに比して四肢の遠位筋は障害が軽いかみられない．以上より上肢では肩関節の伸展，屈曲および外転障害がみられ，下肢では起立歩行動作の障害が認められる．発症初期では階段ののぼりが困難，つかまるものがないと立てない，少し重いものがもてないなどの障害を訴えることが多い．歩行は動揺性歩行，起立はガワーズ徴候がみられる．咽頭筋の障害により嚥下障害が現れ，とくに嚥下障害第二相にみられる．治療により炎症が消褪しても筋力低下が残存することがある．

表 E-12 多発性筋炎・皮膚筋炎の理学療法・作業療法

機能障害	筋力低下	残存筋力の維持および強化	注意事項
	四肢・体幹筋の関節拘縮	ROM訓練	急性期には愛護的に行う
能力低下	呼吸・嚥下障害	呼吸・嚥下障害訓練	低酸素血症
	ADL障害		
	移動, 階段昇降	ADLの拡大, 車いす	
	起立, 座位	装具, 自助具	
社会的不利	移動動作の障害	家屋の改造, 在宅酸素療法	

b. 社会的不利（参加制約）

急性期では廃用症候群の予防から，全身の状態の管理が重要となる．状態に応じて可能な限り座位時間の確保や睡眠・栄養状態に気をつけるなどの環境に配慮する．

リハビリテーション治療

筋炎により四肢近位筋および体幹筋の筋力低下が生じるだけでなく，薬物療法としてステロイド薬を長期にわたり大量に服用するため，ステロイドミオパチーによる筋力低下の可能性がある．筋力低下が疾患によるものかステロイド薬によるものかの区別は難しいが，いずれにせよリハビリテーションによる運動療法が必要となる．そのリハビリテーションの要点（表 E-12）を述べる．

筋の炎症が強い間は**血清CKの値**が高いが，ステロイド薬投与後は**愛護的に運動負荷**を行うことができる．炎症が鎮静化したと考えられた時点で，積極的に筋力強化訓練を行う．訓練後に筋原性酵素の値の上昇をみないこと，また患者の訴えのないことを確かめ，徐々に負荷を増大していく計画をたてる．筋力維持と合わせて ROM 訓練，運動耐容能訓練を行うとともに，応用動作をも段階的に進めていく．間質性肺炎に対しては，体力向上という点で運動療法の有効性が示されつつある．動作中の低酸素血症に注意しながら，徐々に運動量を増加させるようにする．

嚥下障害に対して咀嚼および嚥下時の援助，食塊の選択も重要な治療となる．在宅では家族に対して疾患および障害についての理解または指導を図ることも必要となる．また生活環境の整備をも考慮しなければならない．経過中，悪性腫瘍の合併が認められることがあり，必要に応じて術前後のリハビリテーションや化学療法への対応を行うことになる．環境整備もそれに合わせて変更する．

F. 末梢神経障害

学習の目標

1. 神経変性の三病態の相違点を説明できる．
2. 末梢神経障害の3つの機能障害について説明できる．
3. 節前と節後損傷の相違点を述べることができる．
4. 胸郭出口の3つの絞扼圧迫部位を述べることができる．
5. 多発神経障害の例をあげることができる．
6. 単神経障害の例をあげることができる．

疾患概念

末梢神経は，視神経，嗅神経を除いて，脊髄や脳幹の軟膜の外側にある神経構造である．末梢の感覚情報を中枢神経系に伝える求心性線維と，中枢神経系から運動情報を末梢の組織や器官に伝える遠心性線維の2つに分かれる．いずれの線維も体性と内臓性の要素をもっている．体性とは骨格筋の制御，あるいは骨格筋，腱，関節からの感覚情報に関することである．内臓性とは循環，呼吸，消化器，腺などの機能制御，あるいは内臓器官からの感覚情報に関することで，自律神経が介在している．末梢神経障害には，運動障害および感覚障害と自律神経障害の3つの要素が含まれる．

a. 神経被膜

神経線維は3種類の支持結合組織の被膜によって囲まれている．1本1本の神経線維は神経内膜で囲まれている．神経線維が小束になっている神経束を神経周膜が囲んでおり，さらに複数の神経束を神経上膜が取り囲み，1本の神経幹を形成している（**図F-1**）．

b. 神経変性

末梢神経障害は，各種の原因によって末梢神経の機能が障害された状態であり，**ニューロパチー** neuropathy とも呼ばれている（**表F-1**）．

ニューロパチーの病態は，軸索変性と脱髄の2つに大別される．脱髄は傍絞輪部から始まり，この部位を含む絞輪間の髄鞘分節全体が消失する．これが節性脱髄である．もう1つの軸索変性はさらに2つの種類がある．1つは，挫滅，切断，強力な伸張などによって神経線維の局所断裂が生じ，この断裂部から遠位部全長にわたるいわゆるワーラー変性が起こる．もう1つの狭義の軸索変性は，神経細胞体や軸索の血行あるいは代謝不全によって，線維の最遠位部

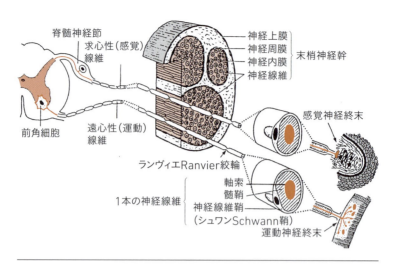

図F-1　神経線維の被膜構造

表F-1　末梢神経障害（ニューロパチー）の主な原因

1. 中毒性	4. 非特異的炎症
a. 金属 b. 有機物 c. 薬物	a. 多発神経炎 b. ギラン・バレー症候群 c. 慢性炎症性脱髄性多発ニューロパチー
2. 物理的因子	5. 血管性病変
a. 外傷，圧迫など b. 絞扼 c. 放射線，熱傷	結節性多発血管炎，その他の膠原病
	6. 家族性多発ニューロパチー
3. 代謝障害	シャルコー・マリー・トゥース病など
慢性アルコール中毒，糖尿病，尿毒症	

から変性が起こり，求心性に変性が進む，いわゆる遡行変性である．ワーラー変性と遡行変性との相違は，前者では神経内膜も断裂しており，迷入再生 aberrant regeneration が生じる点である（**図F-2**）．たとえば，顔面神経障害では，側頭骨顔面神経管における栄養血管圧迫の絞扼障害によって表情筋側から求心性に遡行変性 dying-back が生じる．一方，さらなる圧迫絞扼障害によって内膜断裂が生じ，病変部から遠心性にワーラー変性が生じる．迷入再生とは，従来の支配筋とは異った筋に神経が到着することをいい，結果として過誤支配が起こる．顔面神経の迷入再生により病的共同運動が生じる．さらに分娩麻痺でも唯一例外的に四肢における迷入再生による過誤神経支配が特徴的である．

　1本の神経幹は複数の神経束，さらに多数の神経線維から構成されているために，圧迫や外傷では3つの病態が混在している（**図F-3**）．

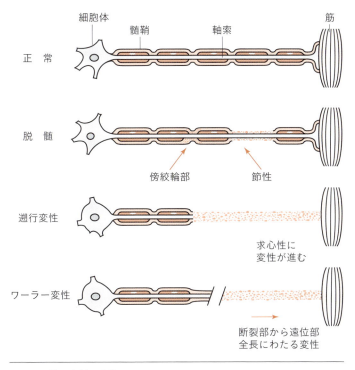

図F-2 神経変性の種類
神経線維レベルの損傷には，軸索が侵される軸索変性と，髄鞘が侵される脱髄がある．

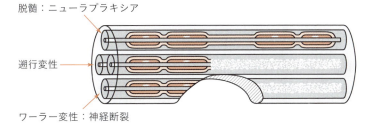

図F-3 神経束損傷
多数の神経線維から構成されている神経束の外傷や圧迫損傷では，脱髄，遡行変性，ワーラー変性などの病態が混合している．

c. 外傷性損傷の分類

セドン Seddon 分類とサンダーランド Sunderland 分類がある．前者は1本の神経線維に着目し，後者は，1本の神経幹が多数の神経線維や神経束から構成されていることから，神経断裂をさらにステージ3〜5の3つに分類している（**表F-2**）．

> 臨床所見

末梢神経障害の臨床症状には，感覚障害（しびれ，感覚鈍麻，感覚過敏，痛みなど），運動障害（運動麻痺，運動失調，筋力低下など），筋萎縮，筋緊張低下，反射消失，自律神経障害（発

表F-2 神経損傷の分類：セドン分類とサンダーランド分類の対比

セドン分類	サンダーランド分類	病態生理
ニューラプラキシア	ステージ1	髄鞘の損傷，局所の伝導障害，ワーラー変性なし
軸索断裂	ステージ2	軸索断裂があるが，神経内膜は保たれている 損傷遠位部の伝導障害
神経断裂	ステージ3	軸索と神経内膜の断裂があるが，神経周膜は保たれている ワーラー変性あり，損傷遠位部の伝導障害
神経断裂	ステージ4	軸索，神経内膜，神経周膜の断裂があるが，神経上膜は保たれている ワーラー変性あり，損傷遠位部の伝導障害
神経断裂	ステージ5	神経幹の断裂，ワーラー変性あり，損傷遠位部の伝導障害

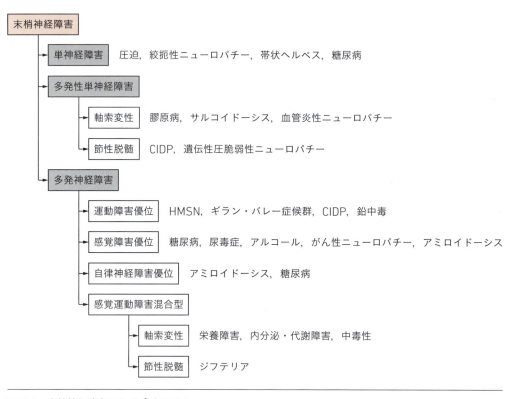

図F-4　末梢神経障害のタイプ別の原因
CIDP：慢性炎症性脱髄性多発ニューロパチー chronic inflammatory demyelinating polyneuropathy
HMSN：遺伝性運動感覚ニューロパチー hereditary motor sensory neuropathy
　　　　典型的なものがシャルコー・マリー・トゥース病

汗低下，起立性低血圧，排尿障害，陰萎など）などがある．

　これらの症状の出現の仕方，障害の程度はニューロパチーの種類によって異なるが，主な症状によって感覚障害優位型，運動障害優位型，感覚運動障害混合型などに分けられる．

　さらに，症状は障害された神経の支配域に出現し，単神経障害では一側性，非対称性であり，多発神経障害では両側対称性に障害がみられ，手袋・靴下状の分布が認められる．また多発性

単神経障害ではいくつかの末梢神経支配領域に限局した非対称性の症状が出現する(**図F-4**).

評価・検査

電気生理検査のなかで,神経伝導検査と針筋電図がもっとも重要である.そのほかに腓腹神経の生検によるときほぐし標本や組織学的診断がある.さらに遺伝子解析によって遺伝性ニューロパチーへの臨床応用が行われている.

a. 神経伝導検査
病変部位,軸索変性か脱髄かの病態,重症度,さらに予後に関する診断・評価を行う.

b. 針筋電図
病変の部位や広がり,脱神経や神経再生の状態を診断する.

障害構造・問題点

a. 機能障害(心身機能・身体構造の障害)
運動線維の障害による筋力低下,感覚線維の障害による感覚異常,さらに運動や感覚線維に多くは伴走している自律神経の障害による発汗や栄養の障害,膀胱,消化器障害などがある.

b. 能力低下(活動制限)
筋力低下や感覚異常などの機能障害による日常生活活動 activities of daily living (ADL) の障害である.その内容は,肩や肘の可動性や支持性の障害によるリーチ障害,手指の巧緻動作の障害である.下肢では歩行障害となる.

c. 代償運動
能力低下のレベルでは,障害評価とともに残存能力を評価することが大切である.神経麻痺の場合,必ず**トリック運動** trick movement あるいは**代償運動**が出現する.主動筋が麻痺をしても補助筋によって運動が代償される.患者にとってはADLを遂行するうえで代償運動は有用であり,これを強化することも必要である.

d. 社会的不利(参加制約)
社会参加,役割の制限である.同じ左手の不全尺骨神経障害であっても,受傷前の職業がピアニストと事務職では,その社会復帰の成功度は異なる.また分娩麻痺の症例では,麻痺の程度が重度であっても,患者の知的能力,環境整備によって積極的な社会参加は可能である.

合併症

a. 関節拘縮と変形
末梢神経障害をきたしている患肢は,拮抗筋とのアンバランス,循環障害,栄養障害など悪条件のもとで,関節拘縮や変形をきたしやすい.関節拘縮や筋萎縮が重度である場合,十分に機能が回復しないこともある.

b. 過用性筋力低下

　神経再生初期のころ，あるいは筋力が弱いときに，筋力増強訓練の負荷量が多い場合に，回復は妨げられ，むしろ筋力低下をきたすことがある．自覚的な疲労度，筋痛，筋力低下に注意しながら，負荷量を調節する．

c. 誤用性損傷

　不適切な運動療法あるいは過度の負荷による組織の損傷である．感覚低下や脱出があるために，警告信号である痛みを感じにくく，関節可動域 range of motion（ROM）訓練や伸張運動で過負荷になりやすい．とくに脊髄空洞症による温痛覚鈍麻がある場合には**シャルコー関節**（神経障害性関節症）になる．

d. 反射性交感神経性ジストロフィー

　四肢の外傷や手術前後の痛みを放置していると，浮腫，発汗異常，皮膚や骨の萎縮を伴った**反射性交感神経性ジストロフィー** reflex sympathetic dystrophy（RSD）あるいは複合性局所疼痛症候群Ⅰ型 complex regional pain syndrome（CRPS）typeⅠという慢性疼痛に移行する．なおⅡ型は神経損傷を伴ったカウザルギー causalgia である．痛みや交感神経症状のほかに，睡眠障害，いらいら感，易怒性，抑うつ，アロディニア（痛みを感じない刺激によって生じる痛み）を含む疼痛感受性亢進などの情動障害を合併している．

治療アプローチ

　末梢神経障害の原因によって治療法が異なるために，臨床所見，検査などで診断を確定する．原因が栄養障害性ではビタミンなどの投与を行い，糖尿病 diabetes mellitus（DM）など代謝性では原因治療やコントロールを行う．中毒性では原因除去を図る．手根管症候群，肘部尺骨神経障害などでは手術が適応になる．

　慢性炎症性脱髄性多発ニューロパチー chronic inflammatory demyelinating polyneuropathy（CIDP）に対してはステロイドや免疫抑制薬が使われ，ギラン・バレー症候群 Guillain-Barré syndrome に対しては血漿交換，免疫グロブリンが適応になる．家族性アミロイドニューロパチーに対しては肝移植も行われている．

a. 機能障害（心身機能・身体構造の障害）に対するアプローチ

　運動麻痺に対して筋力強化，感覚障害に対して感覚再教育，浮腫，循環障害，痛みなどに対して物理療法が行われる．関節拘縮・変形の予防のためにROM訓練や装具療法が用いられる．

　サンダーランド分類のステージ4，5の病態では，保存療法で回復が望めないために神経縫合を含めた神経修復術や，腱移行術などの機能再建術が行われる．

b. 能力低下（活動制限）に対するアプローチ

　機能障害の改善に限界がある場合，代償的アプローチによってADLの改善を図る．このなかには，残存機能の強化，利き手交換，補装具の使用などがある．

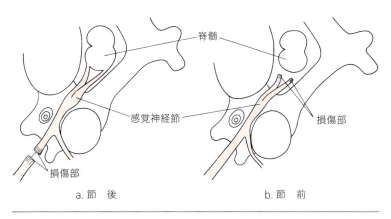

図 F-5　節前損傷と節後損傷
節前損傷は脊椎管内の脊髄前根や後根での損傷で脊髄と根糸の物理的連絡が絶たれるために，神経根が椎間孔より抜け落ちることがあり，引き抜き損傷とも呼ばれる．

c．社会的不利（参加制約）に対するアプローチ

環境改善的アプローチが用いられ，家族や地域社会の協力体制，家屋改造，職場環境の整備，障害者の優先的雇用，補装具の給付，社会資源の利用を含めた福祉面の充実で対処する．

1　腕神経叢麻痺

腕神経叢麻痺をきたすものとして，特発性腕神経叢炎（神経痛性萎縮症とも呼ばれている）のほかに，外傷性腕神経叢損傷，分娩麻痺，リュックサック麻痺などが知られている．外傷性損傷はオートバイ事故で多発する．倒れたときに上肢が強く下後方に，あるいは上後方に牽引されることで損傷され，引き抜き損傷が多い．分娩麻痺は分娩時に，また**リュックサック麻痺**は重いリュックサックを背負ったときに，胸郭出口における腕神経叢の圧迫や牽引・伸張によって生じる．

a．外傷性損傷

1．節前損傷と節後損傷

感覚神経の神経細胞は椎間孔に位置する脊髄後根神経節にある（**図 F-5**）．節前および節後損傷とは，感覚神経の神経節細胞より中枢側および末梢側での損傷である．節前損傷は引き抜き損傷とも呼ばれて，修復は困難であり，予後は不良である．

2．障害部位による分類

損傷が鎖骨上部にある場合には腕神経叢神経幹が侵されやすく，鎖骨下部の場合には腕神経叢神経束が侵されやすい．さらに鎖骨と腋窩の間で腕神経叢神経束が末梢神経に移行していることから，鎖骨下部より遠位部の病変では，末梢神経が損傷される．臨床症状は，基本的に腕神経叢の病変部位によって決定される（**図 F-6**）

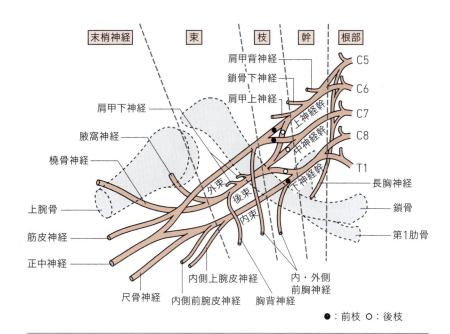

図F-6 腕神経叢とその分枝
腕神経叢は，鎖骨上部で神経幹を，鎖骨部で神経束を形成し，鎖骨下部と腋窩部で末梢神経に分離している．前鋸筋は長胸神経によって支配されているが，腕神経叢の神経根部から分枝している．

表F-3 皮膚と筋の主要髄節支配

髄 節	筋	皮膚感覚
C5	棘下筋，三角筋	上腕外側
C5, 6	上腕二頭筋，橈側手根伸筋，腕橈骨筋	前腕外側，母指
C7	上腕三頭筋，橈側手根屈筋，総指伸筋	中 指
C8	尺側手根屈筋，浅指屈筋，背側骨間筋	小 指
T1	深指屈筋，手内在筋	前腕内側

筋の髄節支配は通常複数神経根になっている．

皮膚と筋の髄節支配の障害分布によって損傷部位を推定する（**表F-3**）．

a）上位型

上神経幹の損傷で，C5，C6，（ときにC7）神経根からの線維が侵され，引き抜き損傷で**エルプ・デュシェンヌ麻痺** Erb-Duchenne palsyと呼ばれている．頭と肩との角度が開き，腕神経叢が下方に牽引されて起こる．分娩麻痺の場合にみられる．

b）下位型

下神経幹の損傷で，C8，T1神経根からの線維が侵され，引き抜き損傷で**クランプケ麻痺** Klumpke palsyと呼ばれている．上肢と胸郭との角度が開き，腕神経叢が上方に牽引されて起こる．たとえば，転落時に，外転上肢で支持しようとする際に起こる．部分的なわし手（鉤爪変形）を呈する．患側の眼瞼下垂，縮瞳，顔面の発汗低下を呈するホルネル徴候 Horner signの

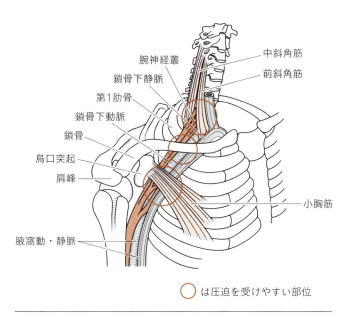

図 F-7　胸郭出口部
頸部から上肢への移行部である胸郭出口には，腕神経叢が絞扼や圧迫を受けやすい部位が3ヵ所ある．

合併は頸部交感神経線維の損傷を示唆している．上位型，全型と比べると頻度は少ない．

c) 全　型

上，中，下神経幹のすべての損傷で，C5〜T1神経根からの線維が侵される．僧帽筋を除いた上肢の筋群がすべて麻痺する．感覚障害は上腕外側から前腕，手指全体に及ぶ．

d) 鎖骨下型

後束損傷がもっとも多く，腋窩神経と橈骨神経麻痺が合併した症状が出現する．**内束損傷**は，胸郭出口における圧迫病変で生じ，C8神経根起源の正中神経および尺骨神経支配部の運動および感覚障害が出現する．**外束損傷**は単独ではまれであるが，局所外傷で発生し，C6，C7神経根起源の筋皮神経および正中神経支配筋の筋力低下が出現する．

b. 胸郭出口症候群

腕神経叢は鎖骨下動脈と伴走し神経血管束を形成し，頸部から上肢に移行する胸郭出口を走行している（**図 F-7**）．胸郭出口の3ヵ所に絞扼や圧迫，あるいは牽引損傷を受けやすい部位があり，神経血管束の圧迫症状を現したものを胸郭出口症候群と総称し前斜角筋症候群，肋鎖症候群，過外転症候群などを含む．

症　状

圧迫が頸部に近いほど神経症状が，肩部に近いほど血管症状が現れる．肩から上腕，前腕，手指にいたる脱力感，しびれ感，冷感，痛み，感覚異常を訴える．

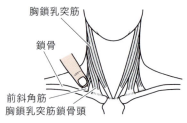

図 F-8　胸郭出口症候群の診断テスト

診断テスト

各種の脈管テストや神経刺激再現テストがあり，橈骨動脈の拍動の減弱あるいは消失と，症状の再現性を検索するものである（**図 F-8**）．

リハビリテーション治療

正しい姿勢の保持，上肢帯筋の伸張と筋力強化，頸部と肩関節の ROM 訓練，筋スパズムに対する温熱療法などの理学療法を行う．

c．分娩麻痺

発生機序

1．頭位分娩

巨大児に多く，肩幅が頭囲を超え，肩の通過障害が起こる．これを解除するために，頭部あるいは頸部を側屈することによって腕神経叢が牽引損傷される．上位型が多く，予後は良好である．加わった外力が強ければ，損傷は下位にまでいたるので，予後の指標は，損傷の最下位部分の回復程度で予測できる．生後 1 ヵ月で三角筋や上腕二頭筋に緊張が出現していれば，ほ

ぼ完全に回復する．3ヵ月までに手関節伸展が可能であれば，これより上位の麻痺はいずれ回復し，迷入再生による過誤神経支配も著明でない．逆に，手関節や手指の伸展ができない症例では，サンダーランド分類（⇨p. 228）のステージ3～4であり，予後は不良である．上位神経根の回復があっても，肩外転と肘屈伸運動の分離ができず，過誤神経支配で肘屈筋と肘伸筋が同時に収縮するために，いわゆる金縛り状態になる後遺症が残る．

2．骨盤位分娩

胎児の娩出の際に，両肩に指をかけ，引き下げるために，上神経幹が強い牽引力によって断裂や引き抜き損傷を起こし，弛緩性麻痺となることが多く，過誤神経支配はむしろみられない．両側例のほとんどは骨盤位分娩である．

特　徴

麻痺と過誤神経支配が混在し，関節運動が緩慢であり，筋力の不均衡による関節拘縮や脱臼を招来する．運動麻痺の程度によって予後が決まる．

治療アプローチ

保存療法が原則である．重症例に対して，生後4～7ヵ月ころ神経修復術を行う．後遺症に対しては2～6歳ころに腱移行術や手関節固定術を行う．過誤神経支配がある症例では，腱移行術の適応を慎重に決める．機能再建術を行う場合，関係筋の筋力強化を十分に行う必要がある．障害が重度の場合には利き手交換が必要になる．

2　多発神経障害

a．ギラン・バレー症候群　Guillain-Barré syndrome（GBS）

GBSは急性に発症する運動障害優位の末梢神経障害である．感冒や下痢などウイルス感染症，ワクチン接種後や外科的手術後に発症することが多い．症状の進行は2～4週間で極期に達して停止し，その後徐々に回復する．原因不詳であるが，自己免疫的な発生機序が関与している．発症1週後の髄液で細胞増加がなく，蛋白が高値になる蛋白細胞解離が検出される．人口10万人に1～2人の発生頻度である．下肢から始まり，全身の筋力低下が急激に進行する．比較的対称性の運動麻痺で，感覚障害はしびれ感や痛みを訴えるが他覚所見は軽度である．外眼筋麻痺，両側顔面神経麻痺，嚥下・構音障害など脳神経が侵されることもある．頻脈，不整脈，低血圧など病初期に自律神経障害を呈することもある．

GBSは脱髄型と軸索型に大別され，脱髄型は急性炎症性脱髄性多発ニューロパチー acute inflammatory demyelinating polyneuropathy（AIDP）と同義語であり，軸索型は急性運動軸索型ニューロパチー acute motor axonal neuropathy（AMAN）と同義語である．欧米ではGBSの9割以上がAIDPである．これに対して，AMANは日本をはじめとしたアジア地域に多く発生しており，GBSの50％ほどを占めている．軸索型では脱髄型と比べて，①先行感染として胃腸炎が多く，②発症から症状のピークまでが短い，③脳神経障害の頻度が低く，感覚神経は障害されない，④腱反射が亢進することがある，⑤血圧変動などの自律神経症状は少ない，⑥急速な回復と軸索変性による回復遷延の2つの回復パターンがみられる，という特徴をもっている．

GBSの機能予後は極期の重症度，50歳以上の高齢者，カンピロバクター（*Campylobactor jejuni*）腸炎の先行感染などの因子がある．呼吸筋麻痺に対して人工呼吸器が必要である．長期臥床を余儀なくされる症例に対して体位変換，排痰，呼吸介助，ROM訓練などが必須である．また回復期での過用性筋力低下をきたすことがあり留意する．とくに軸索型では発症1年後でも遠位筋の筋力低下，下垂足，慢性疲労，足のしびれ感などの後遺症がのこり，病前の活動や就業ができないこともある．

b. シャルコー・マリー・トゥース病　Charcot-Marie-Tooth disease

　遺伝性ニューロパチーのなかでもっとも頻度が高く，男性では重度になり女性では不全型が多い．

　10歳代までに発症し，競走が不得意で，足アーチ構造は高く，凹足（おうそく），鉤爪趾，下垂足など足の変形で気付く．腓骨筋群がとくに強く侵され萎縮し，**コウノトリ足** stork legと呼ばれている．感覚障害は四肢遠位部に認められるが軽度にとどまる．**下垂足**によって特徴的な歩行障害を呈する．症状の進行はごく緩徐で，**鶏歩** steppage gaitから歩行不能にいたるが，寝たきりになることはまれで生命予後は良い．

c. 糖尿病性ニューロパチー

　末梢神経障害の原因のなかでもっとも多い．対称性多発ニューロパチーの性状をとるものと，非対称性や脳神経単ニューロパチーの性状をとるものがある．前者は高血糖症によって太い線維の節性脱髄を生じ，後者は微小血管病変による神経虚血性変化から起こる細い線維の軸索変性で，二次的に脱髄を生じる．両者の病態を合わせた太い線維と細い線維の混合性障害群が多い．

　成人発症型では，太い線維が障害され，症状は軽症で遠位部錯感覚と筋力低下からなる．内果振動覚，アキレス腱反射低下が最初に侵されるが，温痛覚は比較的保たれる．神経は軽度の圧迫で障害されやすく，多発性の神経圧迫麻痺を生じることが多い．もっとも長い神経分節の脛骨神経足関節刺激によるF波伝導検査で伝導遅延が早期より検出される．これに対して，インスリン依存性若年性DMでは細い線維が障害され，自律神経失調症状や疼痛を特徴としている．重度の痛覚障害がある場合，痛みの防御機構が働かず高度の関節破壊が生じ，**シャルコー関節**が出現することもある．

d. 尿毒症性ニューロパチー

　慢性腎不全の合併症の一つで，**血液透析**を受けている患者にも出現する．軸索変性と二次性節性脱髄および再生所見が観察される．症状は突然出現し，振動覚閾値の上昇が早期徴候の1つである．下肢が上肢より早期に，しかもより重度に障害される．片側あるいは両側下肢のふくらはぎ部に虫が這うようなムズムズ感や刺されるような不快感があり，下肢を絶えず動かしている，いわゆる**むずむず脚（下肢不穏）** restless leg状態を呈する．血液透析で治療効果がある場合，振動覚は正常になり，その他の臨床症状も改善される．

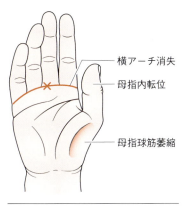

図F-9 猿手

3 単神経障害

単神経障害（単ニューロパチー）の原因のなかで，圧迫などによる**絞扼性ニューロパチー** entrapment neuropathy が多い．神経走行に沿って隣接する線維バンド，瘢痕組織，破格筋，あるいは手根管などのような筋腱-骨性空間を通過する際に，これらの構造物が神経を圧迫，摩擦，伸張することによって局所病変が生じる．病変より遠位部での筋力低下，筋萎縮，および感覚障害の分布パターンの臨床所見によって局所診断を行う．

a. 正中神経

1. 手根管症候群

正中神経主要枝が横手根靱帯で圧迫され，これより遠位部で虫様筋Ⅰ，Ⅱ，反回分枝支配の母指球筋が侵される．もっとも頻度の高い絞扼性ニューロパチーである．40～50歳代の女性にもっとも多い．手のしびれや痛み，朝のこわばり，症状の夜間増悪，手を振り動かすことによる症状軽減を訴える．手作業の反復によって症状は増悪する．短母指外転筋，母指対立筋，短母指屈筋外側の筋力低下や筋萎縮，橈側3指半掌側（正中神経支配領域）の感覚低下がある．筋萎縮が著明になると母指球筋が平坦になり**猿手** ape hand：横アーチ消失，母指内転位，母指球筋萎縮と呼ばれる状態になる（**図F-9**）．

確定診断は，神経伝導検査で行う．**カック・アップ（手関節背屈）副子** cock-up splintによる安静で症状軽減がみられることもある．多くの症例では横手根靱帯の切開による除圧が必要である．

2. 前骨間神経症候群

正中神経は円回内筋を通過したあとに，主要枝と前骨間神経に分かれる．後者は，長母指屈筋，方形回内筋，橈側深指屈筋を支配している．これらの筋の麻痺によって，母指と示指の末節が屈曲できないためにピンチで丸い円を描くことができず，**不完全OK徴候**，ピンチ徴候などと呼ばれている．前骨間神経は皮膚支配の感覚線維を含んでいない（**図F-10**）．

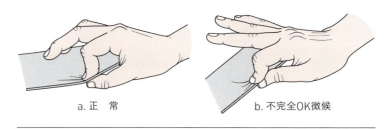

a．正　常　　　　　　　　b．不完全OK徴候

図F-10　不完全OK徴候

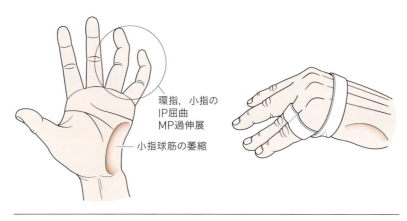

図F-11　鉤爪手変形（鷲手変形）

b．尺骨神経

1．肘部尺骨神経障害

　肘部での尺骨神経損傷を肘部管症候群と一括して呼ぶことがあるが，各種の原因によって，病態の異なった疾患群がある．このなかでもっとも頻度が高いのが変形性肘関節症の合併に伴う神経損傷である．その他に，ガングリオン腫瘤による圧迫，滑車上肘筋の破格筋腱や肘部管 cubital tunnel による絞扼がある．小児期の上腕骨外顆骨折による外反肘変形で，20〜30年後に神経伸張による遅発性尺骨神経麻痺 tardy ulnar palsy や，逆に上腕骨課上骨折後に内反肘になり尺骨神経麻痺を呈することもある．

　臨床症状として，尺側深指屈筋，小指外転筋，小指屈筋，小指対立筋，母指内転筋，短母指屈筋内頭，骨間筋，尺側虫様筋に筋力低下や筋萎縮が認められる．筋萎縮が著明になると，ピアノを弾くときの手つきとなり，**鉤爪変形（鷲手変形）**を呈する．これは虫様筋，骨間筋，小指屈筋の麻痺によって，小指伸筋と浅指屈筋が優位になり，小指，環指の中手指節間関節（MP関節）過伸展，指節間関節（IP関節）屈曲位になっている．これを手内在筋マイナス（劣位）（intrinsic minus）変形と呼んでいる．左鉤爪手に対して虫様筋カフあるいは8の字バンドが用いられる（**図F-11**）．また母指内転筋の検査を行うときに，母指と示指の間に紙を挟み，引き抜かれないように被検者に指示する．母指内転筋の筋力低下があると，正中神経支配の長母指屈筋が代用され，母指つまみが起こり，**フロマン徴候** Froment sign と呼ばれている（**図F-12**）．感覚障

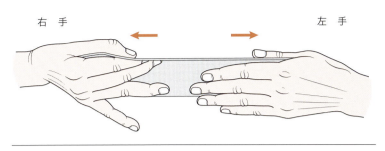

図F-12 フロマン徴候
右母指内転筋の麻痺を長母指屈筋が代用している．

害は手関節遠位部の，小指球部，小指，環指尺側を含む手部尺側の皮膚に分布している．感覚皮枝と伴走している自律神経枝も侵されることから，発汗，血管運動，栄養などの障害も感覚障害域に一致して出現し，その重症度も感覚障害の程度と平行している．

2. 尺骨管症候群

手関節で豆状骨と有鉤骨鉤との間に形成される**尺骨管**（ギヨン管 Guyon canal）で圧迫されて尺骨神経麻痺を生じることもある．リハビリテーション領域では杖を使用する片麻痺患者によくみられる．尺骨管症候群は4つの型に分類され，1型は豆鉤裂孔近位部での圧迫，2型は小指球筋枝の圧迫，3型は内在筋や母指球筋を支配している深枝の圧迫，4型は浅終末枝の圧迫により生じ，症状が異なる．頻度は3型＞1型＞2型＞4型の順序である．手関節の近位部で分枝する背側皮枝が支配する小指と環指尺側の手背側の感覚が温存されていることが，肘部尺骨神経障害との鑑別点になる．

c. 橈骨神経
1. 土曜の夜の麻痺

橈骨神経麻痺で頻度が高いのは，上腕骨のラセン溝での急性圧迫によるもので，下垂手 drop hand を呈する．この部位は軟部組織が少ないために，上腕部で電車やバスの手すりに寄りかかって数十分で麻痺をきたす．週末の土曜に泥酔し腕枕で寝て橈骨神経が圧迫されることから，土曜の夜の麻痺 saturday night palsy と呼ばれている．また背臥位になり横に伸ばした上腕を枕にして恋人の頭が乗って神経が圧迫されることから，**新婚旅行麻痺** honeymoon palsy という別名が付いている．徒手筋力テスト manual muscle test（MMT）で0〜1で，感覚障害を伴っている場合には，カック・アップ副子を作製する．

2. 松葉杖麻痺

松葉杖の使い方を間違って，腋窩部で荷重すると，圧迫による橈骨神経麻痺をきたす．上腕三頭筋を含めた全橈骨神経支配筋が障害される．上腕三頭筋の腱反射は低下あるいは消失する．

3. 後骨間神経麻痺

橈骨神経は肘遠位部で浅枝と深枝に別れ，浅枝は感覚枝であり，第1，2手指と第3指の橈側半分の背側を支配している．深枝は，前腕骨間膜の後方を走行する運動枝である．回外筋を

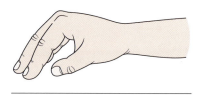

図F-13 後骨間神経麻痺

貫通し，さらに遠位にある尺側手根伸筋，総指伸筋，小指伸筋，長母指外転筋，長母指伸筋，短母指伸筋，示指伸筋を支配する．回外筋遠位部を走行する橈骨神経を後骨間神経と呼び，同部位の損傷が多くみられる．

　症状の特徴は，**下垂指**(drop finger)，手関節伸展位での橈側偏位が認められる．絞扼障害のほか特発性腕神経叢炎で合併することもある．また脳血管障害の中心回外側部 precentral knob 病変でも類似の症状がみられる（**図F-13**）．なお，この領域は手を支配する運動野で，形態的にドアノブ（把手）に似ていることから命名されている．

4. 手錠麻痺

　前腕最遠位部で橈骨神経浅枝損傷が起こり，運動障害を伴わない限局性しびれ感と痛みを訴える．前腕の浅橈骨神経走行部にチネル徴候があり，手背部の母指，示指の領域の感覚鈍麻がある．締めつける腕時計，小児では輪ゴム，手提げハンドバッグなどが原因である．

d. 総腓骨神経

　総腓骨神経は膝外側で表在性に走行しており，この部位で外傷をもっとも受けやすい．長期臥床や下肢を組むことによって，腓骨頭で総腓骨神経やその栄養血管が圧迫され，神経が損傷される．この部位では，深枝が腓骨に接しており，また下腿筋間中隔を貫いていることから，固定されやすく，浅枝より損傷を受けやすい．長時間しゃがみ込んでいた場合，大腿二頭筋腱，腓腹筋外頭，および腓骨頭の間で総腓骨神経が圧迫される．

　深枝の損傷によって，下垂足と，第1～2足指間の皮膚の感覚障害が出現する．浅枝病変では，長・短腓骨筋の外がえし筋の筋力低下と，下腿外側と足背部の感覚障害をきたす．足関節背屈筋の筋力がMMTで0～2の場合には短下肢装具が必要である．

e. 顔面神経

　急性発症の顔面神経麻痺のなかで，ベル麻痺 Bell palsy が70％ほどでもっとも頻度が高い．その多くは単純ヘルペスⅠ型の再活性化が原因である．耳介部の帯状疱疹を合併した水痘・帯状疱疹ウイルス再活性化による顔面神経麻痺のラムゼイ・ハント症候群 Ramsay Hunt syndrome は20％ほどを占めている（Ramsay Hunt は1人の人物である．論文を引用する際にはミドルネームを入れて欲しいと，遺言を残している）．いずれも側頭骨の顔面神経管内膝神経節付近の腫脹と充血が観察されている．突然，半側の顔面上部筋と下部筋が麻痺する．後耳介部の痛みを合併し，患側舌の前2/3の味覚障害，アブミ骨筋麻痺によって鼓膜の振動抑制ができないため

に聴覚過敏を伴う．ラムゼイ・ハント症候群の場合には，耳鳴，めまい，バランス障害など第8脳神経障害を合併することがある．脱髄病変では3週間で，遡行変性による軸索断裂病変では3ヵ月以内に後遺症を残さず完全回復する．しかし，ワーラー変性による内膜断裂がある場合には4ヵ月後に，迷入再生回路による顔面筋の過誤支配が生じる．内膜断裂の程度が重度の場合には，完全回復に至らず，しかも過誤支配によって眼と口の分離運動が困難になる．とくに口笛吹きによる口唇の患側偏位と閉瞼現象は，いわゆる「ヒョットコの顔」を呈する病的共同運動 synkinesis が後遺症として残る．さらに粗大で強力な顔面筋運動を行うと，表情筋短縮による顔面拘縮のために，安静時でも患側に顔面が引っ張られ，顔面非対称性が著明になる．発症からの伸張マッサージ，ストレッチングや鏡をみながら，小さく，ゆっくりした分離運動が有効である．また，病的共同運動や顔面拘縮の後遺症に対して，いずれもボツリヌス治療が有効である．

G. 関節疾患

学習の目標

1. 関節疾患の概念について説明できる．
2. 関節疾患のリハビリテーションの役割を説明できる．
3. 関節疾患のリハビリテーションにおける運動療法，物理療法，装具療法，治療体操について説明できる．
4. 日本整形外科学会の治療成績判定基準を用いて主要な関節疾患の評価を行う事ができる．

1 肩関節周囲炎

疾患概念

肩関節周囲炎 periarthritis of the shoulder は明らかな外傷や感染などの原因がなく肩関節の疼痛，運動制限を訴える患者のなかで，もっとも多い疾患である．これは1つの疾患ではなく，いくつかの疾患を含んだ症候群である（**表G-1**）．このなかで，中年以降という年齢的要素のあるものに対して**五十肩**と診断しているのが一般的である．病因としては肩関節構成機構の退行変性を基盤として発生すると考えられている．一般に炎症期，拘縮期，回復期とに分けられ，特別な誘因なく疼痛が生じ，次に運動制限が現れ，疼痛が軽減するころに拘縮が著明となる．予後は比較的良好であるが，疼痛の消退および拘縮の改善には，1～2年の経過をきたす場合もある．

評価・検査

上腕骨頭周辺の圧痛が著明で，外転・内外旋運動時には痛みを伴い，寒冷時や夜間に強い自発痛がある．石灰沈着性腱炎などでは激しい自発痛・運動時痛を訴える．**上腕二頭筋腱炎**においては，**ヤーガソン徴候** Yergason sign（肘関節屈曲位で抵抗を加えて前腕を回外させると結節間溝部に疼痛が出現）が陽性となる．関節可動域 range of motion（ROM）制限は肩関節の外転，内旋・外旋，屈曲方向への制限が著明で，結髪・結帯動作の制限が生じる．結帯動作の制限は最後まで残存するため予後の判定に役立つ．**肩甲上腕リズム** scapulo-humeral rhythm の乱れが

表G-1 肩関節周囲炎の分類

腱板炎，肩峰下滑液包炎，石灰沈着性腱板炎，腱板不全断裂，上腕二頭筋長頭筋腱炎，烏口突起炎，腱板疎部炎，いわゆる五十肩（凍結肩）

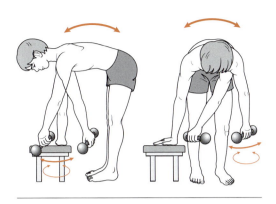

図G-1　コッドマン体操

生じる．X線所見は初期には大きな異常所見はみられないが，運動制限が長期間続くと上腕骨頭の骨萎縮像を認める場合がある．肩関節の疾患全般の評価法として日本整形外科学会肩関節疾患治療成績判定基準が用いられる（⇨p.392，付録④）．

障害構造・問題点

機能障害は疼痛とROM制限（外転・外旋方向への制限）が主である．そのため日常生活活動 activities of daily living（ADL）において自分の体にさわる動作（結帯，結髪）や，離れたところに手を伸ばす動作，物を保持するなどの動作が障害される．

リハビリテーション治療

急性期には疼痛に対して薬物療法を行い，三角巾などによる安静保持を行う．しかし，拘縮予防の観点から，症状に応じて物理療法後に疼痛の自制範囲内で自動介助運動を中心とした軽い運動療法を行うことは大切である．痛みが軽減してくる時期からは，次にあげるような運動療法を行う．① **棒体操**は両手で棒をもち肩関節のあらゆる方向へ動かす方法である．② **コッドマン体操** Codman exercise（**図G-1**）は体屈曲位として上肢の力を抜き，約1～2 kgの重錘を握らせ肩関節周囲筋を十分に弛緩させた後，体幹を前後左右に揺すりながら，上肢の前後，左右の振り子運動をさせ，肩関節の可動域を改善させる方法である．③ **コノリーの他動伸張訓練** Connoly's passive stretching exercise（**図G-2**）は高いところにできるだけ上肢を挙上しておき膝を曲げていく，両手を腰に組み上下させる，手を前面で組み，そのまま頭の後ろに回して上腕を開閉する，の3つの運動からなる方法である．④ 指の壁登り訓練 wall creeping exercise は壁に面してまたは壁を横に立ち，患側の指で壁を伝いながら，肩関節の屈曲（外転）を行ってROMを改善する方法である．その他，⑤ プーリー訓練 pulley exercise，⑥ 輪転器 shoulder wheel，⑦ 肋木 stall bars などが用いられる．さらに，外来などでの訓練室での訓練のみでなく，ホームエクササイズや日常生活指導をしっかり行い，疼痛のために動かさないという悪循環に陥らないようにすることが重要である．

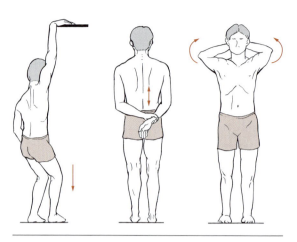

図G-2 コノリーの他動伸張訓練

2 腱板損傷

疾患概念

回旋筋腱板は肩甲骨から発し上腕骨大結節に付着する棘上筋腱,棘下筋腱,小円筋腱と小結節に付着する肩甲下筋腱からなる板状の構成体であり,固定筋および動作筋として重要な役目をもっている.これらの腱がなんらかの原因で損傷を受け疼痛や運動障害などを生じたものを**腱板損傷** rotator cuff injury という.腱板は肩関節のほとんどすべての運動に際して圧迫,牽引,摩擦を受け損傷しうる.このうち,critical portion といわれる棘上筋の大結節停止部付近は,血行動態的に乏血部位であり,組織学的に脆弱である.また,上肢の負荷に絶えず張力を受け続けており,さらに,挙上時に肩峰下面と烏口肩峰靱帯の間で圧迫や摩擦を受けやすく,変性や断裂をきたしやすい構造でもあり腱板断裂の好発部位となっている.原因はスポーツ外傷などの活発な活動によって生じる場合と,退行変性を基盤にして軽微な外力が長期間にわたって加わり損傷を生じる場合とがある.したがって,年齢別の発生率は20歳代と50歳代以降の二峰性を示す.

評価・検査

疼痛の原因のほとんどは,腱板断裂から生じた腱炎と二次性の**肩峰下滑液包炎**のために引き起こされたものである.夜間疼痛が増強する傾向にある.運動痛は有痛弧徴候 painful arc sign(外転60〜120°の範囲では疼痛が生じ,120°以上では軽減する)がみられる.経過が長いものでは,棘上筋,棘下筋筋萎縮を生じる.肩関節 ROM は自動運動の制限,関節拘縮を認める.腕落下徴候 drop arm sign(上肢を他動的に挙上し,その支持を急にはずすと上肢が下降してしまう現象)がみられる.また,断裂部と肩峰および烏口肩峰靱帯との摩擦音として軋轢音が聴取される場合がある.単純X線所見では肩峰と上腕骨頭の位置関係を評価する.関節造影では関節腔と肩峰下滑液包との交通の有無をみる(完全断裂では関節包に注入した造影剤が滑液包に流入する).その他,超音波断層法,肩関節鏡,MRIなどが行われている.肩関節の疾患全

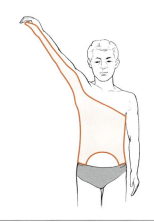

図G-3 ゼロポジションでの固定
肩甲骨面 scapular plane内で上腕骨軸と肩甲棘が一致する肢位で，約150°の挙上位である．肩甲骨周囲の筋群の走行がほぼ一直線上にあり，上腕骨の回旋運動も少ない非常に安定した状態を保つことができる．術後のこの肢位での固定の利点は棘上筋，三角筋が弛緩するため生理的修復が期待でき，固定中でも肩関節周辺の筋力増強訓練が行え，固定除去後は上肢の重量を利用して容易に下垂位が得られることなどである．

般の評価法として日本整形外科学会肩関節疾患治療成績判定基準が用いられる (⇨p. 392, 付録 4)．

障害構造・問題点

障害構造は基本的に肩関節周囲炎と同様である．機能障害は運動痛と外転制限が主であり，陳旧例になると棘上筋・棘下筋の筋力低下が起こる．能力低下は食事，整容，更衣，排泄，入浴動作などに障害が起こる．

リハビリテーション治療

完全に断裂した腱板の自然修復は期待できない．不全断裂例では，保存的治療がまず行われる．急性期は疼痛に対して薬物療法を行い，三角巾などによる安静保持，その後運動療法を開始する．運動療法はROM制限と筋力低下に対して行われる．疼痛が軽減したら，自動介助運動により肩甲上腕リズムの再獲得を目指す．保存的治療が無効か完全断裂の場合に対しては，手術的な修復が行われる．最近は関節鏡下に低侵襲で行われるようになった．術後はギプスや肩関節装具による**ゼロポジション** zero-position（**図G-3**）固定が行われ，その後段階的に下垂を行っていく．

3 変形性股関節症

疾患概念

変形性股関節症 osteoarthritis of the hip は，股関節の臼蓋側および大腿骨頭側の両方の関節

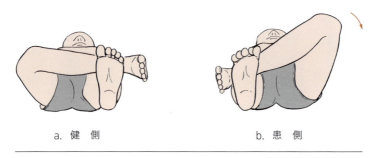

図 G-4 パトリックテスト
伸展した膝の上に反対側の外果をのせ，股関節を屈曲 flexion，外転 abduction，外旋 external rotation させ，痛みや制限をみる方法であり，さらに伸展 extension を伴うことから，fabere test とも呼ばれている．

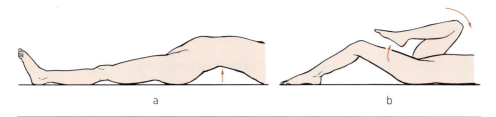

図 G-5 トーマステスト
a：腰椎前弯で代償され，一見股関節の伸展制限がないようにみえる．
b：健肢を屈曲させ腰椎前弯を取り除くと，患肢の股関節が独りでに屈曲位となり，屈曲拘縮の存在が明らかとなる．

軟骨が退行変性に陥り，反応性に骨増殖，軟骨下骨の硬化，骨嚢胞の形成などの関節変化が起こり，疼痛，跛行，ROM 制限を呈する疾患である．基礎疾患がなく原因不明のものを一次性変形性股関節症といい，老化現象，機械的ストレスが原因とされる．局所的あるいは全身的な基礎疾患が基盤となったものは二次性変形性股関節症という．日本人の場合，二次性のものが約 90% を占め，このうち**臼蓋形成不全**や**発育性股関節脱臼**が約 80% を占めるとされる．これら基礎疾患は女性に頻度が高いため変形性股関節症も圧倒的に女性に多い．病期は X 線所見によって前股関節症，初期股関節症，進行期股関節症，末期股関節症に分けられている．

評価・検査

疼痛が初発症状であることが多く，20 歳前後になり起立時や歩行開始時などの運動負荷時に股関節痛を訴えるようになる．疼痛は股関節に限らず大腿から膝にかけての疼痛や腰痛を主訴とすることもある．**スカルパ三角** Scarpa triangle には圧痛を認め，疼痛誘発テストとして**パトリックテスト** Patrick test がある（**図 G-4**）．股関節の ROM を測定する際は，骨盤の固定がポイントである．股関節屈曲拘縮の有無は**トーマステスト** Thomas test で確認する（**図 G-5**）．内転拘縮もみられるが，強い場合には見かけ上の下肢短縮を生じるので注意する．股関節周囲とりわけ外転筋の筋力低下と萎縮が生じる．外転筋の筋力低下は患側の片脚起立で**トレンデレンブルグ徴候** Trendelenburg sign や**デュシェンヌ徴候** Duchenne sign を生じる（**図 G-6**，**図 G-7**）．筋力テストにおいては，骨盤と体幹の代償や下肢の回旋による代償運動に注意する．そ

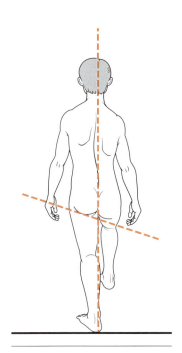

図G-6　トレンデレンブルグ徴候
患側の片脚起立にて健側の骨盤が下がる徴候.

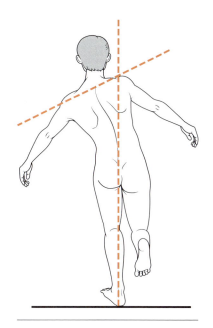

図G-7　デュシェンヌ徴候
患側の片脚起立で体幹を起立側に傾ける徴候.

の他, 脚長差, 周径, 下肢アライメント, 姿勢, 歩行分析 (⇨p.60) などを行う. 跛行の原因としては, 脚長差, 中殿筋の筋力低下または機能不全, 股関節の拘縮, 疼痛などがあげられる. X線所見としては関節裂隙の狭小化, 骨棘形成など骨増殖性の変化, 骨囊胞, 骨頭の外上方化, 大転子高位などが認められる. 股関節の全般的な評価として日本整形外科学会股関節機能判定基準が用いられている (⇨p.393, 付録⑤). その他, CT, MRIが参考となる.

障害構造・問題点
機能障害は比較的若年層では疼痛, 跛行が主訴であるが, 中殿筋を中心にした筋萎縮がみられる. 経過とともにROM制限が出現する. 能力低下は歩行障害や種々のADLが障害される.

合併症
脊柱側弯 (片側障害例), 腰椎前弯増強による腰痛症を合併している場合がある.

リハビリテーション治療
初期には今後予想される股関節病変の増悪の防止に努める. とくに関節負荷の軽減 (骨頭への除圧) のためのADLの指導が重要である. 歩行時には杖の使用をすすめ, 長時間の歩行は避け, 重量物運搬を自粛させる. さらに, 食事療法により体重の減少を図ることも重要なことである. 疼痛には温熱療法, 拘縮にはROM改善訓練が行われ, 筋力強化は股関節の外転筋 (中殿筋) を中心に行われる. 装具療法は杖や脚長差の補正のための補高などが処方される. また, 下肢の持続牽引療法は筋のスパズムを緩和し関節面への負荷を軽減するので, 強い疼痛のある例には有効である. 手術療法としては, 股関節鏡, 筋解離術などのほか, 寛骨臼蓋回転骨切り

術，キアリ Chiari 骨盤骨切り術や大腿骨骨切り術などが行われる．**人工股関節全置換術**は一般に60歳以上で適応とされ支持性，可動域，除痛ともに効果がある．筋力増強訓練は，術直後の等尺性運動から自動介助運動，自動運動，抵抗運動へと進めていく．荷重か非荷重による訓練かは手術術式によって異なる．人工股関節全置換術後の ROM 改善訓練においては，脱臼を起こす危険性のある屈曲・内転・内旋の肢位を無理にとらせないことが日常生活上の注意も含めて大切なことである．

4 発育性股関節脱臼

疾患概念

特別な外傷や炎症がなく，生下時に大腿骨頭が関節包内で寛骨臼外に脱臼している場合を**発育性股関節脱臼** development dislocation of the hip（DDH）という．以前は，先天性股関節脱臼といわれていたが，出生時に脱臼がみられないものがその後に脱臼をきたす事があることから，発育性股関節脱臼という言葉が使用されるようになった．病因論についてはなお不明な点も多いが，新生児の取り扱いや，おむつの当て方など指導により明らかに発症率の低下を認めている．発生率は出産1,000に1の割合とされ，男女比は約1：9といわれ圧倒的に女子に多くみられる．二次的変形性股関節症の原因疾患のうちもっとも頻度の高い疾患である．

評価・検査

肢位の異常，開排制限，クリック徴候（オルトラーニ法 Ortolani method，バルロウテスト Barlow test），大腿内側皮膚溝の非対称，患肢の見せかけの短縮（アリス徴候 Allis sign），大腿骨長軸方向への異常可動性 telescope sign，スカルパ三角部が空虚，大転子高位・大転子の突出などがあげられる．とくに肢位の異常，開排制限，クリック徴候は新生児期の脱臼検診に用いられている．さらに，脱臼児では処女歩行の遅延がみられる．歩行開始後にみられる症状としては大転子高位，トレンデレンブルグ徴候，デュシェンヌ徴候（**図 G-6**，**図 G-7**），腰椎前弯の増強などがみられるようになる．X線所見として**シェントン線**，臼蓋の形・傾斜角，骨頭の形・大きさ，骨頭と寛骨臼との位置関係などの異常から診断される（**図 G-8**）．さらに，関節造影法，MRIなども行われるが，近年では超音波検査が侵襲なく正確な診断が可能な方法として普及しつつある．

問題点

おむつなどの環境因子の関与が多いことなどから育児指導で経過を観察することが多くなり，治療を要する症例は年々減少しているといわれている．しかし，小児期に発見し適切な治療を行わなければ，将来変形性股関節症などに進展していく可能性がある．

リハビリテーション治療

早期発見，早期治療が原則であるが，最近は脱臼発生の予防といった考えも普及している．生後間もない時期に下肢の自動運動を制限させないこと，下肢を伸展したままにさせないこと，おむつの当て方，だっこのやり方（コアラちゃんだっこ）などの育児指導である．治療は，3ヵ月から1歳未満では**リーメンビューゲル** Riemenbügel などの装具療法が主体をなしている

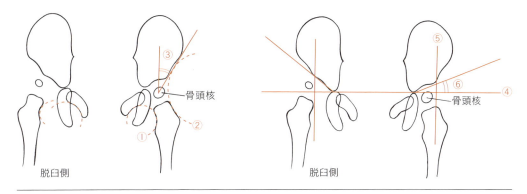

図G-8 単純X線所見
① シェントン線 Shenton line, ② カルベ線 Calvé line, ③ CE角, ④ Y線（ヒルゲンライナー線 Hilgenreiner line），
⑤ オンブレダンヌ線 Ombrédanne line, ⑥ 臼蓋角

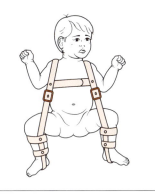

図G-9 リーメンビューゲル
バンドで両下肢を屈曲外転位に吊り，股関節の運動を伸展を除いて他の方向へは自由に動かせるようにしてあり，脱臼の整復を無理なく自然に図る機能的治療である．

（図G-9）．乳児期以降では装具のみでの整復は困難なことが多く，牽引療法なども試みられる．整復や整復位保持が困難な場合には手術的治療が行われる．観血的整復術ではギプス固定後にリーメンビューゲルなどの装具療法を行う．骨切り術では術後にギプス固定が行われ，固定除去後にROM訓練や歩行訓練が行われる．

5 変形性膝関節症

疾患概念

変形性膝関節症 osteoarthritis of the knee は中高年で膝痛を主訴とする疾患で最も頻度が高い疾患であり，硝子軟骨の退行変性病変を主体とした疾患である．原因としては基礎疾患のない一次性変形性膝関節症が70%を占めており，加齢，下肢のアライメントの異常，体重の増加肥満，などがその要因とされ，しばしば両側性に発症する．変性は**大腿・脛骨関節** femorotibi-

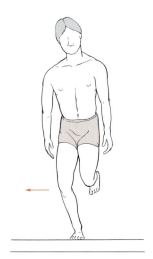

図G-10　膝関節の側方動揺

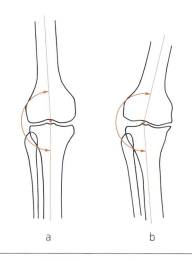

図G-11　膝関節外側角（FTA）*
a：片脚立位荷重時のX線像で，大腿骨と脛骨骨幹部の長軸のなす外側角である．正常膝では約176°で軽度の外反を呈する．
b：内側型では外側角が増強し180°以上となる．
*総合的な評価として日本整形外科学会変形性膝関節症治療成績判定基準が用いられている（⇨p.394, 付録 6 ）．

al joint（FTJ）のみならず，膝蓋・大腿関節 patellofemoral joint（PFJ）にも認められる．

評価・検査

歩行時，階段昇降時など動作時の疼痛は必発の症状である．部位は膝関節の裂隙（とくに内側）に多い．とくに立ち上がりなど動作開始時に疼痛を覚えるという訴え starting pain が多い．圧痛は膝関節内側部に多く認められる．ROM制限は疼痛によるものか，拘縮によるものかを評価する．大腿四頭筋の萎縮と筋力低下が著明である．変形としては屈曲変形，後期には不安定性を伴った内反あるいは外反変形がみられるようになる．歩行時立脚期にはいるとき，膝が側方に動揺して内外反が増強することがあり，これを側方動揺 lateral thrust という．内側の関節軟骨が摩耗して内反変形を合併している内側型変形性膝関節症では外側へ動揺する（図G-10）．和式か洋式かの生活様式についても評価しておく．その他歩行分析，姿勢，関節水症の有無を評価する．X線所見は初期にはほとんど病的所見はないが，骨棘形成が明瞭になり，進行してくると関節裂隙の狭小化，軟骨下骨の硬化像が発現する．末期には関節面の変形，骨欠損などが起こる．片脚立位荷重時のX線像は重要であり，膝関節外側角 femorotibial angle（FTA）をもって膝の内外反を表現する（図G-11）．

障害構造・問題点

機能障害は膝関節痛とROM制限，関節不安定性などをきたす．能力低下は歩行障害，起居動作，和式生活に困難をきたす．

リハビリテーション治療

初期には関節変性の進展を遅らせることを目的としたADLの指導（栄養指導などの肥満対

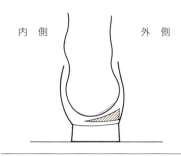

図G-12 楔状足底挿板
歩行時における膝の側方動揺性を軽減させ、外側（または内側）への荷重の偏りを是正させる目的で1〜1.5 cm外側（または内側）を高くした楔状の足底挿板を挿入する。
日本人に多い内反膝を呈する内側型関節症では、外側を高くする。

策，過度の活動の制限など）や大腿四頭筋の等尺性運動，ROM 訓練の指導が行われる．除痛には温熱療法が行われる．筋力強化としては等尺性訓練として下肢伸展挙上訓練 straight leg raising（SLR）exercise が行われている．ROM 改善はとくに屈曲拘縮に対して他動伸展運動が行われる．装具療法は膝固定装具，楔状足底挿板（図 G-12），杖などが処方される．保存的治療に抵抗し ADL が障害される場合には手術療法の適応となる．内反変形に対しては高位脛骨骨切り術 high tibial osteotomy（HTO）が行われ，関節の破壊が強い場合には人工膝関節全置換術 total knee arthroplasty（TKA），total knee replacement（TKR）の適応となる．術後早期には持続的他動運動療法 continuous passive motion（CPM）method なども用い，手術手技に沿った ROM の制限の範囲での拘縮防止に努める．しかし，その後の荷重時期は手術により異なっている．人工膝関節全置換術の場合は，将来的にも ROM は制約されるので，その範囲内での ADL 指導が重要となる．

6 血友病性膝関節症

疾患概念

血友病は血中の凝固因子の欠乏による出血性疾患である．第Ⅷ因子の欠乏している血友病 A と第Ⅸ因子が欠乏している血友病 B がある．遺伝形式は伴性劣性遺伝をきたすため，99％ 以上は男性である．男子新生児1万人あたり1人と推定され，現在わが国には約 6,500 人の血友病患者がいるとされる．関節内出血を起こしやすく，出血による関節の二次的障害をきたしたものを血友病性関節症 hemophilic arthropathy という．関節内出血は膝関節，足関節，肘関節に多くみられ，通常は単発性である．急性出血は，わずかな外力でも起こり症状を現す．繰り返す出血による血液は滑膜に吸収され，滑膜は肥厚し，関節軟骨の栄養は障害されて変性や破壊が起き二次性の関節症が発生するが，やがて関節拘縮へと進行していき，ついには強直にいたる．2ヵ月に1度関節内出血を起こすようであると関節症変化は避けられず，月1回以上の出

表 G-2　デパルマの分類

grade I	出血回数も少なく，出血時以外は変形や運動障害はない．X線所見は骨萎縮と軟部組織の腫脹がみられる
grade II	出血回数が増加し，軽度の変形と運動制限がみられる．X線所見は骨梁の乱れと骨端の肥大がみられる
grade III	筋萎縮，関節変形や拘縮など明らかになる．X線所見は関節面の不整，関節裂隙の狭小化，軟骨下腫などがみられる
grade IV	関節機能は著明に障害され，進行すると強直にいたる．X線所見は骨棘や骨硬化像を認め，関節裂隙も消失する

血が3ヵ月間続くと関節症変化は進行するとされる．

評価・検査

血友病に関する評価としては血友病のタイプ，重症度（血中凝固因子レベル）および補充療法の状態を把握する．関節内出血に関する評価としては急性出血か慢性出血か関節症状を把握し，出血頻度の評価をする．そして，拘縮および変形の有無と程度，罹患関節周囲筋の萎縮と低下の有無と程度を評価する．臨床症状とX線所見の両面での**デパルマ DePalma の分類**がよく用いられている（**表 G-2**）．

障害構造・問題点

障害は，① 出血とその二次的変化，② 補充療法の副作用（肝炎，AIDS），③ 社会的不利益，偏見，差別などによりもたらされる．機能障害は関節破壊とそれに伴う変形や疼痛が生じる．また，**筋内・頭蓋内出血**は運動機能に影響を与える．筋力低下により起居動作障害や歩行障害が起こる．

合併症

頭蓋内出血，筋内出血が知られており，いずれも四肢の機能障害を起こす可能性がある．頭蓋内出血は血友病患者の死亡原因の筆頭とされている．筋内出血は腸腰筋，下腿三頭筋に多く，腸腰筋出血では大腿神経麻痺を，下腿三頭筋出血では尖足をきたす原因となる．骨膜下への慢性出血は**血友病性偽腫瘍**を生じる．

リハビリテーション治療

出血には凝固因子の補充療法が実施され，そのもとで，各種の運動療法を行う．また，止血効果を期待し疼痛を緩和させる意味で関節の安静，外固定も有用である．拘縮に対しては，軽度の場合は徒手矯正や重錘による牽引を，高度な場合は矯正ギプスなどで再出血に注意をしながら徐々に矯正を行う．関節周囲筋の萎縮に対して等尺性あるいは等張性筋力強化を行う．関節固定がなされている場合は，固定中からの等尺性運動を行いROM訓練が可能になったら徒手抵抗運動を行う．機能訓練は重要であるが，それ自体が出血の原因となることもあるので，慎重に行う必要がある．関節の支持性の低下や膝折れには膝装具や長下肢装具などを処方する．装具療法はまた関節内出血，関節変形予防など関節保護に有用であり，その適応は grade III・IV，頻回の出血などである．また，補充療法による出血管理により変形や関節破壊に対しての整形外科的治療も可能となっている．

7 神経病性関節症

疾患概念

神経病性関節症 neuropathic arthropathy は，痛覚障害を有する神経疾患に合併する関節の破壊と増殖を伴う疾患であり，**シャルコー関節** Charcot joint とも呼ばれ，膝関節に好発する．原因疾患としては脊髄癆がほとんどであるが，その他**糖尿病性神経症**，**脊髄空洞症**などがあげられる．原因となる神経疾患によって，関節の痛覚がなくなり，関節に損傷を与えるほどの異常肢位や負荷に対して疼痛逃避的な反射や行動が伴わず，骨，軟骨，靱帯は次第に著しい変性と破壊に陥っていく．軟骨と軟骨下骨層は摩耗または崩壊し，ある時期には関節縁に骨増殖をみる．靱帯は弛緩し，関節の不安定性が増してくる．

評価・検査

著しい関節貯留液の繰り返しや高度な関節変形と著明な不安定性を認めるが，関節痛はないかあっても軽微である．X線所見は著明な破壊性変化と骨縁の骨新生が認められる．

障害構造・問題点

機能障害は高度の関節変形とそれに伴う**動揺関節**をきたす．能力低下は起居動作障害，歩行障害をきたす．

リハビリテーション治療

著しい支持性喪失に対して関節の保護と支持を目的として装具療法を行う．長下肢装具の装着により異常可動性を防ぎ歩行をしやすくする．不安定性が著明な場合，関節固定術を行うことがある．人工関節置換術は術後に緩みをきたしやすく，適応にはならないとされていたが有効なケースもあるとされる．

H. 外傷

1. 荷重や可動域運動に影響する骨癒合過程や癒合に影響する因子を知り，骨折のリハビリテーションついて学ぶ．
2. 骨折の早期と晩期の合併症を学び，その予防，治療におけるリハビリテーションの阻害因子について理解する．
3. 高齢者にみられる骨折と高齢者に必要なリハビリテーションの要点を習得する．
4. スポーツ外傷の予防と治療およびスポーツ障害の特徴と発生予防のためのリハビリテーションについて学ぶ．
5. 疲労骨折の特徴を知り，発生予防と治療に必要なリハビリテーションについて理解する．
6. 複合性局所疼痛症候群の疾患概念について学び，その評価方法やリハビリテーション治療の意義について理解する．
7. 手の外傷における早期リハビリテーションの重要性について学ぶ．
8. 手指拘縮の原因について学び，拘縮の予防法について理解する．
9. 手指屈筋腱断裂後のリハビリテーションの実際について学ぶ．

1 早期リハビリテーションの重要性

　日常生活活動を行ううえで必要な関節の動きを得るために，リハビリテーションは早期から行うことが大切である．外傷後の骨癒合・軟部組織の拘縮・変形などはリハビリテーションをすすめるうえでの問題点となる．筋力の低下は早く，外傷後の過剰な安静により，筋力の低下だけでなく，拘縮もすすむ．外固定中やギプス固定中でもできる限りリハビリテーションを早期からすすめることが，機能改善を早めるうえで必要である．リハビリテーションをすることで，血行が改善し，腫脹が軽減され，浮腫対策になるとともに，筋萎縮を予防し，拘縮が生じにくくなる．

a. 外傷の初期処置とリハビリテーション

　骨折や外傷の際は，応急処置として **RICE** と呼ばれる治療の原則に従って行うことが多い．R は rest（安静），I は icing（氷冷・冷却），C は compression（圧迫），E は elevation（拳上）である．さらに治療をすすめるうえで，安静が必要なところは安静にし，動かせるところは積極的に動

かす必要がある．氷冷は外傷の場合，出血や腫脹を軽減させ，治癒過程を促進するためにも，受傷後24時間以内に行うことが大切である．また，訓練後に氷冷を行うことで，訓練による腫脹を生じないようにすることが必要となる場合もある．急性期を過ぎたところで温熱療法を行うことは，血行を改善し，機能の改善・回復，治癒の促進に役立つ．圧迫は出血や浮腫を予防し，腫脹により軟部組織に線維性細胞が浸潤し，拘縮を招くことを防ぐためにも大切である．弾性包帯の利用の仕方，パッドの当て方を工夫することで，速やかに浮腫を軽減することができる．挙上は患部を高くして静脈還流を促す．受傷後，手術後などは特に大切である．外傷の状態をよく把握し，動かせるところは速やかにリハビリテーションを行うことは，大きく予後に影響する．

b. リハビリテーションと後療法の意味

外傷後のリハビリテーションは，保存的，観血的整復術後のいずれかにしても，外傷直後から可能なことを開始し，早期回復をめざし，できるだけ機能の回復を高めることが大切である．最近では状態を把握し，受傷後すぐに手術にいたることも多く，積極的な治療をすることで，社会復帰を可能にすることが少なくない．外傷部の状態などを医療スタッフが十分に理解し，共有することで，リハビリテーションをうまく進めることができる．

患者本人の自主訓練の指導を行うことも大切である．

顕微鏡的には3日で拘縮がはじまり，肉眼的にも1週間ではじまる．リハビリテーションの臨床としては3週間を超えると拘縮がすすみ，可動域を得るのに難渋する．

骨折部の荷重は骨折の治癒過程に応じてすすめる．骨粗鬆症の強い患者などでは，荷重時期が遅れることがあるが，その間周囲の筋力や可動域を強化することが必要である．

2 骨　折

骨折すると骨折部には，出血と血腫が生じる．そこに線維芽細胞が出現し，血腫が吸収され，結合組織の増生と肉芽形成が起こる．肉芽には多くの血管が形成されるとともに，骨折端の一部に骨壊死が生じ，そこに破骨細胞が出現する．この破骨細胞が壊死骨を吸収し，多くの線維軟骨が出現することで骨端部が修復され固定される．この後，線維軟骨の石灰化がはじまり，仮骨が形成され骨芽細胞が出現することで，石灰化線維軟骨が吸収され骨折が治癒していく．

骨折部の治癒には，できるだけ解剖学的な整復，固定をしたうえでリハビリテーションを早期から行うことが大切である．ギプス固定や，創外固定，内固定においても，骨折部の固定に影響を及ぼさない部分については積極的にリハビリテーションを行う．

筋を収縮させることで，静脈還流を促し，腫脹や浮腫も軽減し，骨折の治癒を早めるとともに，周囲の軟部組織の回復にも役立つ．このために，ギプス固定の状態であっても，下腿では**等尺性運動**として，足関節底背屈運動 calf pumping exercise や patella setting exercise がよく行われる．また健側の運動は予後のためにも速やかにすすめるべきである．骨折部のリハビリテーションを行う際，必要に応じて骨折部にかかわる筋の走行・働きを考慮し，運動療法を組み立

てることが大切である．多発外傷で，観血的な固定が難しい場合も，骨折部の筋の走行を考え，骨折部に影響のないように把持することで，周囲の筋の拘縮を予防することが可能である．

骨折部の治療の原則は整復・固定であるが，その後の機能改善のためのリハビリテーションは大切である．

評　価

1．骨折部の評価

骨折部の転位や粉砕の程度，軟部組織の損傷の程度を，画像から考察し，固定の状態を観察する．内固定の場合，理学療法士，作業療法士は固定の状態を確認することも必要である．開放骨折の場合，感染などについても十分配慮するべきである．

2．全身状態の評価

骨癒合に悪影響をもたらす因子として，栄養状態の不良や，貧血，糖尿病などの合併症，頭部外傷，年齢に伴う骨粗鬆症や，心肺機能・他臓器の障害などの内部障害などがある．時には認知症でリハビリテーションに難渋するケースもある．

3．健側・体幹などの評価

骨折部以外の評価も行い，予後の見通しを立てるとともに目標を設定し，全身の機能を高め，日常生活への復帰を考える必要がある．

4．ゴールの評価

ゴールは年齢・社会性などによっても異なる．スポーツへの復帰をゴールとするような場合は，骨折後のリハビリテーションの段階としてアスレチックリハビリテーションも必要に応じて行う．そのためには全身的なアライメントなどの評価を行い，装具の利用による早期の復帰を配慮する．高齢者においては骨折が治癒しても，加齢性の変化もあり，装具なども利用することで，日常生活活動が拡大することもある．

障　害

骨折による障害として，①拘縮，②遷延癒合，③偽関節，④感染，⑤変形治癒，⑥骨壊死がある．

軟部組織の状態の把握と骨癒合の状態から拘縮について考えるべきである．遷延癒合や偽関節による不安定性から疼痛を招くこともあり，早期の骨移植や再固定の手術が必要な場合もある．感染による遷延癒合も多く，治療期間が延長することで，拘縮や筋萎縮を招いて全身の機能が低下するため，これらに対する早期からの予防策の実施が重要である．

骨折部の固定と腫脹からギプスなどで生じる阻血性障害にも注意する．骨折に伴い，フォルクマン拘縮や末梢神経障害，コンパートメント症候群などが生じる場合は早期の対応が予後を左右する．

合併症とリハビリテーション阻害因子

外傷の救急救命医療としては多くの合併症に注意することが大切である．主な合併症には多発外傷，開放骨折，軟部組織の損傷，コンパートメント症候群，阻血性拘縮，脂肪塞栓症候群，重度の挫滅に伴う挫滅症候群，播種性血管内凝固症候群 disseminated intravascular coagulation (DIC)，出血などによる外傷性のショックがある．また術後によく問題となる合併症には深部

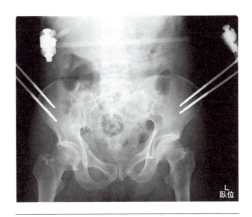

図 H-1 骨盤骨折
骨盤骨折は出血が多く，死亡リスクが高い．図のような創外固定やカテーテルによる塞栓術で出血を止め，合併症を防ぐこともある．

表 H-1 ガスティロ (Gustilo) 分類

Type I	開放創が 1 cm 以下で清浄な開放骨折．横骨折・斜骨折など単純な型の骨折が多い．
Type II	開放創が 1 cm 以上であるが，広範な軟部組織損傷や弁状創を伴わない．横骨折・斜骨折や粉砕はあっても軽度な単純な型の骨折が多い．
Type III A	開放創の大きさに関係なく，強い外力による広範な軟部組織の剥離や弁状創を伴うが，軟部組織で骨折部を被覆可能なもの．
Type III B	骨膜の剥離を伴う広範な軟部組織の損傷と，著しい汚染を伴うもの．
Type III C	開放創の大きさにかかわらず，修復を要する動脈損傷を伴うもの．

静脈血栓症や，それに伴う肺血栓塞栓症がある（**図 H-1**）．

1. 多発外傷

多発外傷は高エネルギー外傷のため，頭部外傷や内臓損傷を伴うことが多い．外傷性のくも膜下出血や脳挫傷，硬膜下血腫などにより麻痺，言語障害，嚥下障害，高次脳機能障害にいたる場合もある．人工呼吸器管理の場合や，意識障害では長期臥床となり，さらに肺炎や拘縮などの廃用性の障害を招くこととなる．状態に応じてできるところから，早期リハビリテーションを行い，早期離床をめざす．

2. 開放骨折・軟部組織の損傷

開放骨折の注意点として①感染，②骨癒合・創部治癒の遷延化がある．X線像をリハビリテーション前に確認し，開放骨折の軟部組織損傷の評価であるガスティロ Gustilo 分類（**表 H-1**）に従い，適切なデブリドマンや創外固定などが行われたら，早期にリハビリテーションを開始する．訓練に際して，創部の治癒の障害になることは避けることが大切である．開放性骨折の場合，創外固定などを行った後，全身状態や感染徴候を確認してから観血的な整復固定術を行うことが多い．全身状態が不良の場合，骨折部の治療が保存的に経過することもあり，拘縮予防・良肢位についても配慮すべきである．

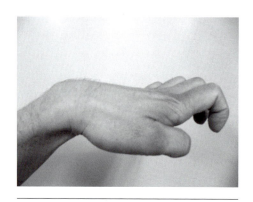

図H-2　フォルクマン拘縮による典型的な肢位

3. コンパートメント症候群

　四肢の骨・筋膜によって構成される区画（コンパートメント）の内圧が，外傷性の筋内出血や骨折からの出血，周囲組織の浮腫，圧迫，絞扼などにより上昇し，血行障害や神経障害をきたし，筋や神経の機能不全を生じたり，時に筋壊死を生じたりすることもある（コンパートメント症候群）．神経障害は不可逆的になることもあり十分な注意が必要である．内圧の上昇は動脈の痙攣を引き起こして血流を減少させ，組織に血行障害を招く．また阻血により毛細血管の透過性が亢進し，内圧は益々上昇する．ギプス固定時に生じることも多く，ギプスによる障害として，血行状態や皮膚の色，疼痛やしびれなど観察する必要がある．前腕のコンパートメント症候群は，屈筋群にもっとも多く，下腿では前脛骨筋症候群による前方コンパートメントが多い．症状として一般的には，疼痛，蒼白，運動麻痺，知覚異常，冷感，動脈拍動の消失がある．コンパートメント症候群が疑わしい場合は，ニードル・マノメーター法と言われる水銀柱を使った簡便な方法で内圧を計測し，30 mmHg以上であれば，すぐに減張切開し，30 mmHg未満であれば，挙上し冷却，安静とする．コンパートメント症候群にいたらないよう静脈還流の確保と，浮腫の対策を行うことが大切である．時に高圧酸素療法が有効なこともある．

4. 阻血性拘縮

　筋の血行が障害されることで筋組織が障害され，線維性の瘢痕となり筋の収縮性が消失し，関節可動域障害を呈して変形を生じた状態で，**フォルクマン拘縮**がよく知られている．血行の改善と早期の適切な運動療法（筋の走行に準じた訓練）が必要である（**図H-2**）．

5. 異所性骨化

　骨折や脱臼，筋・筋膜の損傷後，骨折の手術後に関節周囲の筋内に骨化を生じることで，圧痛や硬結をふれることもある．この骨化は，整復の繰り返し，粗暴な操作，無理な可動域訓練でも生じることから，注意が必要である．初期は疼痛と熱感があり，安静が必要である．早期に安静を保ち，部分的吸収を待つが，周囲の関節の自動運動は促す．

6. 阻血性骨壊死

　骨折や脱臼などで，骨の栄養動脈が損傷した後，3〜6ヵ月ほどで軟骨下骨が壊死して軟骨面の陥没や変形を生じる二次性（症候性）骨壊死である．疼痛や関節の腫脹・可動域障害など

を起こすことが多い．大腿骨頸部骨折・手の舟状骨骨折・距骨骨折・股関節の後方脱臼後に好発する．

7. 複合性局所疼痛症候群Ⅰ型（ズデック骨萎縮）

骨折や靱帯損傷などの外傷後に急激に骨皮質と骨梁構造の希薄化を生じ，疼痛が強く起こる場合がある（⇨ p.267）．

8. 反射性交感神経性ジストロフィー reflex sympathetic dystrophy（RSD）

骨折に限らず四肢末梢部の外傷によって生じることがある．外傷によって著しい腫脹や循環障害を生じた場合に起こりやすい．これは，反射性の血管運動神経障害によるものと考えられている．荷重で疼痛が強く，高度の骨萎縮を認め，治療に難渋する．交替浴や，薬剤などで疼痛が軽減しているときに積極的にリハビリテーションを行うことも必要である．拘縮が進むことで，さらにリハビリテーションは難しくなり，予後不良となる．

> リハビリテーション

1. 免荷の期間

早期からの運動療法は大切であるが，骨折の範囲，関節の状態，年齢，固定性などにより，その負荷は異なる．骨折部への適度な圧迫力としての運動，荷重は血流増加や骨癒合促進のためにも必要であるが，痛み，腫脹，理解度などさまざまな要因から運動負荷を考える必要がある．部分荷重が守れない高齢者や小児などは水治療法や免荷装具など利用して廃用の予防に努めることが大切である．

2. 訓　練

受傷直後・手術直後から等尺性運動を開始し，膝などの状態に応じて膝蓋骨のセッティング（等尺性運動）を早期から行う．運動は疼痛を避け，運動後腫脹をきたさないよう冷却を施行し，繰り返し適当量の運動を行う．疼痛が生じることで，筋のスパズムが増強し，筋緊張が高まり可動域訓練に対する抵抗を生じることはできるだけ避ける必要がある．

3. 装具の利用と種類

骨折では，骨折部を外的に装具で固定しつつ，固定していない関節を動かす必要がある．内固定だけで不十分な場合や，ギプス固定後に使用する場合（ファンクショナルブレースなど），荷重を徐々に変える必要がある場合には，外固定し装具で免荷する（PTB装具など）．

踵骨の骨折などでは足底の矯正をするための装具や足底の疼痛を和らげる装具（インソールなど）の使用を考慮する．

3 高齢者の骨折

> 特徴・主な骨折

高齢者は骨粗鬆症や筋力やバランス能力の低下から転倒しやすく，転ぶと骨折を生じる．そのため，日ごろからロコモティブシンドローム（⇨ p.358）に注意し，転倒予防のリハビリテーションも必要である．また骨折が原因で寝たきりになることも多く，生じた場合は，早期からのリハビリテーション・離床が大切である．

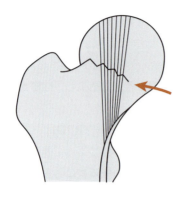
a. ステージⅠ：骨性連絡のある不完全骨折

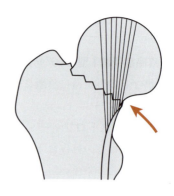
b. ステージⅡ：完全骨折で転位なし

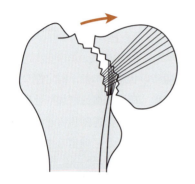
c. ステージⅢ：完全骨折で骨頭の回旋転位

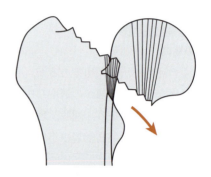
d. ステージⅣ：完全骨折で骨折部が離開

図H-3　ガーデンのステージ分類

1. 大腿骨頸部骨折

ガーデン（Garden）ステージ分類（**図H-3**）により血行障害が生じやすいステージⅢ，Ⅳタイプの場合は骨頭壊死になることが多いため，人工骨頭置換術を行う（**図H-4**）．人工骨頭置換術をすることで，早期から立位・歩行訓練を行うことができ，廃用にならないようリハビリテーションを施行する．また転位の少ない比較的血行が保たれているステージⅠ，Ⅱタイプの場合は骨接合術（**図H-4b**）を行う．この場合も早期から立位歩行をすすめる．

2. 大腿骨転子部骨折

血流が多い海綿骨であるため，骨折の治癒はよいが，頸部骨折より強い外力で生じることが多い．受傷後は牽引し，早期に離床させるため，観血的整復術が施術されることが多い．エバンス（Evans）分類（**図H-5**）でタイプ1のグループ3，4，タイプ2では骨折部が不安定で整復位をとることが困難で，骨折部において内反や後捻変形をきたしやすい．内固定性がよければ，翌日から全荷重で座位・立位をとりリハビリテーションをすすめていく．

3. 橈骨遠位端骨折

転倒などで手をついたときに生じる骨折で，高齢者の女性に多い．手関節部がフォーク状に変形するコレス骨折が最も多い．徒手整復後ギプス固定で保存的に治療する場合もあるが，転

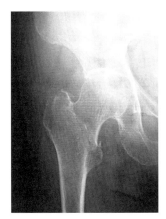
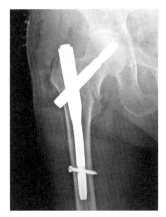

a. 大腿骨転子部骨折（左）と術後（右，髄内固定）

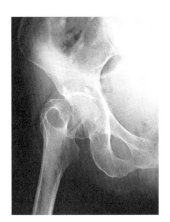
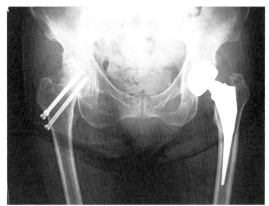

b. 大腿骨頸部骨折の術後（左：骨接合術，右：人工骨頭置換術）

図 H-4　大腿骨転子部骨折と頸部骨折と術後の X 線像

位を防止するためキルシュナー鋼線で経皮的ピンニングを施行したり，観血的整復固定でプレートによる内固定を行うことが多くなっている．

4. 脊椎圧迫骨折

骨粗鬆症を伴う高齢者では，転倒して尻もちをついたりすると脊椎の圧迫骨折を生じることが多い．胸椎の後弯と腰椎の前弯の移行部（胸腰椎移行部）は応力が集中するため，第 11・12 胸椎，第 1・2 腰椎あたりに多くみられる．脊髄の損傷にいたる場合もあり，時に遅発性に麻痺を生じることもある．急性期は安静とし，ギプスコルセット・硬性コルセットで固定する．この場合も可能な限り寝たきりによる廃用を予防するために，ベッド上で体幹や下肢のリハビリテーションを施行する．背部痛が軽減したら，外固定で徐々に離床をすすめる．脊椎の術後と同様に，車いすの自走は避け，歩行器歩行から始める．

5. 上腕骨近位端骨折

高齢者の女性に多くみられる骨折である．転倒した際に手を伸ばした状態で地面に手をついたときによく見られる．局所に強く「てこの力」が加わり脱臼骨折になることもある．Neer の

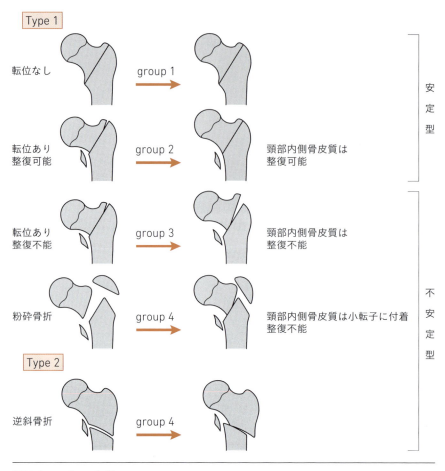

図H-5 エバンス分類

分類が使われることが多い（**図H-6**）．

肩関節部の骨折における問題点は，拘縮になりやすいことである．最近では胸郭からのギプス固定はほとんどなく，三角布やハンギングキャストの場合も，早期から振り子運動などを行い拘縮させないようにする．早期リハビリテーションを目的に手術を行うことが多くなっている．

6．脆弱性骨折

骨の強度に影響する骨質も骨量（骨密度）も低下し，日常生活程度の負荷や軽微な外力で生じる骨折である．原因として骨粗鬆症がもっとも多く，糖尿病，慢性腎不全，関節リウマチ，ステロイド内服などがある．

脊椎椎体，骨盤，大腿骨近位部などに好発し，高齢社会とともに増えている．脆弱性骨折の有無が骨粗鬆症の薬物治療の基準ともなっており，骨折を繰り返すことや複数部位の骨折も多く，リハビリテーションには注意が必要である．

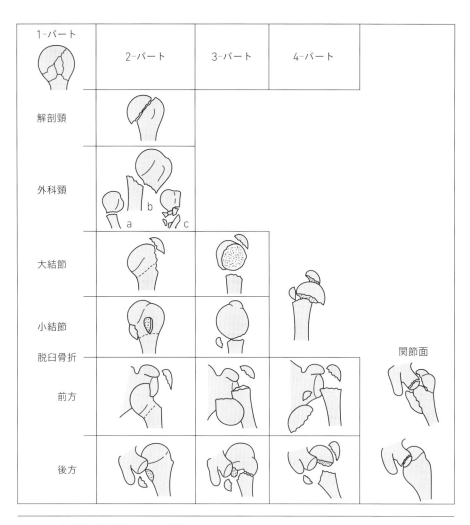

図 H-6　上腕骨近位骨折のNeer分類
3パートや4パート骨折では，骨頭壊死を生じることが多いため，人工骨頭に置換する．
[Neer CS Ⅱ：Displaced proximal humeral fractures. Part Ⅰ. Classification and evaluation. J Bone Joint Surg Am 52：1077-1089，1970より作成]

評　価

1．肺炎などの合併症
　高齢者の骨折は廃用にいたることが多い．合併症も十分に考慮し，退院後の日常生活の状態を踏まえたリハビリテーションを進める必要がある．

2．認知症
　認知症のある高齢者では免荷が守れず，指示動作ができないことも多い．この場合，装具の利用や，作業療法による認知療法なども取り入れ，無理のない時間配慮によるリハビリテーションを行う．最近では興味のもてるゲームを取り入れたリハビリテーションもある．

3．栄養状態
　栄養状態や骨粗鬆症などの基礎疾患を踏まえリハビリテーションの負荷を考える．医療ス

タッフと十分に情報を交換し，胃瘻などにより栄養を摂取している患者の場合は誤嚥を考えリハビリテーションの時間を決める．サルコペニア（⇨p.355）にも配慮し，管理栄養士による指導が必要となる．

4. ゴールの設定

高齢者の場合，日常生活活動が骨折前の状態まで十分に回復しない場合もある．その場合，退院後の環境や家族構成，介助の必要度を把握し，リハビリテーションのゴール設定を行う．そのためには家族との情報交換や，他の医療スタッフ，担当のケアマネジャーなどと相談するなど医療と介護の連携が大切である．

リハビリテーション

骨折後の運動療法では，骨折部に付着する軟部組織・筋に配慮し，すすめることが大切である．そのためには骨折部周囲の解剖を十分理解し，疼痛を避け，迅速に可動域を得て，筋力を回復することが望まれる．また皮膚に拘縮ができることもあり，皮膚の滑走を行うことで，可動域を得ることもある．

4 スポーツ外傷とスポーツ障害

最近では高齢者も含め，健康に気遣う中高年者によるスポーツ人口が増加している．その他，若年者のオーバーユースによる障害や，コンタクトスポーツなどで生じる障害もある．スポーツには健康維持を目的としたものから競技性の高いものもあり，受傷後のリハビリテーションもその用途に応じてすすめる必要がある．また障害者のスポーツも盛んに行われており，健常者と異なる十分な観察が必要である．

要因

スポーツによる傷害（外傷や障害）は年齢，性別，種目などによって異なる．男性では，サッカー，ラグビー，柔道などコンタクトスポーツが多く，女性ではバスケットボール，バレーボールなどジャンプや急激な方向変更が多いスポーツで発症する．また投球動作による障害として，野球肘，野球肩，離断性骨軟骨炎（**図H-7**）・上腕骨外側上顆炎などがある．他に水泳肩，ジャンパー膝もよく知られている．これらには種目特異性もあり，年齢，性別，スポーツ動作や，スポーツ歴が重要である．リハビリテーションとして，受傷後のリハビリテーションだけでなく，再発を予防するためのフォームの改善や筋力の訓練方法の指導も大切である．また最近では高齢者のスポーツも盛んとなり，アキレス腱断裂や足底腱膜炎，転倒による骨折なども多い．

評価

① 種目，スポーツ歴，レベル，練習量と方法，環境，既往歴など要因を聞く．
② 主な症状，痛みのでる動作，部位，時期を検討する．
③ メディカルチェックや，身体能力の評価を行う．
④ 症状に応じて，X線，MRI，超音波検査なども行う．

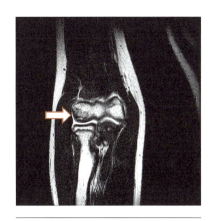

図H-7　離断性骨軟骨炎のMRI画像

a. 肉離れ・捻挫・靱帯損傷など

　筋や筋膜の部分断裂による肉離れは急激に強い筋力が働くことで生じる．下肢の長筋の遠心性収縮時に生じることが多く，大腿四頭筋・ハムストリングスに起こりやすい．

　捻挫は関節の可動域以上に運動が強制されて生じる．関節包・関節靱帯が損傷し，時に不安定性が生じることもある．早期にRICEを施行し，専門的な治療を開始するが不安定性が残存することもあり，注意が必要である．半月板損傷，靱帯損傷，反復性の脱臼による関節の不安定性，剝離骨折などスポーツでよくみられる損傷も精査を受け，保存的に治療し，スポーツ復帰に向けて早期にリハビリテーションを行う場合と観血的治療を選択する場合がある．いずれの場合もスポーツ復帰のためのリハビリテーションプログラムの作成が必要である．関節の不安定性を未治療のままにすると将来，関節の変形が進行する例もよくみられる（**図H-8**）．

　靱帯損傷は骨端線が若干残っており，骨片も小さい場合，剝離部に働く筋をバンドなどで固定し，ストレッチによるリハビリテーションをすすめる．その際も剝離部に働く筋の走行に注意し，牽引方向の可動域訓練は避ける必要がある．

b. 疲労骨折

　疲労骨折は骨に一定のストレスが繰り返し加わることで発症し，走行などの負担で脛骨にもっとも多く発症する．スポーツ歴をよく聞くことで，診断は容易である．早期のX線ではわかりにくいことも多く，骨シンチグラフィーやMRI，超音波で早期診断することも必要である．中高生に多い腰椎の分離症も疲労骨折の1つである．早期に発見し，腰椎の固定安静をはかり，分離部が安定した後，脊椎の柔軟性を向上させるためにリハビリテーションを行うことが大切である．

c. スポーツの現場での対応

　スポーツの現場では，応急処置が大切である．先に述べたRICEの後，固定やテーピングなどの知識が必要となる．試合前にテーピングを行う場合，適切な運動方向を考え，パフォーマ

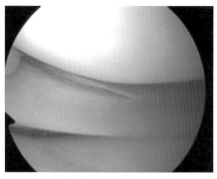 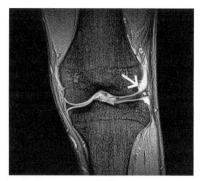

a. 半月板損傷（外側，左：関節鏡像，右：MRI 像）

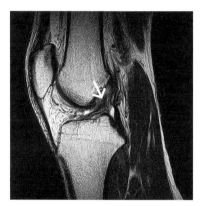 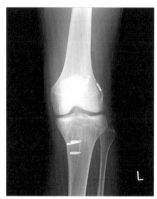

b. 前十字靱帯損傷（左：MRI 像，右：自家腱による再建術後のX線像）

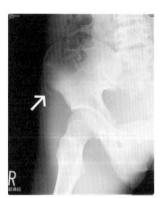 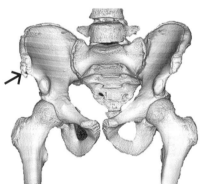 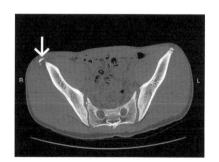

c. 陸上選手に生じた反復性の筋の働きで生じた上前腸骨棘の剥離骨折（左：X線像，中央：3D-CT 像，右：CT 像）

図 H-8　代表的なスポーツ外傷・スポーツ障害

ンスの妨げにならないように固定しなければならない．コンタクトスポーツでの前十字靱帯の損傷などでは，スポーツを中止し，初期処置の後，直ちに医療機関に搬送する必要がある．骨折を伴う場合や，神経損傷を生じていることもあるので，脱臼の整復も無理には行わず，迅速な対応が大切である．あくまでも RICE などの一次処置を適切に行う．初期の処置で，腫脹が軽減することで，後の回復にいたるリハビリテーションも順調にすすむこととなる．

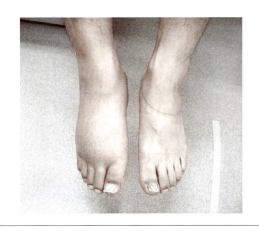

図H-9　CRPS type Iによる右足部の著明な循環障害と浮腫性変化

　スポーツを始めるときには，高齢者ではとくにメディカルチェックを受け，障害の早期発見や治療に努める．またリハビリテーションをすすめる際には，再発を予防するための姿勢や動作の指導も行い，必要なストレッチングや予防のためのテーピングも考慮する．アスレチックリハビリテーションについては，研修を受けたトレーナーとも相談し，選手にとって十分なパフォーマンスができる状態に回復するリハビリテーションプログラムを立てることが大切である．その際スポーツの特性やルールなども検討し，障害にいたる運動負荷などに注意するよう指導する．

5　複合性局所疼痛症候群

疾患概念

　複合性局所疼痛症候群 complex regional pain syndrome（CRPS）は，骨折や捻挫，手術や軽微な外傷，脳血管障害や動脈疾患などに続発する症候群であり，原因となる傷害と不釣り合いな強い持続痛や痛覚過敏（**カウザルギー** causalgia），通常では痛みを起こさないような軽微で非侵害性の刺激に対して痛みを感じる**アロディニア** allodyniaなどを特徴とする．また，有痛部位に浮腫や皮膚血流の変化，発汗異常のいずれかを認め，これらの症状を説明できる他の原因がないことがCRPSの診断基準とされる．なお，明らかな神経損傷を伴わないものはCRPS type I，神経損傷を伴うものはCRPS type II と呼ばれる．

　CRPSの症状は，神経障害性疼痛が主体であるが皮膚分節に準拠せず，その程度は環境やストレスに影響を受ける場合がある．具体的な症状には，自発痛やアロディニア，痛覚過敏などの痛みを中心とした感覚異常，浮腫や発汗異常，皮膚温や色調の異常など自律神経異常（**図H-9**），関節可動域制限や筋力低下，振戦やジストニアなど運動機能異常，爪や体毛，皮膚など炎症・栄養異常，抑うつや不安などの精神心理状態が含まれる．また，**無視現象 neglect-like symptom**のような患肢の運動に対する注意や認知に関する高次脳機能障害を認めることもある．

CRPSの発生要因には，軽微なものを含めた神経組織の損傷やギプス固定などによる不動・不活動，持続的な侵害刺激入力などがある．また，その発生機序には，組織の虚血再灌流障害やC線維の軸索反射による神経ペプチドの放出によって生じる慢性炎症や神経感作，それらに伴って生じる神経系の可塑的変化などがあげられる．とくに交感神経の関与が示唆される場合には，一次侵害受容ニューロンと交感神経を含む遠心性ニューロンの間に異所的な接触部位であるエファプス ephapse が形成され，交感神経のインパルスが一次侵害受容ニューロンに伝達されることで，交感神経活動に関連した疼痛が発生すると考えられている．その他にも，CRPS患者の脳では，島皮質や腹内側前頭皮質，側坐核における灰白質密度の減少や異常な神経分布，一次体性感覚野や一次運動野の機能再構築を生じることが報告されており，このような中枢神経系の機能障害も加味する必要がある．なお，CRPSは個人の心理的特性や生活環境，交通事故や労働災害にみられるような受傷原因などの背景因子にも強い影響を受けることが知られている．

　CRPS患者の多くでは，強い痛みと痛覚過敏のため患肢の使用が不能となり，夜間痛も強く不眠となり，就労や就学が困難となる．このため，患肢への注意を過度に集中させ，患肢に害を及ぼす危険性のある行動に対して過剰な回避行動を取るようになり，活動性が低下する．それが身体能力の低下や障害の増強，抑うつといった二次的な障害を引き起こし，身体・心理・社会的にも悪循環に陥って痛みが持続・増悪し，QOLの低下を生じる．

評　価

① 視覚的アナログスケール visual analogue scale (VAS) や数値評価スケール numerical rating scale (NRS) を用いて自発痛の強度を尺度化・数値化する．

② von Frey hairテストなどを用いて痛覚閾値を測定し，機械的刺激に対するアロディニアや痛覚過敏の有無や程度について評価する．

③ マクギル疼痛質問票 McGill pain questionnaire (MPQ) などの質問紙を用いて，痛みの質について評価する．

④ 痛みの部位や分布について，疼痛図表 pain drawing などを用いて身体図式化し，空間的な大きさとして記載する．

⑤ CRPS type Ⅱでは，神経伝導速度などの神経学的他覚所見を検討する．また，デルマトーム dermatome と照らし合わせながら感覚検査を行い，痛覚過敏や異常疼痛反応の有無を確認する．

⑥ 疼痛による身体機能や活動の障害度について，疼痛生活障害評価尺度 pain disability assessment scale (PDAS) や簡易疼痛質問票 brief pain inventory (BPI) などの質問紙を用いて定量化する．

⑦ 視診により浮腫・腫脹の程度，皮膚温や色調，発汗の異常について評価する．また，浮腫・腫脹については形態測定，皮膚温については皮膚温度計やサーモグラフィー（図H-10）などを用いて定量化する．

⑧ 骨格筋や結合組織の萎縮が生じるため，関節可動域や筋力について評価する．また，骨の萎縮については，X線や骨シンチグラフィー，超音波検査などによって確認することができる．

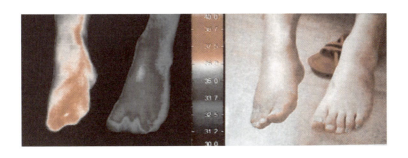

図H-10　CRPS type I のサーモグラフィー
右足に皮膚温の上昇を認める．

⑨ 疼痛によって低下した身体活動性や運動耐応能について，国際標準化身体活動質問票 international physical activity questionnaire (IPAQ) や6分間歩行テスト，活動量計などを用いて評価する．

⑩ 精神心理状態は，疼痛に対する**破局的思考**を pain catastrophizing scale (PCS)，不安・抑うつを hospital anxiety and depression scale (HADS)，運動恐怖感を Tampa scale of kinesiophobia (TSK)，自己効力感を pain self-efficacy questionnaire (PSEQ) などの質問紙を用いて定量化する．

⑪ 健康感や生活の質について，MOS 36-item short form health survey (SF-36) や EuroQol 5 dimension (EQ-5D) 日本語版などを用いて評価する．

リハビリテーション治療

① 治療開始にあたっては，事前に十分な患者教育を行い，安静（不活動）は痛みを難治化させる要因となることを患者自身が理解し，動くと痛みが悪化するという誤解を是正する必要がある．

② 疼痛刺激は交感神経性緊張を高め，その持続や繰り返しにより組織循環が悪化して症状を増悪させるため，経皮的末梢神経電気刺激 transcutaneous electrical nerve stimulation (TENS) や低出力レーザー療法，温熱療法などの物理療法を運動療法の補助的手段として併用してもよい．

③ 運動療法は個別に処方されたプログラムをホームエクササイズとし，低強度・高頻度で実施する．なお，エクササイズの内容は，セルフストレッチングや筋力増強訓練，有酸素運動などの全身運動とし，理学療法士・作業療法士によって管理され，フォローアップを受けることができるようにする．

④ また，患者自身が「"どのような"運動を，"どれくらい"の頻度や強度で，"いつ"行うのか」を自己決定し，その内容を治療者と共有する過程が重要となる．

⑤ 運動療法の開始や継続においては，運動によって生じる一時的な症状変化や疼痛が増悪した時の対処方法などについて享受し，運動に対する安全性の保証や安心感を担保する必要がある．

⑥ 認知行動療法 cognitive behavioral therapy (CBT) と併用した運動療法では，エクササイズ

の実践，活動量の自己管理，痛み行動日記の記録などを行い，患者の自己分析に基づいた行動療法と認知療法を念頭に置いて実践することで，身体活動量の増加や痛み行動の軽減，認知の修正や正常化が期待できる．

⑦ 運動イメージやミラーセラピーなどのニューロリハビリテーションは，疼痛や薬物使用量を軽減し，腫脹や能力障害の改善に有用である．

⑧ 装具療法は歩行，作業などを行う際に一定の肢位で固定することで疼痛を軽減し，心理的効果や装具を装着してのROM訓練に有用なこともある．しかし，装具に頼りすぎて浮腫や拘縮，萎縮を助長する危険性が高いため，使用する場合は短時間の装着とし，症例を選んで用いる必要がある．

⑨ 医師，看護師，理学療法士，作業療法士，臨床心理士，ソーシャルワーカーなどの多職種が連携し，身体・心理の両面から集学的にアプローチすることが重要である．

6 手の外傷

疾患概念

手の外傷が重度であれば，皮膚，筋，腱，靱帯，骨や関節の損傷が著しく，拘縮を生じてADLのみならず社会的，心理的にも障害をきたす．拘縮とは関節可動域が自動的・他動的に減少した状態を指すが，適切な初期治療と早期リハビリテーションが行われれば拘縮はある程度軽減できる．しかし，早期リハビリテーションが行われていない場合には損傷部以外の部位にも拘縮が拡大していき，高度拘縮となり廃用手となる．いったん拘縮が完成するとこれを除去することは困難であり，治療期間が長くなり社会復帰が遅れる．このため拘縮は予防することが最も重要である．

外傷による拘縮

a. 拘縮の原因

大部分は外傷性の拘縮であるが，他に先天性，麻痺性，炎症性，デュピュイトラン Dupuytren 拘縮などがある．外傷性拘縮には①手指の浮腫が原因であるもの，②前腕屈筋群や手内筋（骨間筋）の**コンパートメント内圧**上昇，阻血，壊死による拘縮，③屈・伸筋腱が周囲組織と癒着することによる拘縮，④指関節周辺骨折や脱臼による拘縮がある．

b. 拘縮の予防

完成した拘縮を除去することは困難であり，予防にまさる治療はないことを忘れずに次の4項目に留意して拘縮予防に努めることが大切である．① **RICE** の原則（⇨p. 254）に基づく初期治療が大切で，とくに浮腫の予防が予後を左右する．②不良肢位（内在筋劣位 intrinsic minus 肢位）（**図 H-11**）での固定を避ける．手の良肢位（機能肢位）は**内在筋優位** intrinsic plus **肢位**（指MP関節屈曲，PIP・DIP関節伸展，母指対立位）（**図 H-12**）である．③コンパートメント内圧上昇による4P徴候（pain, paresthesia, pallor, pulselessness）に注意し，必要な場合には筋膜切開などの減圧手術を行う．④長期間および不必要な固定をしない．骨折の強固な内固定や腱内

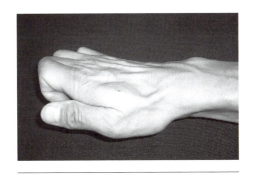

図H-11　内在筋劣位肢位

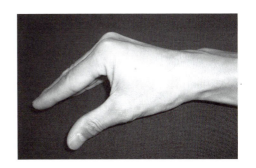

図H-12　内在筋優位肢位

血行を障害しない程度の緊張で腱縫合を行って早期リハビリテーションを行うことが重要である．

評価

① 拘縮原因の把握を行う．皮膚性，関節性（骨・軟骨性，関節包や靱帯など関節構成軟部組織性），腱性，筋性（阻血や挫滅，長期固定による筋拘縮），神経性（弛緩性，痙性，反射性）などが考えられる．皮膚性および骨・軟骨性の拘縮はハンドセラピーの適応でなく手術によって除去するが，皮膚性拘縮発生の予防は装具療法によって可能な場合もある．

② 皮膚性拘縮の場合には伸展あるいは屈曲すると蒼白になる．

③ 骨・軟骨性拘縮の場合には伸展位や屈曲位のX線所見で判定できる．

④ **動的腱固定効果** dynamic tenodesis effect の陽性・陰性で判断する．被検関節の近位関節肢位を他動的に変えることに伴い，拘縮の程度が変化する（動的腱固定効果陽性）場合，原因は近位部での腱性または筋性拘縮である．一方で，被検関節の近位関節肢位を他動的に変えても，拘縮の程度が変化しない（動的腱固定効果陰性）場合，その病態は関節包の瘢痕拘縮または拘縮関節部での腱癒着であると評価できる．

⑤ 麻痺による運動障害と知覚障害を評価することで神経損傷部位を決定する．固有神経領域の知覚障害や**チネル徴候** Tinel sign，神経伝導速度，筋電図なども参考になる．手指ではSemmes-weinsteinモノフィラメントテスト，二点識別覚テスト，温度覚，発汗などの検査も必要となる．

⑥ ピンチ力，握力に加え，職業やADLの障害も評価する．

ハンドセラピー

ハンドセラピーは手の骨折，腱損傷，末梢神経損傷，関節炎，再接着，麻痺手，熱傷，CRPSなどを対象に，『生活の中で実際に使う手』(useful hand)の獲得を目的として行われる．手の物理療法，運動療法，作業療法のほか手の機能の正確な評価に基づく治療計画の立案，実施，装具や自助具の作製と装着指導，患者の自己管理や社会復帰への援助などを行う専門職を**ハンドセラピスト**と呼ぶ．

リハビリテーション治療

① 拘縮を予防するため，挙上，圧迫，早期運動，間欠的圧迫などによる浮腫の軽減に努める．

② 早期より患者を把握する．拘縮の原因分析や治療効果を医師と連携して治療プログラムに反映させ，手術適否や手術時期決定に活用する．

③ 拘縮の原因を評価してそれに応じた治療を行う．温熱療法を中心とした物理療法，運動療法，装具療法，手術療法が基本となる．

④ 温熱療法は渦流浴，ホットパック，パラフィン浴などが組織の柔軟化，リラクセーションを目的に行われる．皮膚および皮下組織の柔軟性獲得のためのフリクションマッサージfriction massageも行われる．皮膚の上をこするのではなく，皮膚を強く圧し，皮膚が圧している指とともに移動するよう，円を描くように，あるいは長軸方向に往復運動を行う（創上のフリクションマッサージは肥厚性瘢痕形成を助長させる場合もあるので創周辺に対して行うようにする）．

⑤ 腫脹，浮腫，疼痛に注意して軽度の負荷による長時間の他動運動，ブロック板を用いての自動運動などを行う．

⑥ 装具による他動運動も重要である装具の効果は大きいので，障害の状態に見合った装具の作製や工夫を行う．

⑦ 患者の自己管理や自己訓練を指導することは非常に重要である．

⑧ 利き手交換，ADLの自立，職業指導などを含めた作業療法を行いながら，『生活の中で実際に使う手』(useful hand)を目標に社会復帰を援助する．

a. 手指屈筋腱断裂と早期自動運動療法の実際

屈筋腱縫合後に早期自動運動療法を行うには十分な張力を持った縫合が行われていることが前提である．ハンドセラピストには癒着や拘縮などの診断能力とこれに応じて訓練を加減できる能力が求められる．また，患者にはリハビリテーションスケジュールやその意味を理解できる能力とモチベーションが必要である．

① 術後は手関節屈曲0°，MP関節屈曲30〜40°，PIP・DIP関節屈曲0°で指先まで背側にギプスシーネ（背側スプリント）が当てられる．

② 翌日，医師にて創処置がなされ指が動きやすいようにガーゼや包帯は極力薄くされてから訓練を開始する（**図H-13**）．術後1週間は組織の浮腫によって縫合腱の滑走は悪いため屈曲はアクティブホールドactive holdが中心となる．すなわち，セラピストはゴム牽引を外して他動的に示指から小指の4指を最大屈曲させ（**図H-14**），患者に軽く屈曲力を入れさせてその位置を保持させる（**図H-15**）．縫合腱の遠位方向への滑走を促す目的で，背側スプリントを外して手関節屈曲0°での手指自動伸展訓練も行う．また，**Duran法**に準じたPIP・DIP関節の拘縮予防も行う．PIP関節を他動伸展させるときはMP関節を十分屈曲位に保ちながら中節部掌側を押す（**図H-16**）．DIP関節を他動伸展させるときにはPIP関節を十分屈曲位に保ちながら指腹部を押す（**図H-17**）．PIP関節とDIP関節を同時に他動伸展させることは再断裂の危険があるので行うべきではない．セラピストは患者が入院している間1日3回20分間の個別訓練を行う．患者は個別訓練以外も訓練室や病室で早期自動運動療法の自主訓練として4指同時の他動屈曲，自動伸展を1時間に数回行う．自動伸展では反対の手でゴムを遠位方向に引っ張って

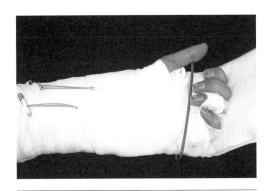

図H-13　術翌日の創処置後の状態

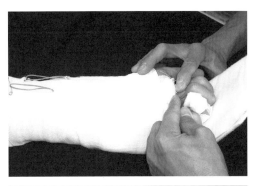

図H-14　セラピストによる他動屈曲訓練

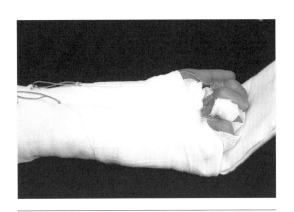

図H-15　患者による自動保持訓練

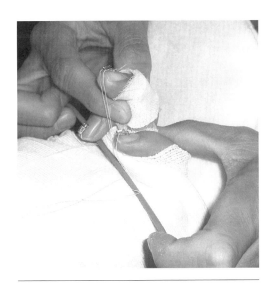

図H-16　Duran法によるPIP関節他動伸展訓練

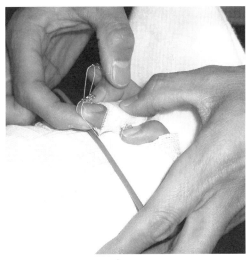

図H-17　Duran法によるDIP関節他動伸展訓練

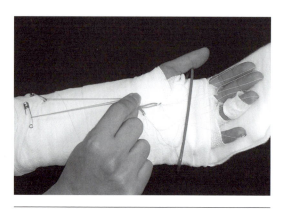

図H-18 自動伸展訓練

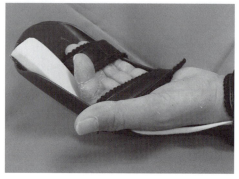

図H-19 夜間のtension reducing position

ゆるめて伸展に無理な力がかからないように指導する（**図H-18**）．夜間は背側スプリント内で患指以外を伸展位とした張力低減肢位 tension reducing position とする（**図H-19**）．

③ 術後2週目（8日以降）からはセラピストの監視下でゴム牽引を外してスプリント下での4指同時の自動屈曲運動を開始する．指の動きがスムーズでない時には他動で最大屈曲して，最大屈曲位を自動保持させる．また，健常指を自動伸展位に保たせながら患指を軽く自動屈曲させる浅指屈筋腱滑走訓練（PIP関節のみ屈曲させて浅指屈筋腱だけを滑走させることで深指屈筋腱との癒着を防ぐ意味がある）も開始するが，少しずつできる範囲で行わせ，決して無理はさせない．

④ 術後4週目（22日以降）からは訓練室でスプリントを外して自動運動を行うが，自動伸展の際にはMP関節を屈曲位に押さえてMP関節からDIP関節までの同時伸展を防ぐ．手指を脱力させての手関節他動および自動掌屈・背屈訓練も開始する．術後6週間が経過するまでは，訓練室以外では背側スプリントを装着させる．

⑤ 術後7週目（43日以降）はBunnellのウッドブロックを用いた深指屈筋腱と浅指屈筋腱の分離運動を始める．また，MP関節からDIP関節までの同時自動伸展訓練も開始する．外出時や夜間は術後8週間が経過するまでスプリントを装着させる．

⑥ 術後9週目（57日以降）は関節拘縮をとり，癒着を解除して屈筋腱滑走距離を伸ばすために指のストレッチング（MP関節からDIP関節までの同時他動伸展，患手の手掌をテーブルに乗せて反対の手で押さえても良い）を許可する．また，日常生活での患手の使用も許可する．しかし，力仕事はさらに1ヵ月間禁止する．

⑦ 上記のリハビリテーションによって他動可動域は改善しても，自動屈曲可動域の獲得が不完全なことがある．このような場合には，屈筋腱縫合後6ヵ月以上経過してから屈筋腱剥離術を行うこともある．

I. 脊椎疾患

学習の目標

1. 脊柱の正常な配列，脊柱機能単位（三関節複合体）を図示し，説明できるようになる．
2. 脊椎の局所解剖，とくに椎骨，椎間板，神経（脊髄・馬尾・神経根）の関係を図示し，説明できるようになるようになる．
3. 腰痛症の疾患概念を理解し，運動療法を説明できるようになる．
4. 椎間板ヘルニア（頸椎・腰椎）の症状とリハビリテーション治療を説明できるようになる．
5. 腰部脊柱管狭窄症の病態を理解し，治療法を理解する．
6. 脊柱側弯症の分類を理解し，治療原則を説明できるようになる．

1 腰痛症

疾患概念

腰痛症は，腰痛を呈する疾患を統括して表す総称であり，腰痛症候群とも呼ばれる．本症は，一般に腰痛を引き起こす器質的疾患がとくにみあたらず，神経学的脱落所見のない場合につけられる．除外診断的意味合いの強い病名である．腰痛を訴え，通常下肢痛，とくに膝から下まで放散する下肢症状を有することはない．発症様式別には，急性，亜急性，慢性に分類される．**急性腰痛症**の場合，ほとんどが1週間以内，長くとも2〜3ヵ月以内に腰痛は軽減・消失する．3ヵ月以上継続する，いわゆる**慢性腰痛症**の頻度は近年増加しており，医学的，社会的に問題となっている．

a. 疫学・頻度

腰痛の生涯罹患率は，総人口の約8割を占めるといわれ，きわめて頻度の高い疾患（症状）である．とくに20〜50歳代の青壮年者，すなわち生産年齢に好発する．わが国においても，毎年労働基準局に報告される業務上疾病（いわゆる労災事故）の約6割が腰痛の患者である．

b. 機能解剖

1. 脊柱の構成および生理的弯曲（図 I-1）

脊柱は7個の頸椎，12個の胸椎，5個の腰椎，そして5個が融合して一塊となった1個の仙椎，4〜5個の尾椎からなる．脊柱の中には，脊髄とそれに続く馬尾が含まれ，その部位を脊柱管と呼ぶ．脊髄は，一般に第1〜2腰椎の高位で馬尾に形態を変える．正常な脊柱を正面か

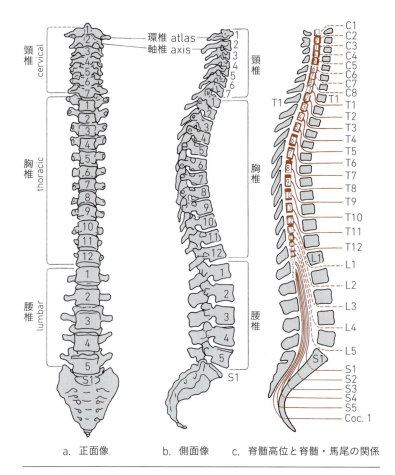

図I-1 脊柱および脊髄の構成と生理的弯曲

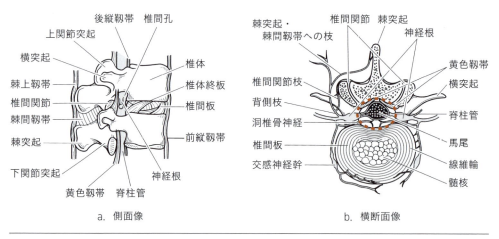

図I-2 脊柱機能単位（三関節複合体）と含まれる神経組織

らみた場合，弯曲は存在せず，常に直線的であり，かつ左右対称である．これに対して，側面像においては複雑な弯曲形態をとり，これを脊柱の**生理的弯曲**と呼ぶ．頸椎では**前弯** lordosis，胸椎では**後弯** kyphosis となる．さらに，腰椎においては，再び弯曲が逆方向となり，再度前弯を呈する．

2. 脊柱機能単位　functional spinal unit（FSU）（図 I-2）

上下2つの椎骨とその間に介在する椎間板から構成される単位である．脊椎疾患の診断，治療は，この単位ごとに考えると理解しやすい．脊柱機能単位の中で，上下の椎骨を連結するものは，1つの椎間板および左右2つの**椎間関節**である．すなわち，これを3つの"関節"ととらえ，**三関節複合体** three joint complex とも呼ぶ．椎間板や椎間関節などの各組織には，神経根からの枝が伸び，それぞれの病変を感知することによって，腰・下肢痛を自覚する．椎間腔の狭小により神経根およびその枝が障害を受ける．

評価・検査

a. 疼痛の評価と検査

視覚的アナログスケール visual analogue pain scale（**VAS**）を用いて，患者に自分自身の疼痛を点数で評価させる．日本整形外科学会による**腰痛疾患治療成績判定基準**（29点満点）の中にも，下肢痛・しびれの評価項目と並んで，腰痛をその強弱に応じて点数で表現する項目がある．腰痛の悪化と腰椎の肢位は密接な関係がある．どのような姿勢，労作により腰痛が再現，悪化するかを評価する．

b. 理学的検査

1. 腰椎の可動域 range of motion（ROM）測定

立位における前後屈，左右側屈，左右回旋を測定する．そのほかに，臥位にて下肢を挙上させ，その角度で表現する方法［**下肢伸展挙上テスト** straight leg raising test（SLR test）］と，立位での前屈時に指尖と床の距離［**指床間距離** finger-floor distance（FFD）］を測定する方法もある．

2. 姿勢・脊柱変形

腰痛症患者では，疼痛により側弯や後弯変形あるいは過度の前弯を呈する場合がある．

3. 圧痛

棘突起，傍脊柱筋，殿筋，ハムストリング，下腿三頭筋上の圧痛．とくに，大腿後面から下腿後面で坐骨神経の走行に沿う圧痛点（**バレー Valleix の圧痛点**）は神経根障害を示唆する重要な所見である．腰痛症の場合，原則としてこの圧痛点はみられない．

4. 体幹筋力・筋持久力測定

腰椎疾患，とくに慢性腰痛症では，体幹の筋力・筋持久力が低下することが知られている．しかし，疼痛の強い急性期などには無理な筋力検査は実施すべきでない．

c. 神経学的検査

主に，下肢筋力，表在性感覚（温痛覚，触覚），腱反射を評価する．一般に，腰痛症では神経学的脱落所見はみられず，神経学的検査は正常である．

d. 画像診断

X線像などの画像診断は，あくまで前述した理学的および神経学的検査の補助手段である．腰椎単純X線像（正面，側面，両斜位像），CT，MRIを施行する．特別な異常所見はなく，一般的な変性変化があるのみである．

e. 日常生活活動 activities of daily living（ADL）の評価

歩行，その他のADLに関して，日本整形外科学会腰痛疾患治療成績判定基準などを利用して評価する．

f. QOLの評価

近年，腰痛患者の評価のなかで，健康関連QOL（Health-related QOL, HRQOL）を患者自身が評価する（自記式）ことが重要となっている．世界的に有名なものがRoland-Morris Disability Questionnaire（RDQ）（⇨p. 396，付録⑧）である．近年，日本整形外科学会による腰痛疾患治療成績判定基準も新しく改訂され，JOA Back Pain Evaluation Questionnaire（JOABPEQ）（⇨p. 397，付録⑨）となり，QOL評価にも重点が置かれた．慢性腰痛症のQOL評価に特化したJapan Low back pain Evaluation Questionnaire（JLEQ）（⇨p. 400，付録⑩）も有用である．

g. その他

腰痛症の原因の1つとして，心因性の問題があげられる．とくに慢性腰痛症の患者では，うつ傾向をはじめとするなんらかの心理的異常が併存する場合もある．適切な心理的検査を用いて評価する．

> **障害構造・問題点**

腰痛が慢性に経過している患者では，体幹や下肢全般に及ぶ**廃用性筋力低下**を呈する場合がある．

a. 機能障害（心身機能・身体構造の障害）

1. 疼痛（腰痛）

疼痛の程度には個人差があり，日常生活時のみにみられる軽度の疼痛から，就労時の疼痛，また就労不可能なほどの疼痛までさまざまである．

2. 腰椎・下肢関節のROM制限

腰痛に対する生体の防御的機構から体幹および下肢関節の可動域は低下する．慢性期では，靱帯などの軟部組織や関節の拘縮が進行し，可動域制限も著明となる場合がある．

3. 筋力低下

慢性腰痛症においては，一般に腹筋や背筋などの体幹筋力が低下する．

b. 能力低下（活動制限）

腰痛や廃用性の筋力低下によるADL制限が主体となる．とくに，歩行能力の低下は患者の

ADLのみならず生活の質 quality of life（QOL）を極端に低下させる．ADLに関しては，座位保持，前屈や中腰保持が困難となる．

c．社会的不利（参加制約）

腰痛症は，主として青壮年者層に好発するため，職業すなわち就労上の問題が多い．このように職業と関連した腰痛症をとくに**職業性腰痛** occupational low-back pain と呼ぶ．

> 合併症

腰痛症は腰椎局所の問題であり，原則として全身的な合併症を伴うことはない．しかし，対象が青壮年者であり，高血圧や心疾患，糖尿病など一般的な全身疾患を合併する場合も少なくない．運動療法などを行う場合には，適宜注意が必要である．

> リハビリテーション治療

a．安　静

とくに，疼痛の強い急性期においては局所の炎症や疼痛を軽減するためにも安静が必要となるが，不必要な安静は避ける．1週間以上の安静臥床はむしろ有害である．

b．薬物療法

急性期で疼痛の強い時期には，**非ステロイド性抗炎症薬** non-steroidal anti-inflammatory drugs（NSAIDs）が有効である．腰痛による**傍脊柱筋**の痙縮が強い症例には，筋弛緩薬を投与する．心理的要因の強い症例では，ごく少量の精神安定薬が有効である．

c．物理療法

急性期の症例には，冷罨法として，氷などを用いた局部の冷却が行われるが，患者が冷感を好まない場合もあり，適切な選択が必要である．温熱療法としては，ホットパックが一般的であり，慢性期の腰痛症に有効である．これらは運動療法など他の治療法を円滑に行うための補助的な役割が大きい．1日1〜2回の使用が限度で，過量の使用により疲労感などが生じないようにする．腰痛の部位への電気療法も，ときに有効である．

d．牽引療法

骨盤牽引を行う．本療法の目的は脊柱を牽引することではなく，牽引により腰椎局所の安静を図ることや，また間欠的牽引による局所マッサージ効果にある．いたずらに牽引の重量を増すことは無意味である．

e．装具療法

一般に，**軟性コルセット**［ダーメン Damen（婦人の意）コルセット］が処方される．発症後間もない急性期がよい適応である．急性期を過ぎた患者に，漫然と装具を装着させない．腰椎に負担の加わる作業を強いられる場合には，一時的に装具を着用させる．

f．運動療法（腰痛体操）

原則として，発症早期（3～7日）の急性期には適応外である．急性期を過ぎた，発症後3ヵ月以内（亜急性期）またはそれ以降（慢性期）の腰痛症に対してよい適応となる．腰痛の治癒した症例においても予防的見地から適応となる．亜急性期および慢性期の腰痛症患者では，廃用性の筋力低下および椎間関節や靱帯，筋などの軟部組織の拘縮状態・柔軟性の低下があり，この改善が，運動療法の主たる目的である．体幹・下肢筋の筋力増強訓練が主たるプログラムの1つとなる．そのほかに，腰椎や骨盤に付着する筋，靱帯，関節包のストレッチを行う．

腰痛体操には，数多くの方法があるが，患者が継続して実施できることが主眼である．腹筋と背筋訓練のどちらに重点を置くかについての一致した見解はいまだないが，バランスのとれた脊柱を維持するためには両者の訓練が必要である．

① **等尺性腹筋増強訓練**（図I-3a）
② **等尺性背筋増強訓練**（図I-3b）
③ **ストレッチング**（図I-3c）

指導上の注意点は，① 運動量が過大にならないように指導する，② 腰椎前弯を十分にとり除いた肢位での体操を指導する，③ 何回も繰り返し指導することである．

g．生活指導

ADLでとるべきもっとも基本的な姿勢（**基本的ボディメカニクス**）（図I-4），臥位，座位，立位，挙上動作の姿勢など，実際の日常生活に即した内容を急性期から慢性期まで指導する．

h．腰痛学級

患者を集団で教育し，腰痛に対する患者自身の啓蒙を図るために行われる．医師，理学・作業療法士などのリハビリテーションチームによって運営される．内容は，脊椎の解剖と腰痛発生機序に関する講義および，腰痛体操やADL指導に大別される．

2　椎間板ヘルニア

椎間板ヘルニアは，脊柱の重要な構成体である椎間板が加齢により変性（退行変性）し，髄核組織が線維輪を破って脊柱管内に突出することによって症状を出現するものである．本症の発生には，椎間板変性が不可分であるが，重労働や生活歴，および先天的な素因など多くの要因が関与するといわれている．

a．頸椎椎間板ヘルニア

疾患概念

頸椎椎間板の変性変化により，髄核が脱出し症状を呈する．30～50歳代の青壮年者に好発し，高齢者には比較的少ない．好発高位は，C5-6，C6-7，C4-5の順であり，上位頸椎での発症は少ない．C5-6は，他の部位に比し，とくに機械的ストレスが大きいためである．主た

図 I-3　腰痛体操
a：等尺性腹筋増強訓練
まず患者に背臥位をとらせる．このとき，膝および股関節を屈曲させることにより，骨盤は後傾し，腰椎前弯は減じる．次に，この安静肢位から体幹を徐々に挙上させ，約45°の位置でその姿勢を5秒間保持させる．その後，再び体幹を床上までもどす．この一連の運動を1セットとし，患者の状態に応じて回数を処方する．腹筋力が弱く，体幹の挙上が困難な者には，可能な限り挙上の努力をさせることによっても訓練の効果は得られる．この際に，頸椎を最大前屈位とし，体幹の挙上と同時に大殿筋を収縮させることにより，最大の体幹筋活動が得られ，訓練効果がもっとも高くなる．
b：等尺性背筋増強訓練
患者を腹臥位とさせる．このとき，腰椎前弯を減少させることを目的に，下腹部に枕などを置き，骨盤の後傾を図る．この位置から，体幹を約10cm徐々に挙上させ，その位置を保持させる．約5秒間保持後，再び，安静腹臥位にもどさせる．挙上の高さ，回数などは患者の状態に応じて，適宜変更する．この際，腹筋訓練と同様に，頸椎は最大前屈位とし，大殿筋の同時収縮を行わせる．
c：ストレッチング
① 腸腰筋，腰背筋，大殿筋のストレッチング：両膝を立てた背臥位から片方の下肢をもち，息を吐きながらゆっくり膝を胸に近づける．
② ハムストリングのストレッチング：片足をもった姿勢から息を吐きながら，膝をゆっくりと伸ばす．

る症状は，頸部痛や項部痛に加え，圧迫される神経に由来する．すなわち，ヘルニア塊により神経根が圧迫を受けた場合，上肢の疼痛と感覚・運動障害を訴える．また，脊髄が障害を受けると脊髄症状を呈する（**図 I-5**）．

以上のような病態を呈するその他の疾患に頸椎症がある．これは，**椎間関節**と**ルシカ関節** Luschka joint の変性変化により生じた骨棘により，上記の症状を呈するものである．ヘルニアと頸椎症は，ときに鑑別が困難な場合がある（**図 I-5**）．

評価・検査

1．局所所見の評価

とくに側面での頸椎弯曲異常に注意する．併せて，頸椎のROMを評価する．神経根障害では，頸椎の後屈によりヘルニアの神経根圧迫が増強し，上肢症状の誘発，悪化をみる．脊髄症

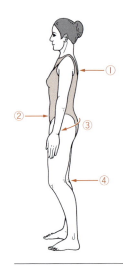

① 背部を常にまっすぐにする：腰椎の生理的前弯の保持は，まず背部を直立位 upright position にすることから始まる．
② 腹筋を収縮させる：ADL時には，常に腹筋を収縮させる．腰椎を保護するために重要である．
③ 殿筋を常に収縮させる：大殿筋を収縮させることにより，骨盤後傾位が得られる．これにより，腰椎前弯の増強が防止され，生理的な腰椎前弯が保持される．
④ 膝を屈曲させる：膝関節を屈曲させることにより，腸腰筋およびハムストリングの緊張が取れ，腰椎への負担が軽減する．膝関節の屈曲は挙上行為などのさまざまな動作中に，緩衝作用（ショックアブソーバー）として働く．

図I-4 基本的ボディメカニクス
この姿勢は骨盤の後傾位を維持し，前弯の増強を防ぎ，腰・下肢痛の発生・悪化を阻止する．すべての日常動作の基本となる姿勢である．

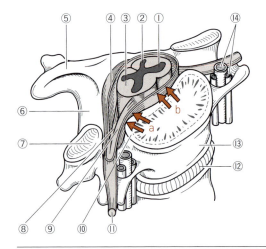

①脊髄前角（灰白質）anterior horn（gray matter）
②脊髄後角（灰白質）posterior horn（gray matter）
③脊髄白質 white matter
④硬膜 dura
⑤棘突起 spinous process
⑥椎弓 lamina
⑦椎間関節 intervertebral joint（facet joint）
⑧後根 posterior root
⑨前根 anterior root
⑩鉤状突起 unicinate process＊
⑪脊髄神経（神経根）spinal nerve
⑫椎間板 intervertebral disc
⑬椎体 vertebral body
⑭椎骨動静脈 vertebral artery & vein

＊上下の鉤状突起により形成されるのがルシカ関節である．

図I-5 頸椎の局所解剖と椎間板ヘルニア
矢印は，ヘルニアの突出方向を示す．a：後側方に突出し，神経根症状を呈する．b：正中方向に突出し，脊髄症状を呈する．突出の位置により，神経根，脊髄両者の混合症状を呈することもある．

状では，上肢や手指の筋萎縮を観察する．疼痛はVASを用いて評価する．

2．神経学的評価

神経根刺激症状を呈する場合，上肢症状の誘発テストが陽性となる．神経根障害では，障害される神経根の神経支配に応じた筋力低下，感覚障害，深部腱反射の減弱または消失がみられる．筋力検査では，四肢のみならず，頸部周囲筋の筋力評価も重要である．脊髄障害では，深部腱反射亢進，上肢・体幹から下肢に及ぶ感覚・運動障害，排尿障害を評価する．歩容を観察し，痙性歩行 spastic gait の有無を確認する．

3. 画像診断
MRI または **脊髄腔造影**（ミエログラフィー）により，神経根や脊髄の圧迫を確認する．

4. 電気生理検査
神経症状を呈する患者では，障害高位を確認する目的で筋電図検査がときに有用である．

5. 総合的評価
日本整形外科学会が定める**頚髄症治療成績判定基準**（⇨p. 395, 付録 [7]）は，運動・感覚・膀胱機能の3項目から患者の障害を評価する方法であり，正常の場合17点満点となる．

障害構造・問題点

1. 機能障害（心身機能・身体構造の障害）
上肢や下肢の疼痛は，ADLやQOL上著しい問題を引き起こす．感覚障害は，四肢，体幹にみられる．筋力低下は，四肢に生じる．脊髄症状の高度な例では，膀胱直腸障害を呈する．この判定基準は，現在も広く使われているが，最近では患者のQOLも含めて幅広く評価することを目的に自己式評価法が開発され，使用され始めている（JOACMEQ, JOA Cervical Myelopathy Questionnaire）（⇨p. 403, 付録 [11]）．

2. 能力低下（活動制限）
手指巧緻運動障害では，食事（とくに箸を使う動作），書字障害を呈する．歩行障害や排尿障害に注意する．

3. 社会的不利（参加制約）
頚部痛や項部痛のみであっても，就労時の大きな妨げとなる場合も多い．さまざまな上肢症状は，より大きなADL障害となる．

合併症
頚部痛や神経根障害の場合には，とくに問題となる合併症はない．歩行障害例では，転倒の問題がある．とくに，高齢者では，大腿骨頚部骨折をはじめとする骨折の危険性が大きい．

リハビリテーション治療

1. 日常生活指導
生活指導の基本的概念は，頚椎の過度な後屈を避けることである．なぜなら，この肢位は，椎間孔の狭窄をきたし，かつ循環障害により神経根の刺激を引き起こすからである．

2. 薬物療法
消炎鎮痛薬と筋弛緩薬を使用する．

3. 牽引療法
一般に，座位にて**グリソン係蹄**により，持続的または間欠的な牽引を行う．最大で約10 kgの牽引重量を目安として，適宜調節する．脊髄障害例では，むしろ禁忌である．

4. 温熱療法
頚椎局所にホットパックを使用する．

5. 装具療法
頚椎を動かすことは症状悪化の大きな原因であり，**フィラデルフィア型カラー**などの頚椎カラーを装着し，頚椎局所の安静を図る．簡単な装具で，短期間の装着とする．

6. 運動療法

比較的症状の落ち着いた亜急性期から慢性期に行う．急性期には，安静が主体となり，過度の運動療法は控える．頸部周囲筋の筋力強化と軟部組織の拘縮除去を行う（**図I-6**）．注意事項は，腰痛症の項に準じる．

b. 腰椎椎間板ヘルニア

疾患概念

20～40歳代の青壮年者に好発し，10歳代の若年者や高齢者に発症することは比較的少ない．主病態は，変性した椎間板の髄核が脊柱管内へ突出するものである（**図I-7**）．突出したヘルニアが，馬尾や神経根を圧迫し，腰痛のほかに下肢症状，すなわち坐骨神経あるいは大腿神経に沿った膝下までの下肢痛あるいは下肢しびれ感を呈する．原因は単一でなく，椎間板の加齢・変性を基盤に，機械的，環境的，遺伝的因子が複雑に絡み合って発症する．好発部位は，L4-5，L5-Sの下位腰椎椎間板である．

評価・検査

1. 理学所見の評価

腰椎可動域：疼痛により，腰椎のROMは制限される．

側弯変形：椎間板ヘルニアがある場合，痛みからの逃避現象として立位で側弯を認める（**坐骨神経痛性側弯**：後述）．

圧痛：棘突起上，傍脊柱筋，殿筋，ハムストリング，下腿三頭筋上の圧痛．とくに，大腿後面から下腿後面で坐骨神経の走行に沿う圧痛点（**バレーの圧痛点**）は神経根障害を示唆する．

下肢伸展挙上テスト straight leg raising test（**SLR**）または**ラセーグ徴候** Lasègue sign：L5およびS1神経根障害の際に陽性となる．

大腿神経伸張テスト femoral nerve stretch test（**FNST**）：L1～4の神経根障害で陽性となる．

2. 神経学的検査

主に，下肢筋力，表在性感覚（温痛覚，触覚），腱反射を診察する．

3. 画像診断

MRI，CT，脊髄腔造影を行う．しかし，画像診断は，理学的および神経学的検査の補助手段であり，画像所見のみで診断を行ってはならない．症状を出さない無症候性ヘルニアの存在には常に注意すべきである．

4. 電気生理検査

椎間板ヘルニアにおいて神経症状を呈する場合，障害神経根の判定に有用である．神経原性変化のパターンに注意する．

障害構造・問題点

障害構造の基盤をなすものは，一般に腰痛や下肢痛，しびれなどの疼痛，感覚障害である．

1. 機能障害（心身機能・身体構造の障害）

腰痛や下肢痛が主体となり，下肢筋力低下，感覚障害を呈する．症状が高度の場合，膀胱直腸障害を呈する．

①屈曲運動（後方の　　　　②伸展運動（前方の　　　　③側屈運動（対側の上部
　　軟部組織を伸展）　　　　　　軟部組織を伸展）　　　　　　僧帽筋を伸展）

④回旋運動（後側方および前方　⑤伸展回旋運動（対側の前方　　⑥屈曲回旋運動（対側の上部
　　の軟部組織を伸展）　　　　　　深部軟部組織を伸展）　　　　　側方軟部組織を伸展）

a．頸部周囲軟部組織のストレッチング
神経根症や頸髄症が存在する場合には，積極的には推奨されない．とくに急性期の神経根症の存在時には
②〜⑥の訓練はむしろ禁忌である．

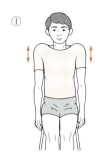  

b．大胸筋・僧帽筋・肩周囲筋のストレッチングと強化
①肩すくめ：できるだけゆっくりと肩をすくめ，首を縮め，ゆっくりと肩をおろす．肩をすくめるときに息を
　　　　　　吸い，おろすときに息を吐く．この運動により僧帽筋の強化も得られる．
②胸張り：胸を張るときに息を吸う．大胸筋のストレッチングとともに菱形筋・僧帽筋中部が強化される．
③胸すくめ：胸をすくめるときに息を吐く．

c．頸部周囲筋の強化
頸部周囲筋の等尺性運動を指導する．
①頸椎の前屈抵抗運動：両手を組んで前額に置き，力を入れて頭部を後方に押すようにする．同時に，前額で
　　　　　　　　　　　その手を前方に押しもどすようにする．5秒間息を吐きながら力を入れ，2秒休む．
　　　　　　　　　　　これを繰り返す．
②頸椎の後屈抵抗運動：両手を組んで後頭部にあて，その手を後方へ押しやるように力を入れる．
③頸椎の側屈抵抗運動：側頭部に手をあてて押す．左右交互に行う．

図Ⅰ-6　頸椎椎間板ヘルニアに対する運動療法
本症のみならず，頸部に起因するさまざまな疾患に対して有効である．原則として慢性期に行う．

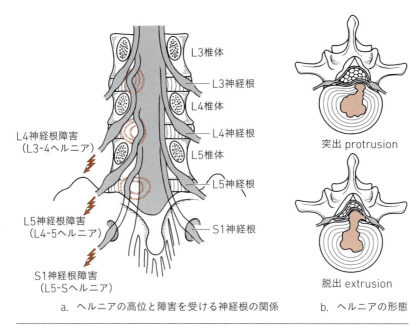

a. ヘルニアの高位と障害を受ける神経根の関係　　b. ヘルニアの形態

図Ⅰ-7　腰椎椎間板ヘルニア

2. 能力低下（活動制限）

腰・下肢痛，下肢筋力低下により歩行が障害される．また，更衣，寝返り，立ち上がり，洗顔動作などのADL障害が生じる．

3. 社会的不利（参加制約）

本症は，腰痛症と同様に主として青壮年者層に好発するため，職業すなわち就労上の問題が多い．疼痛のために，就労が困難となる．また，疼痛が慢性になると心理的な面での抑圧も大きく，社会活動は強く影響を受ける．

合併症

神経学的脱落所見を呈している患者では，ときに神経症状が悪化する場合がある．下肢筋力低下や下肢感覚障害の悪化，および膀胱直腸障害の出現に注意する．

リハビリテーション治療

適切な薬物療法と並んで理学療法が主体となる．理学療法として，安静，良肢位の指導，牽引療法，運動療法，装具療法などがある．治療の成否は，自覚症状である疼痛，とくに下肢痛の軽減を基準とする．2011年には，日本整形外科学会・日本脊椎脊髄病学会が主体となり『腰椎椎間板ヘルニア診療ガイドライン　改訂第2版』が作成され，今日の診断・治療の指針となっている．

1. 急性期〜亜急性期

腰椎前弯を減じた姿勢で安静臥床をとることが治療の基本である．疼痛の軽減には，非ステロイド性抗炎症薬（NSAIDs）や筋弛緩薬などの薬物療法も有効である．体幹装具も適宜，使用する．ADL指導も併せて行う．仙骨裂孔から行う硬膜外ブロックも有効な鎮痛効果を有する．

牽引療法は，骨盤牽引が一般的である．

2．慢性期

慢性期には，一般に疼痛も和らぐ．積極的に腰痛体操を行う．良肢位を指導することはこの時期においても重要である．体幹装具は，この時期に着用すべきものではないが，就労の必要性がある患者などに時間を限定して使用する．

3 脊椎退行変性疾患

a．変形性脊椎症

疾患概念

加齢による退行変性変化は，すべての関節に生じ，関節軟骨の変性と軟骨下骨の骨改変に始まり，進行するとそれらの破壊・変形をきたす．四肢の関節に生じる退行変性変化が変形性関節症であり，脊柱に生じた場合を**変形性脊椎症**という．頻度的には，成人年齢人口の半数以上がいずれかの関節に変性変化があり，一般に，60歳以上では本症を有すると考えてよい．主たる症状は，腰痛であり，下肢症状を呈さない．神経学的脱落所見がなく，腰痛のみを訴えるために，前述した腰痛症の範疇に入れる場合もある．

主病態は，椎間板および椎間関節に生じる変性変化である．

評価・検査

X線学的検査では椎骨や椎間板，椎間関節に変性所見がみられる．重要な点は，変性所見が必ずしも症状（腰痛や頸部痛）とは関係がないことである．すなわち，変形性脊椎症の所見があるからといって，ただちに症状の原因と考えてはならない．その他の評価・検査は腰痛症および脊柱管狭窄症に準じて行う．

b．脊柱管狭窄症

疾患概念

腰部脊柱管狭窄症の主病態は，椎間板や椎間関節の加齢・変性肥大によって生じる脊柱管の狭窄であり，60歳代以上の高齢者に好発する．脊柱管の狭窄に起因する馬尾・神経根の慢性圧迫により生じる下肢痛やしびれなどの下肢症状，**神経原性間欠性跛行**が代表的症状である．腰痛は伴わない場合もある．ときに，**膀胱直腸障害**を呈するので，注意が必要である．

評価・検査

1．症状の評価

とくに，神経原性間欠性跛行の存在が重要な診断的価値がある．腰椎前屈姿勢において下肢症状の改善が得られるのが特徴である．

2．神経学的検査

下肢筋力，感覚，腱反射を評価する．ADLの評価のみならず，障害高位の判断に重要である．**ケンプテスト** Kemp testは，とくに脊柱管狭窄症において陽性となる．

3. 画像診断
X線像，CT，MRI，脊髄腔造影により狭窄の有無およびその程度を判定する．

4. 可動域
とくに，腰椎，股・膝関節を評価する．

5. 歩行障害
歩行の困難度，歩行可能距離などを評価する．

6. ADL・QOL評価
下肢症状は，立位・歩行時に増悪する．したがって，この動作に関連した家事や就労の困難度を評価する．日本整形外科学会腰痛疾患治療成績判定基準も利用する．QOLの評価には，JOABPEQ（⇨p.397，付録⑨）なども使用可能である．

障害構造・問題点

1. 機能障害（心身機能・身体構造の障害）
下肢痛・しびれが主体となり，神経根・馬尾障害により下肢筋力低下，感覚障害を呈する．狭窄が高度の場合，膀胱直腸障害を呈する．

2. 能力低下（活動制限）
腰・下肢痛やしびれ，下肢筋力低下により歩行能力が障害される．ときに，下垂足となり，鶏歩となる場合がある．また，更衣，寝返り，立ち上がり，洗顔動作などのADL障害が生じる．重度の障害では，立位保持も不可能となる．

3. 社会的不利（参加制約）
歩行障害，膀胱直腸障害により散歩や買い物などの屋外活動は著しく制限される．
また，ゲートボールをはじめとするレクリエーション活動も制限される．

合併症
神経学的脱落所見を呈している患者では，ときに神経症状が悪化する場合がある．高齢者で，多発性脳梗塞や脳卒中を合併する症例がある．

リハビリテーション治療

1. 良肢位の指導
腰椎前屈は，狭窄した脊柱管を開大させる肢位である．これにより症状は軽減する．

2. 運動療法
良肢位の指導とともに，体幹筋の増強訓練を行う（⇨p.275，①腰痛症）．また，腰椎や股・膝関節のストレッチも行う．ホットパックなどの温熱療法を併用するとより効果的である．

3. 薬物療法
非ステロイド性抗炎症薬やプロスタグランジン製剤の投与．**硬膜外・神経根ブロック，プロスタグランジン**の点滴静注もときに有効である．

4. 装具療法
ウィリアムズ型腰仙椎屈曲装具 Williams flexion brace がときに効果的である．

4 脊柱靱帯骨化症

疾患概念

本症は，脊椎に付着する種々の靱帯に骨化が生じるものである．臨床上問題となるのが後縦靱帯および黄色靱帯骨化症である．前者は，頸椎に発症する頻度が高く，後者は胸椎〜胸腰椎移行部の発生が多い．

a．頸椎後縦靱帯骨化症

椎体の背側，すなわち脊柱管前方に位置する後縦靱帯の骨化症である．推定有病率は人口10万対6.33人であり，とくに日本人に多く，欧米人にみられることは少ない．厚生労働省の指定難病の1つである．原因は不明であるが，同一家系に多発する傾向があり，遺伝的要因も一部考えられている．本症のもっとも重要な症状は，骨化による脊髄の圧迫症状である．

b．胸椎黄色靱帯骨化症

上下の椎弓間の腹側に位置する黄色靱帯の骨化である．問題となるのは，後縦靱帯骨化症と同様に，骨化による脊髄圧迫症状である．

評価・検査

a．理学的検査

頸椎可動域測定，圧痛点の検索，頸椎運動と疼痛発現の関係などを検索する．

b．神経学的検査

筋力，深部腱反射，知覚の評価を行い，脊髄症の有無を評価する．

c．画像診断

骨化は，単純X線写真側面像で判定可能である．必要に応じて，CTにより判定する．脊髄の圧迫状態は，脊髄腔造影やMRIにより評価する．

d．ADL・QOL評価

日本整形外科学会の頸髄症治療成績判定基準（⇨p.395，付録 7 ）により点数化する．その他，具体的なADLの困難性について検討する．QOLの評価には，JOACMEQ（⇨p.403，付録 11 ）も有用である．

障害構造・問題点

a．機能障害（心身機能・身体構造の障害）

頸部痛，頸部可動域制限を呈する．脊髄症に発展した症例では，上・下肢の疼痛，しびれ，手指巧緻運動障害，筋力低下，膀胱直腸障害などを呈する．

b. 能力低下（活動制限）
書字障害，食事・更衣動作の障害，歩行障害，排尿障害を呈する．

c. 社会的不利（参加制約）
四肢の障害や排尿障害の程度により，社会・職業活動はさまざまに障害を受ける．

> 合併症

頸椎後縦靱帯骨化症では，ときに糖尿病を合併する．

> リハビリテーション治療

頸椎後縦靱帯骨化症に対しては，頸椎椎間板ヘルニアに対するリハビリテーション治療に準じて，日常生活指導，薬物，装具，温熱療法を行う．しかし，病状が進み脊髄症を発症した症例に対する運動療法は，慎重に行うべきである．頸椎牽引療法も，あくまで局所の安静を目的として行う．胸椎黄色靱帯骨化症に対しても同様である．

5 側弯症

> 疾患概念

側弯症は，前額面（すなわち正面像）において脊柱が側方へ弯曲した状態を意味する．その分類には，数多くのものがあるが，診断・治療に際しては，まず以下の2種類を明確に分類しなければならない．

a. 構築性側弯症 structural scoliosis
側弯の範囲内に含まれる個々の椎骨にねじれ rotation を伴うものである．椎骨のねじれは，通常，X線写真前後像で判定される．この型の側弯は，自家矯正が不可能である．また，いったん構築性となった側弯は，改善することはない．狭義の脊柱側弯症を意味する．

構築性側弯症は，さらに以下のように細分類される．

1. 特発性側弯症 idiopathic scoliosis

全側弯症の約80％を占め，もっとも多くみられる側弯症である．原因は，不明である．カーブパターンは，右胸椎側弯（右凸の胸椎カーブ）がもっとも多く，85％は女子に発生し，とくに思春期に好発する．特発性側弯症は，発症時期から以下の三型に大別される．乳幼児側弯症 infantile scoliosis（4歳未満に発症），若年性側弯症 juvenile scoliosis（4歳から9歳までに発症），思春期側弯症 adolescent scoliosis（10歳以降，骨成長終了までに発症）．その多くは，成長の完了とともに進行が停止するが，大きい角度のカーブ（一般的に50°以上）では骨成長終了後も進行する危険性があるので注意を要する．

2. 先天性側弯症 congenital scoliosis

椎骨の形態が先天的に異常であり，それを起因とする側弯症である．

3. 神経・筋性側弯症 neuromuscular scoliosis

神経麻痺や筋自体の異常により発症する側弯であり，側弯の進行速度が早く，成長終了後も

側弯の悪化がみられるのが特徴である．代表的なものとして，**脳性麻痺**，**ポリオ**，**脊髄空洞症**，**二分脊椎**，**筋ジストロフィー**，**脊髄損傷**などに併発するものがある．これらはとくに麻痺性側弯症とも呼ばれる．

4．その他
神経線維腫症や**マルファン症候群** Marfan syndrome に併発するものなど，種々のものがある．

b．機能的側弯症　functional scoliosis
椎骨のねじれを伴わない，いわゆる一過性の側方弯曲である．構築性側弯症に対して，**非構築性側弯症**とも呼ばれる．なんらかの治療可能な原因をもとに発症し，通常，治療により原因が除去されると側弯は消失するのが特徴である．この型の代表的なものに，坐骨神経痛性側弯がある．

評価・検査

a．弯曲程度の評価
視診により弯曲の程度を評価する．胸椎カーブでは，肋骨隆起に注意する．

b．可動域
側弯による体幹や四肢（とくに下肢関節）の拘縮や ROM 制限の有無を評価する．

c．神経学的検査
筋力，腱反射，知覚を評価する．特発性側弯症では異常を認めないが，麻痺性側弯症などその他の側弯症では異常を認める場合がある．

d．X 線写真
実際に側弯角度（コブ角 Cobb angle）を測定することにより，弯曲の程度を定量化する．

e．呼吸機能
スパイロメーターによる呼吸機能（肺活量，1秒率，その他）の評価．筋ジストロフィーなど麻痺性側弯症の一部，側弯角度の大きい症例では呼吸機能が低下する．

障害構造・問題点

a．機能障害（心身機能・身体構造の障害）
特発性側弯症では，側弯角度が高度にならない限り，とくに無症状であり，機能障害はない．これに対し，麻痺性側弯症などは筋力低下や感覚障害などを呈する場合がある．

b．能力低下（活動制限）
側弯角度が高度な症例では，バランスが悪くなり，座位保持が困難になることがある．歩行に際しても，体幹の不均衡により歩容の異常がみられる場合がある．

c. 社会的不利（参加制約）

特発性側弯症の患児では，側弯の程度が小さければ，外観から脊柱の弯曲を気付くことはない．しかし，角度が大きくなると外表からも弯曲が目立つようになり，登校・外出などを嫌う患児もいる．

合併症

まれではあるが，もっとも注意すべき点は，肺・呼吸器合併症である．とくに，麻痺性側弯症で角度の大きい症例，筋ジストロフィー症例で注意が必要である．マルファン症候群による側弯では，**心・大血管障害**（**弁膜症**や**解離性大動脈瘤**）を合併する場合もある．

リハビリテーション治療

側弯症治療の目的は，弯曲した脊柱をまっすぐにすることでは決してない．側弯を可能な限り矯正し，その進行を確実に防止することにある．リハビリテーション治療は，あらゆる角度の症例で行われるべきである．しかし，側弯が進行し，角度の大きくなった症例や，あらかじめ急激な進行が予測される症例では，手術療法が適応される．

a. 装具療法

代表的なものに**ミルウォーキー装具** Milwaukee brace があげられる．一般的に，側弯角 20〜40° の症例が適応となる．原則として骨成長が完了するまで装着する．

b. 運動療法

体幹筋力増強訓練やストレッチ，バランス訓練を指導する．装具療法中の患者でも，着用のまま実施する．手術後においても積極的に行う．

c. 牽引療法

手術例において，術前にカーブの柔軟性を増加させ，手術による矯正効果を助けることを目的に行われる．単独で施行されることはない．

その他，呼吸機能障害のある症例では呼吸理学療法が必要となる．

6 頸肩腕症候群

疾患概念

頸肩腕症候群の概念には，混乱がみられ，完全に一致した見解はない．器質的変化の確認が困難な，文字どおり頸部，肩部，上肢の疼痛を主体とする症候群であり，除外診断的な意味合いが強い．共通症状として，頸部から手指の疼痛，こり，しびれのほかに，脱力感，頭痛，発汗異常，手の腫れや色調変化など多彩な症状を呈する．キーパンチャー，タイピスト，振動工具使用者などにみられることが多い．

評価・検査

本症の診断は，他疾患の除外診断による．したがって，詳細な病歴の採取，適切な理学所見

や神経学的所見の採取により，まず原因疾患を検索することが重要である．

▌障害構造・問題点

a. 機能障害（心身機能・身体構造の障害）
頸部，肩関節の ROM 制限，視力障害を呈する．

b. 能力低下（活動制限）
書字障害，同一姿勢保持障害，不眠，座位保持困難，キーボードのタイピング困難など．

c. 社会的不利（参加制約）
職場での就労困難．

▌合併症

うつ傾向などの精神神経症状をときに呈する．

▌リハビリテーション治療

器質的疾患の確認が困難であるために，リハビリテーション治療が漫然と長期にわたって施行されていることが多い．定期的に再診し，必要に応じて治療法を変更することも必要である．

a. 生活・就労時の指導
増悪動作の禁止，とくに長時間に及ぶ同一姿勢の保持を避けるように指導する．また，正しいボディメカニクスを指導する．就労時の良肢位保持をはじめとして，適切な職場環境の整備を行う．

b. 薬物療法
消炎鎮痛薬，筋弛緩薬を適宜使用する．

c. 運動療法
頸部周囲筋群や上肢の筋力増強訓練を行う．ストレッチングや全身運動も効果的である．

d. その他
ホットパック，極超短波などの温熱療法，頸椎牽引療法など．

7 鞭打ち損傷（外傷性頸部症候群）

鞭打ち損傷（外傷性頸部症候群）は，追突事故などの交通外傷や労働災害により，頸椎が過度に伸展屈曲されて生じる．障害が頸部の軟部組織にとどまり，骨傷や，椎間板および周辺靱帯の損傷を伴わない．したがって，X線像をはじめとする画像診断上，異常を呈さないのが特徴である．頸椎捻挫 cervical sprain とも別称される．その多彩な症状から外傷性頸部症候群と呼ばれることもある．ときに，他人から障害を受けたという被害者意識などの心理的要因によ

り，社会問題や賠償問題に絡んで複雑な様相を呈することがある．初発症状は，頸部痛，頭痛（頭重感），頸椎運動制限である．吐気，嘔吐，めまい，眼精疲労（視力低下）などの，いわゆる**バレー・リュウ症候群** Barré-Liéou syndrome を伴うこともある．

J. 内部障害

学習の目標

1. 内部障害のリハビリテーション治療は運動療法が重要であることを理解する．
2. 運動処方を行うときには運動の頻度，強度，時間，種類を常に考える．
3. 心筋梗塞のリハビリテーション治療を進めるときには運動負荷試験が重要である．
4. メタボリックシンドロームの治療は運動療法，食餌療法，薬物療法が中心となることを理解する．
5. 慢性閉塞性肺疾患のリハビリテーション治療により息切れ，運動耐容能，QOLの改善が得られる．
6. 周術期・ICUではICU-AW，ICU-AD，PICSの概念を理解する．肺合併症予防と早期離床が大切である．
7. 慢性腎臓病に対しても運動療法の効果が明らかになってきている．

1 心疾患

a. 虚血性心疾患

疾患概念

心筋が酸素不足になり心機能障害が生じる病態を虚血性心疾患といい，その代表的なものが心筋梗塞と狭心症である．冠動脈は右冠動脈，左冠動脈の左前下行枝，左回旋枝の3本からなり，心筋梗塞は冠動脈の血流が一定時間途絶することにより心筋が壊死を生じた状態，狭心症は一過性の心筋虚血である（**図J-1**）．

1. 心筋梗塞

突然の激しい胸痛で発症し，特異的な心電図所見と心筋逸脱酵素の上昇で診断される急性の心筋壊死である．胸痛の他に呼吸困難，意識障害，動悸などもみられることがある．重症度判定にはキリップKillip分類（**表J-1**）が用いられる．発症6時間がゴールデンアワーであり，この時間以内は積極的に血栓溶解療法，血管形成，ステント治療などの再灌流療法により心筋壊死層の減少を図る．

合併症には心原性ショック，心不全，血栓・塞栓症，右室梗塞，心室中隔穿孔，乳頭筋断裂，心破裂，心室瘤，不整脈などがある．心原性ショックは心臓のポンプ機能低下に伴う心拍出量の減少が原因となる．また，不整脈には心室性期外収縮，心室頻拍，心室細動，心房細動，房室ブロック，洞不全症候群などがある．合併症には致死的なものも多いので注意が必要である．

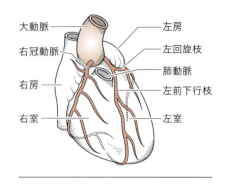

図 J-1　冠動脈

表 J-1　キリップ分類

I 型	心不全の徴候なし
II 型	心不全（肺ラ音を全肺野の50％未満で聴取，III音ギャロップ，静脈怒張）
III 型	肺水腫（肺ラ音を全肺野の50％以上で聴取）
IV 型	心原性ショック

表 J-2　狭心症の分類

1．誘因の観点	
a）労作狭心症	労作で誘発される
b）安静狭心症	安静時に出現する
2．経過の観点	
a）安定狭心症	発作が出現する条件が比較的安定
b）不安定狭心症	発作が3週間以内にはじめて起こった場合，増悪する場合
3．発生機序の観点	
a）器質性狭心症	冠動脈に高度狭窄がある
b）冠攣縮性狭心症	冠動脈の攣縮により虚血が生じる
c）混合性狭心症	狭窄＋攣縮

　心筋梗塞は発症から退院までの急性期，退院から社会復帰にいたるまでの回復期，それ以降の維持期に分けられる．ただし，最近は入院中の離床までを急性期として，離床後は回復期に含むとする考え方が多くなりつつある．

2．狭心症

　胸部絞扼感，胸部圧迫感などの症状が現れ，通常は数分以内で消失する．発作時にはニトログリセリンの舌下投与が有効である．強い胸痛が30分以上持続する場合には急性心筋梗塞を疑う．狭心症はいくつかの観点で分類される（**表 J-2**）．

評価・検査

1．心電図

　心筋梗塞の初期にはT波増高，ST上昇，異常Q波などがみられ，時間経過に従いST低下，冠性T波（陰性T波）が出現する．狭心症の場合は安静時には正常であることが多く，発作時や運動負荷時にはST下降がみられる．

2．血液生化学検査

　心筋梗塞ではミオグロビン，CK，CK-MB，GOT，LDHなどの上昇がみられる．これらは

狭心症では上昇しないので鑑別に用いられる．

3．心エコー

心機能評価に用いる．心筋の壁運動異常などから梗塞の部位，大きさを診断可能である．

4．冠動脈造影

冠動脈の器質的病変の有無と程度，経皮的冠動脈形成術や冠動脈バイパス術の適応の確認などを目的に行われる．冠動脈狭窄は**75％以上を有意の狭窄**とすることが多い．

心臓リハビリテーション

心臓リハビリテーションとは，心血管疾患患者の身体的・心理的・社会的・職業的状態を改善し，基礎にある動脈硬化や心不全の病態の進行を抑制あるいは軽減し，再発・再入院・死亡を減少させ，快適で活動的な生活を実現することをめざして，個々の患者の「医学的評価・運動処方に基づく運動療法・冠危険因子是正・患者教育およびカウンセリング・最適薬物治療」を多職種チームが協調して実践する長期にわたる多面的・包括的プログラムを指す．

運動療法は心血管疾患リハビリテーションの中心的な役割を担っており，さまざまな効果が明らかになっている．とくに**運動耐容能の改善**はもっとも確実に得られる効果であり，最高酸素摂取量が15〜25％増加する．また，労作時呼吸困難感や疲労感などの症状が軽減しQOLが改善する．運動療法により冠動脈疾患の全死亡率，心死亡率，致死性心筋梗塞再発率の低下が期待できる．ただし，運動療法は一般的に身体面における主観的健康感の改善はもたらすが，運動療法のみで不安や抑うつ状態が改善するとは限らない．

心理的機能の改善を図るためには**包括的心血管疾患リハビリテーション**が推奨される．包括的心血管疾患リハビリテーションとは運動療法，食餌療法，教育，心理社会的介入を加えた包括的介入のことであり，これらにより降圧効果，コレステロール低下とそれによる心血管イベントの減少が得られる．また，**禁煙**により心血管イベントは減少し，心筋梗塞再梗塞，突然死，総死亡率のリスクも減少する．

冠動脈危険因子，心血管疾患，心臓血管手術の有無から運動療法，教育，カウンセリングの必要性を判断し，運動療法の禁忌がなければリスク評価を行ったうえで運動療法を行う．狭心症に対しては持久運動を主運動とし，ストレッチングや自重を用いたレジスタンストレーニングなども組み合わせて行われるが，冠動脈インターベンション percutaneous coronary intervention（PCI）後のリハビリテーションの普及はまだ十分ではない．

心筋梗塞のリハビリテーション

急性期，**回復期**，**維持期**の3期に分けて考えられることが多い．

1．急性期

心筋梗塞発症直後は安静を要するが，いつから離床を許可するかが問題である．急性心筋梗塞の合併症の多くは**発症後1週間以内**に発生する．一般には心血行動態が落ち着いてCKがピークを過ぎたら離床可能である．国立循環器病センターでは再灌流療法が成功し，キリップI型（心不全所見なし）で合併症がなく血中CK最高値が1,500U/L以上の場合には14日間クリニカルパスを，血中CK最高値が1,500U/L未満の小梗塞の場合には10日間クリニカルパスを適用している．

図 J-2　マスター 2 階段試験
性別，年齢，体重によって昇降回数が決定される．シングルは 1 分 30 秒，ダブルは 3 分間行う．

運動負荷試験を行い，自覚症状，心拍数，血圧，心電図変化を観察して次の段階に進む．運動負荷試験にはエルゴメーター，トレッドミル，マスター 2 階段試験（**図 J-2**）（⇨p. 72）などがあるが運動負荷試験の絶対禁忌，相対禁忌，中止基準（⇨p. 57）に注意する．超急性期には日常生活活動（ADL）自体が運動負荷試験となる．また，急性期における患者教育も重要である．しかし，最近は入院期間も短縮しているので急性期における教育は胸痛が生じた場合の対処法，薬剤使用法，禁煙など必要最小限にとどまることが多い．

2．回復期

急性期心臓リハビリテーションに加えて**回復期心臓リハビリテーション**を行うと運動耐容能の改善，抑うつ・不安，冠動脈危険因子の是正，動脈硬化症の進行抑制や改善，QOL の改善，急性心筋梗塞再発率の低下，心血管疾患による死亡率の低下，総死亡率の低下が得られる．

回復期心臓リハビリテーションでは**運動療法**と**教育**が主体となる．運動療法は急性期と同じく**運動負荷試験**の結果に従って処方していく．回復期の教育としては運動療法継続の重要性とその効果，冠危険因子の是正，日常生活指導，復職時の注意，ストレスの対処法，栄養指導，生活指導などを行う．

3．維持期

回復期に続いて生涯にわたって行われる．定期的な医学的評価と運動の継続，教育，カウンセリングなどであるが，わが国においてはほとんど行われていないのが実状である．

運動処方

運動を処方するときには FITT と呼ばれる頻度 <u>F</u>requency，強度 <u>I</u>ntensity，時間 <u>T</u>ime，種類 <u>T</u>ype を設定する必要がある．

1．運動頻度，運動時間

1 回 30～50 分，週 3～5 回行うことが望ましいとされる．ウォーミングアップ（準備体操），

クーリングダウン（整理体操）をそれぞれ5〜10分加える．ウォーミングアップは関節可動域を広げ運動筋の血管拡張を促す．クーリングダウンは急激な血圧低下と静脈還流の低下を防ぎ心拍出量，冠血流量の低下を防止し，運動後の低血圧を予防する．

2．運動種類

歩行，ジョギング，サイクリング，水泳など大きな筋群を用いる持久的かつ律動的な**有酸素運動**が勧められる．一方，過大な努力を要する運動やバーベル上げなどの等尺性運動は避ける．最近は有酸素運動に加えて**レジスタンストレーニング**の有効性も知られるようになってきた．

3．運動強度

近年は徐々に低強度の運動が推奨されるようになってきている．具体的には，最大酸素摂取量の40〜60％，最大予測心拍数（220−年齢）の50〜70％，カルボーネン法 Karvonen method（目標心拍数＝（最大心拍数−安静時心拍数）×（0.4〜0.6）＋安静時心拍数）で算出した心拍数，あるいは**嫌気性代謝閾値** anaerobic threshold（**AT**）以下の強度が選択される．最大心拍数とは個人の限界，胸痛前徴出現時，1 mm以上のST低下時の心拍数である．自覚症状を用いる場合は，自覚的運動強度（⇨p.73，表30）の**ボーグ指数**13（ややきつい）がほぼATに相当することから12〜14の強度を用いる．

β遮断薬が処方されている場合は運動時の心拍数上昇が制限されるので，心拍数は基準にしないほうがよい．レジスタンストレーニングでは，は低リスクの場合で最大反復力の20〜40％，10〜15 RM（RM；最大反復回数 repetition maximum）の負荷量で8〜15回を1セットとして1〜3回，週3回程度行うことが奨励されている．安静時の酸素消費量を1 METとし（⇨p.70），運動時の酸素消費量が安静時の何倍になるかを**METs**で表現する．たとえば，炊事は3.0 METs，排便はポータブルトイレが3.6 METs，ベッド上が4.7 METsである．排便をポータブルトイレで行うほうがベッド上で行うよりも酸素消費量が小さいことは重要であり，可能な限り排便はベッド上でなく，ポータブルトイレで行うべきである．また，歩行に関しては時速とMETsの数値がほぼ一致することも覚えておくと便利である（3.2 km/hの歩行が3.2 METs，5.6 km/hの歩行が5.0 METs）．

退院時指導

退院時には運動，日常生活，復職などについての指導を行う．運動は前述したFITTの指導が大切であり，強度については**脈拍の計り方**を指導する．橈骨動脈や頸動脈に第2指と第3指を当てて，10秒ないし15秒間脈を計り，1分間の脈拍数を求める．ただし，β遮断薬使用中の場合は**ボーグ指数**を用いる．

食事に関してはカロリーや塩分を取りすぎないこと，肥満の場合には減量（ただし急激な減量はしないこと）を指導する．入浴は4〜5 METsの運動負荷である．性行為は患者側から尋ねにくいこともあり話題にされにくいがきわめて重要な項目である．一般には性行為は4〜6 METsの運動負荷とされるので，マスターシングルテストや6 km/h程度の歩行が胸痛や息切れなしに行える場合は可能とされる（**表J-3**）．

心筋梗塞後の復職率は一般に7〜8割であり，復職しない理由としては引退，経済的に余裕

表J-3　運動負荷試験および各種日常労作の運動強度一覧表

METs	リハビリテーション労作	運動負荷試験	日常労作および家事	職業労作など	レクリエーションなど
1〜2	臥床安静 座位，立位 ゆっくりとした歩行（1〜2 km/h）		食事，洗面 編み物，裁縫，自動車の運転，乗り物にすわって乗る	事務仕事 手洗いの仕事	ラジオ，テレビ，読書，トランプ，囲碁，将棋
2〜3	ややゆっくりとした歩行（3 km/h） 自転車（8 km/h）		乗り物に立って乗る，調理，小物の洗濯 床拭き（モップで）	守衛，管理人 楽器の演奏	ボーリング 盆栽の手入れ
3〜4	普通の歩行（4 km/h） 自転車（10 km/h）	マスターテスト 1/2 25 W（3.6）	シャワー 荷物を背負って歩く（10 kg） 炊事一般，洗濯，アイロン ふとんを敷く 窓拭き，床拭き（膝をついて）	機械の組み立て 溶接作業 トラックの運転 タクシーの運転	ラジオ体操 バドミントン（非競技） 釣り ゴルフ（バッグをもたずに）
4〜5	やや速めの歩行（5 km/h） 自転車（13 km/h） 柔軟体操	50 W（4.7）	荷物を抱えて歩く（10 kg） 軽い大工仕事，軽い草むしり 床拭き（立て膝） （夫婦生活），（入浴）	ペンキ工	園芸 卓球，テニス（ダブルス） バドミントン（シングルス） キャッチボール
5〜6	速めの歩行（6 km/h） 自転車（16 km/h）	マスターテスト シングル 75 W（6.0）	荷物を片手にさげて歩く（10 kg） 階段昇降 庭掘り，シャベル使い（軽い土）	大工 農作業	アイススケート 渓流釣り
6〜7	ゆったりしたジョギング（4〜5 km/h） 自転車（17.5 km/h）	マスターテスト ダブル 100 W（7.3）	まき割り シャベルで掘る 雪かき，水汲み		テニス（シングルス）
7〜8	ジョギング（8 km/h） 自転車（19 km/h）	125 W（8.7）			水泳 エアロビクスダンス 登山，スキー
8〜	ジョギング（10 km/h） 自転車（22 km/h）	150 W（10.0）	階段を連続してのぼる（10段）		なわとび 各種スポーツ競技

注：METsとは，安静座位を1として，その何倍の酸素消費量に当たるかを示した．
［齋藤宗靖：狭心症・心筋梗塞のリハビリテーション（木全心一，齋藤宗靖編），第3版，南江堂，p. 156，1999より許諾を得て転載］

がある．医師による禁止，胸痛などの自覚症状によることが多い．

b. 心不全

疾患概念

心疾患が進行し心機能が低下した状態であり，さまざまな心疾患の終末像である．原因としては心臓弁膜症，拡張型心筋症，虚血性心疾患，高血圧性心疾患などがある．

心不全のリハビリテーション

運動療法により慢性心不全患者の自覚症状，運動耐容能，QOLの改善が期待できる．ただし，心不全の場合は運動療法の適応があるかどうかを考える必要がある．運動療法の適応となるのは，安定期にあるコントロールされた心不全で，NYHA Ⅱ～Ⅲ度（⇨p.59，表21）の症例である．具体的には少なくとも過去1週間において心不全の自覚症状（呼吸困難，易疲労性など）および身体所見（浮腫，肺うっ血など）の増悪がなく，中等度以上の下肢浮腫や中等度以上の肺うっ血がないことなどである．近年は急性期からの早期離床プログラムが推奨されている．

心不全の運動療法のリスクは通常の心血管疾患リハビリテーションと比較してとくに高いわけではないが，低血圧，不整脈，心不全悪化は生じうる．

心不全の運動処方

1. 運動頻度，運動時間

初期にはきわめて**低負荷の運動**を持続時間5～10分間で，15～30分の休憩をはさんで2回繰り返す程度（10～20分/日）行う．安定期では1回20～30分の持続で2回繰り返し，合計40～60分/日とする．運動の頻度は重症心不全例は週3回とし，軽症例では週5回まで増量してもよい．

2. 運動種類

心不全患者には屋内での歩行，屋内での自転車エルゴメーター，軽いエアロビクス体操，低強度レジスタンストレーニングなどが推奨され，通常の心血管疾患リハビリテーションで推奨されるジョギング，水泳，テンポの速いエアロビクスダンスは心臓への負荷が大きいので推奨されない．

3. 運動強度

運動強度を決定するときには可能であれば呼気ガス分析を併用した症候限界性心肺運動負荷試験を実施すべきである．正確なデータを得るためには，運動療法初日よりも導入後7～10日程度経過して患者が運動に少し慣れた時点で**運動負荷試験**を施行するほうが望ましい．なぜなら，心不全患者では運動に対する心拍数反応が低下しているうえ，近年ほとんどの症例にβ遮断薬が投与されており，心拍数による運動強度決定の精度が低下しているからである．運動強度は**AT以下**に設定する．症候限界性心肺運動負荷試験が実施困難である場合や，心房細動やペースメーカ調律の症例では，トレーニング心拍数を決定することが困難であるので，ボーグ指数11（楽である）～13（ややきつい）のレベルの運動強度とする．

2 メタボリックシンドローム

疾患概念

高血圧，**肥満**，**脂質異常症**，**糖尿病**などの症状を複数もつ状態をメタボリックシンドロームといい，内臓脂肪蓄積に関係が深いため内臓脂肪症候群ともいわれる．メタボリックシンドロームをもつ場合には**心血管イベント**の発生率が高くなるといわれており，民族・人種によって体格が違うためわが国では独自の診断基準が定められており（**表J-4**），2008（平成20）年から40歳以上を対象に特定検診・特定保健指導が始まっている．メタボリックシンドロームの治療は**運動療法**，**食餌療法**，**薬物療法**が中心となる．

表J-4 わが国におけるメタボリックシンドロームの診断基準

必須項目
ウェスト周囲径　　男性85 cm以上，女性90 cm以上

上記に加えて下記3つのうち2つ以上
1. 中性脂肪150 mg/dL以上かつ/またはHDLコレステロール40 mg/dL未満
2. 収縮期血圧130 mmHg以上かつ/または拡張期血圧85 mmHg以上
3. 空腹時血糖110 mg/dL以上

［メタボリックシンドローム診断基準検討委員会：メタボリックシンドロームの定義と診断基準，日本内科学会雑誌 **94**(4)：191，2005より許諾を得て転載］

a. 高血圧

疾患概念

収縮期血圧120 mmHg未満かつ拡張期血圧80 mmHg未満が正常血圧であり，収縮期血圧140 mmHg以上または拡張期血圧90 mmHg以上を高血圧という．高血圧患者はわが国で3,000万人を超えるといわれ，心血管疾患の危険因子である．

高血圧のリハビリテーション

一般に運動により末梢血管は拡張するが，心拍出量も増加するため血圧は上昇する．したがって，高血圧患者に強度の運動は推奨できない．運動療法の対象となるのは中等度以下の血圧値で心血管疾患のない高血圧患者であり，リスクの高い患者は事前にメディカルチェックを行って必要に応じて運動の制限や禁止などの対策を講じる．運動強度は高負荷よりも比較的**低負荷**（最大酸素摂取量の40〜60%）のほうがよいとされる．運動療法による**降圧効果**は確立されており，運動は定期的に毎日30分以上を目標に行うが，少なくとも10分以上の運動であれば合計して1日30分以上で目標を達成できたとしてよい．運動の種類としてはウォーキング（脈がやや速くなる程度の速歩）のような等張性の**有酸素運動**が優れている．これに除脂肪体重の増加や骨粗鬆症，腰痛を防止する効果のある軽度のレジスタンストレーニング，および関節の可動域や機能を向上させるストレッチングを補助的に組み合わせる．

b. 肥　満

疾患概念

　脂肪組織が過剰に蓄積した状態を肥満という．肥満の90％以上は原発性肥満であり，食習慣，運動不足，精神的要因などが複雑にからみあって生じる．肥満のなかでも皮下脂肪型肥満に比べ**内臓脂肪型肥満**のほうが，耐糖能異常，脂質代謝異常などをきたしやすい．肥満度の計算には体容積（肥満）指数 body mass index（BMI）が用いられる．

$$BMI＝体重（kg）/（身長（m））^2$$

で求められ，米国などではBMI 30以上が肥満であるが，わが国では**BMI 25以上**を肥満，BMI 35以上を高度肥満と定めている．

　肥満のなかで健康障害を合併している，または合併が予測され医学的に減量を必要とする病態を肥満症という．肥満は糖尿病，脂質異常症，脂肪肝，高血圧，虚血性心疾患，腰痛，変形性関節症などさまざまな病気との関連が深く，治療を必要とすることが多い．肥満の原因は主として摂取エネルギーが消費エネルギーを上回ることであり，肥満の解消には消費エネルギーを増やすことよりも摂取エネルギーを減らすほうが容易である．ただし，過度の急激な減量は避け，月5％の減量を目標とする．

肥満のリハビリテーション

　運動療法は筋の異化を防止し，**インスリン抵抗性を改善**する．インスリン抵抗性が改善すれば中性脂肪も減少し，低密度リポ蛋白質 low density lipoprotein（LDL）コレステロールの低下や高密度リポ蛋白質 high density lipoprotein（HDL）コレステロールの上昇を介して**動脈硬化の改善**をもたらす．運動は歩行などの**有酸素運動**を基本として，最大酸素摂取量の50％以下の負荷で1回30〜60分，週3〜5回以上行う．1日の運動量は最低7,000歩，できれば10,000歩以上を目標とする．

c. 脂質異常症

疾患概念

　脂質異常症はLDLコレステロール140 mg/dL以上，HDLコレステロール40 mg/dL未満，中性脂肪値150 mg/dL以上のいずれかに該当するものである．脂質異常症は動脈硬化を引き起こし，虚血性心疾患の合併率を上昇させる．治療は食餌療法と運動療法が基本となり，食餌療法として総カロリーの制限，コレステロールの制限などが行われる．

脂質異常症のリハビリテーション

　運動療法は中性脂肪を下げ，HDLコレステロール値を上昇させる．運動開始当初はエネルギー源として血中ブドウ糖が使用されるが，運動開始後20分を過ぎると脂質の利用が多くなるため，運動は最低10分，できるだけ20分以上継続して行う．運動負荷量，頻度は肥満症と同じであり，最大酸素摂取量の50％以下の負荷で，週3〜5回程度行う．運動種類としては速歩，ジョギング，水泳，サイクリングなどがよい．また，筋肉量維持の視点からレジスタンストレーニングも併用される．

d. 糖尿病

疾患概念

糖尿病は慢性的な**高血糖**を中心とした代謝異常である．初期には高血糖のみが問題であるが，次第に特有の合併症が生じ，その管理も重要になる．診断は空腹時血糖値126 mg/dL以上，75 g経口ブドウ糖負荷試験による2時間値200 mg/dL以上，随時血糖値200 mg/dL以上およびHbA1c（NGSP）≧6.5%のいずれかが別の日の検査で2回以上確認できることである．自覚症状として口渇，多飲，多尿，だるさを感じることもあるが，無症状の場合も多い．合併症は**網膜症，腎症，神経障害**が有名であるが，他にも冠動脈疾患，脳血管障害，足病変，感染症など多岐にわたる．

病型は**1型，2型**に分けられるが，厳密に区別できない場合もある．一般に1型は自己免疫性あるいは特発性の膵β細胞の破壊による絶対的なインスリン欠乏状態である．2型は糖尿病の約90%を占め，インスリン抵抗性の増大とインスリン分泌低下によって発生するといわれる．糖尿病の治療は**薬物療法，食餌療法，運動療法**が基本である．インスリン依存性糖尿病患者では食餌療法および運動療法により心血管イベントの減少が期待できる．

運動と血糖の変化

運動によって血糖値は変化するが，その変化は血糖値，インスリン投与法，運動のFITTなどに影響を受ける．健常者ではATレベルの運動を行った場合に血液中のブドウ糖は骨格筋に取り込まれて利用されるが，インスリンの低下とグルカゴンの上昇により肝臓での糖産生が増加し血糖値はほとんど変化しない．2型糖尿病患者の場合は骨格筋での糖利用は増加するが，高血糖や高インスリン血症により肝臓での糖産生の増加が抑制されるため，運動中の血糖値は低下する．したがって，薬物療法を行っている患者では，運動中のみならず運動当日〜翌日にも**低血糖**を生じる恐れがあるので注意が必要である．

一方，インスリン欠乏状態で全身性の強い運動を行った場合，肝臓での糖産生の増加は正常に生じるが，糖利用の増加が障害されるために運動中または運動後にかえって血糖は上昇し，ケトーシスを生じる可能性がある．

糖尿病のリハビリテーション

定期的な運動は，心血管疾患の危険因子を減少させ心肺機能を改善することで，QOLを向上させる．多くの糖尿病患者にとって運動は有益であるが，運動療法を開始する際には，糖尿病性慢性合併症や心血管障害の有無などあらかじめ医学的評価が必要である．

心血管障害やそのリスクが高い場合（2型糖尿病の罹病期間が10年以上，1型糖尿病の罹病期間が15年以上など），明らかな末梢および自律神経障害のある場合，進行した細小血管障害がある場合は負荷心電図などによる詳細な評価が必要である．また，網膜症，腎症，末梢神経障害の存在する場合はその程度に応じて運動プログラムを決定する必要がある．

中等症以上の非増殖性網膜症の場合は急激な血圧上昇を伴う運動は避け，重症または増殖性網膜症では無酸素運動や身体に衝撃の加わる運動は避けるべきである．中等度以上の蛋白尿（1 g/日以上）や糸球体濾過率の低下が認められる場合は積極的な運動療法は制限する．

重篤な末梢神経障害を有する患者ではフットケアが重要であり，荷重運動を控え水泳，サイ

表 J-5　糖尿病患者が運動を避けたほうがよい場合

- 動悸や脈の乱れ
- めまい，気持ちが悪い
- 強い空腹感
- いつもと違う疲れ
- 冷や汗
- 収縮期血圧が 180 mmHg 以上
- 空腹時血糖 250 mg/dL 以上または尿ケトン体陽性

クリングや上半身運動などが勧められる．**自律神経障害**を有する患者では運動中に低血圧や血圧上昇を起こしやすく，また運動中に突然死や無症候性心筋梗塞などの合併症を起こす危険性もあるため，注意しながら慎重に運動療法を進めていく必要がある．ただし，日常生活における身体活動量は可能な限り低下させないように配慮すべきである．

インスリン治療をしている場合には血糖の自己測定を行い，運動の時間や種類や量により，運動前や運動中に補食する，運動前後のインスリン量を減らす，注射部位を運動の影響を受けにくい部位に変更する，などの工夫が必要である．経口血糖降下薬使用中の患者は投薬量を減らす場合もある．

1．運動療法における一般的な注意

フットケアが重要であるので，両足をよく観察し，適切な靴をはいて運動する．インスリンや経口血糖降下薬（とくにスルホニル尿素薬）の服用患者では運動中および運動当日〜翌日に**低血糖**を惹起する危険性があり注意が必要である．とくにインスリン治療中の患者では，運動前の血糖が 90 mg/dL 未満の場合には吸収のよい炭水化物を 1〜2 単位摂取することが望ましい．

運動量は徐々に増加させていくのが望ましく，運動療法による血糖値の改善は運動後 12〜72 時間持続するため，運動は 1 日おき，週 3 回から多くて週 5 回程度でよい．運動時間は 20〜60 分，食後 1〜1.5 時間後に運動するのがもっともよい．運動強度は最大予測心拍数（220 − 年齢）の 40〜60％の強度，または **AT** レベル（⇨ p.299），ないしは少し息がはずむ，少しきついがまだ続けられそうな程度（ボーグ指数 12〜14）がよく，苦しいと感じるのは負荷が大きすぎる．なお，**β遮断薬**使用中の患者では運動負荷に対する脈拍の上昇が少ないので，脈拍数は参考にしないようにする．

運動の前後にウォーミングアップ，クーリングダウンを行い，緩歩，柔軟体操，速歩，ジョギング，水泳，ストレッチング，自転車エルゴメーターなどから糖尿病や合併症の程度を考慮しながら行う．ただし，運動を避けたほうがよい場合を**表 J-5** に示した．

2．1 型糖尿病

進行した合併症がなく血糖コントロールが良好であれば，インスリン療法や補食を調整することにより，いかなる運動も可能である．1 型糖尿病患者においても運動により血糖は低下するが，2 型糖尿病とは異なり運動の長期的な血糖コントロールには一定の見解が得られていない．しかし，運動療法は心血管疾患のリスクファクターを改善させ，QOL を向上させるなど

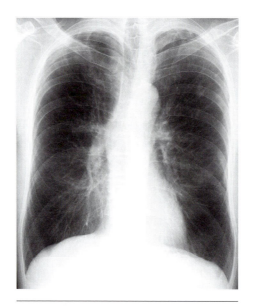

図 J-3　COPD 患者の胸部単純 X 線像
肺野の透過性亢進，横隔膜平坦化，滴状心などがみられる．

血糖コントロール以外の効果が期待されるため，AT レベル以下の運動療法は勧められる．

3．2 型糖尿病

　2 型糖尿病患者はインスリン抵抗性，肥満，高血圧や脂質代謝異常を伴っている場合が多く，有酸素運動やレジスタンストレーニング，あるいはその組み合わせによる運動療法は血糖コントロールや心血管疾患のリスクファクターを改善させる．2 型糖尿病患者に対する有酸素運動とレジスタンストレーニングは，ともに単独で血糖コントロールに有効であり，併用によりさらに効果が高まる．2 型糖尿病患者の治療においては食事や運動など**生活習慣の改善**が重要であり，食餌療法と組み合わせることによりさらに高い効果が期待できる．日常生活のなかで段階的に運動量を増やしていき，それを継続することが重要である．たとえば歩行時間を 1 日 30 分程度増やす，近い階であればエスカレーターやエレベーターを使わずにできるだけ階段を利用するなどといったことも効果的である．

3　呼吸器疾患

a．慢性閉塞性肺疾患

疾患概念

　慢性閉塞性肺疾患 chronic obstructive pulmonary disease（COPD）は代表的な閉塞性肺疾患であり，慢性気管支炎と肺気腫を合わせた病名である（**図 J-3**）．主訴は慢性の咳，痰，呼吸困難であり，タバコ病といわれるほどに喫煙の影響が大きい．したがって，**禁煙**がもっとも重要な治療かつ予防法である．

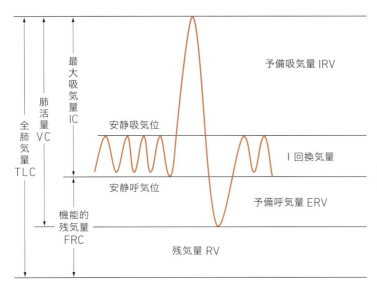

図J-4 肺気量分画
TLC：total lung capacity
VC：vital capacity
IC：inspiratory capacity
FRC：functional residual capacity
RV：residual volume
IRV：inspiratory reseave volume
ERV：expiratory reseave volume

評価・検査

1. スパイロメトリー

COPDなど換気障害を疑う患者には必須の検査である．通常の呼吸から最大吸気を行わせ，一気に呼出させる．この検査によって1回換気量，最大吸気量，肺活量，予備呼気量などが測定可能であり（図J-4），とくに**1秒量，1秒率，%肺活量**が重要である．1秒量は最初の1秒間の呼気量であり，これが500 mL以下になると呼吸困難が著しくなることが多い．1秒率は1秒量/肺活量であり，70%未満の場合に閉塞性換気障害という．%肺活量は年齢と身長から求めた予測肺活量に対する実際の肺活量であり，80%未満の場合に拘束性換気障害という．

COPDは閉塞性肺疾患のため**閉塞性換気障害**を呈するが，進行すると次第に混合性換気障害を呈するようになる．

2. 動脈血ガス分析

COPDでは酸素分圧が低下することが多いが，同時に二酸化炭素分圧が上昇することがまれではない．酸素分圧60 mmHg未満が**呼吸不全**であるが，同時に二酸化炭素分圧が45 mmHg以下をⅠ型呼吸不全，45 mmHgを超えるものをⅡ型呼吸不全という．低酸素状態では酸素投与を考慮する必要があるが，高二酸化炭素血症の場合には酸素投与により**二酸化炭素ナルコーシス**を誘発する可能性があるため注意が必要である．

3. 呼吸困難

COPDでは呼吸困難感のためにさまざまな行動が制限されることが多く，息切れの評価は重要である．息切れの評価としてわが国ではヒュー・ジョーンズ Hugh-Jonesの分類が用いられていることも多いが，国際的には**modified British Medical Research Council（mMRC）息切れスケール**（表J-6）を用いるのが標準である．**修正ボーグ指数**（⇨p.73，表30），baseline dyspnea index（BDI），transition dyspnea index（TDI）も用いられる．

表 J-6　modified British Medical Research Council (mMRC) 息切れスケール

Grade 0	激しい運動をした時だけ息切れがある．
Grade 1	平坦な道を早足で歩く，あるいは緩やかな上り坂を歩く時に息切れがある．
Grade 2	息切れがあるので，同世代の人より平坦な道を歩くのが遅い，あるいは平坦な道を自分のペースで歩いている時，息切れのために立ち止まることがある．
Grade 3	平坦な道を約100 m，あるいは数分歩くと息切れのために立ち止まる．
Grade 4	息切れがひどく家から出られない，あるいは衣服の着替えをする時にも息切れがある．

[日本呼吸ケア・リハビリテーション学会，日本呼吸器学会，日本リハビリテーション医学会，日本理学療法士協会(編)：呼吸リハビリテーションマニュアル―運動療法，第2版，p.27，照林社，2012より許諾を得て一部改変し転載]

4. 運動耐容能

6分間歩行試験または**シャトル歩行試験**を用いて評価されることが多い．6分間歩行試験は6分間にできるだけ長い距離を歩行させて，距離を測定する．歩行中には声掛けを行うことが大切である．シャトル歩行試験は2つのコーンの間を発信音に合わせて往復歩行する．発信音の間隔は1分ごとに短くなるため，次第に運動負荷が増していくのが特徴である．

5. QOL

包括的なQOL評価法としてはMedical Outcomes Study Short Form 36 (**MOS-SF 36**) がよく用いられる．MOS-SF 36は日本語版があり，日本人の国民標準値が算出されている．呼吸器疾患を含むすべての疾患で使用可能であるが，疾患特異的評価法に比べると感度は落ちる．

慢性閉塞性肺疾患に対する疾患特異的QOL評価法としてChronic Respiratory Disease Questionnaire (CRQ) とSt. George's Respiratory Questionnaire (SGRQ) があり，MOS-SF 36と同様に日本語版が作成されている．CRQは呼吸困難5項目，感情7項目，疲労4項目，病気による支配感4項目の4領域20項目から，SGRQは症状8項目，活動16項目，衝撃26項目の3領域50項目から構成される質問票である．最近，新たな疾患特異的QOL評価法としてCOPD Assessment Test (CAT) が開発され，簡便なために広く使用されるようになった．CATは8項目の質問からなり，点数が低いほどQOLが低いことを示す．

COPDのリハビリテーション

呼吸リハビリテーションとは，呼吸器に関連した病気をもつ患者が，可能な限り疾患の進行を予防あるいは健康状態を回復・維持するため，医療者と協働的なパートナーシップのもとに疾患を自身で管理して，自立できるよう生涯にわたり継続して支援していくための個別化された包括的介入と定義されている．監視下に週2回以上，6～8週間のプログラムが効果的であり，12週間以上施行することについてのメリットはないとされている．現在，呼吸リハビリテーションは包括的プログラムがもっとも効果的といわれている．包括的呼吸リハビリテーションには多くの項目が含まれるが，**運動療法**，**栄養指導**，**教育**が必須とされている．

呼吸リハビリテーションの効果を**表 J-7**に記した．とくにエビデンスが高いのは**息切れ**，**運動耐容能**，**QOLの改善**である．COPDではすべての患者に呼吸リハビリテーションの適応があるとされるが，現実には自覚症状がないまたは軽度の患者は呼吸リハビリテーションの必要性を感じないことが多く，臨床的には中程度から重度の患者，mMRCスケールではGrade 1以上，すなわち坂道で息切れを感じるようになってから呼吸リハビリテーション施行に同意

表J-7 呼吸リハビリテーションの有益性

- 呼吸困難（息切れ）の軽減
- 運動耐容能の改善
- 健康関連QOLの改善
- 不安・抑うつの改善
- 入院回数および期間の減少
- 予約外受診の減少
- 増悪による入院後の回復を促進
- 増悪からの回復後の生存率を改善
- 下肢疲労感の軽減
- 四肢筋力と筋持久力の改善
- ADLの向上
- 長時間作用性気管支拡張薬の効果を向上
- 身体活動レベル向上の可能性
- 協働的セルフマネジメントの向上
- 自己効力感の向上と知識の習得

［植木　純ほか：呼吸リハビリテーションに関するステートメント．日本呼吸ケア・リハビリテーション学会誌 27(2)：97, 2018より許諾を得て一部改変し転載］

が得られることが多い．最重度，すなわち mMRC Grade 4 ではあまりリハビリテーション治療の効果がない可能性もある．

1．運動療法

呼吸リハビリテーションの中心となる．運動負荷量は**高負荷**（最大酸素摂取量の60〜80%の負荷）と**低負荷**（最大酸素摂取量の40〜60%の負荷）に区分される．最大酸素摂取量の測定は必ずしも容易ではないことから，実際には**修正ボーグ指数**（⇨p.73，表30）などが用いられることが多い．

修正ボーグ指数3（中程度の息切れ）は最大酸素摂取量の約50%に相当する．高負荷プログラムと低負荷プログラムは両者ともに有効とされている．高負荷では運動能力の改善が高いが，外来では継続が困難なため3週間程度の入院プログラムで処方されることが多い．低負荷では運動能力の改善は少ないが抑うつや不安の改善効果は大きく，通院プログラムが適している．通院の場合，病院だけでの運動療法では量的に足りないため，ホームエクササイズが重要である．簡単すぎるまたは困難すぎるプログラムは脱落しやすくなるので，患者の重症度によってメニューや負荷量を変更していくようにする（図J-5）．

一般に重症の場合は低負荷から，軽症の場合は高負荷から開始するのがよい．下肢，上肢のトレーニングのエビデンスが高いが，わが国では呼吸補助筋のストレッチ，呼吸介助，胸郭可動域運動，横隔膜呼吸法，口すぼめ呼吸法などの指導も併せて行われることが多い．運動療法の前後にはウォーミングアップとクーリングダウンが必要である．

2．栄養指導

COPD患者では呼吸筋酸素消費量の増大，気道抵抗の増大，換気効率の低下などにより安静時エネルギー消費量が増加し，代謝亢進が認められる．また，呼吸困難や肺の過膨張，横隔

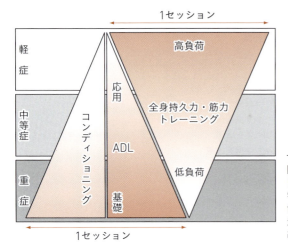

図J-5 呼吸リハビリテーションのプログラム構成
[日本呼吸ケア・リハビリテーション学会，日本呼吸器学会，日本リハビリテーション医学会，日本理学療法士協会（編）：呼吸リハビリテーションマニュアル-運動療法，第2版，p.4，照林社，2012より許諾を得て一部改変し転載]

膜低下などによるカロリー摂取量低下により**栄養障害**を生じやすい．

わが国ではCOPD患者の3/4が標準体重（BMI＝22）の90％未満，約半数が80％未満という報告もあり，重度の栄養障害が指摘されている．標準体重の80％未満では積極的な栄養療法の適応となる．また，**BMIの減少**はCOPD患者の独立した予後因子であり，生命維持のためにも栄養管理は重要である．適切な栄養療法は運動療法の効果をさらに高める可能性がある．

体重増加のためには安静時エネルギー消費量の1.5倍以上のカロリー投与が必要であるが，もともと食欲がなく，すぐに満腹感を生じやすいCOPD患者では通常の食事による必要カロリーの摂取は困難なことも多い．その場合には栄養補助食品摂取が考慮される．COPDでは高二酸化炭素血症になることが多いので呼吸商（CO_2産生量/O_2消費量）が小さい食品がよい．呼吸商は炭水化物が1.0，蛋白質が0.8，脂質が0.7であるため，COPDでは**高脂肪食**（脂質35～55％）がよいとされる．

3．教 育

教育は呼吸リハビリテーションの不可欠な構成要素であり，相互的なセルフマネジメント，急性増悪の予防と治療に関する情報提供が必須である．**禁煙**はすべての慢性呼吸器疾患における治療の基本であり，喫煙はニコチン依存症であることを患者に認識させる．息切れが強い動作は息を吐きながら行わせるとよい．

運動療法中や日常生活場面で息切れや不安のためにパニック状態になったときのために口すぼめ呼吸法，深呼吸などを習熟させておく．在宅酸素療法や非侵襲的陽圧換気療法 noninvasive positive pressure ventilation（NPPV）などを行っている患者は機器の操作に習熟させる必要がある．

急性増悪とNPPV

呼吸困難，咳嗽，喀痰などの通常の症状が日常の変動幅を超えて悪化した状態を急性増悪というが，その診断基準については定まったものはない．よく使用されているAnthonisenらの定義を**表J-8**に示す．

急性増悪の原因としては気道感染と大気汚染がもっとも多いとされるが，約1/3では原因が明らかでない．COPDの急性増悪の原因として急性呼吸器感染症が重要であり，予防のため

表 J-8　COPDの増悪の定義

A. COPDの経過中に
(1) 呼吸困難の増悪 (2) 痰量の増加 (3) 膿性痰の増加 のうち2つ以上の症状を認めた場合
B. 上記症状が1つだけの場合は以下の1つ以上の症状を認めた場合
(1) 5日以内の上気道感染 (2) 他の原因のない発熱 (3) 喘鳴の増加 (4) 咳の増加 (5) 呼吸数または心拍数の20%増加
C. 下記が除外されること
左・右心不全, 肺塞栓症, 肺炎, 気胸, 胸水, 不整脈

に**インフルエンザワクチン**，**肺炎球菌ワクチン**の接種が奨励される．

　COPDの急性増悪に対しては **NPPV** が第一選択であり，その成功率は80〜85%である．NPPV使用患者に呼吸リハビリテーションを行う場合は，NPPVを装着しながら行う場合と夜間NPPVを装着する患者の日中（NPPV非装着時）に行う場合がある．両者ともに排痰，呼吸介助，離床，歩行練習，筋力強化などが行われる．NPPV装着下の呼吸リハビリテーションにより労作時呼吸困難の減少と運動耐容能の改善が示されている．

　NPPV装着下でもトレッドミルやエルゴメーターによる歩行練習，筋力強化を行うことも可能である．また，運動療法単独よりも夜間などにNPPVを併用しつつ運動療法を行うほうが運動耐容能とQOLの改善がよいという報告もある．

リスク管理

　安定期における呼吸リハビリテーションのリスクはそれほど高くはないが，一定のリスク管理は必要である．呼吸不全患者は不整脈や心不全など循環器疾患の合併が多く，併存症，既往症は確実に把握しておく．**酸素吸入**と**救命救急**の準備は当然必要である．

　呼吸リハビリテーション開始前には血圧，脈拍，経皮的酸素飽和度（SpO_2），呼吸数などのバイタルサインのチェックを行う．呼吸リハビリテーション施行中は呼吸困難などの自覚症状には常に注意を払い，SpO_2のモニターを行う．SpO_2は90%以上を保つことが望ましいが，現実には運動中SpO_2が90%以下になることは珍しくないので，息切れなど自覚症状がない場合はSpO_2が85%未満の場合に運動療法を中止し，90%以上を再開の目安にしてもよい．運動終了後にSpO_2が低下することもあるので運動終了直後にはモニターを外すべきではない．

　運動後の迷走神経反射による失禁・血圧低下・失神や，喘息患者の運動誘発喘息にも注意する．

b. 気管支喘息

COPDと同様に閉塞性換気障害を示し換気障害は発作時に著明であるが，寛解期には正常になることも多く，可逆的である．リハビリテーション・プログラムもCOPDと同様に考えてよい．ただし，気管支喘息では運動により気道狭窄が誘発されることがあるので注意が必要である．

喘息に対する運動療法の効果として運動耐容能改善，呼吸困難感改善，喘息症状の改善などがあげられている．良好にコントロールされている軽症または中等症の気管支喘息では高負荷トレーニングが可能である．重症の発作時には呼吸介助が有効である．

c. 拘束性換気障害

欧米諸国では呼吸リハビリテーションの対象疾患のほとんどがCOPDであるが，わが国では肺結核後遺症などの拘束性換気障害も多いことから，拘束性換気障害に対してもCOPDと同じメニューで呼吸リハビリテーションが行われることが多い．肺結核後遺症ではCOPDと同程度の呼吸リハビリテーション効果が得られ，間質性肺炎に対しては短期効果として呼吸困難，6分間歩行距離，健康関連QOL，最大酸素摂取量の改善が得られている．原因不明の間質性肺炎を特発性間質性肺炎といい，そのなかでもっとも患者数が多く予後が悪い疾患が特発性肺線維症である．特発性肺線維症患者では拘束性換気障害のために1回換気量ではなく呼吸数を増やすことで分時換気量を確保しているため，COPD患者に指導するようなゆっくりと深い呼吸や口すぼめ呼吸など呼吸方法の工夫は有効でなく，末期以外ではCO_2ナルコーシスを気にせずに十分な酸素流量が必要である．

d. 神経筋疾患

筋ジストロフィー，筋萎縮性側索硬化症，ギランバレー症候群，脊髄性筋萎縮症などが対象になる．呼吸筋麻痺や筋力低下が呼吸障害の原因となることが多く，舌咽呼吸，咳介助，呼吸筋トレーニングなどが必要に応じて行われる．

4 周術期・ICU

a. 周術期・ICUでの治療と留意事項

近年は急性期リハビリテーションの重要性が指摘されるようになり，周術期や集中治療室intensive care unit（ICU）からリハビリテーション治療が開始されることが多くなってきている．そこで行われるのは主として呼吸リハビリテーションであるが，呼吸器疾患に対する呼吸リハビリテーションとは異質のものである．最近は高齢者や重症患者への手術適応の拡大，また，内視鏡手術や内視鏡併用手術の普及により，手術は以前とは様変わりしている．

1. ICU-AWとICU-AD

近年，ICUにおいてICU-acquired weakness（ICU-AW）とICU-acquired delirium（ICU-AD）が問題になることが多い．ICU-AWは重症病態以外に明らかな原因を指摘できない急性発症

表 J-9　ABCDEFGHバンドル

A	Awaken the patient daily : Sedation cessation	毎日の覚醒トライアル
B	Breathing: daily interruptions of mechanical ventilation	毎日の呼吸器離脱トライアル
C	Coordination : Daily awakening and daily breathing, choice of sedation or analgesic exposure	A＋Bの毎日実践，鎮静・鎮痛薬の選択
D	Delirium monitoring and management	せん妄のモニタリングとマネジマント
E	Early mobility and exercise	早期離床
F	Family involvement, follow-up referrals, functional reconciliation	家族を含めた対応，転院先への紹介状，機能的回復
G	Good handoff communication	良好な申し送り伝達
H	Handout materials on PICS and PICS-F	PICSやPICS-Fについての書面での情報提供

[Harvey MA, Davidson JE：Postintensive care syndrome：right now... and later. crit care med. **44**(2)：381-385, 2016より著者作成]

の筋力低下であり，従来，重症疾患多発ニューロパチー critical illness polyneuropathy（CIP）や重症疾患多発ミオパチー critical illness myopathy（CIM）と分類されていたが臨床的に鑑別が困難なためにまとめて ICU-AW と呼ぶようになった．ICU-AW では四肢に左右対称性で遠位筋あるいは近位筋優位の筋力低下や筋萎縮，重症例では弛緩性四肢麻痺が生じて，障害は呼吸筋にも及ぶ．早ければ数週間で回復するが，遷延例では回復に数ヵ月を要する場合もある．一方，ICU-AD は重症病態に伴って発症する急性の脳障害の一症状であり，短時間の間に意識や認知機能の変動がみられる．重症患者の2/3に発症するとされ，鎮静薬のなかでもとくにベンゾジアゼピン系薬との関連が指摘されている．

2．集中治療後症候群

集中治療後症候群 postintensive care syndrome（**PICS**）は重症状態を離脱後に生じる運動機能，認知機能，精神の障害であり，患者本人（PICS）のみならず，その家族にも PICS-F（postintensive care syndrome-family）と呼ばれる抑うつ・不安や心的外傷後ストレス障害 post traumatic stress disorder（PTSD）などのメンタルヘルス上の問題を引き起こす．

3．ABCDEFGH バンドル

ICU-AW，ICU-AD さらには PICS に対する一束の予防策として **ABCDE バンドル**や FGH の項目を加えた **ABCDEFGH バンドル**（**表 J-9**）が提唱されている．とくにリハビリテーション専門職は E の早期離床と FGH への積極的なかかわりが望まれる．

b．呼吸リハビリテーション

周術期・ICU 呼吸リハビリテーションの目的は**肺合併症を予防**し，できるだけ**早期に離床**

させることである．肺合併症には無気肺，肺炎，胸水などが単独あるいは合併して存在することが多い．

周術期・ICUに行う呼吸リハビリテーションにはいわゆる呼吸理学療法だけではなく，早期離床を目的とした運動療法なども含む．一般には肺合併症がなく，病前の移動能力が再獲得できればリハビリテーション治療は終了可能である．ICUに入室するのは急性の病状で，集中的な治療・看護により回復見込みのある重篤患者である．ICUでは意識状態，呼吸状態，循環動態などの不安定な患者が多く，少しの変化にも速やかに対処できるように種々の医療機器が装着されている．ICU入室患者は不穏，鎮静，鎮痛などのために各種の薬剤が投与されていて，患者との意思の疎通が取りにくいことも多い．そして，呼吸循環動態が安定し，観血的なモニターも必要なくなればICU退室の対象になる．

術前呼吸リハビリテーション

可能な場合には手術前から呼吸リハビリテーションを行うことが望ましい．手術前から行うと患者の**インフォームド・コンセント**も得やすい．手術前には呼吸リハビリテーションの内容と意義の説明，**呼吸法と排痰法の習得**などを行う．

手術後を想定して背臥位で口すぼめ呼吸，横隔膜呼吸，ハフィング，咳嗽の習得などを行う．ハフィングは声門を開いたまま「ハーッ」と息を出す手技で，中枢にある痰の除去に有効とされる．横隔膜呼吸は上手にできない場合は無理に指導する必要はなく，ゆっくりとした深呼吸ができればよい．

喫煙者の場合は手術が決まってから禁煙させられていることが多いので，手術後の**禁煙継続**の重要性と意義も説明する．

術前呼吸リハビリテーションの期間は，本人の理解がよく，呼吸機能障害がない場合には1～2回の指導で十分であるが，COPDなどの呼吸機能障害を認める場合には時間が許せば運動療法などを一定期間行うことが望ましい．

術後呼吸リハビリテーション

術後呼吸リハビリテーションは手術当日から開始することが望ましいが，夜間や休日，祝日の勤務態勢などから手術当日は容易でないことも多く，可及的早期から開始する．とくに手術時間，麻酔時間が長い場合には手術室からの帰室時にすでに**無気肺**が生じていることも珍しくない．呼吸リハビリテーションを行ううえでのチェックポイントを**表J-10**にあげた．

胸部X線，呼吸音・ラ音の有無と部位，安静度，禁忌，意識状態，鎮静剤使用の有無，モニター，ラインなどのチェックはとくに重要である．モニターは常時チェックが必要でありSpO_2は90%以上を保つことが基本である．

呼吸不全患者では体位変換によって低酸素になることがある．気胸では気道内圧が上昇する操作は一般的に禁忌となる．意識障害は鎮静薬使用の有無とセットで考える．鎮静薬使用による意識障害は鎮静薬の中止または減量により改善する．

胸部，腹部の創痛は呼吸に悪影響を及ぼし，疼痛自体がリハビリテーション治療の阻害因子となるため，痛みが強い場合はリハビリテーション開始前に鎮痛薬の投与ないしは増量の検討が必要である．

表 J-10 呼吸リハビリテーションに必要なチェック項目

- 肺合併症（無気肺，肺炎，胸水，気胸など）
- 他臓器合併症（心不全，肝不全，腎不全など）
- モニター類（血圧，不整脈，酸素飽和度など）
- ライン類（点滴挿入部位，ドレーンの有無と位置，気管チューブ）
- 感染症（ワ氏，B型肝炎，C型肝炎，結核，MRSAなど）
- 胸部X線，呼吸音・ラ音の聴診，痰の性状と量
- 呼吸状態（投与酸素濃度・流量，人工呼吸器，ウィーニングの有無）
- 安静度
- 禁　忌
- 意識状態
- 鎮静剤，鎮痛剤使用の有無
- 末梢神経麻痺の有無（総腓骨神経麻痺など）

1. 排　痰

　手術後は肺内に痰が貯留しやすいので術後早期の呼吸リハビリテーションでは排痰がとくに重要である．一般に痰は体の下側に貯まりやすく，これを**下側肺障害**という．周術期には背臥位で寝ていることが多いので，背中側に痰が貯留しやすい．**体位排痰法**とは重力によって痰の移動を図る手技であり，痰を移動させるには40°から60°は体を傾けないと有効な体位にはならない（図J-6）．現在は頭部を低くしない**修正体位**がよく用いられる（図J-7）．なお，心不全や頭蓋内圧亢進がある場合は頭低位は禁忌となる．周術期には背臥位で寝ていることが多いので積極的な腹臥位が望ましいが，完全な腹臥位による体位排痰法は挿管や多くの点滴などのために困難なことが多く，その場合には**3/4腹臥位**（腹臥位と側臥位の中間の肢位）を用いる．

　排痰手技は各種存在するが，現在もっとも効果的と考えられているのが**スクィージング**である．目的とする肺野の位置する胸廓に手を置いて，胸郭の動きに合わせて呼気時に圧迫する手技である．末梢肺領域に貯留する痰の移動に有効である．一般にスクィージングは体位排痰法と組み合わせて行われる（図J-8）．一方，比較的中枢の気道に貯留する分泌物の排出にはハフィングや咳嗽が用いられるが，これらの手技のみで痰の排出にはいたらない場合には痰の吸引が必要なこともある．

2. 関節可動域運動

　周術期・ICUに限らず，ほとんどすべてのリハビリテーション治療で行われる．近年わが国でも増加している**肺塞栓，肺梗塞**の予防にも下肢の関節運動はきわめて有効である．ICUで行う場合の注意点は，関節可動域運動のような低負荷でもバイタルサインの変化が生じうることを認識することである．幸いICUでは関節可動域運動を行いながらモニターでチェックすることが可能である．

　バイタルサインの著しい変化がみられるときにはリハビリテーション治療の適応外の可能性もあるので主治医などに確認する．足関節，肩関節などはとくに関節拘縮を生じやすいので注意する．

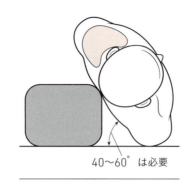

図J-6 体位排痰法

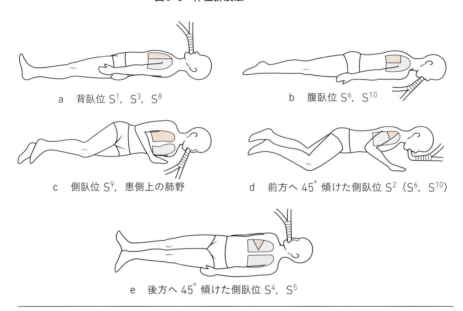

a 背臥位 S^1, S^3, S^8

b 腹臥位 S^6, S^{10}

c 側臥位 S^9, 患側上の肺野

d 前方へ45°傾けた側臥位 S^2 (S^6, S^{10})

e 後方へ45°傾けた側臥位 S^4, S^5

図J-7 修正した体位排痰法と排痰効果が期待できる肺区画
[宮川哲夫(編著):動画でわかるスクィージングー安全で効果的に行う排痰のテクニック, 中山書店, p.98, 2003より許諾を得て転載]

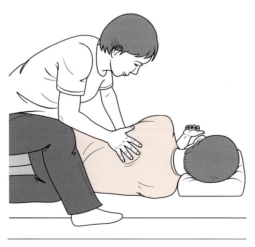

図J-8 下葉のスクィージング

3. 末梢神経麻痺

背臥位で寝ていることの多い周術期・ICUは圧迫による末梢神経麻痺が生じやすい環境にある．代表的な末梢神経麻痺として総腓骨神経麻痺と橈骨神経麻痺がある．総腓骨神経麻痺が生じると足関節背屈が不能になり歩行障害の原因となるので，総腓骨神経が圧迫が受けやすい腓骨頭付近の除圧に努める．また，橈骨神経麻痺が生じた場合には下垂手となる．とくに総腓骨神経麻痺はいったん生じると回復しないことも多いので，末梢神経麻痺の予防とその有無の把握が大切である．

4. 早期離床

ICU-AW，ICU-AD，PICS（⇨p. 312）の予防としてのABCDEバンドルのEは早期離床であり，ICUからの積極的な離床が推奨される．ただし，ICU入室患者は全身状態が不安定であることから病状については十分な確認が必要である．また，臥床は廃用症候群の原因となるので，主治医に安静度を確認して早めに座位〜立位〜歩行へと進めていく．基本的には手術前の移動能力が再獲得された時点で呼吸リハビリテーションは終了となるが，術前から呼吸機能障害があり，呼吸器疾患としての呼吸リハビリテーションの適応がある場合は，本人の希望を確認して継続することもある．

人工呼吸器関連肺炎（VAP）

人工呼吸器関連肺炎 ventilator associated pneumonia（VAP）は気管内挿管による人工呼吸器使用開始48時間以降に発生する肺炎である．VAPの予防に効果的であるのは45°のセミファーラー体位，口腔ケア，そして呼吸リハビリテーションであり，体位排痰法のみではあまり予防効果はないとされている．

c. 心臓リハビリテーション

1. 開心術後

運動療法は冠動脈バイパス術後患者の自覚症状と運動耐容能の改善，冠危険因子の是正に有効であり，弁膜症術後患者の自覚症状と運動耐容能の改善が期待できる．開心術後に運動負荷試験が実施可能であればATや心機能評価が可能であり運動処方が容易になる．

運動負荷試験ができないときはボーグ指数11〜13（楽〜ややつらい）を目安に監視下に運動を開始する．運動は有酸素運動が望ましく，強度はATレベルがよいが，高血圧や心筋虚血などの徴候がみられればそれ以下の強度とする．レジスタンストレーニングも有効であるが，開心術後患者は胸骨切開を行っていることが多いため，術後3ヵ月間は上肢に過大な負荷がかかるレジスタンストレーニングは避けるようにする．

2. 大血管術後

リハビリテーション治療により在院日数の短縮と早期離床が期待できる．また，感染，肺炎，胸水貯留，せん妄などの術後合併症の発生率も低下させることが可能であるが，リハビリテーションを行う場合には吻合部や大動脈への影響から血圧コントロールが重要になる．基本的には収縮期血圧を130 mmHg以下に保つ．運動負荷試験では収縮期血圧が負荷前130 mmHg以下，負荷後150 mmHg未満が望ましい．血圧に注意しつつADLの拡大を行う．ただし，解離

性大動脈瘤で術後に残存解離がある場合には慎重にリハビリテーション治療を進めていく．

5 慢性腎臓病

疾患概念

慢性腎臓病は腎機能障害や一定以上の蛋白尿が3ヵ月以上持続する状態である．本来の腎の機能である体液の量的および質的な恒常性の維持が困難となった状態を腎不全といい，腎不全の末期には透析療法が考慮される．現在行われている透析療法は**血液透析** hemodialysis（**HD**）と**持続性自己管理腹膜透析** continuous ambulatory peritoneal dialysis（**CAPD**）の2つが代表的である．HDはもっとも一般的であり，週3回，1回4～5時間ベッドに横になって透析を行う．CAPDは腹膜透析の一種であり，腹膜透析液を1日3～4回自己にて交換を行う．学校，職場，家庭で交換可能なためHDに比べ日常生活への負担が少ないが，自分で処置を行う必要がある．また，カテーテルから細菌が入って腹膜炎を生じる危険性がある．

腎臓リハビリテーション

慢性腎臓病に対する運動は機能障害を悪化させるとして以前は制限されることが多かった．しかし，慢性腎臓病患者はサルコペニア，フレイルを生じやすく，運動耐容能の低いあるいは運動習慣のない透析患者の生命予後は悪いことが明らかとなり，最近は**腎臓の包括的リハビリテーション**が提唱され始めている．包括的リハビリテーションには運動療法，教育，食餌療法，水分管理，薬物療法，精神・心理的サポートなどが含まれ，主として**慢性腎不全患者**が対象となる．慢性腎臓病透析患者における**運動療法**の効果を**表J-11**にまとめた．

HD患者のリハビリテーション

HD患者は週3回透析に通院するため日常生活がかなり制限されている．したがって，HD患者に運動療法をいつどのように行うかはきわめて重要である．透析終了後は疲労感が強く，現実的でないことが多い．透析日以外に外来に週2～3回通院する方法は運動療法の効果としては一定のものが得られるが，患者はほぼ毎日の通院が必要となり，ドロップアウトしやすい．その一方で，自宅で患者自身が行う運動療法は効果の面で不十分である．

最近は，透析中に行う運動療法が注目を集めつつある．透析中に患者は何時間も寝ているだけのことが多く，透析中に運動療法を行うことは患者の受け入れもよい．ただし，透析中に行うことができる運動療法は下肢のエルゴメーターや筋力強化など種目が限られ，具体的なプログラムなどに関しては今後の課題である．

透析中には**表J-12**に示すようにさまざまな合併症が生じやすい．透析開始直後は体外循環により体内循環血液量が減少するため，透析後半では除水が過度のためにいずれも血圧低下を生じやすくなる．一方，除水が進行してレニン活性が刺激されて末梢血管が収縮すると血圧は上昇する．また，返血による血圧上昇もみられる．不整脈，胸痛は透析後半に生じやすくなり，まれに心室細動や心室粗動を生じることもある．以上のことから，透析中のリハビリテーション治療は透析開始後30分後～2時間以内に行うべきとされている．

表J-11 慢性腎臓病透析患者における運動療法の効果

- 最大酸素摂取量の増加
- 左室収縮機能の亢進（安静時・運動時）
- 心臓副交感神経系の活性化
- 心臓交感神経過緊張の改善
- PEW (protein-energy wasting) の改善
- 貧血の改善
- 睡眠の質の改善
- 不安・うつ・QOLの改善
- ADLの改善
- 前腕静脈サイズの増加（とくに等張性運動による）
- 透析効率の改善
- 死亡率の低下

［上月正博：腎臓リハビリテーションの効果と実際，The Japanese Journal of Rehabilitation Medicine，**55**(8)：682-689，2018より引用］

表J-12 透析中の合併症

- 血圧低下，上昇
- 溶血・リーク
- 不整脈，胸痛
- 嘔吐，頭痛
- 筋の痙攣
- ダイアライザや回路の凝固

6 肝疾患

疾患概念

　肝炎の原因はウイルス性，薬剤性，自己免疫性などさまざまである．急性ウイルス性肝炎は肝炎ウイルスによって生じる肝臓の急性炎症性疾患であり，A型，B型，C型，D型，E型などに分類されている．6ヵ月以上の肝機能異常とウイルス感染が持続している病態を慢性肝炎という．慢性肝炎では肝炎が急性増悪しない限り無症状のことが多いが，急性増悪時には全身倦怠感，易疲労感などが現れる．肝硬変は肝障害の終末像であり，不可逆的と考えられている．原因としては肝炎ウイルスやアルコール性肝障害に起因するものが多い．

　肝疾患の合併症として重要なものは**腹水**，**肝性脳症**，**食道静脈瘤**などである．腹水は腹腔内に貯留した液体であり，肝疾患，心血管疾患，腹膜疾患（がん性腹膜炎など）のような多くの疾患によって生じるが，原因としてもっとも多いのが肝硬変である．肝性脳症は意識障害を中心とする多彩な精神神経症状である．肝障害により門脈に閉塞が生じれば門脈圧亢進症となり食道静脈瘤その他の側副血行路が生成される．食道静脈瘤が破裂すれば吐血，下血，出血によるショック症状を呈する．

肝疾患のリハビリテーション

　運動により肝血流は低下するため，従来肝疾患に対しては安静が基本と考えられてきたが，安静は廃用症候群の原因となりQOLの低下をきたす．最近は肝疾患に対する運動の有効性も指摘されるようになってきた．運動療法により血清アルブミン値，筋量，そして脂肪肝では肝機能の改善も得られたという報告もあるが，現在はまだ肝疾患に対するリハビリテーション治療は確立されてはいない．

K. 末梢循環障害

学習の目標

1. 慢性動脈閉塞の予防と治療，リハビリテーションについて学ぶ．
2. 深部静脈血栓症と肺動脈塞栓症の病態を知り，それらより想定されるリスクや予防におけるリハビリテーションの重要性を理解する．
3. がんの手術後などにみられるリンパ浮腫の予防とリハビリテーションについて学ぶ．

末梢循環障害は，動脈系，静脈系，リンパ管系の疾患に大別でき，それぞれ急性閉塞と慢性閉塞があるが，近年の高齢社会，食生活・ライフスタイルの欧米化により，閉塞性動脈硬化症，糖尿病性壊疽の増加が著しい．また末梢循環障害，とくに閉塞性動脈硬化症を原因とする下肢切断例が増加している．末梢循環障害の保存療法は，禁煙，高血圧・脂質異常症・糖尿病などの原因疾患の管理，低栄養・貧血の補正と同時に，虚血の軽減，二次血栓予防のうえに，局所の保温・清潔・外傷予防・感染予防などを基本とする．

1 慢性動脈閉塞

疾患概念

慢性動脈閉塞の主なものは，動脈硬化を原因とする**閉塞性動脈硬化症** arteriosclerosis obliterans（ASO），**閉塞性血栓性血管炎** thromboangiitis obliterans（TAO）（バージャー病 Buerger disease）と**糖尿病性壊疽** diabetic gangrene である．ASO は，**末梢動脈疾患** peripheral artery disease（PAD）のひとつで，病態は四肢中枢動脈に起こる慢性の動脈硬化と血栓形成である．50歳以上の男性に好発し，高血圧，糖尿病，脂質異常症などを合併している症例が多い．TAO は四肢の末梢動脈血管壁の炎症による血管狭窄と血栓形成を特徴とする疾患である．20〜40歳の男性に好発し，原因は不明であるが喫煙が深く関与しており，遊走性血管炎を伴うことがある．末梢動脈が閉塞するため足趾末端の潰瘍の発症率が高い．糖尿病で下肢の動脈閉塞を起こす症例は，神経障害による知覚消失のもとに血行障害と感染による壊疽が急速に進むため，しばしば手遅れになり，切断が必要になることも多い．

症状は阻血によるもので，疼痛，間欠性跛行を初発症状とし，進行すれば潰瘍，壊疽となる．症状の重症度分類としてよく用いられる**フォンテーヌ Fontaine 分類**および**ラザフォード Rutherford 分類**を**表 K-1** に示す．

表K-1 フォンテーヌ分類とラザフォード分類

フォンテーヌ分類		ラザフォード分類			
Stage	臨床所見	Grade	Category	臨床所見	客観的基準
I	無症状	0	0	無症状―血行動態に有意な閉塞性病変を認めない	運動負荷試験は正常.
IIa	軽度の跛行	I	1	軽度の跛行	トレッドミル運動負荷試験は終了可能.負荷後AP＞50 mmHg.安静時より20 mmHg以上低下.
IIb	中等度から重度の跛行	I	2	中等度の跛行	Category 1と3の間.
IIb	中等度から重度の跛行	I	3	重度の跛行	トレッドミル運動負荷試験を終了できない.負荷後AP＜50 mmHg.
III	虚血性安静時疼痛	II	4	虚血性安静時疼痛	安静時AP＜40 mmHg,または足関節,中足骨部のPVRの波高が激減または平坦化.TP＜30 mmHg.
IV	潰瘍や壊疽	III	5	小さな組織欠損―治癒しない潰瘍,びまん性の足虚血による限局性の壊死	安静時AP＜60 mmHg,足関節,中足骨部のPVRの波高が激減または平坦化.TP＜40 mmHg.
IV	潰瘍や壊疽	III	6	大きな組織欠損―中足骨レベルを越えて広がる組織喪失 足部の機能温存は不可能	Category 5と同じ

AP:足関節血圧 TP:足趾血圧 PVR:容積脈波記録(pulse volume recording)
トレッドミル運動負荷試験:傾斜12%のトレッドミルを時速3.2 km(2マイル)で5分間歩行

評価・検査

　四肢の循環評価には,非侵襲性検査として**足関節上腕血圧比** ankle brachial pressure index (ABI),経皮的酸素分圧,近赤外分光法 near infrared spectroscopy (NIRS) など,画像診断には,超音波検査,CTA (CT angiography),MRI・MRA (MR angiography) などが用いられる.

　ABIは末梢動脈閉塞が疑われる患者の初期評価として標準的なもので,足関節の動脈収縮期血圧を上腕動脈収縮期血圧で割った値である.ABI値にはさまざまな解釈があるが,1.00〜1.40が正常,0.90以下で主幹動脈の狭窄・閉塞(ASOなど)を疑い,1.40より高値は動脈の高度石灰化を疑うとするものが多い.0.70以下になると間欠性跛行が,0.20以下になると安静時疼痛が生じるとされている.

リハビリテーション治療

a. 物理療法

慢性動脈閉塞の物理療法の目的は，血管スパズムの除去，血管拡張，側副血行路の形成である．

温熱療法における直接加熱は，局所の新陳代謝が亢進し，血行改善による酸素供給を酸素需要が上回り逆効果となる．また慢性動脈閉塞により局所温の拡散低下と知覚低下で熱傷の危険があり，むしろ禁忌とされる．したがって軽症例のみに適応となり，赤外線，温浴，交代浴，渦流浴，炭酸泉浴などが処方される．

炭酸泉浴は，炭酸ガスが皮膚表面から組織に染み込むことにより，毛細血管を拡張し血流を促進させるため，皮膚潰瘍や褥創，微小循環障害などに効果があるといわれている．温度や時間に関してはさまざまな報告があるが，温度は35〜38℃前後，時間は5〜15分のものが多い．

交代浴は，患肢を交互に温水と冷水に浸し，循環の改善を図る治療法である．水温，交代回数，時間配分などについては多様な意見がある．血管拡張作用の観点から，温水から始めて冷水で終えることを勧める意見もあるが，温水で終わる手順が一般的である．

高圧酸素療法は，大気圧より高い気圧環境下で高濃度の酸素呼吸により，動脈血中の酸素濃度を増加させて末梢組織の低酸素状態を改善させる治療法である．慢性動脈閉塞に対しても局所の血管新生，側副血行路形成に役立ち，疼痛緩和，創傷治癒，感染抑制，難治性潰瘍縮小に効果があるといわれている．

b. 運動療法

慢性動脈閉塞の運動療法には，**バージャー体操** Buerger exercise，**バージャー・アレン体操** Buerger-Allen exercise，**ラッチョウ体操** Ratschow exercise，などがあるが有効性に疑問があり，最近は行われない傾向にある．

間欠性跛行を有する患者の初期治療として推奨されているのは，**監視下での歩行運動**である．この治療法は，疼痛が出現するまでの歩行と休息を繰り返し，歩行時間や運動強度を漸増させていく方法である．例として日本循環器学会により作成された『末梢閉塞性動脈疾患の治療ガイドライン（2015年改訂版）』で推奨されている運動処方を**表 K-2** に示す．

末梢動脈閉塞患者に対するリハビリテーションは，歩行距離の改善のみならず，QOLや危険因子である高血圧，高脂血症，糖尿病などの生活習慣病を改善する効果も得られる．運動指導だけでなく栄養指導，服薬指導などを含めた総合的な生活指導を行うことも重要である．運動療法と薬物療法を行っても十分な効果が得られない場合には血行再建術が検討される．症状に応じて経皮的血管形成術，血栓内膜除去術，バイパス手術などが行われる．

表K-2 末梢閉塞動脈疾患における運動処方の一例

運動形式	監視下のトレッドミル歩行またはトラック歩行.
運動頻度	基本的に週に3回, 少なくとも3ヵ月間.
初期設定	跛行症状が3～5分以内に生じる程度の速度と傾斜.
運動の方法	歩行による痛みが中等度になった時点で歩行を中断する. (跛行出現直後に中断すると最適なトレーニング効果は現れない) 痛みが治まるまで休息し, また中等度の痛みが出現するまで歩行する. この繰り返しを初回は30分間行い, 60分まで延長する.
運動強度	患者のはじめの歩行速度は1.5～2.0 mph (約2.4～3.2 km/時) が平均的. 患者が2.0 mph (3.2 km/時) で歩行できれば傾斜を増加させる. さらに速度を3.0 mph (4.8 km/時：健常者の歩行速度に相当) まで速めてもよい.
注意事項	患者の①心血管リスクファクターの評価, ②ASOおよびその他の筋骨格系の制限や神経学的障害などによる歩行障害の評価, ③ASOの重症度評価を行い, 可能と判断されれば監視下運動療法に参加させる. 糖尿病性神経障害を有する患者においては適切な履き物を使用し足部病変を生じないよう観察する.

[日本循環器学会. 末梢閉塞性動脈疾患の治療ガイドライン (2015年改訂版). https://www.j-circ.or.jp/cms/wp-content/uploads/2020/02/JCS2015_miyata_h.pdf (最終アクセス：2021年12月) より作成]

2 静脈血栓塞栓症

疾患概念

静脈血管内における血栓形成により血管の狭窄や閉塞, それら起因する炎症が生じる疾患である. 下肢の**深部静脈血栓症 deep vein thrombosis (DVT)** と, それによる**肺血栓塞栓症 pulmonary thromboembolism (PTE)** がよく知られている. 下肢のDVTによって生じた血栓が血管壁から遊離して肺動脈を閉塞してPTEを生じる. PTEの90％はDVTが原因である.

日本での発生頻度は欧米よりも低いが, 高齢者の増加, 不活発な生活習慣, 食事の欧米化などにより増加傾向にあり, 60～70歳代以上の女性に多い. DVTの好発静脈は, 骨盤内深在静脈, 大腿静脈, 下腿静脈などであり, とくにヒラメ筋静脈に生じるDVTは周術期に発症することが多い.

DVTの危険因子として, 加齢 (50歳以上) やDVTの既往などがある. また, 長時間の座位による不動, 下肢の骨折や麻痺, 脊椎脊髄損傷, 悪性腫瘍, 下枝静脈瘤, 脱水, 肥満などが発症要因となる. さらに, 整形外科・脳神経外科・腹部外科疾患などに対する手術後, 女性ホルモン薬や止血薬, ステロイドなどの薬物の使用時, カテーテル検査・治療時にも本症を生じることがある.

DVTは無症候のこともあるため, 上記の手術後や脳卒中や脊髄損傷に対する運動療法中にPTEが発症することが少なくない. DVTの予防, 再発防止, PTEの発症を想定したリスク管理が大切である. 災害が多発する近年では, 災害避難生活による活動量の低下や水分摂取量の低下が誘因となってDVTが生じることに対して注意喚起がなされている.

病態

静脈血栓の形成要因として，ウィルヒョー Virchow が提唱した①血流の停滞，②血管内皮障害，③血液凝固能の亢進の3つがあげられている．血流の停滞は，心疾患や手術中の同一体位，または廃用症候群などによる長期臥床や下肢の麻痺などによって生じる．また，加齢とともに，静脈弁は機能不全となり，筋力低下も伴うことで筋ポンプ作用が減弱するため，血流は停滞しやすくなる．血管内膜は血管内皮細胞 endothelial cells（ECs）によって覆われている．血管内皮細胞の障害は，一酸化窒素の生成を阻害することで血小板の粘着や凝集反応の亢進，血液凝固能の亢進，血管収縮反応等を引き起こす．

血栓形成における大きな要因に，血液凝固能と線溶系機能の相互関係があげられる．静脈血栓の血液凝固反応は，①血管組織の外傷などが起因となり，組織因子と第Ⅶ因子が活性化したものと結合し，第X因子を活性化する外因性経路，および②第Ⅻ因子の活性化より開始する内因性経路，③第X因子の活性化より開始する共通経路からなる凝固カスケードが知られている．この凝固反応の亢進は，トロンビンによりフィブリノゲンをフィブリンに転換し凝固にいたる．一方で，線溶系は血栓を溶解するように作用する．血管内皮細胞から分泌される組織プラスミノーゲン活性化因子 tissue plasminogen activator（tPA）は，フィブリンをフィブリノゲンに分解することで抗血栓作用を示す．この際の分解産物がD-ダイマーであり，その値の上昇は生体内での血栓の亢進を意味している．また，血管内皮細胞の表面に存在するトロンボモジュリンは，トロンビンの作用を抑制し，トロンビン-トロンボモジュリン複合体を形成することで活性型プロテインCを活性化させる．その結果，トロンビンの活性化を増強する第Ⅴ因子および第Ⅷ因子を抑制するようにはたらくことで，フィブリノゲンからフィブリンへの転換を阻害するように作用する．血液性状はこれら血液凝固反応と線溶系機能のバランスにより調節されているが，内皮細胞障害などによってバランスが崩れると血栓形成亢進を招くこととなる．

検査・評価と治療

深部静脈血栓症の疑いがある場合，下肢症状（下肢の腫脹，発赤，疼痛，圧痛，血栓化静脈の触知，ホーマンズ徴候 Homan's sign の陽性）などの身体所見をチェックし，活動性のがんの有無や廃用性，深部静脈血栓症の既往歴などを聴取する．必要ならばD-ダイマー，脈波計などによる定量検査や，静脈造影，MR静脈造影，CT，超音波などの画像検査を実施する．

治療法として，①抗凝固療法（ヘパリン，ワルファリン，選択的Xa阻害薬），②血栓溶解療法，③カテーテル治療，④外科的血栓摘除術などがあげられる．また，血流停滞の原因となる不動化に伴う血栓形成を予防するうえで，運動療法を取り入れることは有用である．

リハビリテーション

治療の概念として，血栓症の進展や再発ならびにPTEの発症を防ぐことを目的とする．急性期には薬物療法やカテーテル治療，外科的血栓摘除術などの治療が適応となる．これら医学的処置後に管理が十分に行えている場合には，廃用症候群の進行を予防するためにも早期のリハビリテーション介入が望ましい．運動療法としては，歩行や足関節底背屈運動など関節可動域運動を実施して，下腿ポンプ機能の活性化を促すことで静脈血流の改善を図る．こうした運

動療法は，血栓溶解療法やカテーテル治療，外科的血栓摘除術よりエビデンスレベルが高く，抗凝固療法と同等のエビデンスレベル（ClassⅠ）であることから，重要な役割を担う．

また，弾性ストッキングや弾性包帯による圧迫療法 compression therapy や間欠的空気圧迫療法 intermittent pneumatic compression（IPC）も推奨される治療法であるが，皮膚状態の観察など注意を要する．外科的血栓摘除術を施行した場合は，弾性ストッキングは最低2年間着用することが原則である．圧迫療法による圧迫圧は体位により変動し，立位で上昇する．圧迫療法と運動療法の併用では，肺血栓塞栓症のリスクを高めることなく，疼痛や浮腫の改善に効果がある．一方で，圧迫は血行障害を悪化させる可能性もある．また，下腿の筋ポンプ作用の増強や逆流の減少によって，静脈還流量が増加し，心不全の悪化，肺血栓塞栓症の発症を招くこともあり，十分に注意する必要がある．

静脈血栓塞栓症では，発症予防が極めて重要であり，低・中・高・最高の4段階のリスク分類に従って予防法を選択するが，低・中リスクでは積極的な運動療法，弾性ストッキングや間欠的空気圧迫療法を実施し，高・最高リスクでは抗凝固療法の併用が望ましい．

3 リンパ浮腫

疾患概念

末梢循環障害は血管系のみならずリンパ系にも発生する．リンパ還流が何らかの原因でうっ滞するとリンパ液が組織間隙に貯留しリンパ浮腫が発生する．放置すると次第に増大するとともに患部の硬化が起こり，蜂窩織炎やリンパ管炎を繰り返し症状は増悪する．

リンパ浮腫は，原因不明な原発性リンパ浮腫と乳がん，子宮がんなどの手術後や外傷後にみられる続発性リンパ浮腫に大別される．わが国で多くみられるのは，リンパ節郭清術や放射線治療などのがん治療に伴うものである．主ながんの種類は乳がん，婦人科がん，前立腺がん，悪性黒色腫などがあげられる．

評価・検査

臨床現場では，リンパ浮腫の診断や治療の効果判定に四肢周径の測定が用いられる．日々の変化を観察することも重要であるので，患者にはセルフケアの一環として自己測定法を指導する必要がある．『リンパ浮腫診療ガイドライン2018年版 第3版』（日本リンパ浮腫学会）では，測定部位を「上肢では①MP関節直上を含む周囲，②手関節周囲，③肘窩関節より5 cm末梢側，④肘窩関節より10 cm中枢側，下肢では①第1～第5中足骨遠位部を通る周囲，②足関節周囲，③膝窩関節より5 cm末梢側，④膝関節より10 cm中枢側，⑤大腿根部」と規定し，左右差ではなく治療前後の同一部位を比較し，そのカットオフ値を1 cmとすることが望ましいとしている．

リンパ浮腫の画像診断には，患部の超音波検査，CT，MRIなどが用いられる．確定診断には，リンパシンチグラフィやインドシアニングリーン（ICG）を用いた蛍光リンパ管造影法が有用である．

治療

a. 保存的治療

治療は保存的治療が基本となる．治療の目的は，リンパ液の誘導によるうっ滞の改善や予防，感染予防などにより重症化のリスクを減らすことである．

保存的治療では**複合的理学療法**に日常生活上の指導やセルフケア指導を加えた**複合的治療**が有効とされてきた．複合的理学療法は，①スキンケア，②用手的リンパドレナージ，③弾性着衣や弾性包帯を用いた圧迫療法，④圧迫している状態での運動を組み合わせて実施する．

・用手的リンパドレナージ：有効性に関する質の高い根拠は上下肢とも少なく，症例の選択は慎重に行われるべき状態である．

・圧迫療法：着圧や介入期間は統一されていないが，複合的治療の一環として有効との報告は多い．リンパ浮腫治療ガイドライン2018年版では，多層包帯法は集中治療期の，弾性着衣は維持期の標準治療として推奨されている．圧迫療法やドレナージを行う際には蜂窩織炎や高度の血流障害，重症心不全，重度の末梢性ニューロパチーなどの禁忌項目を除外する必要がある．末梢循環障害の状態を把握するために積極的に **ABI (ankle brachial pressure index)** の測定を行い0.5未満はいかなる圧迫も禁忌となることに留意する必要がある．

・運動療法：術後早期の運動は体液貯留などの合併症が増えるとの懸念から，患側上肢で重いものを持つことや運動を制限する生活指導が普及していた．しかし，最近では術後の運動療法はリンパ浮腫を悪化させず発生率を減少させる，術後合併症も増加させないなどの有効性を示す報告が多くみられるようになり，臨床で広く行われるようになってきている．

日本リハビリテーション医学会などのがんの術後リハビリテーションに関するガイドラインでは，術後の乳がん患者の肩関節可動域訓練などは強く推奨されており，術後のリハビリテーション治療によるリンパ浮腫や術後合併症の発生・増加は認められなかったとされている．また術後の訓練も術後5〜8日目から開始することが推奨されている．下肢のリンパ浮腫に関してはまだ十分な根拠となる研究は少ない．運動療法がリンパ浮腫の予防と治療に有効であるという報告が増えてきているが，運動の種類，時間，回数，期間などは標準化されていない．

b. 外科的治療

保存的治療では症状が改善しない症例に外科治療を併用することで症状改善を図ることがある．

手術療法はリンパ管静脈吻合術，血管柄付きリンパ節移植術などが行われている．リンパ管静脈吻合術は，リンパ管の閉塞部位よりも末梢で変性が少ないリンパ管を選択し，これを静脈に吻合することでリンパ管から静脈へのバイパスを作るものである．血管柄付きリンパ節移植術は，リンパ管硬化がより進んでいる症例に行われる．健常部位（鎖骨周囲，側胸部，鼠径部など）にあるリンパ節とその周囲の組織を栄養する血管を一緒に採取し，患部に移植することでリンパ節の機能を再建する．いずれの方法も，有効性を示す報告が増えてきているが，まだ質の高い研究報告は少なく手術手技も標準化されていない．

L. 切　　　断

学　習　の　目　標

1. 下肢切断，上肢切断の原因について説明できる．
2. 切断部位の選択における留意点を説明できる．
3. 良い切断の条件について説明できる．
4. 義足における断端ケアの方法をあげ，それぞれの特徴を説明できる．
5. 義足訓練の実際について説明できる．
6. 義手訓練の実際について説明できる．
7. 幻肢痛の治療法について説明できる．

1 切断者の疫学

　近年，糖尿病の罹患率の増加や高齢化に伴い，末梢循環障害患者が増加傾向にある．そのためわが国における下肢切断原因も大きく様変わりした．全国的な疫学の統計がないため，ここでは兵庫県（神戸市を除く）と北九州市での調査に基づいて記す．1968（昭和43）年から1992（平成4）年における兵庫県下（神戸市を除く）での切断発生頻度は人口10万人当たり6.2人であり，その中で下肢切断者は1.6人である．2001（平成13）年から2005（平成17）年の北九州市における切断発生頻度は人口10万人当たり6.9人であり，そのうち下肢切断は5.8人である．したがって，1960年代から現在までの総切断者の発生頻度はほぼ同じ傾向であるが，特筆すべきは最近の総切断者に占める下肢切断者の割合の増加である．また，兵庫県での1993（平成5）年から1997（平成9）年における総下肢切断者のうち末梢循環障害を原因とする下肢切断が65％を占め，北九州市では77.6％を占めた．つまり，近年増加した切断者の多くは高齢の末梢循環障害起因の下肢切断者で構成されることになる．これに対して，上肢切断原因は過去から現在にかけて圧倒的に外傷（特に労働災害）が多く，大きな変化はない．

　切断部位であるが，下肢切断では下腿切断がほぼ半数近くを占め，大腿切断と合わせるとほぼ8割を占める．上肢切断では手指切断が8割を超え圧倒的に多い．次いで，前腕切断，上腕切断と続く．

2 切断部位と義肢の名称（図L-1）

　切断 amputation とは四肢の一部が切離された状態をいい，この中で関節の部分で切離され

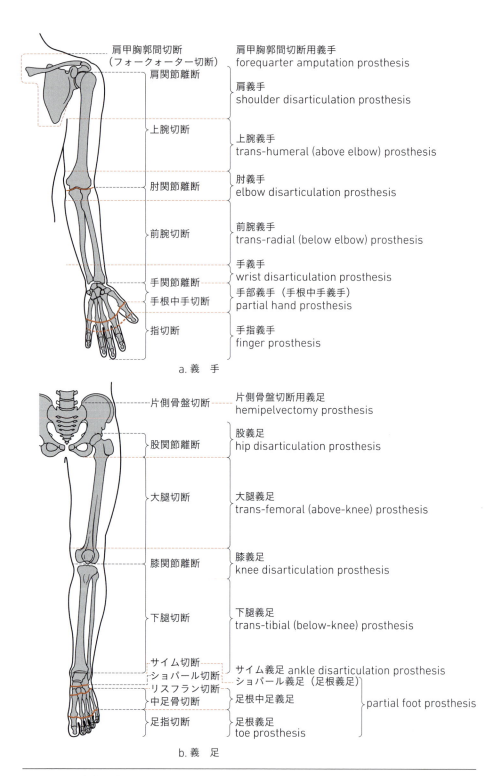

図L-1 切断部位と義肢の名称

たものを離断という．切断部位と義肢は図に示した名称を用いる．上肢切断における特殊なものとしてクルーケンベルグ切断 Krukenberg plastik やシネプラスティー cineplasty がある．

3 切断部位の選択の原則

近年の義肢製作技術や材料学の進歩により，原則として切断端をできるだけ長く残存させ，残った機能を義肢適合技術を駆使して最大限に活かすことを考える．全般的な留意点としては，小児切断では骨端線を温存すること，女性の場合は外観上の問題からサイム切断の選択には慎重であること，社会的・職業的環境に配慮が必要な場合がある．

上肢切断部位と下肢切断部位の個々の選択についての価値については，義肢装着の立場から示したものを図L-2に示す．

4 切断術

切断術は良好な断端を形成し，義肢装着による機能再獲得を得る手段である．良い断端の条件とは，痛みなく関節が動かせること，十分な軟部組織により覆われていること，有痛性の神経腫がないこと，十分な血流が保たれていること，である．

a. 断端筋の処置（図L-3）
1. 従来の方法
切断端で筋を切り離したままで，筋膜同志のみ縫合する．
2. 筋縫合法 myoplasty
拮抗筋同士を縫合する．
3. 筋固定法 myodesis
骨端にドリル孔を形成し，その孔に筋を固定する．
4. 筋縫合固定法 myoplastic myodesis
筋群の末端の内層を骨端にあけた孔に固定し，さらに残りの筋を縫合して骨端を覆う．

b. 神経と血管の処置
止血は確実に行う．太い血管は二重結紮を行う．神経は切断時には軽く牽引して引っ張り出し，鋭利なメスで切断する．太い神経の場合，伴走する血管を結紮してから切断する．

c. 骨の処理
骨端末部は滑らかになるようにヤスリなどで丸くしておく．下腿切断の場合，脛骨前下端を斜めに切断しておくことがソケット適合上きわめて重要である．

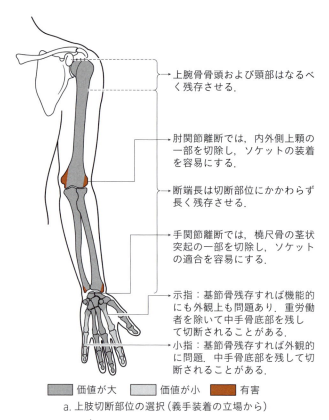

a. 上肢切断部位の選択（義手装着の立場から）

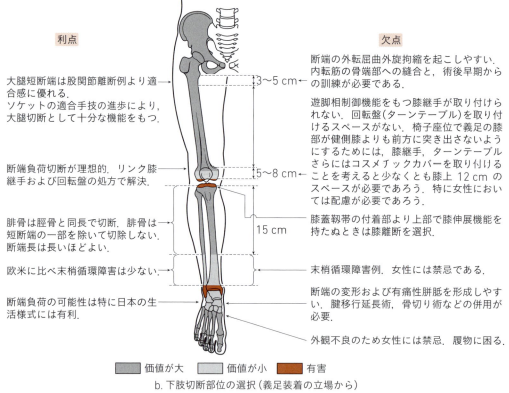

b. 下肢切断部位の選択（義足装着の立場から）

図 L-2 切断部位の選択
[陳 隆明：切断術，義肢装具のチェックポイント（日本整形外科学会，日本リハビリテーション医学会 監），第8版，p. 55-p. 56，医学書院，2014 より許可を得て転載の上改変]

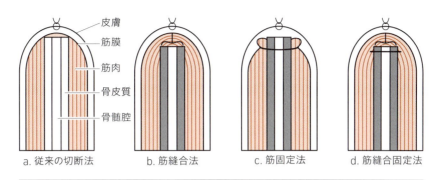

図L-3　断端筋肉の処置法
[陳　隆明：切断術直後の断端ケアー，鶴見隆正ほか（編），理学療法MOOK　義肢装具，p.2，三輪書店，2000より許諾を得て転載]

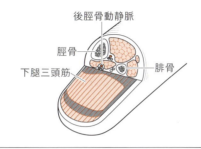

図L-4　後方長皮弁法
[陳　隆明：下肢切断と義足，江藤文夫，里宇明元（監），最新リハビリテーション医学，第3版，医歯薬出版，2016より許諾を得て転載]

d．その他

切断術後の血腫予防の観点からドレーンを留置する．

e．血行障害例の場合

　手術は原則駆血帯を使用しない．軟部組織（とくに皮膚）の扱いは注意する．皮膚縫合の場合，ピンセットを使用しないなどの配慮が必要である．血行障害例の切断の場合，下腿後方の筋や皮膚の血流が前方より良いとの理由から従来Burgess法（後方長皮弁法）が好んで用いられた（**図L-4**）．しかし，血行動態的にはむしろSkewed flap法が良いことが証明された．とはいえ，臨床成績は両者ともにまったく同等である．

5　義　　足

a．断端ケア

　断端ケアとは切断端の成熟を促進し，義肢装着に適した断端を早期に獲得するための過程であり，下肢切断者のリハビリテーションの前半部分においてきわめて重要である．断端ケアに関しては現在そのエビデンスは混沌としていると言わざるを得ず，確固たる見解は得られてい

ない.下腿切断を対象とした報告によると,rigid dressing 法は soft dressing 法に比べて,いわゆるリハビリテーション期間は短く,断端の成熟促進に優れている点で好ましいと考えられている.しかし,rigid dressing 法は医師の経験が重要視されており,専門病院以外では施行が困難であるため,soft dressing 法は依然として主要な選択肢の1つであることも事実である.また soft dressing 法は,断端の成熟が遅延し,結果としてリハビリテーション期間が長くなるという弊害が生じる.近年では,術後の断端ケアにシリコンライナーが応用され,有効であるとの報告がみられる.さらに,removable rigid dressing法に対して既製品が利用可能となり,今後大きく普及する可能性がある.

b.断端ケアの実際

1. soft dressing 法(弾力包帯法)

従来から行われている方法で,切断端にガーゼを重ねて,さらにその上から弾力包帯を巻いて圧迫するものである(**図L-5**).弾力包帯による圧迫は断端が成熟するまで行う.断端が成熟すれば,義足を作製し義足装着訓練を行う.今日においてもっとも広く普及している方法である.

本法の長所は比較的簡便であり,切断端創の確認が容易なことである.短所は,① 断端浮腫の予防効果が不十分,② 断端の成熟が遷延する,③ 包帯を巻くのに熟練を要する,④ 切断後の断端痛,幻肢痛が強い,⑤ 弾力包帯の巻き直しが頻回に必要である,⑥ リハビリテーション期間が遷延する,ことなどがあげられる.

2. rigid dressing 法(ギプス包帯法)

切断術直後に仮義肢を装着する場合としない場合がある.

a)術直後義肢装着法

生理学的切断術(筋固定,筋縫合固定術)を行った直後に,手術室にて切断端に滅菌断端袋をかぶせて,その上にギプス包帯を巻いてソケットをつくり,仮義足を装着する.切断者は術後早期に立位訓練が行えることが利点である.

b)術後早期義肢装着法

切断端創の治癒が得られるまではギプス包帯による断端管理を行い,切断端創の治癒が得られたならば,できるだけ早期に仮義肢を装着し,訓練を行う方法である.外傷や腫瘍など創の治癒が比較的良い場合には,切断術直後義肢装着法は優れた結果をもたらす.しかし,血行障害に起因した切断例では,早期荷重,負荷により創の治癒遷延が見られる.末梢循環障害例では,創の治癒最優先とすべきであり,本法が第一選択となる.

本法の長所は,① 断端の成熟が早期に獲得できる,② 術後の断端痛や幻肢痛が抑制される,③ リハビリテーション期間が短縮できる,ことである.短所は,① 熟練したスタッフによるチームが必要である,② 術後創の確認ができない,ことである.

3. removable rigid dressing 法

通常の rigid dressing 法よりも短めに大腿部のギプスを巻き,それに塩化ポリビニルのパイプを結合させてパイロンとし,義足足部を付ける.今日では,さまざまなメーカより既製品が販売されており利用が可能である.

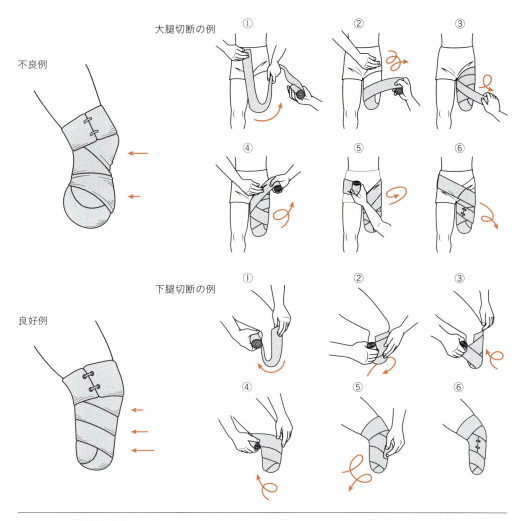

図 L-5 弾力包帯の巻き方
［陳　隆明：下肢切断と義足，江藤文夫，里宇明元（監），最新リハビリテーション医学，第3版，医歯薬出版，2016より許諾を得て転載］

　いずれの断端ケアにおいても患者が高熱を発した時，断端痛を持続して訴える時，さらにギプス上に浸出液や出血汚染がみられた時にはギプスの除去が必要であるが，この点において removable rigid dressing 法は取り扱いが容易である．

4．シリコンライナーを用いた方法

　最近提唱されている概念である．切断術後の断端管理にシリコンライナーを使用し，断端の早期成熟を促し，リハビリテーションを円滑に行おうとするものである．現在は，下腿切断に対して主として用いられており，全国的にある程度普及してきていると思われる．

c．義足訓練の実際
1．義足の適合評価

　義肢装具士（PO）が責任を持って行う．処方医師や理学療法士（PT）らも責任を持ってチー

ムとしてその役割を果たす．ソケットの適合チェックがもっとも重要であり，義足の長さやアライメント（静的・動的）のチェックも大切である．

2. 義足装着訓練

色々なソケット（吸着式やシリコンライナーを使用したものなど）が実用化されており，ソケットの装着訓練は個々に応じて指導する．切断者がソケットを毎回正確に装着できるようになるには一定の時間を要するため，初期の段階では必ず訓練スタッフ（PTやPO）による監督・援助を行う．とくに高齢大腿切断者が義足を断念する理由の1つとして，ソケットの装着困難があることを忘れてはいけない．

3. 基本訓練（義足立位・歩行訓練）

平行棒内での訓練から開始する．義足への体重負荷，義足での立脚時における膝の安定性の確保（大腿切断者では随意制御をしっかり学習する），体重心の移動訓練（前後と左右方向）が最初の重要な訓練である．これらが達成された後で，前後へのステップ訓練，交互膝屈曲訓練を行い，徐々に歩行訓練へと移行する．これらの過程が最重要であり，十分時間をかけて行う必要がある．この過程が不十分なまま，不用意に早期に歩行補助具（杖など）を使用させての平行棒外歩行訓練に移行すべきではない．

次に平行棒外での訓練である．切断者の身体的特徴に応じて必要な歩行補助具を選択して使用することも考慮する．まずは平地歩行の獲得を目指す．

4. 異常歩行の評価と修正

断端長，膝や股関節の屈曲拘縮や筋力低下など切断者側の要因，ソケットの適合不良や義足アライメントの調整不良など義足の不具合による要因，さらには訓練不足（あるいは不適切な訓練）による要因を常に念頭に置いておく．異常歩行は初期の段階（平行棒内や平行棒外での訓練段階）で見出し，改善する．放置しておくと習慣となり，後に修正することは大変困難である．

5. 応用歩行訓練と日常動作訓練

義足装着下での床（あるいはいす）からの起き上がり，段差を越える訓練，階段や坂道，不整地での歩行訓練を行う．また，着衣動作や家事動作も切断者のニーズに応じて提供する．

6. 義足非装着下の移動や動作訓練

意外にも疎かにされている訓練である．高齢切断者は屋内で義足を使用しないことが多い．車いすやキャスター付きいすでの移動，大腿切断者では居ざり，下腿切断者では，膝立ちや四つ這い移動を行うことが多い．実際の切断者のライフスタイルに応じたさまざまな訓練と工夫を医療スタッフと切断者，切断者の家族と相談して対応する．

d．義足処方の実際

1. 下腿切断の場合

a）リハビリテーション候補者の判断

膝関節が温存されているため，義足歩行時の身体的負荷が小さく，リハビリテーションの候補となる場合が多い．膝関節の高度の屈曲拘縮（20〜30°以上）を有している場合，上肢機能

障害により杖などの歩行補助具が適切に使用できない，あるいは上肢支持によりいすなどから立ち上がれない場合，本人に意欲が無い場合，義足の扱いや訓練内容が理解できないような知的問題がある場合，末期の腎障害（ただし，透析により状態が安定している場合は担当医の判断による），重度の冠動脈疾患は訓練適応とはならない．

b）処　方

1）ソケット

原則的には PTB（patellar tendon bearing trans-tibial prosthesis）ソケットで十分に対応可能である．自己懸垂作用を持つものとして，PTS（prothese tibiale à emboitage supracondylien）ソケットや KBM（kondylen bettung munster）ソケットがある．

ICEROSS に代表されるシリコンライナーなど各種ゲルライナーを用いた全面接触式（TSB, total surface bearing trans-tibial prosthesis）ソケットも近年使用されている．ソケット装着が可能な者であれば適応といわれているが，その判断は慎重に行う．ライナー使用による発汗が原因で起こる皮膚のトラブルを予防するためには，切断者自身が断端保清といった断端管理を適切に行えるかどうかなどの見極めが肝要である．懸垂方法として，主にピンによるものとシールイン・システムによるものがある．ピン懸垂タイプのライナーは，長断端には禁忌である．また，骨性隆起が著しい断端もライナーが禁忌と考えてよい．ゲルライナーを用いた TSB ソケットで注意を要する症例は，未成熟断端，周径変動のある断端，過剰な軟部組織を有する断端などである．

2）足　部

軽量な足部が第一選択となる．近年では各種エネルギー蓄積型足部が開発されており，低活動者であっても利用可能である．単軸足は，安全性を最優先する場合や日本の生活様式を考えた場合に考慮されてよい．

2．大腿切断の場合

a）リハビリテーション候補者の判断

膝関節を欠損しているがゆえに，リハビリテーション候補者の判断には多方面からの慎重な客観的根拠に基づいた評価が必要である．① 年齢（機能予後が高いほど悪い），② 切断レベル（高位ほど悪い），③ 併存疾患（多いほど悪い．中でも心疾患や脳血管疾患，うつ状態には注意がとくに必要），④ 片脚起立能力（少なくとも片手支持で立位が保持できることが必要），⑤ 体力（5METs 程度，すなわち切断術前に身の回りの日常生活が自立しているだけの体力），⑥ 意欲（無ければ適応外），といった要因の考慮が必要である．Steinberg は義足訓練の禁忌として，認知症，重度の閉塞性肺疾患，うっ血性心不全，股関節の高度の屈曲拘縮，重度の神経内科疾患，非切断下肢の重篤な血流障害をあげている．

b）処　方

1）ソケット

吸着式（坐骨収納式ソケットが主）で一般的に対応可能である．ただし，短断端で吸着に向かない例や上肢機能の障害でソケット装着が困難な例は差込式やシリコンライナーを使用したソケットも考慮する．

2）膝継手

身体条件が良い青年・壮年切断者では遊脚相制御（コンピューター制御膝に代表される速度追随性）を重視して選択してよい．しかし，高齢切断者では軽量で立脚相制御（膝の安定性確保）に優れたものを第一選択とするべきである．荷重ブレーキ付単軸膝継手や多軸膝継手が適当である．体力虚弱者の場合，固定膝は良い選択である．コンピューター制御膝に代表される速度追随性膝継手も選択肢となりうるが，その処方には慎重であるべきである．

3）足部

軽量な足部が第一選択となる．近年では各種エネルギー蓄積型足部が開発されており，低活動者であっても利用可能である．単軸足は，安全性を最優先する場合や日本の生活様式を考えた場合に考慮されてよい．

c）高機能膝継手

現在は高価で高機能な膝継手が市販され，利用可能であり，すでに臨床で使用されている．公的制度によって支給実績を有するものもある．

1）ALLUX（アルックス）（Nabtesco社，日本）

多軸機構（4節リンク）と立脚相と遊脚相の電子制御を一体化した世界初の膝継手である．急激な膝折れ防止機能や膝を設定した角度に固定できるなどの特徴を有する．

2）C-Leg4（シーレッグ）（ottobock社，ドイツ）

立脚相と遊脚相を電子制御し，センサー機能が格段に向上し，1/100秒間隔でセンシングを行い，歩行状態を検知する．つまずきや転倒予防機能や足を引っ込める機能などが備わっている．

3）Genium（ジニウム）（ottobock社，ドイツ）

C-Leg4と同様のセンサー機能を持ち，さらには障害物と階段の乗り越え機能と走行モードを有する．

6　義　手

a．断端ケア

義足の場合と異なり，必ずしも体系的に断端ケアがなされていない．ごく一部の専門施設を除いてrigid dressing法は適用されることは今ではほとんどなく，soft dressing法による管理が一般的であると考えてよい．

b．義手の役割と分類

手は人体の中で最も繊細な器官であり，知覚に富み，きわめて精巧な働きを行う．その機能と見た目を補完するものが義手である．義手は切断レベルに応じたものを処方する必要があり，義手を「使える手」として最大限に発揮させるためには訓練が必須である．

義手は一般的には殻構造である．骨格構造は義足には一般的であるが，義手においても軽量化を考えた場合には選択肢となる（図L-6）．機能的には以下のように分類される．

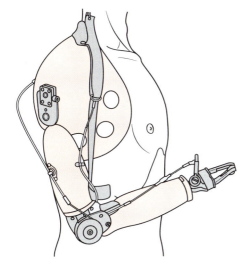

a. 殻構造型義手（肩離断用）

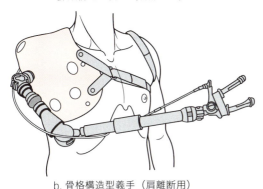

b. 骨格構造型義手（肩離断用）

図L-6　義手の構造上の分類
［陳　隆明：義手の役割と普及の現況義肢装具のチェックポイント（日本整形外科学会，日本リハビリテーション学会 編），第8版，p. 92，医学書院，2014より許可を得て転載］

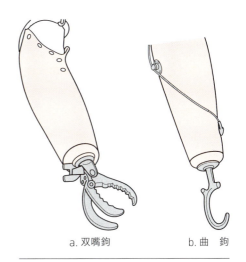

a. 双嘴鉤　　　　b. 曲鉤

図L-7　作業用義手に使用される手先具
［陳　隆明：義手の役割と普及の現況義肢装具のチェックポイント（日本整形外科学会，日本リハビリテーション学会 編），第8版，p. 93，医学書院，2014より許可を得て転載］

1. 装飾義手

外観（形態）だけを補完することを目的に作製されたものである．外装の素材として塩化ビニールとシリコンが使用されている．指関節機構を有し，指の形状を自由に変えられる装飾ハンド「パッシブハンド」も実用化している．

2. 能動義手

肩甲帯と体幹の動きを利用して，ハーネス・コントロールケーブルシステムを介して，継手（肩や肘）あるいは手先具の操作を行う体内力源義手である．

3. 作業用義手

労働作業に適した機能を最優先した義手であり，外観にはとらわれない．手先具としては色々なものがあり，例えば双嘴鉤や鎌持ち金具などである（**図L-7**）．

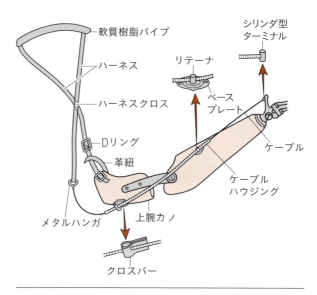

図L-8　前腕用能動義手の基本的構成
[越智隆弘, 菊池臣一（編）：NEW MOOK整形外科シリーズ　リハビリテーション, p.128, 金原出版, 2007より許諾を得て転載]

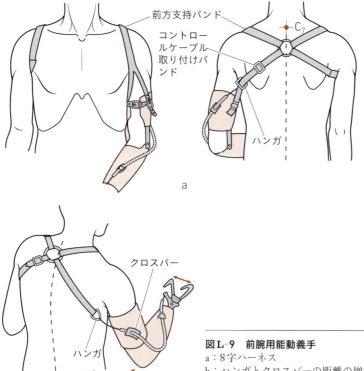

図L-9　前腕用能動義手
a：8字ハーネス
b：ハンガとクロスバーの距離の増加とともにフックが開く．
[越智隆弘, 菊池臣一（編）：NEW MOOK整形外科シリーズ　リハビリテーション, p.129, 金原出版, 2007より許諾を得て転載]

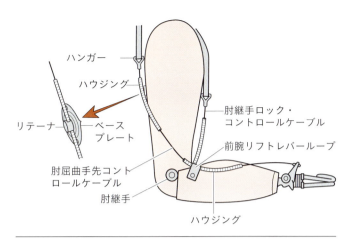

図 L-10　上腕用能動義手の基本的構成
[越智隆弘, 菊池臣一（編）：NEW MOOK整形外科シリーズ　リハビリテーション, p.130, 金原出版, 2007より許諾を得て転載]

4. 動力義手

義手を操作する力源として，切断者自身ではなく外部の力に依存する体外力源義手である．筋電制御で行う筋電義手が一般的である．

c. 前腕用能動義手

義手の基本的構成は**図 L-8**に示す．手先具をフックとして説明する．フックの開閉にはハーネス・コントロールケーブルシステム（単式）が必要である．通常は8字ハーネスを用い，上肢帯や体幹の動きを健側の腋下ループでとらえ，背中に交叉したベルトに伝達し，手先具の開閉を行う．フックを開くために必要な動作は，切断側肩の屈曲運動と両側肩甲骨の外転運動（体幹の極近くで開く場合）であり，それによってハンガーと上腕カフのクロスバーとの距離が増加し，ケーブルの緊張が強くなり，フックが開くのである（**図 L-9**）．

1. ソケット

断端長が健側前腕長の35〜55%の場合，自己懸垂機能を有するミュンスター型またはノースウェスタン型前腕ソケットが用いられることが一般的である．断端長が健側前腕長の55〜80%の場合，前腕部の回内回外機能を有効に発揮させるため全面接触差込み式ソケットが適用され，ソケットの懸垂は上腕カフとたわみ式肘継手が用いられる．

d. 上腕用能動義手

義手の基本的構成は**図 L-10**に示す．前腕義手と違うところは，肘継手が追加されることである．1本のケーブルで肘継手の屈曲と手先具の操作，さらに肘継手のロック操作を行う複式コントロールケーブルシステムである．通常は8字ハーネスが用いられる．肩関節を屈曲させると，肘屈曲手先具ケーブルが肘継手の前方を通っているため，ケーブルの緊張により肘継手が屈曲する．肘継手が固定されると，ケーブルの緊張によりフックが開く仕組みになっている

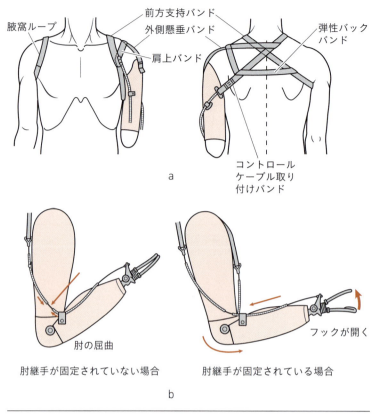

図 L-11 上腕用能動義手
a：8字ハーネス
b：肘継手が固定されている場合とそうでない場合.
[越智隆弘, 菊池臣一（編）：NEW MOOK整形外科シリーズ　リハビリテーション, p.131, 金原出版, 2007より許諾を得て転載]

（図 L-11）．

1. ソケット

断端長が健側上腕長の30〜90％の場合，全面接触差込み式ソケットが一般的である．自己懸垂性を持つ吸着式ソケットや各種ライナーを用いたソケットも症例に応じて考慮される．

2. 肘継手

能動単軸肘ブロック継手が用いられる．Hosmerブロック肘継手が代表である．

e. 筋電義手

1. 適　応

手関節離断や前腕切断者は良い適応である．

2. 機　種

ドイツottobock社の前腕用筋電義手（MYOBOCK）が世界最大級のシェアーを誇っており，わが国で普及しているものである．通常はハンド型筋電義手であり，2つの筋電センサーでハ

ンドの開閉を操作するが，筋電信号を強弱させることにより開閉スピードが変化させられる．しっかりとした把持力で持続してものを持つことが可能である．ただし難点としては，手先がフックほど細くなく，緻密な指先の動作には不向きである．

3．筋電義手訓練の実際

a）筋電信号検出と分離の評価
主としてOTによって行われる．専用の機器を用いて，筋電信号の検出と分離の評価を行う．

b）基本操作訓練
最初は目的物を使用せずに，ハンドの開閉を確実にできるようにする．色々な上肢肢位での開閉操作の訓練を行う．次に目的物（色々な形状のもの，大きさの違うもの，硬いもの，柔らかいものなど）を使用し，物体の掴み方とその持ち運びの訓練をする．リーチ，掴み，運び，離すといった一連の動作を習得する．

c）応用動作（両手動作）訓練
補助手としての義手の役割を学ぶ．筋電義手の利点は，ハーネス・コントロールケーブルシステムによる関節運動の束縛がなく，それゆえ健側手の機能を十分に引き出すことができることである．ここでは，紐結びや手工芸など両手を使わねばならないような作業を行う．

d）日常生活活動訓練
日常生活を送る上で必要な動作や職場で実際に必要な動作に重点をおいて行う．

e）在宅や職場での使用評価
在宅や職場で実際に義手を使用し，その必要性，有用性について自己評価する．

4．高機能筋電義手
現在は高価で高機能な筋電義手が市販され，利用可能であり，すでに臨床で使用されている．公的制度によって支給実績を有する．

1）ミケランジェロハンド（ottobock社，ドイツ）
指間でのつまみやラテラルピンチなどのハンドポジションが可能である．手関節の柔軟性があり，自由度が高い．これらはいずれもMYOBOCK（マイオボック）にはない機能を備えている．

7　幻　　肢

a．幻肢覚と幻肢痛
幻肢覚とは四肢の切断後に，その四肢があたかも存在するように感じることである．幻肢痛とは存在しない四肢が激しく痛みを感じる現象であり，神経因性疼痛の一種と考えられているが，その発生機序は不明である．幻肢覚の発生は高頻度であり，発生頻度は90％以上とする報告が大半である．ただし，治療を要するほどのひどい幻肢痛は10％前後と考えられている．

b．幻肢痛の治療
脊髄刺激，視床刺激，大脳皮質刺激といった神経刺激療法，薬物療法，手術療法，リハビリテーションなどが試みられているが，いまだに確立された治療法はないのが現状である．ここ

では主にリハビリテーションによる治療について述べる．

1．義肢装着訓練

幻肢痛は定量化できないために，効果判定については曖昧な点は否めないが，ある一定の効果は期待できる．ただし，効果を引き出すためには機能的な義肢の装着訓練が重要である．装飾義肢による効果は低いことが報告されている．

2．鏡療法（ミラーセラピー）

Ramachandranが最初に試みた手法である．健側肢を鏡に映し，鏡の中に映る健側肢の像と実際の幻肢（切断肢）の位置を合わせ，あたかも幻肢（鏡の中の健側肢）が動いている様を観察するものである．この療法を継続することにより，幻肢を自己制御できるようになり，幻肢痛の軽減が期待できる．この療法は，安価で無侵襲であり，患者が主体的にとり組むことできることが利点と考える．しかし，わが国においては十分に普及していないのも事実である．

M. がん・悪性腫瘍

学習の目標

1. がんの直接的影響と，治療などの間接的影響によりさまざまな障害が生じることを理解する．
2. リハビリテーション治療の目標として，疾患と障害の予後，それに患者の社会的背景なども考慮して，総合的に設定することを理解する．
3. がん領域におけるリハビリテーションの原則と疾患の種類，症状別の対処法を理解する．
4. 疼痛，疲労，心理的問題への対処が各疾患に共通して重要であることを理解する．

1 がん・悪性腫瘍のリハビリテーション

疾患概念

身体の細胞あるいは組織が自律的に過剰増殖した状態を腫瘍という．個体に及ぼす影響により，悪性腫瘍（がん）と良性腫瘍に分類される．悪性腫瘍は放置すると増殖を続け，しばしば転移する．がんは血液がんと固形がんに分類される．血液がんは骨髄由来の白血病，悪性リンパ腫などであり，固形がんは上皮細胞由来のがん（肺がん，胃がんなど）と非上皮性細胞由来の肉腫（骨肉腫など）に分類される．がん細胞の増殖形態・進展様式には，局所での増大・浸潤，遠隔臓器への転移，腔内播種（腹膜・胸膜）がある．がん細胞の増殖が進行すると，栄養障害と代謝異常により筋肉量の減少をきたす悪液質を生じる．良性腫瘍は，転移・悪液質を生じないこと，自律増殖の速度が遅い点で悪性腫瘍と異なるが，部位によっては圧迫により重篤な症状を引き起こすことがある．

診断，治療および経過

がんが疑われた場合，病変がどの臓器に存在するか，良性か悪性か，どこまで広がっているかについて評価され，病期が診断される．固形がんの場合は，固形がんの進行度を示す病期分類としてTNM分類が広く用いられる．腫瘍（原発巣）の大きさと進展度 tumor（T），所属リンパ節への転移状況 nodes（N），遠隔転移の有無 metastasis（M）の組み合わせから stage 0～Ⅳ期にステージ分類される（**表 M-1**）．臨床病期に応じて治療法が選択され，一般的に，根治治療範囲は stage Ⅰ～Ⅲ，対症治療範囲は stage Ⅲ～Ⅳ とされる．治療困難例も QOL の改善を目的とした緩和治療が行われる．がんの治療成績は5年生存率として統計データが公表されており，種類によって生存率が異なり，病期が進行すると生存率が下がる．

がんの3大治療法は，手術療法，化学療法，放射線療法である．それぞれ単独または組み合

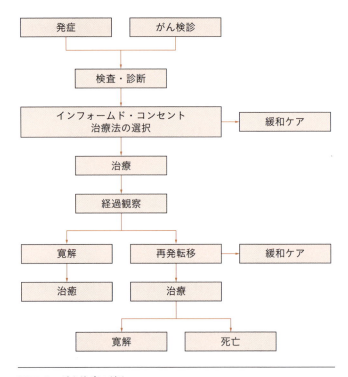

表 M-1　がんの病期分類（TNM分類）

Stage 0	上皮内に限局
Stage I	腫瘍が上皮層を越えるが局所に現局
Stage II	腫瘍が周囲組織/リンパ節内に浸潤
Stage III	stage II より広範に浸潤
Stage IV	遠隔転移がある場合

図 M-1　がん治療の流れ

わせて行われ，診療ガイドラインなどによりエビデンスに基づく治療法が提案される．

　治療技術は年々進歩し治療成績も向上しているが，根治が困難な場合もある．また治療には身体への侵襲・副作用がある．このため治療方針を決定する際には，治療の効果，期間，予後，副作用などについての説明がなされたうえで，患者・家族が承諾して治療法を選択するインフォームド・コンセントが重要となる．進行度が高い場合や全身状態が低下して治療による不利益が上回る場合などは根治治療が困難であり，延命や症状緩和を目的とした治療が行われる．

　がん治療の経過は，長期間となることが多い．根治治療の後も再発の可能性があるため，無治療または再発予防を目的とした化学療法を継続しつつ，経過観察が必要となる．症状・検査に異常が無い状態を寛解といい，治癒とされるまで 5～10 年の経過観察が行われる．経過中に再発・転移を生じた場合は根治は困難であることが多く，延命・症状緩和を目的とした治療を行う．治療で部分的な効果しか得られない場合，腫瘍が増大・進行する場合も維持的な治療が行われ，長期間生存する例も多くなっている（図 M-1）．

表M-2 がんに関連して生じる問題（心身機能と身体構造の障害，病態）

① がんの直接的影響による問題
- a. 脳：麻痺，失調症，認知障害などの多彩な神経症状や内分泌障害
- b. 脊髄・末梢神経：四肢麻痺，対麻痺，神経叢麻痺，疼痛，神経因性膀胱など
- c. 骨・軟部組織：骨折，拘縮，疼痛，浮腫，高カルシウム血症など
- d. 肺：呼吸機能低下とそれによる運動耐容能の低下，呼吸困難感，胸水など
- e. 口腔・消化器：通過障害などによる栄養障害，腹水など

② がんの間接的影響により生じる問題
- a. 心理的問題：抑うつ，不安，適応障害，せん妄など
- b. 全身性の機能低下，廃用症候群，がん関連疲労
- c. 傍腫瘍性神経症候群（Lambert-Eaton筋無力症症候群，辺縁系脳炎，多発性筋炎，皮膚筋炎など）
- d. 凝固異常：深部静脈血栓症，トルソー症候群など
- e. 代謝：悪液質など

③ がんの治療に伴って生じる問題
- a. 腫瘍切除術による障害
    - i. 四肢・乳房：切断，麻痺，拘縮，浮腫，外観，ボディーイメージの障害
    - ii. 頭頸部：構音・摂食嚥下障害，副神経麻痺，腕神経叢麻痺，外観の問題
    - iii. 聴神経：聴覚障害，前庭機能障害，顔面神経麻痺（ただし聴神経腫は良性腫瘍）
    - iv. 直腸・泌尿生殖器：排尿・排便障害，性機能障害，下肢のリンパ浮腫（リンパ節郭清術による）
- b. 化学療法の副作用
    - i. 骨髄抑制（貧血，白血球減少，血小板減少）
    - ii. 電解質異常（低ナトリウム血症など）
    - iii. 肺線維症，間質性肺炎
    - iv. 末梢神経障害
    - v. 筋障害（ステロイドミオパチー）
    - vi. 骨粗鬆症
    - vii. 白質脳症
    - viii. 悪心，嘔吐
- c. 放射線療法の合併症
    - i. 放射線による神経障害（脳，脊髄，末梢神経）
    - ii. 軟部組織の瘢痕拘縮，創傷治癒遅延
    - iii. 肺線維症

リハビリテーションの特徴・目的

　がん患者では，がんの進行もしくはその治療の過程でさまざまな機能障害を生じ，ADLが制限され，QOLが低下してしまう．心身機能と身体構造の障害および病態はがん自体の直接的な影響によるものとがんに関連して生じる障害，治療によって生じるものに分けられる（**表M-2**）．

　全身症状として，まず，がん告知にともなう心理的問題があげられる．診断時や再発時に行われる告知，手術による身体の変化，退院後の生活に直面することなどによるストレスから，不安や抑うつなどの心理的な反応が多くの例で生じる．このとき器質的疾患との鑑別に苦労することがある．例えば，心因性健忘（解離性記憶障害）は傍腫瘍性神経症候群のひとつである辺縁系脳炎と類似した症状を呈する．次に，がんの進行による消耗状態と不動化による身体機能低下があげられる．がん関連疲労と呼ばれる疲労状態が治療中・後に長期間続くことも多

表M-3　がんリハビリテーションの目標設定

1. 予防的preventiveリハビリテーション
がんと診断され，まだ機能障害が目立たないが，治療に備えたリハビリテーションを行う．予防的に指導と運動療法を行うことにより，予想される障害を軽くすることを目標とする．手術後など身体機能が悪化してから開始するよりも，事前に慣れておくことにより，患者が訓練の手技を習得しやすい．
2. 回復的restorativeリハビリテーション
がんの治療後に生じた機能障害やADL低下に対して，最大限の機能回復を図ることを目的とする．手術後の廃用予防も含まれる．
3. 維持的supportiveリハビリテーション
がん治療が継続し，機能障害が残存または進行している状態において，適切なトレーニングと治療により障害を減らすことを目的とする． がんが増大し，機能障害が進行しつつある患者に対して，身体機能やADLの維持改善を目的とする．自助具の使用，動作指導などのセルフケア，関節拘縮予防や筋力維持などの廃用症候群予防も含む．
4. 緩和的palliativeリハビリテーション
がんによる機能障害が増大し回復困難な状態において，QOLの高い生活が送れるように，症状緩和や心理的な支持を目的とする．残存能力が低下しているが，合併症を減らし，可能な範囲で起居動作の自立を図ることも含まれる．

[Dietz JH : AdAdaptive rehabilitation in cancer : a program to improve quality of survival. Cancer Rehab, **68** : 145-153, 1980. より作成]

い．また，全身性炎症・食思不振に伴う通常の栄養サポートで改善の難しい体重減少をきたす悪液質進行がん患者の半数以上に生じるとされる．治療期間を通じて，不動化を避けて身体活動を維持する取り組み，栄養管理，メンタル面でのサポートが重要である．

　がんのリハビリテーション治療は，対象とする障害・症状ががんの病勢および治療に伴い変化しうるため，現在必要とされる状態に応じたアプローチ方法を臨機応変に設定する．設定される目標により予防的，回復的，維持的，緩和的の4つに分類される（**表M-3**）．

チーム医療と多職種連携

　がん治療を進めるうえでさまざまな問題が出現するため，解決には多職種が連携してチームでの対応が欠かせない（⇒p. 14）．リハビリテーション治療においても，カルテ上の情報共有に加えカンファレンスに参加するなど多職種で意思統一を図ることが求められる．また患者が主体的にかかわる取り組みも重要である．リハビリテーションを行ううえでは，目的や効果，注意点などについて，本人と対話し計画を立てることが必要となる．また，がん治療に関して情報提供を行う相談支援の事業も普及してきている．

　リハビリテーションは入院時にがん治療と並行して行われることが多いが，化学療法などがん治療の多くが外来で行われるようになってきており，外来および地域でのリハビリテーションの必要性も増加している．自宅療養中のがん患者のQOLの維持向上，体力の回復などを目的に地域の医療機関と連携し，生活を支援し社会復帰を促進する仕組みも必要である．

ライフステージごとのリハビリテーションの目的

a. 小児，AYA世代

　小児（0〜14歳）から思春期・若年成人 adolescent and young adult（AYA）世代に生じるがんは

1%未満と非常に少ない．小児がんの多くは，血液がん，脳腫瘍，胚細胞性腫瘍，骨腫瘍であり，20歳代で甲状腺がん，子宮頸がん，乳がんなどの占める割合が増えてくる．小児がんでは長期入院での加療が必要となることが多く，身体・認知機能低下が遷延することもあるためリハビリテーションでは予防・回復的なかかわりが重要である．治療後も内分泌障害，成長発達障害などの晩期合併症や，成長発達途上の心理的影響，学業・就業などへの影響も大きいことに注意が必要である．

b．就労世代

がん治療後には治療と社会生活の両立が必要となる．以前はがんと診断された後，退職・解雇となる例も多かったが，就労継続・再就職の支援が社会的に求められている．体力低下，治療の副作用などの体調不良，経済的問題，職場対応などの問題があり，運動習慣の維持，社会資源制度の利用などの支援が必要となる．

c．高齢世代

高齢のがん患者においては，加齢に伴う身体・認知機能，栄養状態，ADLの低下を認めることも多い．治療における合併症リスクも高く，患者の耐久性に応じて治療が選択される．リハビリテーションの目的は非高齢者と同じであり，がん治療の状態に応じて臨機応変に対応する．運動療法は有効であるが，運動強度の設定やリスク管理に注意する．

評　価

リハビリテーションにおける一般的な身体機能評価の他に，局所症状による影響を除いた全身状態の評価として，米国の腫瘍学団体のひとつであるEastern Cooperative Oncology Group（ECOG）により定められたperformance status（PS）（**表M-4**）が広く用いられている．PS0〜4の5段階評価で，治療方針の決定を行ううえで考慮され，PS0〜2では積極的治療が選択されることが多い．この他，PSより細かく0〜100％の11段階評価によるKarnofsky performance scale（KPS），緩和期の評価としてpalliative performance scale（PPS）なども用いられることがある．生命予後の大まかな予測では，月単位の指標としてpalliative prognosis score（PaPスコア），週単位の指標としてpalliative prognostic index（PPI）などが使われる．

この他，がん患者において問題となる，痛み，呼吸困難，倦怠感，精神・心理面，QOLの評価尺度などが用いられることもある．

がん患者に対する運動療法のリスク

がん患者に対して運動療法を実施するうえでは，通常より耐久性が低いことやさまざまな問題が出現しうることに注意する必要がある（**表M-5**）．疲労や疼痛などの自覚症状がみられるときは，負荷を減らす．循環・呼吸障害や出血，神経症状，骨折など緊急を要する症状も出現しうることに注意し，病状を把握しリスクを予測することが求められる．

表M-4 Performance Status（PS）

0	全く問題なく活動できる．発症前と同じ日常生活が制限なく行える．
1	肉体的に激しい活動は制限されるが，歩行可能で，軽作業や座っての作業は行うことができる．例：軽い家事，事務作業
2	歩行可能で，自分の身のまわりのことはすべて可能だが，作業はできない．日中の50%以上はベッド外で過ごす．
3	限られた自分の身のまわりのことしかできない．日中の50%以上をベッドかいすで過ごす．
4	まったく動けない．自分の身のまわりのことはまったくできない．完全にベッドかいすで過ごす．

[Common Toxicity Criteria, Version2.0 Publish Date April 30, 1999 JCOG（日本臨床研究グループ）によるECOGのPerformance Status（PS）の日本語訳〈http://www.jcog.jp/〉（最終アクセス：2021年12月）より引用]

表M-5 がん患者に対する運動負荷上の注意点

1	疲労，疼痛，悪心，下痢，めまいなどの自覚症状
2	循環・呼吸機能障害
3	栄養障害，貧血
4	免疫機能低下
5	出血傾向
6	神経症状
7	骨病変の不安定性

2 手術療法におけるリハビリテーションと固形がんでの注意点

　手術療法が行われる場合は，がんの種類に共通して，術前および術後早期からのリハビリテーションにより術後の合併症を予防し，後遺症を最小限にして速やかな回復を図ることが目的となる．術前にどのような訓練を行うかを伝えることにより，患者の不安軽減にもつながる．

a. 開胸開腹手術が適応となるがん

　食道がん，肺がんなどで行われる開胸手術ではとくに手術侵襲が高く，手術合併症が問題となる．合併症として，呼吸器合併症（呼吸機能低下，無気肺，肺炎など）があり，早期離床や排痰を促す呼吸リハビリテーションが予防に有効である．またリンパ節郭清に伴う反回神経麻痺を生じた際や，長期挿管管理で咽喉頭周囲筋の廃用などで，嚥下障害を生じることがある．

　近年，開胸閉腹手術の合併症を軽減するために術後回復強化プログラムの概念が外科で発達してきている．内視鏡手術など手術侵襲の低下，周術期栄養管理，早期離床などチーム医療による連携が行われる．

b. 頭頸部がん

　口腔，咽頭，喉頭がんの順で生じやすい．手術により組織欠損や手術後の瘢痕拘縮を生じるため，摂食嚥下障害や構音・発声障害が問題となる．そのため舌病変切除後の再建手術が行われることもある．

進行がんで頸部リンパ節郭清が行われた際には，副神経損傷による僧帽筋麻痺を生じるリスクがある．部分損傷の場合，回復に向けた訓練や二次障害として生じることの多い肩関節拘縮や疼痛を関節可動域訓練により防止することも必要である．

c．乳がん

手術後の機能障害として肩関節可動域制限を生じやすい．術後疼痛，瘢痕拘縮などから安静にしていると癒着性関節包炎などの拘縮を生じる．このため手術前から肩関節可動域訓練を行い，手術後も継続することが必要である．またリンパ節郭清に伴うリンパ浮腫のリスクがあり，予防指導が重要となる．手術後1ヵ月以上持続する手術側上肢の浮腫がある場合は，複合的治療が必要となる（⇨p.325）．

d．骨腫瘍

1．原発性骨腫瘍

原発性骨腫瘍は，10歳代が好発年齢で，好発部位は大腿骨遠位骨幹端，脛骨・上腕骨近位端である．切断術が行われた場合は，義足リハビリテーションの適応となる．近年は人工関節や処理骨の利用，化学療法の進歩により，患肢温存術が主流となっている．術後化学療法は長期間に及ぶため，化学療法の副作用による体調に配慮し，回復的なリハビリテーションが必要となる．

2．転移性骨腫瘍

転移性骨腫瘍は乳がん，前立腺がん，肺がんに多く，がん患者全体の約10％に骨転移が発生している．骨転移のタイプは，溶骨型，造骨型，混合型があり，溶骨型は，骨折リスクが高い．鎮痛薬の効きにくい自発痛がある場合は注意が必要である．骨関連事象 skeletal-related events（SRE）には病的骨折，脊髄圧迫，高カルシウム血症があり，発生時はADLやQOLが大きく損なわれるため注意が必要である．骨折リスクが非常に高い場合や骨折・麻痺を生じた場合は，放射線治療，手術療法が生命予後を考慮したうえで検討される．

e．脳腫瘍

原発性脳腫瘍が約8割，転移性脳腫瘍は全がん患者の約10％に起こり，肺がん（約50％），乳がん（約10％）などに多い．脳卒中と異なり発生した部位によって症状が異なる．頭蓋内圧亢進症状，局所症状（麻痺，失調，高次脳機能障害，てんかんなど）がよくみられる．

組織型，悪性度により予後が大きく異なる．神経膠腫では，通常，手術，放射線療法に加え化学療法を長期実施する．

放射線や化学療法の影響として，ふらつき認知障害などをきたすことがあり注意する．

3 化学療法・放射線療法におけるリハビリテーションと血液がんでの注意点

化学療法・放射線療法は，血液がんなど一部のがんでは第一選択であり，手術療法と組み合

わせて補助的に行われる場合や，手術不適応となる進行がんに対して行われる場合がある．根治目的の他に，延命や症状緩和を目的に行われることもある．いずれも有害事象が高頻度で生じるため注意が必要となる（**表Ⅲ-2**）．

化学療法は全身療法であり，肉眼ではみえない微小ながん細胞に効果を発揮する．有害事象は多彩だが，経過と使用する薬剤によって生じやすい症状がある．アレルギー，血圧低下などの急性反応から，悪心，食欲低下，全身倦怠感，続いて骨髄抑制，口内炎，下痢，肝・腎障害，3週間以降に末梢神経障害，皮膚障害などが生じる．末梢神経障害はしびれから痛みとして長期間続くことが多くADL低下の要因となる．

放射線療法は局所のがんを死滅させる治療法である．症状緩和目的では骨転移，脳転移などで用いられることがある．有害事象としては，治療中に生じる急性期有害事象と，治療から半年から数年経って生じる晩期有害事象がある．急性期有害事象は全身倦怠感，めまい，皮膚・粘膜障害，消化器症状などが多く，晩期有害事象は神経障害，肺障害，リンパ浮腫などがあり，改善が困難である．一定量の放射線を照射した部位は有害事象が必発するため一度照射した部位には繰り返し行われない．

a. 血液がん

造血器におけるがんで骨髄系とリンパ系に分けられる．代表的なものとして急性白血病，悪性リンパ腫，多発性骨髄腫がある．悪性リンパ腫は消化器，脳，皮膚など全身さまざまな部位に発生する．多発性骨髄腫では，溶骨による腰背部の痛み，脊髄神経症状，M蛋白増加による腎障害などを生じる．急性白血病の治療では，化学療法，放射線療法，免疫抑制薬，造血幹細胞移植（骨髄移植，末梢血幹細胞移植，臍帯血移植など）などが行われる．造血幹細胞移植後の急性期に多く発症する移植片対宿主病 graft versus host disease（GVHD）は，免疫が自己組織を攻撃することにより，皮膚障害，消化管障害，肝障害など重篤な症状を引き起こす．

治療は長期にわたりクリーンルームなど隔離した環境で過ごすことが多い．有害事象の影響で安静臥床期間も長くなり，廃用症候群をきたしやすい．リハビリテーションとして，心理的支持を常に意識し，筋力・持久力の増強訓練，GVHDによる関節拘縮や肺線維症への対応などを出血傾向，貧血，心肺機能低下，肝機能障害などの制約条件に注意して行う．

4 緩和ケアと終末期におけるリハビリテーション

進行がんおよび末期がん患者においては，がんの治療と並行して身体的，心理的，社会的な苦痛を緩和し，QOLを高めるため緩和ケアが行われる．早期からの緩和ケアによって2.7ヵ月延命が得られたという報告もあり，従来よりも早い段階からかかわることが主流となっている．また，がん終末期において全身の機能は比較的良好に保たれた期間が続くが死亡前1～2ヵ月で急速に状態が悪化することが多い．このため緩和ケア介入の時期について，早い段階から患者・家族と相談する機会を図りつつ治療およびケアにあたる，アドバンス・ケア・プランニング advance care planning（ACP）という概念が広まっている．

終末期 end of life (EOL) におけるリハビリテーションの目的は，可能な範囲で身体機能・ADLを保ちつつ，つらい症状を緩和することである．また，予後予測を正確に行うことは難しく，一度設定した目標も柔軟に変更することが必要になる例もある．

N. 高齢者のリハビリテーション

> **学習の目標**
>
> 1. 高齢者に対して適切なリハビリテーション医療を行うためには，「加齢に伴う身体の生理機能の変化」「心理・精神・知的特性」「疾患と障害の特性」を理解したうえで行う必要があることを理解する．
> 2. リハビリテーション医療の遂行のためには，日常生活活動の評価，高次脳機能・心理評価，置かれた社会的環境に対する評価が不可欠であること，ならびにリハビリテーションの阻害因子と療法上の留意点を知って遂行し，自立が困難な場合でも関連各職種によるチームアプローチで最善を尽くし，QOLを確保することが重要であることを理解する．
> 3. 地域リハビリテーションの理念，現状の介護保険法下でのサービス内容を理解する．
> 4. 高齢者医療では，入院医療と在宅医療を適切に行い，可能な限り自立支援とQOLの確保を目指す必要性があることを理解する．

1 高齢者のリハビリテーションとは

社会通念上は65歳以上を高齢者というが，これを3期に区分し，65〜74歳（前期高齢者 young-old），75〜89歳（後期高齢者 old-old），90歳以上（超高齢者 extremely old あるいは super old，85歳以上とする考え方もある）とする考え方が一般的である．しかし，昨今のわが国のとくに65〜74歳では，心身の健康が保たれ活発な社会活動が可能な人が大多数を占める状況となっている．そのため，2017（平成29）年に日本老年学会・日本老年医学会より，65〜74歳を准高齢者，75〜89歳を高齢者，90歳以上を超高齢者とする提言がなされている．

2019（令和元）年9月現在のわが国の65歳以上の高齢者人口は3,588万人で総人口1億2,617万人の28.4%（男25.4%，女31.3%）となっている．一方では2019年1月末現在，介護保険による65歳以上の被保険者（第1号被保険者）は3,518万59人であり，要支援1と2の合計は184万6,409人，要介護1から5までの合計は471万3,414人となっている．すなわち，要支援あるいは要介護の認定を受けた合計人数は655万9,823人であり，全体の約18.6%に相当していて，今後も増加すると予想されている．

リハビリテーション一般の定義はよく知られているものの，高齢者の場合の目的は，身体的および精神的な機能の回復を最大限に図ること，もしも可能であれば独立して生活しうる能力を取り戻すことである（英国厚生省中央保健審議会，1972）ともいえる．

また，**高齢者のリハビリテーション**といっても，一般のリハビリテーションで行うものと重

複する部分も多い．しかし，効果的で適切な療法を行うためには，その患者のおおまかな履歴，生活歴，性格，趣味を知り，高齢者一般の身体的，心理・精神・知的特性も十分に理解したうえで，原疾患，基礎・合併疾患および合併する障害の有無と程度を把握して対応する必要がある．そして，医学的に常識的な治療法であっても，可能な限り患者に説明（療法手技の意味も含む）と選択の余地を与え，同意を得て実施（**インフォームド・コンセント**）するという手順や目上の人に対する謙虚な接し方を怠ると，医療は円滑に進まないことも知っておかなければならない．その一方では，後述する廃用症候群，過用症候，誤用症候，療法中のアクシデントの予防，**生活の質・人生の質 quality of life（QOL）**面にもとくに注意と配慮をする必要がある．なお，高齢者では十分なリハビリテーション療法効果を上げられない症例が若年者に比して多いので，家族などの理解と協力，介護保険制度における居宅サービスや施設サービスなどのさらなる充実も望まれる．

　個々の疾患と障害の療法については各章も参照されたいが，本章では高齢者の特性とともに，リハビリテーションを進めるにあたってとくに心得ておかなければならないことを中心として述べる．

2 高齢者の特性

a．身体的特性

　身体の諸機能は二十数年の歳月をかけて発育発達し，ピークに達したあとは機能低下の一途をたどる．成人以降の年齢変化を**加齢**と呼び，加齢に伴う機能的変化を**老化**という．老化には誰にも起こる緩徐で非可逆的な生理的老化と，環境要因や疾病によって老化現象が促進された可逆的な病的老化がある．**加齢に伴う身体の生理機能の変化**を**表 N-1** として示した．

　一般的に健康の維持・増進目的で，高齢健常者に推奨される運動の基本的な考え方は，① ゆるやかな運動速度で，運動強度的には**無酸素閾値 anaerobic threshold（AT）**よりも低いこと，② 小さい屈伸運動，③ 臥位・座位・物につかまっての立位の運動，④ 多少インパクトを伴う荷重運動，⑤ ゲーム性を備えたもの，である．種目については，歩行，柔軟体操，ストレッチ，ヨーガ，太極拳，エアロビクス，水泳（遊泳），ジョギング，ゲートボール，ゴルフ，テニスなどがあげられる．また，酸素摂取量の観点からは，**全身持久力**を高めるための運動強度としては**最大酸素摂取量**の 40～60％までが適当とされている．40～60％の運動強度に相当する心拍数は，カルボーネン法（⇨ p.299）で算出するのが簡便である．

　ところで，高齢期においても日常的な運動の実施は身体の機能的向上をもたらすが，加齢というマイナス効果も存在するので，その差し引きがトレーニング効果として現れる．すなわち，**トレーナビリティ**は加齢に伴って低くなってくる．加齢に伴う最大酸素摂取量の低下については，日ごろの適切な持久性トレーニングの継続によって多少は低下率を減少させることも可能である．また，開始時期の年齢が若いほど同年齢の一般人よりも高水準を保ちながら低下していく．60～71歳を対象とした研究でも，持久性トレーニングによって最大酸素摂取量の有意な増加が認められている．ただし，ATの有意な上昇は認められず，ATに対するトレー

表 N-1 加齢に伴う身体の生理機能の変化

身体主要構成成分の分布	1. 脂肪の比率増加　2. 細胞内水分の減少　3. 組織重量の減少〜減少傾向
心・血管系	1. 最大下〜最大運動時の心拍数・心拍出量・最大酸素摂取量の低下 2. 血管弾性の低下，血管壁肥厚，末梢血管抵抗の増加，血圧の上昇 3. 脳・腎・肝・筋などの血流量の減少
呼吸器系	1. 運動時の最大換気量の減少 2. 肺の弾性収縮力低下，残気量の増加，肺活量の減少，1秒量・1秒率の低下 3. 気管支絨毛数の減少，運動の低下，壁の硬化 4. 呼吸筋（肋間筋，横隔膜）機能の低下と肋軟骨の柔軟性の低下
消化器系	1. 胃粘膜の萎縮，胃酸濃度の低下，ペプシン分泌減少 2. 消化管の蠕動運動低下，便秘傾向
代謝・内分泌系	1. 基礎代謝率の低下 2. 耐糖能の低下 3. 性ホルモン分泌量の低下 4. 性腺刺激ホルモンの分泌量の増加 5. 膵性ポリペプチド分泌量の増加 6. 甲状腺ホルモンやコルチゾールなどに対する組織受容体の反応性の低下 7. カルシトニン基礎分泌量の低下
泌尿器系	1. 腎血流量の低下，糸球体濾過率（クレアチニン・クリアランス）の低下 2. 尿細管機能低下，尿濃縮能低下 3. 膀胱容積縮小 4. 男性では前立腺肥大傾向
神経・筋系	1. 中枢神経系では記銘力（即時あるいは短期記憶）や計算力などの低下，単純反応時間や選択反応時間の延長 2. 末梢神経の変化としては，大径神経線維を中心とした運動単位の脱落，神経線維減少および神経線維自体の変性（軸索変性，節性脱髄など），末梢神経運動伝導速度の低下 3. 敏捷性や巧緻性や平衡性や柔軟性の低下，筋力（握力，下肢筋力，背筋力など）や瞬発力の低下，歩行速度の低下，筋線維数の減少と萎縮に伴う筋の萎縮（タイプⅡ線維優位の萎縮，筋肉量の加齢変化として減少率がもっとも大きいのは下肢，次に全身，上肢，体幹部の順.）
骨格系	1. 身長と体重の減少傾向 2. 骨塩量の減少と力学的強度の減少 3. 脊柱椎骨の変形や骨関節の変性
免疫系	1. 細胞性免疫や体液性免疫の低下（抗体の形成や抗原抗体反応の低下，がん化・易感染性傾向） 2. 種々の自己抗体の出現
感覚系	視力や聴力の低下，嗅覚や味覚の低下，表在感覚や深部感覚の低下

ナビリティは中年期に比べて低いことが示唆されている．その他，とくに意識的なトレーニングを行わなくても，日ごろ活動的な筋運動を行っている高齢者では，筋線維の萎縮率は低い．また，60〜72歳の高齢者に12週間の筋力トレーニングを実施すると，筋線維横断面積が増大し，それに伴い筋力が増大したとの報告もある．高齢者では筋力や筋持久力の低下などが認め

られるが，解糖系，酸化系の両酵素活性は成人と差異はない．70歳代でもトレーニングにより，両酵素活性の増大がみられている．筋力，持久力に関しても，一般に高齢期のトレーニングは開始時期が早ければ早いほどトレーニング効果は大きく，その後の低下率も低くなる．近年では，高齢者に対するレジスタンストレーニングの有効性も報告されている．

なお，歩行とバランスに関しては，通常は60〜65歳で，**高齢者の歩行特性**（歩長と歩調の減少による歩行速度の低下，立脚期の延長と遊脚期の短縮，立脚後期の足関節底屈，遊脚早期の膝関節屈曲と踵振り上げ，遊脚終期の下肢振り出し，踵接地時のつま先のもち上げの低下など）が明らかになり始め，立位バランス能力も低下する．しかし，通常の柔軟体操，運動耐性向上訓練，片足立ちバランス訓練，直線歩行訓練などにより，開眼立位片足立ちバランスや立位バランスは向上することが明らかにされており，歩行パターンも適切な機能訓練により多少は改善する可能性がある．また，骨強度の低下を特徴とし閉経後の女性に多い**骨粗鬆症**に対しては，食事・薬物療法で骨密度を維持・増加させ，有酸素運動により骨密度の増加などを図る．すなわち，運動療法としては歩行，ジョギング，自転車，片脚起立運動，太極拳，筋力強化運動（腹筋の強化は脊椎圧迫骨折を助長するため好ましくなく，低強度で腰背部伸筋群の筋力強化を行う），膝関節を痛めない程度の跳躍運動，水泳，水中運動などを用いる．運動療法の効果としては，骨密度増加のほか，筋力の向上，バランス能力の改善，転倒予防などがあげられる．

b. サルコペニア sarcopeina

1. サルコペニアの概念

老化に伴い骨格筋量と筋力は進行性に低下し，体力や身体機能は低下していく．このような「加齢に伴う骨格筋量の減少」を意味する医学用語として，1989（平成元）年にRosenbergはギリシャ語で筋を意味するsarxと，減少を意味するpeniaという2つの言葉を組み合わせた造語であるsarcopeinaを提唱して着目するように喚起した．その後，明確な定義や診断基準のコンセンサスのないまま推移していたが，2010（平成22）年に高齢者のサルコペニアに関する欧州作業部会 European Working Group on Sacropenia in Older People（EWGSOP）が，サルコペニアの臨床的定義と診断基準を示して世界で広く受け入れられるようになった．

EWGSOPによるサルコペニアの定義は，身体障害，生活の質の低下，死亡といった有害な転帰リスクを伴う，進行性で全身性の骨格筋量と骨格筋力の低下により特徴づけられる症候群である．なお，サルコペニアは加齢性筋肉減弱現象と訳される場合もあるが，2018（平成30）年から日本語での傷病名として登録されている．

2. サルコペニアのメカニズム

サルコペニアの発症と進行のメカニズムには，内分泌機能の変調，栄養不良，廃用，神経変性疾患，加齢などによる筋蛋白質の合成低下と分解亢進などが含まれると考えられている．サルコペニアはその発症機序により加齢以外に明らかな原因がない一次性（加齢性）と，身体活動の低下（廃用），がんや心不全，腎不全などの疾患，栄養不足の3つを原因として生じる問題の3つが要因となる二次性に分類される．

3. サルコペニアのスクリーニングと診断方法

　EWGSOPによるサルコペニアの診断基準では，① 骨格筋量の低下を必須として，② 骨格筋力の低下あるいは，③ 身体能力の低下によって示される骨格筋機能の低下の，双方の存在を用いることを推奨している．②と③の2つの基準を用いる理由は，筋量と筋力が必ずしも直線的に相関する訳ではないことによる．この診断基準では，歩行速度でスクリーニングする診断アルゴリズムを用いており，わが国においても用いられていた．しかし，2014（平成26）年に欧米人とアジア人の体格や生活習慣の相違を考慮して，握力と骨格筋量をアジア人独自の基準値としたアジアサルコペニア作業部会 Asian Working Group for Sarcopenia（AWGS）の診断基準が作成され用いられるようになった．

　AWGSの診断基準では，歩行速度と握力の双方を用いてスクリーニングし，いずれか一方でも基準値以下の場合に，骨格筋量を測定して基準値以下であればサルコペニアと診断する．

　EWGSOPによるサルコペニアの診断基準は2018（平成30）年に改定され（EWGSOP2），もっとも信頼度の高い身体能力の測定手段として筋力の低下を一義的なパラメーターとし，骨格筋力の低下があればサルコペニアを疑い，骨格筋量または筋質の低下があればサルコペニアと確定診断し，さらに身体機能が低下していれば重度サルコペニアと判定する．また，症例の抽出には，SARC-Fなどが使用される．

　一方，AWGSの診断基準も2019（令和元）年に改定され，サルコペニア確定診断の基本的概念に変化はないものの，歩行速度と男性の握力の基準値が変更されるとともに，EWGSOP2に準じて症例の抽出や歩行速度以外の身体機能評価が追加されている（**図N-1**）．

4. 骨格筋量の測定方法

　骨格筋量の測定には，画像検査としてコンピューター断層撮影 computed tomography（CT）あるいは核磁気共鳴画像法 magnetic resonance imaging（MRI）で撮影した画像から算出する断面積法 cross section area（CSA）や，二重エネルギーX線吸収測定法 dual-energy X-ray absorptiometry（DXA）による全身撮影，あるいは組織の電気伝導性の相違を利用した生体電気インピーダンス法 bioelectrical impedance analysis（BIA）が使用されている．計測した四肢の骨格筋量と身長から，骨格筋量指標 skeletal muscle mass index（SMI）として，

$$\text{SMI} (\text{kg/m}^2) = \frac{\text{四肢骨格筋量}}{\text{身長}^2}$$

を算出し，筋量の評価に用いる．

　なお，2019（令和元）年のAWGSの診断基準の改定により，DXA法やBIA法が行えない一般の診療所や地域においても，サルコペニアの可能性ありと評価できるようになった．

c. フレイル frailty

1. フレイルの概念

　フレイルとは，加齢に伴って徐々に生理的予備能が低下することで，ストレスに対する脆弱性が亢進し，生活機能障害，要介護状態，死亡などの転帰に陥りやすい状態のことである．フレイルは可逆的な状態であり，自立と要介護状態の中間に位置し，適切な介入により自立に戻

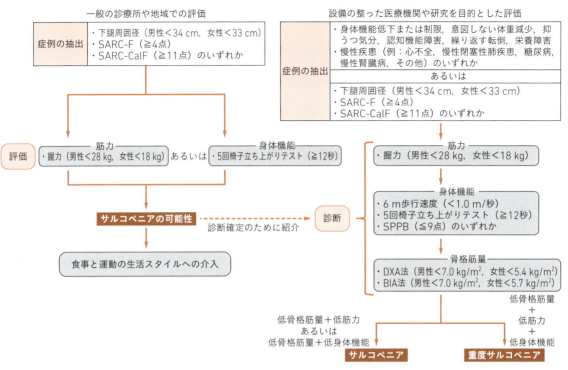

a. サルコペニアの診断アルゴリズム

b. SARCおよびSARC-CalF

c. Short Physical Performance Battery (SPPB)

図N-1　AWGSの診断基準（2019年）

a：[Chen LK, Woo J. et al.：Asian Working Group for Sarcopenia：2019 Consensus Update on Sarcopenia Diagnosis and Treatment, J Am Med Dir Assoc **21**：300-307, 2020 より作成]
b：[解良武士ほか：SARC-F；サルコペニアのスクリーニングツール，日老医誌 **56**：227-233, 2019 より作成]
c：[Guralnik JM：Assessing physical performance in the older patient, National Institute on Aging, 2012 より作成]

表 N-2　2020 年改定日本版 CHS 基準（J-CHS 基準）

項　目	評価基準
体重減少	6 ヵ月間で 2 kg 以上の意図しない体重減少があるか
筋力低下	握力低下があるか（男性＜28 kg，女性＜18 kg）
疲労感	ここ 2 週間，訳もなく疲れたような感じがするか
歩行速度の低下	通常歩行速度より遅いか（＜1 m/秒）
身体活動の低下	「軽い運動・体操をしていますか？」，「定期的な運動・スポーツをしていますか？」の 2 つの質問に対し，いずれにも「1 週間に 1 度もしていない」と回答

該当項目数：0 項目→健常，1～2 項目→プレフレイル，3 項目以上→フレイル

[Satake S, et al. : The revised Japanese version of the Cardiovascular Health Study criteria（revised J-CHS criteria）. Geriatr Gerontol Int. **20**：992-993, 2020 より作成]

すことができる．また，加齢に伴う身体的問題だけではなく，認知機能障害やうつなどの精神・心理的問題，独居や経済的困窮などの社会的問題を多面的に捉えた概念である．これらを踏まえて，日本老年医学会は 2014（平成 26）年に，その認知度を高めて予防の重要性を啓発するために，可逆性と多面性を十分に表現できないそれまでの「虚弱」という日本語に替えて「フレイル」を使用することを提唱した．

　フレイルを構成する要素のうち，「身体的フレイル」としては，サルコペニアやロコモティブシンドロームなどが，「精神心理的・認知的フレイル」には，うつや物忘れ，軽度認知障害などが，そして，「社会的フレイル」には，外出頻度の減少，経済的困窮，社会的孤立などがある．これら 3 つのフレイルが複合して，歩行障害，転倒，関節拘縮，認知症などに発展し，要介護や寝たきりとなっていく．さらに，わが国では，老化に伴う口腔機能の脆弱化により，食べる機能が低下して，フレイルに影響を与え心身機能障害につながることから，この一連の症状と過程を「オーラルフレイル」と定義して，口腔領域のヘルスプロモーションが行われている．

2. フレイルの診断方法

　フレイルの診断方法に統一されたものはないが，Fried らの提唱による表現型モデルに基づく Cardiovascular health study（CHS）基準と，Rockwood らの提唱による欠損累積モデルに基づく Frailty index が主要な方法である．わが国では，CHS 基準の基準値を修正した日本版 CHS 基準（J-CHS 基準）がしばしば使用されるが，2020（令和 2）年に一部改定されている（**表 N-2**）．

　また，厚生労働省で考案された 25 の質問から構成される基本チェックリストもフレイルの評価によく使用されている．その他に，CHS 基準に基づいて作成された簡易フレイルインデックスや，介護予防チェックリストなども用いられる．

d. 心理・精神・知的特性

　老化に伴う身体上の諸変化や世代交代に伴う生活環境・社会活動上の変化は，個人差はあるものの **表 N-3** に示したような特性と症状をもたらす．予防には，若いころから社会や置かれた環境に適応するように自己修練が必要で，幅広い視野と柔軟な思考をもち続け，いつまでも

表N-3　高齢者の心理・精神・知的特性と出現する症状

心理・精神・知的特性	症状
① 健康や将来の生活に対する不安感および孤独感，死に対する恐怖の自覚 ② 物事には保守的で，適応は減退し，現状や家族その他の対人的不満の増大，個性の先鋭化 ③ さらにはときに，知能の減退（生理的老化によるボケ）	① 頑固さ，短気，ひがみ，被害者意識，愚痴，涙もろさ，解決されないときには無力感情や抑うつ感情の出現 ② さらには食欲減退や不眠，身体的衰弱，合併症併発へと進展

生きがいをもち，なんらかの仕事を続けることが必要であるとされている．高齢者に障害が加わるとさらに余計に精神心理面の退行に拍車をかけることになりかねない．対応には，関係者による**高齢者の心理・精神・知的特性**についての理解が先決である．そして，それらの機能低下を防ぐため，孤独感を感じさせないように家族間での声掛けや社会コミュニティーへの参加を図ること，家庭内や社会での役割や生きがいの発見を促すことなどが必要と考えられる．

e. 疾患と障害の特性

　高齢期になると**老年症候群**（高齢者に多くみられ，急性・慢性疾患に付随し治療と介護・ケアが重要となる多彩で特有な症状・所見を呈する状態）が増加する．高齢者の急性期入院における各疾患の有病率は，男女とも年齢の推移とともにがんが減少していく一方で冠動脈疾患や脳血管障害が増加傾向にあり，85歳以上では肺炎が増加している．加齢は動脈硬化症発症の危険因子のひとつとして重要であり，脳血管障害，虚血性心疾患などの罹病率を高める．また，加齢や閉経によって骨量の減少を生じ，骨粗鬆症なども発症するようになる．高齢者には潜在的にすべての臓器に機能低下が生じるために，1人の患者のもつ疾患数（多臓器障害）は増加する．完治例は極端に少なく，軽快例は約半数にすぎないのが現状である．したがって，ある疾患に罹患すると次々に他の疾患が出現しやすい状態にあり，長期入院となりかねない状態にあるといえる．

　一般に老化とも関係が深くリハビリテーションにも関係する**高齢者の疾患**としては，神経系では脳血管障害，老年期認知症，パーキンソン病，パーキンソン症候群，循環器系では虚血性心疾患，呼吸器系では慢性閉塞性肺疾患，代謝系では糖尿病とその合併症，運動器系では関節リウマチ，骨粗鬆症，変形性関節症などが代表としてあげられている．また，この時期には，先天的障害者あるいは幼少時や青年期に障害を受けた者の老化による新たな障害の発生や，既存の障害の悪化も問題となる場合がある．

　いずれにしても，高齢者では**疾患の多数化・重症化**，**障害の重度化**，さらに**疾患と障害の重複化**が起こりやすい状況にある．

　なお，1991（平成3）年に厚生省（現厚生労働省）から「障害老人の日常生活自立度（寝たきり度）」の判定基準が発表され，後に「**障害高齢者の日常生活自立度（寝たきり度）**」として加筆された（**表N-4**）．平成30年版高齢社会白書では，寝たきり原因の第1位は認知症，次いで脳血管疾患，高齢による衰弱，骨折・転倒，関節疾患などである．男女別の第1位は，男性で「脳

血管疾患」，女性で「認知症」となっている．寝たきりは後述する廃用症候群を併発し，易感染性状態へと進展するため，疾患の予防，早期治療，ADLの確保が重要である．

3 リハビリテーションの進め方

a．障害の評価

適切なリハビリテーション医療の遂行のためには，栄養状態を含む疾患の治療はもとより，患者の生活機能を身体的（ADL，IADL），精神心理的（認知機能，うつ状態，意欲），社会経済的（介護者，住居，行政）などから多面的に評価を行い，治療・ケア計画に活かさねばならない．代表的な評価法として**高齢者総合的機能評価** comprehensive geriatric assessment（CGA）がある．また，CGAはきわめて多くの項目からなるために簡易スクリーニングとしてCGA7の開発もされている．**ADL**評価の代表的なものには機能的自立度評価法 functional independence measure（FIM）やバーセル指数 Barthel index などがあるが，評価を行う際には聴力や視力にも留意しておく必要がある．

高齢者の**生活社会活動状況の評価**のための尺度としては，**表Ⅳ-4**，**Ⅳ-5**などが参考となる．前者は実際に行っている生活行動範囲や生活パターンを評価するものであるが，後者は「やれば可能な能力」をみている．したがって，実際の生活行動とやれば可能な能力とに解離があれば，不活発な生活や閉じこもり状態にあると判定できる．とくに，老研式活動能力指標は，在宅高齢者の高次生活機能（手段的自立，知的能動性，社会的役割）の評価に簡便で有用と考えられており，本人，面接者，または家族による回答で評価する．認知症，失見当識などを評価するためには，改訂長谷川式簡易知能評価スケール revised version of Hasegawa's Dementia Scale（HDS-R）（⇨p. 390，付録2）やミニメンタルステート検査（MMSE）（⇨p. 41）などを用いて評価する．簡便的には，日にちや場所を質問したり，計算などをさせたりして，知的評価を行う．認知症高齢者の日常生活自立度判定基準を**表Ⅳ-6**として示した．

なお，意欲の低下があると考えられる場合は Vitality index，IADLに問題がある場合はIADL尺度（Lawton & Brody），情緒・気分に問題がある場合は Geriatric Depression Scale 15（GDS-15）を用いて評価を行うとよい．

b．療法上の問題点・留意点

高齢者では，前述したような身体的・心理的・精神的・知的特性と疾患と障害の特性そのものが問題点の基礎部分を構成している．さらには，実際の患者個人の疾患や障害の数や程度（**廃用症候群**や，**表Ⅳ-7**に示した**阻害因子**の有無や程度も含む）が複雑にからんで問題を大きくする．とくに，廃用症候群が出現しやすく，認知症の出現，内科的・整形外科的合併症の頻度が高いことなどから，十分な治療効果を上げられない症例が若年者に比して多いことも**高齢者のリハビリテーションの特徴**の1つであり，大きな問題点でもある．ただし，リハビリテーション阻害要因を有しない症例は，生理的老化のレベル近くまで治療効果を期待しうるともいえる．第二の特徴・問題点として，高齢障害者ではリハビリテーション医療中の**アクシデント**

表N-4　障害高齢者の日常生活自立度（寝たきり度）判定基準

生活自立	ランクJ	何らかの身体的障害等を有するが，日常生活はほぼ自立し，**一人で外出する者**が該当する．なお"障害等"とは，疾病や傷害及びそれらの後遺症あるいは老衰により生じた身体機能の低下をいう．
		J-1：バス，電車等の**公共交通機関**を利用して積極的にまた，かなり遠くまで**外出する**場合が該当．
		J-2：**隣近所**への買い物や老人会等への参加等，町内の距離程度の範囲までなら**外出する**場合が該当．
準寝たきり	ランクA	「寝たきり予備軍」ともいうべきグループであり，いわゆる**house-bound**に相当する． 屋内での日常生活活動のうち食事，排泄，着替に関しては概ね自分で行い，留守番等をするが，近所に外出するときは介護者の援助を必要とする場合が該当する． なお"ベッドから離れている"とは"離床"のことであり，ふとん使用の場合も含まれるが，ベッドの使用は本人にとっても介護者にとっても有用であり普及が図られているところでもあるので，奨励的意味からベッドという表現を使用．
		A-1：寝たり起きたりはしているものの食事，排泄，着替時はもとより，その他の日中時間帯も**ベッドから離れている時間が長く**，介護者がいればその**介助のもと，比較的多く外出する**場合が該当．
		A-2：日中時間帯，寝たり起きたりの状態にあるものの**ベッドから離れている時間の方が長いが，介護者がいてもまれにしか外出しない**場合が該当．
寝たきり	ランクB	いわゆるchair-boundに相当する．B-1とB-2とは**座位を保つことを自力で行うか介助を必要とするかどうかで区分**する．日常生活活動のうち，食事，排泄，着替のいずれかにおいては，部分的に介護者の援助を必要とし，**1日の大半をベッドの上で過ごす**場合が該当する．排泄に関しては，夜間のみ"おむつ"をつける場合には，介助を要するものとはみなさない．なお，"車いす"は一般のいすや，ポータブルトイレ等で読み替えても差し支えない．
		B-1：**介助なしに車いすに移乗**し食事も排泄もベッドから離れて行う場合が該当．
		B-2：**介助のもと，車いすに移乗**し，食事または排泄に関しても，介護者の援助を必要とする．
	ランクC	ランクBより障害の程度が重い者のグループであり，いわゆる**bed-bound**に相当する．日常生活活動の食事，排泄，着替のいずれにおいても介護者の援助を全面的に必要とし，1日中ベッドの上で過ごす．
		C-1：ベッドの上で常時臥床しているが，**自力で寝返りをうち**体位を変える場合が該当．
		C-2：**自力で寝返りをうつこともなく**，ベッド上で常時臥床している場合が該当．

注）判定に際しては，「～をすることができる」といった「能力」の評価ではなく，「状態」とくに「移動にかかわる状態像」に着目して，日常生活の自立の程度を4段階にランク分けし評価するものとする．補装具や自助具などの器具を使用した状態であっても差し支えない．

［厚生労働省．https://www.mhlw.go.jp/file/06-Seisakujouhou-12300000-Roukenkyoku/0000077382.pdf（最終アクセス：2021年12月）より作成］

が60歳未満の者と比較すると2～3倍多くみられることである．そのため，**表N-8**として，主な留意点を示した．

　訓練を実施する際に起こりうるアクシデントの予防や効果的な療法を行うためには，慎重に個人に見合った適正な訓練プログラムを実施し，チームアプローチとして情報交換を含めた**リスク管理**などの徹底を図る必要がある．訓練当日の安静状態で，すでに脈拍数が120/分以上

表Ⅳ-5 老研式活動能力指標

1. バスや電車を使って一人で外出できますか	1. はい	2. いいえ
2. 日用品の買い物ができますか	1. はい	2. いいえ
3. 自分で食事の用意ができますか	1. はい	2. いいえ
4. 請求書の支払いができますか	1. はい	2. いいえ
5. 銀行預金・郵便貯金の出し入れが自分でできますか	1. はい	2. いいえ
6. 年金などの書類が書けますか	1. はい	2. いいえ
7. 新聞を読んでいますか	1. はい	2. いいえ
8. 本や雑誌を読んでいますか	1. はい	2. いいえ
9. 健康についての記事や番組に関心がありますか	1. はい	2. いいえ
10. 友だちの家を訪ねることがありますか	1. はい	2. いいえ
11. 家族や友だちの相談にのることがありますか	1. はい	2. いいえ
12. 病人を見舞うことができますか	1. はい	2. いいえ
13. 若い人に自分から話しかけることがありますか	1. はい	2. いいえ

注)「はい」の数が多いほど活動性が高いと評価する(各質問項目について「はい」という回答に1点,「いいえ」という回答に0点を与えて合計得点を算出する.満点は13点).

[古谷野 亘ほか:日公衛誌 **34**:109-114, 1987より引用]

あるいは40/分以下の場合や,収縮期血圧180〜200 mmHgまたは拡張期血圧120 mmHg以上の場合,収縮期血圧70 mmHg以下の場合,以前から存在する心房細動でも著しい徐脈あるいは頻脈を伴った場合,著しい不整脈がある場合,あるいは胸痛,動悸,呼吸困難など明らかな自覚症状がある場合には訓練は実施しないほうがよい.さらに,訓練中になんらかの自覚症状が中程度以上出現したり,脈拍数が120〜140/分以上,各種の不整脈の出現,収縮期血圧の40 mmHg以上の上昇または拡張期血圧の20 mmHg以上の上昇,収縮期血圧が70〜90 mmHg未満に低下した場合は中止としたほうがよい.ただし,軽度の動悸や呼吸困難などを訴えたり,10回/分以上の期外収縮が出現したりする場合は一時休憩とし,回復するか否かで判断する.重度の発熱やバイタルサインの異常,意識障害を伴う場合は訓練中断となるが,38℃以上の高熱であっても原疾患を悪化させることなく,患者にとって有益な場合は訓練の継続が推奨される場合もある.なお,さらに具体的な指標としては,アンダーソン・土肥基準(⇨p.73,表29)や日本リハビリテーション医学会のガイドライン策定委員会が作成したリハビリテーション中止基準,『リハビリテーション医療における安全管理・推進のためのガイドライン 第2版』(2018年)を参照されたい.

また,療法によって作り出される医原性の症候である過用,誤用を避けなければならない.**過用症候**は過度な運動で生じる筋力低下などをいう.一般的に,筋力が低下していればいるほど,わずかな負荷でも過負荷となりやすく,過用性筋力低下を起こしやすい.体力が著しく低下している状態では,わずかの体動でも過用となり,強度の疲労状態となることもある.**誤用症候**は誤った技術適用によって生じる症候である.とくに肩関節の他動運動による関節損傷,股関節付近の異所性骨化,尖足を装具などで矯正しない状態で歩かせた際の反張膝などが症候

表Ⅳ-6 認知症高齢者の日常生活自立度判定基準

ランク	判定基準	見られる症状・行動の例
Ⅰ	**何らかの認知症を有するが**，日常生活は家庭内および社会的に**ほぼ自立**している．	
Ⅱ	日常生活に支障をきたすような症状・行動や意思疎通の困難さが多少見られても，**誰かが注意していれば自立**できる．	
Ⅱa	**家庭外**で上記Ⅱの状態が見られる．	たびたび道に迷うとか，買物や事務，金銭管理などそれまでできたことにミスが目立つ等
Ⅱb	**家庭内**でも上記Ⅱの状態が見られる．	服薬管理ができない，電話の応対や訪問者との対応など一人で留守番ができない等
Ⅲ	日常生活に支障をきたすような症状・行動や意思疎通の困難さが見られ，**介護を必要とする**．	
Ⅲa	**日中**を中心として上記Ⅲの状態が見られる．	着替え，食事，排便，排尿が上手にできない，時間がかかる，やたらに物を口にいれる，物を拾い集める，徘徊，失禁，大声，奇声をあげる，火の不始末，不潔行為，性的異常行為等
Ⅲb	**夜間**を中心として上記Ⅲの状態が見られる．	ランクⅢaに同じ
Ⅳ	日常生活に支障をきたすような症状・行動や意思疎通の困難さが**頻繁**に見られ，**常に介護を必要とする**．	ランクⅢに同じ
M	著しい精神症状や問題行動あるいは重篤な身体疾患（意思疎通ができない寝たきり状態）が見られ，専門医療を必要とする．	せん妄，妄想，興奮，自傷・他害等の精神症状や精神症状に起因する問題行動が継続する状態等

判定にあたっての留意事項：認定調査項目に含まれていない認知症に関連する症状のうち，「幻覚・幻聴」，「暴言・暴行」，「不潔行為」，「異食行動」等については，特記事項に記載すること．また，「火の不始末」は，特記事項に具体的な状況を記載する．

[厚生労働省．https://www.mhlw.go.jp/file/06-Seisakujouhou-12300000-Roukenkyoku/0000077382.pdf（最終アクセス：2021年12月）より作成]

である．脊柱の屈曲方向に対する無理な運動なども避ける必要がある．

なお，訓練室で安全な訓練を行うためには患者同士の接触事故にも注意し，訓練器具や備品の適度な分散，場合によっては心電図モニターなどの設置も必要となる．一般に有疾患高齢者では，転倒などによる骨折を契機として，いわゆる寝たきりに移行することが多いので転倒予防などの対策には十分留意する必要がある．

c. 高齢者の転倒予防のための検査

1. 高齢者の転倒の現状

直立二足歩行の獲得は，ヒトがヒトらしく進歩するのに大きな役割を果たしたと考えられているが，同時に転倒のリスクももたらした．2019（令和元）年の時点で，骨折・転倒は，高齢者が要介護度別で要支援となる原因の14.2%，要介護となる原因の12.0%を占め，それぞれ第

表N-7　リハビリテーションの阻害因子

因　子		説　明
一次的阻害因子	知能障害	とくに明らかな認知症を呈し，常時監視・介護を要するものは阻害度大
	精神症状	無関心，自発性欠如，抑うつ，不安，焦燥，興奮，感情失禁など，とくに認知症に伴う無関心，自発性欠如は阻害度大
	意識障害	もちろん急性期の意識障害は除くが，特殊な型として，夜間せん妄，無動無言症を呈する例は阻害度大
	皮質性高次機能障害	失語ではとくに重症の全失語症，失行では体幹下肢失行，失認では半側身体失認・半側空間失認・疾病否認が阻害度大 （その他，各種失行，失認，失読，失書，失算，ゲルストマン症候群，運動維持困難など）
	著明な，あるいは特殊な運動障害	四肢麻痺で仮性球麻痺を伴うもの，高度痙縮例，遅延無緊張型，閉じ込め症候群は阻害度大
	失調症	著しい下肢失調や不随意運動を伴う例は阻害度大
	知覚障害	深部知覚障害の強い例や，視床痛，肩手症候群の強い例は阻害度大
	失禁	意識障害がなくなっても，大便を失禁するような例は阻害度大
二次的阻害因子	Ⅰ．廃用症候群に属するもの	長期の不必要な臥床，リハビリテーション遅延，不適切看護による
	(1) 関節の変形，拘縮	とくに下肢の屈曲外転位拘縮はリハビリテーション不能，著しい内反尖足も阻害度大
	(2) 筋萎縮	
	(3) 骨萎縮	
	(4) 異所性骨化	
	(5) 凍結肩	その他の疼痛を含め，疼痛が適切に処置されないと阻害度大
	(6) 末梢循環障害	浮腫，皮膚萎縮
	(7) 褥瘡	
	(8) 静脈血栓症	わが国では少ない
	(9) 起立性低血圧	病巣による一次的なものはまれ，大多数が臥床による二次的起立調節不全
	(10) 精神機能低下	
	(11) 食欲不振，便秘	
	Ⅱ．その他	
	(1) 内科的合併症	とくに，呼吸器，尿路，褥瘡の感染，二次的胃潰瘍からの出血，低蛋白血症，脱水症など
	(2) 骨折	脊椎圧迫骨折，上腕骨骨折，大腿骨頸部骨折など

注）脳血管障害の際を主体にしたものであるが，その他でも一般的にほとんどの項目が該当する．
[平井俊策：リハビリテーションの阻害因子とその対策，世界保健通信社，p.41, 45, 1986より引用]

3位となっている．米国でも65歳以上の高齢者の4人に1人以上が年に1回は転倒していることが報告されており，高齢化率が2020（令和2）年に28.7％になったわが国では，高齢者の転倒予防対策が急務となっている．

2．高齢者の転倒の要因

高齢者が転倒をきたす要因は，内的要因と外的要因に大きく分けられる（**図N-2**）．内的要因のうち，多様な身体的疾患と加齢変化は歩行能力の低下を引き起こし，また，使用している

表Ⅳ-8　高齢患者に対するリハビリテーション療法上の留意点

訓練室で起こりうるアクシデント		① 転倒・転落，およびそれらに伴う外傷（打撲・擦過傷・脱臼・骨折・頭部外傷など） ② 手技・訓練プログラムに伴う骨折・脱臼，筋・腱・靱帯の損傷，その他の外傷 ③ 物理療法に伴う熱傷 ④ 脳血管障害における晩発性けいれん発作 ⑤ 脳血管障害や狭心症・心筋梗塞などの（再）発作，その他の呼吸循環器系の異常 ⑥ その他
訓練上の留意点	全般的な留意点	① 開始にあたっては，当日の患者の体調把握（病棟での病状・入院生活情報，および表情を目でみての判断やときにはバイタルサインのチェックを行う） ② 患者個人の訓練中止基準をあらかじめ把握・設定しておくこと，訓練に対する疲労度判定，その他の自他覚症状の出現の有無，バイタルサインの変化，場合によっては適切な休憩をとったり，訓練中止の要があること 　必要に応じてチームアプローチとしての責任者に確認を要請 ③ 作業療法では，上肢作業療法ないし高次脳機能障害改善プログラムが患者の生活歴・習性・興味などにも適合したものか否かのチェック，ADL訓練をとくに重視 ④ 過用・誤用による関節・筋・腱・靱帯などの損傷予防，体位変換は緩徐に行うこと ⑤ 廃用症候群の予防 ⑥ 視力・聴力・記銘力・判断力・理解力などにも応じた，謙虚で思いやりのある対応 ⑦ 全般にわたって，安全性を確保しつつ，有効な訓練をすること
	呼吸・循環器系に対する留意点	① 胸痛・胸骨後部の不快感・胸部圧迫感などの有無： 　狭心症・心筋梗塞，大動脈・肺疾患などが該当 ② 動悸の有無： 　発作性心房細動，発作性上室性頻拍，ウォルフ・パーキンソン・ホワイト症候群 Wolff-Parkinson-White（WPW）syndrome，頻脈，上室性または心室性不整脈，その他の不整脈，廃用症候群・心不全・心機能低下例の過負荷などが該当 ③ 呼吸困難の有無： 　各種の心疾患，肺疾患，貧血，廃用症候群などが該当 ・心疾患による場合は心不全のことが多く，注意が必要 ・肺疾患による場合は，それ自体が呼吸訓練の対象となることも多く，詳細な病態把握と対応が必要 ・廃用症候群による場合は運動量をより少なくして，休憩も適宜とる　日中，病棟では可能な限り座位生活をとらす 　なお，呼吸数30〜40回/分以上，または呼吸数5〜8回/分未満，またはSpO_2値88〜90％未満は訓練中止を考慮する目安となる ④ 脈拍変動：新規の不整脈，または顕著な脈拍変動（40/分未満または120〜150/分以上），または症状を伴う不整脈を生じた場合は，訓練中止が推奨される ⑤ 血圧：安静時の収縮期血圧180〜200 mmHg以上あるいは70〜90 mmHg未満は，訓練中止を考慮する目安となる
	中枢神経系障害者に対する留意点	① 転倒：加齢や臥床による健側下肢の筋力低下，脊柱の変形や筋力低下や関節可動域制限などによるバランス障害，その他の神経・筋系の加齢による変化による 　したがって，健側の評価，体幹機能や関節可動性の評価，どのようなときにバランスをくずしやすいかなどの評価が必要 ② 高次脳機能障害や認知症の有無と程度，それらに対する適切な対策・対応
	運動器系に対する留意点	① 肋骨・頸胸腰椎・手関節・膝関節の脆弱性と筋力の低下に留意，強い圧迫や荷重，過用の回避 ② 肩関節の他動運動による関節損傷，股関節の過大な他動運動などによる関節周囲の筋損傷と異所性骨化の発生，尖足を装具などで矯正しない状態で歩かせた際の反張膝の発生にはとくに注意

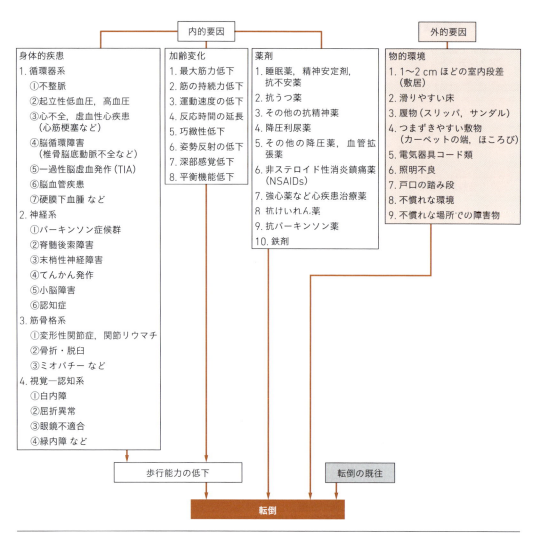

図 N-2　転倒の主なリスクファクター

[鈴木隆雄：転倒の疫学, 日老医誌 **40**（2）：85-94 より作成]

薬剤によってはふらつきなどを生じさせて転倒の誘因となる．一方，外的要因には，転倒のきっかけとなる段差や履物などの居住環境における物的要因に加え，介護者の転倒リスクへの認識不足や不十分な対策なども含まれる．

3. 転倒リスクの評価方法

a）問　診

転倒リスクを評価するためには，まず問診により，転倒の内的要因となる現病歴と既往歴，さらには転倒の既往の有無について聴取する．また，使用している治療薬に関した情報収集が必須である．

b）身体所見

血圧，脈拍，心音など心血管系，認知機能，体性感覚など脳神経系，筋力，筋トーヌス，関節可動域など筋骨格系といった各疾患に関連する身体所見について評価する．

表N-9 転倒リスクの身体機能評価

	特殊な機器を要さずに計測できるもの	計測に特殊な検査機器を要するもの
歩行能力	10 m歩行テスト timed up and go test（TUG）	
身体バランス	片脚立位テスト（開眼・閉眼） tandem gait test（つぎ足歩行検査） functional reach test（前方手伸ばし試験） Berg balance scale（BBS）	重心動揺検査（重心動揺計）
筋力	踏み台昇降テスト 握力 下肢筋力（徒手筋力検査）	下肢筋力（筋力計） 筋量（DXA，CT/MRI，体組成計）
歩容	歩行観察	歩行解析（三次元歩行解析装置）

c）身体機能評価

転倒に神経・筋骨格系が大きく関与しているため，歩行能力，身体バランス，筋力，歩容について詳細な評価を行う必要がある．評価方法として，総合的な動作能力と動的バランス能力を評価する timed up and go test，静的なバランス能力を評価する functional reach test，移動動作に伴うバランス能力を評価する tandem gait test などがしばしば用いられる（**表 N-9**）．筋力評価としては踏み台昇降テストの他，下肢筋力評価の代わりに握力が使用されることも多い．なお，特殊な検査機器などを用いて実施する評価は精度は高いものの，設置費用や場所などの制約により簡単には実施できないという欠点がある．

d）転倒リスクに関する質問表

特殊な検査機器を用いなくても身体機能評価には時間と手間がかかり，また評価中に転倒することもありうる．そのため，転倒リスクを簡単に判定でき，妥当性も検証された22項目の質問からなる自己記入式の「転倒予測のための質問表」が使用されることが多い（**表 N-10**）．さらに，より簡略化された5項目の質問からなる「高齢者の転倒リスク簡易評価表 fall risk index（FRI）」も使用される（**表 N-11**）．

e）転倒リスクアセスメントツール

医療機関や介護福祉施設などにおいて，転倒のハイリスク者を日頃のケアで得た情報に基づいてスクリーニングする目的で，施設ごとに転倒転落リスクアセスメントツールが作成され，使用されている例も多い．

表Ⅳ-10 転倒予測のための質問表と21項目転倒リスクスコア（21-item fall risk index：FRI-21）

	転倒予測のための質問表		21項目転倒リスクスコア（FRI-21）	
1	過去1年の間に転んだことがありますか	1．はい，2．いいえ はいの場合，転倒回数（　回/年，場所：家の中・外）	対象外	
2	つまづくことがありますか	1．はい，2．いいえ	「はい」を1点	身体機能
3	手すりにつかまらず，階段の昇り降りができますか	1．はい，2．いいえ	「いいえ」を1点	
4	歩く速度が遅くなってきましたか	1．はい，2．いいえ	「はい」を1点	
5	横断歩道を青のうちに渡りきれますか	1．はい，2．いいえ	「いいえ」を1点	
6	1 kmくらい続けて歩けますか	1．はい，2．いいえ	「いいえ」を1点	
7	片足で5秒くらい立っていられますか	1．はい，2．いいえ	「いいえ」を1点	
8	杖を使っていますか	1．はい，2．いいえ	「はい」を1点	
9	タオルを固く絞れますか	1．はい，2．いいえ	「いいえ」を1点	
10	めまい，ふらつきがありますか	1．はい，2．いいえ	「はい」を1点	老年症候群
11	背中が丸くなってきましたか	1．はい，2．いいえ	「はい」を1点	
12	膝が痛みますか	1．はい，2．いいえ	「はい」を1点	
13	目が見にくいですか	1．はい，2．いいえ	「はい」を1点	
14	耳が聞こえにくいですか	1．はい，2．いいえ	「はい」を1点	
15	物忘れが気になりますか	1．はい，2．いいえ	「はい」を1点	
16	転ばないかと不安になりますか	1．はい，2．いいえ	「はい」を1点	
17	毎日お薬を5種類以上飲んでいますか	1．はい，2．いいえ	「はい」を1点	
18	家の中で歩くとき暗く感じますか	1．はい，2．いいえ	「はい」を1点	環境要因
19	廊下，居間，玄関によけて通る物が置いてありますか	1．はい，2．いいえ	「はい」を1点	
20	家の中に段差がありますか	1．はい，2．いいえ	「はい」を1点	
21	階段を使わなくてはなりませんか	1．はい，2．いいえ	「はい」を1点	
22	生活上，家の近くの急な坂道を歩きますか	1．はい，2．いいえ	「はい」を1点	
			合計で10点以上を転倒のハイリスクとする	

［鳥羽研二ほか：転倒リスク予測のための「転倒スコア」の開発と妥当性の検証．日老医誌（42）p.347, 2005より許諾を得て一部改変し転載］

d．主な療法と自立が困難な場合の対応法

　受診と同時に安静度の指示は医師によりなされるが，安静の程度と臥床期間の長さは廃用症候群の発症と関係する．発症に関しては予防的管理が必要となり，リハビリテーション医療の考え方が導入される．理学療法，作業療法などは，医療においては医師の処方に基づいて行われることになる．その開始にあたっては，全身状態の悪化や合併症の増悪をきたさないように

表 N-11　高齢者の転倒リスク簡易評価表（fall risk index：FRI）

			スコア
1	過去1年に転んだことがありますか	はい・いいえ	「はい」を5点
2	歩く速度が遅くなったと思いますか	はい・いいえ	「はい」を2点
3	杖を使っていますか	はい・いいえ	「はい」を2点
4	背中が丸くなってきましたか	はい・いいえ	「はい」を2点
5	毎日お薬を5種類以上飲んでいますか	はい・いいえ	「はい」を2点
			合計で7点以上は転倒のハイリスクとする

［鳥羽研二（監）：Fall Risk Index（FRI）．高齢者の転倒予防ガイドライン．メジカルビュー社，p2，2012より許諾を得て一部改変し転載］

とくに禁忌や用量（療法の手技とともに実施時間，期間，強度など），既述の療法上の問題点・留意点に注意し，患者心理も考慮して実施しなければならない．

　入院リハビリテーション医療では比較的すみやかに評価を行い，理論とチームの経験に基づき評価会議などで患者の**ゴール設定**を行う．実際のリハビリテーション医療では患者自身の治療への意欲とスタッフとの連携が必要であるが，治療・看護の最高レベルのゴールは家庭生活におけるADL自立とするのが現実的である．完全自立が不可能でも，どこまで自立して生活できるのか，どのような介助が必要であるのかを評価して対応することが重要である．そのゴールに向けて各スタッフによるリハビリテーション医療を進行させ，途中で少なくとも1回は効果判定会議などの機会をもち，ゴールの修正をしながらさらに進行させる．要は，チームアプローチを有効に機能させて評価とゴール設定，治療を行うことになる．

　後遺症を残す（あるいは残すと予想される）場合には，より精力的に能力低下やハンディキャップに対するアプローチ，心理的アプローチを試みる必要がある．なお，近年では，障害者が障害の状況を受け入れる「障害受容」よりも，障害の状況に合わせて自身の生活や考え方を変えていく「障害への適応（障害適応）」がより重要と考えられるようになってきている．一方では，患者には「**社会的因子**」が常に存在しているので，それに対する評価と対策も必要となる．すなわち，I）居住環境，家族や社会との交流状況，経済的困窮度などの評価と対策，II）ADL自立が困難または困難と予想される場合には，① 患者の疾患や障害についての介護者の理解，② 介護者の介護能力（年齢と健康状態も含む），③ とくに介護者が70歳以上の場合には，介護者が健康であっても介護協力者の有無，④ 介護者との人間関係，⑤ 福祉制度がどの程度利用可能かなどの評価と対策が必要となる．同時に，趣味・生きがいの確保（可能な場合は，本人に適した新たなものも含む）が可能となるようにとくに配慮し，個人の人格と生命の尊厳を守るようにしなければならない．実現には，関連各職種によるリハビリテーションを軸とした総合的な治療体制とケアシステムの確立が必要になる．

4　QOL

　高齢者の保健・医療の最終目標は，健やかに老い，健やかな死すなわち自然死・老衰死を迎

えることの実現である（長谷川恒雄：老人診療，第2版，医事出版社，東京，1994）．障害を有した高齢者のリハビリテーション医療にあっても **QOL**（Quality of life，生活の質，人生の質）の追究は最大の課題となる．QOLの基本は，患者個人の幸福感，満足感にある．これには個人の人生観，世界観，精神的・肉体的健康，職業，物質的充足，人間関係，日常動作や社会的活動の充実度，レクリエーション，性など多様な内容が含まれる．すべてを評価したり満足させることは困難であるので患者との接点から数項目を選び，その項目の充足度を評価して改善への対応を図るとよいであろう．QOLの確保は，リハビリテーション医療の最終にして最高の目標である．いかに疾患が重症または障害が重度であっても，医療スタッフとして人として，可能な限りの対応と思いやりを忘れてはならない．健康関連QOLの評価法には，脳卒中QOL（SS-QOL）などの疾患別評価法のほか，SF-36®（MOS 36-Item Short-Form Health Survey，有償），EQ-5D（EuroQol 5 Dimensions，無償）などの包括的な評価法も使用される．

5 地域リハビリテーション

　地域リハビリテーション community rehabilitation とは，障害のある人々や高齢者およびその家族が住み慣れたところで，そこに住む人々とともに，一生安全に，いきいきとした生活が送れるよう，医療や保健，福祉および生活にかかわるあらゆる人々や機関・組織がリハビリテーションの立場から協力し合って行う活動のすべてをいう（日本リハビリテーション病院・施設協会）．すなわち，**ノーマライゼーション**を基本理念としている．

　リハビリテーションには主に医療機関で行われる急性期から回復期のリハビリテーションと，退院後に在宅あるいは施設で行われる生活期のリハビリテーションがあるが，時間的分類とは別に地域を1つの単位としてリハビリテーション環境を整えるために，わが国では1998（平成10）年度から地域リハビリテーション支援体制整備推進事業が実施されている．村，町，市，郡が単位と考えられるが，ここでいう地域とは明確な定義はなく，中学校区くらいの範囲が理想的であるといわれている．活動の中心としては，病院，更生相談所，行政，保健所，福祉事務所などいろいろな形態があるが，地域リハビリテーション推進事業の実施主体は都道府県である．各都道府県が，保健・医療・福祉の関係者で構成される「都道府県リハビリテーション協議会」を設置している．ここでは，地域リハビリテーションの担当機関との円滑な連携のもとで，障害者や高齢者に対しての適切なリハビリテーションが提供されるための検討を行っている．一方で各都道府県は，リハビリテーション協議会の意見を聞き，都道府県リハビリテーション支援センターと地域リハビリテーション広域支援センター（二次医療圏の中核的リハビリ医療機関など）を各1ヵ所ずつ指定している．以上の体制のもとで，病院・各施設・市町村事業などの各サービスが住民に提供されている．

　2000（平成12）年4月からは**介護保険法**が実施されたが，これ自体が地域リハビリテーションの充実を目指したものといえる（⇨p.19）．2006（平成18）年の改正で自立をめざす予防重視型に介護保険制度が改正されたが，具体的なサービス内容は，**表N-12**として示した．ここで介護保険サービスを受給するには，65歳以上で要介護状態（または，要介護状態となる恐れが

表N-12　介護保険法下でのサービス内容

都道府県政令市・中核市が指定・監督	居宅サービス	【訪問サービス】	・訪問介護（ホームヘルプサービス） ・訪問入浴介護 ・訪問看護 ・訪問リハビリテーション 　　…理学療法士，作業療法士，言語聴覚士など ・居宅療養管理指導 　　…医師，歯科医師，薬剤師，管理栄養士など	◎* ◎ ◎ ◎ ◎
		【通所サービス】	・通所介護（デイサービス） ・通所リハビリテーション（デイケア）	◎* ◎
		【短期入所サービス】	・短期入所生活介護（ショートステイ） 　　…介護老人福祉施設などに宿泊 ・短期入所療養介護（医療型ショートステイ） 　　…介護老人保健施設などに宿泊	◎ ◎
			・特定施設入居者生活介護…有料老人ホームや軽費老人ホーム（ケアハウス）などの入居者が，在宅の場合と同様の生活介護（食事・入浴などの介護や機能訓練）を受けるもの． ・福祉用具貸与 ・特定福祉用具購入	◎ ◎ ◎
	その他		・住宅改修	◎
	居宅介護支援		居宅介護支援事業所，地域包括支援センターなどの介護支援専門員（ケアマネジャー）は，在宅の要介護者などが在宅介護サービスを適切に利用できるよう，要介護1〜5の人の居宅サービス計画または要支援1，2の人の介護予防計画書を作成し，サービス事業者などとの連絡調整などの便宜を図る． ※介護老人福祉施設などでは当該施設サービス計画の作成，利用者への説明・同意，介護・看護職員などとの調整を行う．	
	施設サービス		・介護老人福祉施設（従来の特別養護老人ホーム）*1 ・介護老人保健施設（従来の老人保健施設） ・介護療養型医療施設*2 　　　（介護療養病床・老人性認知症疾患療養病棟） ・介護医療院*3	
市町村が指定・監督	地域密着型サービス		①24時間対応の訪問サービス ・定期巡回・随時対応型訪問介護看護 ②夜間の訪問サービス ・夜間対応型訪問介護 ③認知症の人向けのサービス ・認知症対応型通所介護 ・認知症対応型共同生活介護（グループホーム） ④訪問・泊まりなどを組み合わせたサービス ・小規模多機能型居宅介護 ・看護小規模多機能型居宅介護（複合型サービス） ⑤地域の小規模な施設に移り住んで受ける介護サービス ・地域密着型介護老人福祉施設入所者生活介護*1 ・地域密着型特定施設入居者生活介護（介護付有料老人ホーム，介護型ケアハウスなど） ⑥小規模な施設の通所介護サービス ・地域密着型通所介護	 ◎ ○ ◎

◎は，要支援1，2の人を対象に介護予防給付でも利用できるサービス．ただし，◎*は総合事業サービスとして利用．
○は，要支援2の人を対象に介護予防給付でも利用できるサービス．
*1 入所できるのは，原則は要介護3以上．
*2 2024年3月末で廃止予定．
*3 2018年4月に新設された要介護高齢者の長期療養・生活施設．2024年3月末に廃止予定の介護療養型医療施設の転換先と位置付けられている．

[厚生労働省：公的介護保険制度の現状と今後の役割，2018より作成]

表 N-13　介護保険法で定める「(第二号被保険者の) 特定疾病」(2006年4月)

① がん (医師が一般に認められている医学的知見に基づき回復の見込みがない状態に至ったと判断したものに限る (がん末期))
② 関節リウマチ
③ 筋萎縮性側索硬化症 (ALS)
④ 後縦靱帯骨化症
⑤ 骨折を伴う骨粗鬆症
⑥ 初老期における認知症 (アルツハイマー病，ピック病，脳血管性認知症，クロイツフェルト・ヤコブ病等)
⑦ 進行性核上性麻痺，大脳皮質基底核変性症及びパーキンソン病 (パーキンソン病関連疾患)
⑧ 脊髄小脳変性症
⑨ 脊柱管狭窄症
⑩ 早老症 (ウェルナー症候群等)
⑪ 多系統萎縮症 (シャイ・ドレーガー症候群，線状体黒質変性症，オリーブ橋小脳萎縮症)
⑫ 糖尿病性神経障害，糖尿病腎症及び糖尿病性網膜症
⑬ 脳血管疾患 (脳出血，脳梗塞等)
⑭ 閉塞性動脈硬化症
⑮ 慢性閉塞性肺疾患 (肺気腫，慢性気管支炎，気管支喘息，びまん性汎細気管支炎)
⑯ 両側の膝関節又は股関節に著しい変形を伴う変形性関節症

注) 第二号被保険者：40歳以上65歳未満の医療保険加入者を指す．
その年齢の要介護者・要支援者のうち，上記の表に該当する初老期における認知症，脳血管疾患などの老化に起因する疾病による者は，介護保険制度の受給権者に該当する．
(　) 内は加筆

ある状態) にあることが条件である．40歳以上65歳未満の場合は，要介護状態の原因が「**特定疾病**」(**表 N-13**) であることが必要である．「**要介護状態**」とは「身体上または精神上の障害があるために，日常生活における入浴・排泄・食事などの動作について，厚生労働省令で定める期間 (6ヵ月間) にわたり継続して，常時介護を要すると見込まれる状態」であり，要介護1～5 (数字が大きくなれば重度) の5段階に区分されている．また，「**要介護の恐れがある状態**」とは，「障害のために，日常生活を営むのに支障があると見込まれる状態」のことであり，「**要支援**」と呼ばれている．要介護や要支援認定を受けたい場合は，市区町村または地域包括支援センターの窓口で相談し申請書を提出する．市区町村は認定調査 (認定調査員の訪問調査および主治医に対する診断・意見書の作成依頼) を行い，コンピューター判定 (一次判定) の後に，再度認定調査の結果をもとに介護認定審査会 (二次判定) による審査・判定を行い要介護状態区分を決定する．要介護・要支援認定後は，前述した通り**表 N-12**に示すようなさまざまなサービスが利用できる．例として，居宅サービスを利用する場合，一般的には，まず居住地域の居宅介護支援事業所により介護支援専門員 (ケアマネジャー) の紹介を受ける．その後，ケアマネジャーによって，居宅サービス計画作成依頼届出書が市町村に届け出されるとともに，居宅サービス計画 (ケアプラン) が作成され，本計画に則りサービスの提供が実施される．

　高齢者の在宅ケアで重要なことは，個々のサービス提供ではなくサービスの組み合わせが，利用者やその家族にとっての真の地域リハビリテーションといえることであろう．また，リハビリテーションの思想，ノーマライゼーションの考え方を人々に広めることが，真の意味での地域リハビリテーションと考えられる．

6 高齢者医療

　わが国は現在，いわば超高齢多死社会に向かっている．人は高齢化とともに既述のように老化による心身機能の低下，疾病や障害の数の増加や程度の悪化が認められるようになる．そして，外来通院が困難となる症例も増加する．一方では，病院や施設のベッド総数も限られ，「終の棲家の確保」も社会的な検討課題となってきている．このため，政府や自治体は在宅医療を推進中である．

　その一環として戦後もっとも人口の多い世代である「団塊の世代」が75歳以上となる2025年を目途に，地域包括ケアシステムの構築が進められている．このシステムは，高齢者が住み慣れた地域で自分らしい暮らしを人生の最期まで続けることができるよう，住まい・医療・介護・予防・生活支援が切れ目なく一体的に提供される体制を指している．保険者である市町村や都道府県が地域の特性に応じて作り上げていくことが必要であるが，在宅療養生活での予防やケアなどの具体的なサービスを向上させるためには地域固有の状況を踏まえた上で「医療・看護」「介護・リハビリテーション」「保険・福祉」に携わる多職種が連携しなければならない（⇨p.369）．超高齢社会の到来に伴い，高齢者医療は，従来からの治療医学にリハビリテーション医学の知識と技術を統合して，自立支援とQOLの確保を目指す必要性がますます高くなっている．また，関連各職種は医療のゴールは「キュア」にとどまらず「ケア」であることを再認識し，いかに理想的な地域包括ケアシステムづくりに関与していくかが期待される時代となっている．

　入院医療では，器質的障害例（脳血管障害など）では徹底したリスク管理下で発症後早期からその機能や能力の回復を目指すことが，器質的障害のない疾患例（肺炎など）でもまず全身の機能低下をいかに最小限に食い止めるかという考え方が基本にならなければならない．後者の場合，主として体力の回復，筋力低下・拘縮その他の廃用症候群に対する機能回復，ADL自立を目的として，徹底したリスク管理下で早期離床を図り，ADL自立に向けて段階的に活動空間を広げていく（たとえば，ベッド上での排泄ではなく，全身状態が許せば介助下で車いすによるトイレ移動）試みが重要である．高齢者ではとくに体力の減退をきたしやすいので，それを防ぎ回復させる手段としても早期離床を図らなければならない．当初は車いす，続いて早い段階で歩行へと移行させ，支障がない場合には自転車エルゴメーターなどによる体力回復訓練を併用することになる．そのほかにもちろん，呼吸器・循環器・腎・肝・代謝系などの内部機能障害や整形外科的疾患などでは，それぞれの疾患に応じたリハビリテーション医療を行うことになる．退院時は，医療施設の地域医療連携室が退院支援として，病病連携や病診連携といった施設間の連携システムを稼働させている．要介護認定を受けている患者が退院する際には，さらに地域のケアマネジャーや地域包括支援センターと連携している．

　他方，在宅医療では，退院時あるいは健康時のADL能力の維持を図る必要がある．日常の活動性が低い状況では容易に廃用症候群をきたし，ADL能力を失い，寝たきりに移行することになる．したがって，日中は少なくとも臥位ではなく座位で過ごすようにさせ，取り戻したADL能力は実行させるようにさせなければならない．また，家庭内でADLのさらなる改善

を目指して，家屋改造や機器の購入の助言，自助具の作製とそれらの使用によるADL訓練，状況に応じた介護法の指導などを行うことになる．家庭での閉じこもりを解消するだけで心身の活性化をもたらし，寝たきりから自立する症例もあるので，積極的にデイケアセンター，老人保健法に基づく機能訓練事業などに参加させ，心身両面の活性化を図らせることも重要である．

安定した在宅療養を継続するには，さまざまな職種間での連携が必須であるが，在宅ケアの要である訪問看護師は医師が作成する訪問看護指示書に基づいて，医療保険または介護保険で介入している．訪問看護提供事業所によっては，訪問リハビリテーションや居宅介護支援事業所を併設している場合もある．

なお，高齢者ではとくに訓練場面で救急疾患の発生のリスクは高い．高齢者に限らないが，不幸にしてアクシデントに出くわしたとき，もっとも大切なのは事後の冷静かつ迅速，適切な対応と今後の対策である．安静を図るとともに他のスタッフなどへの緊急連絡は最低限必要である．ときには人工呼吸，心マッサージも必要となるのでその処置の習熟もしておくべきである．また，普段からの医療スタッフや患者やその家族とのコミュニケーションも大切である．訓練当日の一般状態の把握や，適用・禁忌の周知徹底，訓練中の様子の微妙な変化の察知，事後の誠意ある患者と家族への対応なども必要なことはいうまでもない．

O．その他の疾患

学習の目標

1. 熱傷，AIDS，解離性（転換性）障害，痙性斜頸の概略を理解する．
2. 心理的問題へのケアがことに重要な疾患群であり，いずれの疾患も多様な症状，幅広い障害スペクトラムを呈することを理解する．
3. それぞれの疾患に特徴的な問題点があり，それらをどのように評価し，リハビリテーション治療を行うのかを理解する．

1 熱傷

疾患概念

熱・化学物質・電気との接触による組織損傷である．局所病変は，蛋白質変性により細胞の死滅した領域を，循環障害から細胞壊死に陥りそうな領域が取り囲み，さらにその周辺で組織が充血する．局所の浮腫・拘縮・肥厚性瘢痕・切断などに加えて，創傷面などからの体液の喪失によるショック・感染・気道熱傷などの全身的影響が問題となる．電撃熱傷では皮膚損傷がみられない領域で脊髄や末梢神経の損傷が生じうる．容姿への影響が大きく，受傷機転が自殺企図であることもあり，心理面への配慮も必要である．

深達度分類と症状

古典的分類であるⅠ～Ⅲ度の分類と，さらにⅡ度熱傷を浅Ⅱ度熱傷，深Ⅱ度熱傷に分けた新しい分類とを対応させて，図O-1に示す．

熱傷面積の評価

成人では，図O-2に示す「9の法則」により，熱傷面積が全身体表面積の何％であるかを概算する．小児も含めて，より正確な評価を行うには，図O-3のランド・ブラウダー Lund-Browderチャートを用いる．成人で20％以上，小児・高齢者で10％以上ならば，広範囲重症熱傷として全身管理が必要である．Burn index（熱傷指数）は，死亡率の指標となり，Ⅲ度熱傷面積％＋Ⅱ度熱傷面積％×1/2で計算され，10～15以上が重症である．

問題点と治療

表O-1，図O-4に示す．リハビリテーションは，局所だけではなく全身の身体症状，さらに精神症状に注意を払い，全身管理や創処置，植皮術などの急性期治療に合わせて進められる．主たる機能障害は関節拘縮と肥厚性瘢痕であり，それらの活動・参加への影響を軽減するため，急性期にはいわゆる機能的肢位ではなく治療的肢位をとる．

	分類	障害組織	症状	予後
Ⅰ度	表皮熱傷 superficial burn	表皮に限局 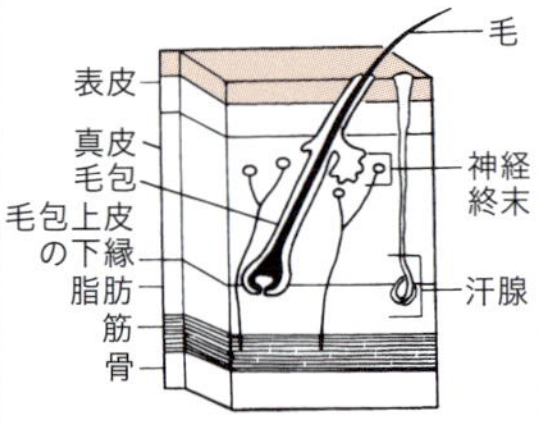	紅斑を呈し，水疱はみられない．疼痛は受傷後遅れて生じる	3〜10日で瘢痕を伴わずに治癒する
浅Ⅱ度	皮膚浅部分熱傷 superficial partial thickness burn	表皮および真皮浅層 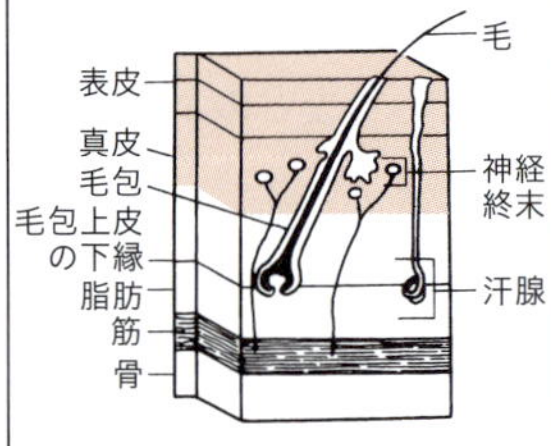	破れていない水疱と著しい疼痛	10〜14日で治癒し，瘢痕は生じないか，わずかである
深Ⅱ度	皮膚深部分熱傷 deep partial thickness burn	真皮深層まで 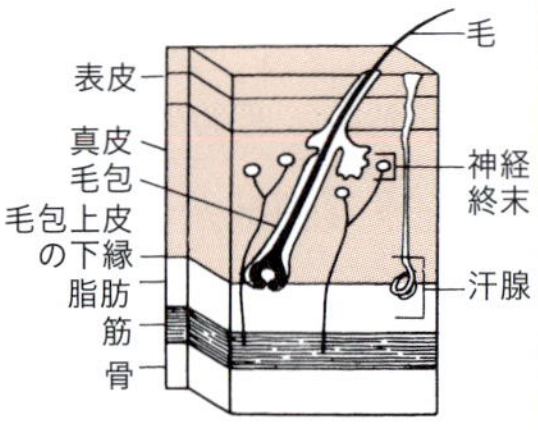	赤色ないし光沢のある白色で，水疱は破れ，中等度の浮腫を伴う．神経が破壊されるため，疼痛は浅Ⅱ度よりも軽度	創基底面より皮膚が再生するが，治癒に3週間以上を要し，肥厚性瘢痕を生じる
Ⅲ度	皮膚全層熱傷 full thickness burn	皮下組織の一部に及ぶ 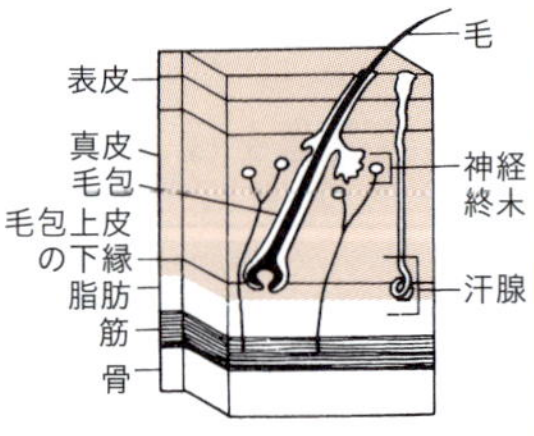	硬い，羊皮紙様の壊死組織が生じ，疼痛はほとんどない．感染を合併しやすい	再生組織は創傷辺縁からしか生じず，創傷面を覆わないため，皮膚移植が必要である
	皮下熱傷 subdermal burn	筋・骨にまで達する 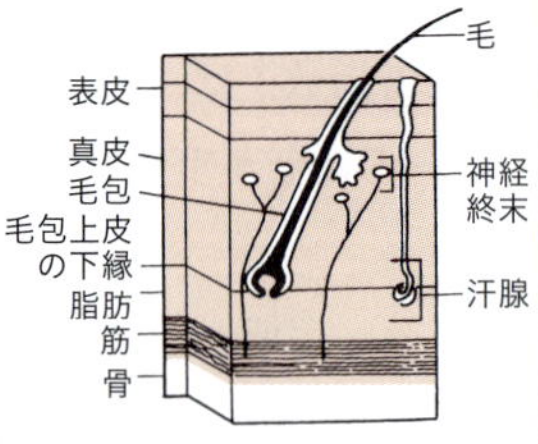		広範囲にわたる壊死組織の除去が必要で，四肢では切断にいたる場合もある

図O-1 熱傷の分類

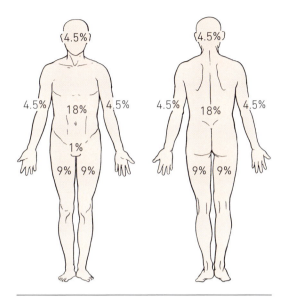

図O-2 9の法則
数字は%BSA（body surface area：体表面積）．
会陰部が全体表面の1%で，残りを11等分割する（各部分は9%ずつとなる）．体幹は前面および後面がそれぞれ2つ分で18%，頭部，1上肢は各9%，下肢は前面と後面がそれぞれ9%と換算される．

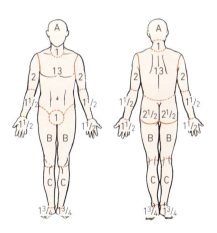

年齢に依存する部位		0歳	1歳	5歳	10歳	15歳	成人
A	頭部の1/2	9 1/2	8 1/2	6 1/2	5 1/2	4 1/2	3 1/2
B	一側大腿の1/2	2 3/4	3 1/4	4	4 1/4	4 1/2	4 3/4
C	一側下腿の1/2	2 1/2	2 1/2	2 3/4	3	3 1/4	3 1/2

図O-3 ランド・ブラウダーチャート
数字は%BSAを示す．A，B，Cは皮膚面積が年齢に依存する部位であり，小児では頭部が大きく，下肢が小さい．概数のため合計は100%とならない．

表 O-1　全身熱傷の問題点と管理

	問題点	治療・管理	留意点
全身症状	体液喪失，蛋白喪失	輸液	熱傷範囲，年齢により調節する
	低体温	保温，加温	復温は緩徐に行う
	低酸素血症	呼吸管理	酸素投与．換気障害があれば気管内挿管を行う
	ミオグロビン/ヘモグロビン尿症	輸液	腎機能を維持する
	低栄養	経管/経静脈栄養	顔面・咽頭の熱傷では経口摂取が困難となる
局所症状	壊死組織	除去(デブリドマン)	受傷後4日以内に行う．広範囲ならハバードタンクを使用する
		代用皮膚，植皮	植皮術後は副子などにより5〜10日間固定する
	感染	水洗，殺菌薬の塗布，無菌的被覆，抗生剤注射	塗布剤：硝酸銀，スルファジアジン銀など
	疼痛，採皮部の掻痒	薬物療法	鎮痛薬，抗アレルギー薬
精神症状		精神科的介入	不安の軽減，睡眠リズムの調整，環境整備
機能障害	拘縮	関節可動域訓練	熱傷部と反対の方向に伸長する 顔面熱傷では小口症，開口障害に注意する
		良肢位の保持 1) 瘢痕組織の収縮による関節拘縮の防止 2) 手背熱傷では手指伸展機構の破壊による変形の防止	良肢位は必ずしも機能的肢位ではない
			前頸部の熱傷：頸部伸展，下顎挙上，口唇閉鎖
			体幹の熱傷：肩外転位
			会陰・下肢の熱傷：股関節外転，膝関節伸展，足関節背屈
			上肢の熱傷：肘関節伸展または軽度屈曲，前腕回外，手関節軽度伸展
			手背の熱傷：MP関節屈曲，PIP・DIP関節伸展
		副子固定	できるだけ早く装着する．皮膚に密着させ，浮腫の軽減により緩んだら再作製する
	浮腫，肥厚性瘢痕	弾性包帯	末梢ほどきつく巻く
		圧迫装具	顔面マスク，弾性ストッキングなど，弾力のある布製素材と軟らかいプラスチック素材を組み合わせて作製する
	呼吸機能障害	呼吸理学療法	胸郭可動性改善と排痰援助を行う
	筋力低下	筋力増強訓練	尺骨神経麻痺，腓骨神経麻痺などが合併していることがある
	植皮部の感覚鈍麻	皮膚損傷の防止	手袋の使用など
活動制限	ADL障害	訓練，自助具，環境整備	訓練室では他の患者からの視線にも配慮する
参加制約	容貌の変化，社会復帰障害	心理的支援，社会資源の利用	長期にわたって関与する必要がある

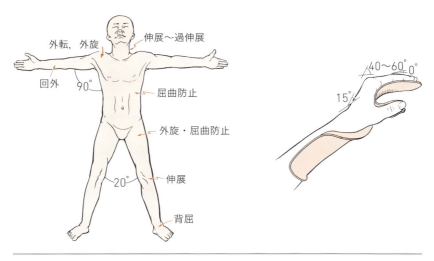

図O-4　急性期の治療的肢位
瘢痕組織の収縮による関節拘縮を防止する肢位．手背部の熱傷に対しては，瘢痕による MP関節過伸展拘縮と手指伸展機構の破壊によるPIP・DIP関節屈曲拘縮を予防する副子を用いる．

2 AIDS

疾患概念

ヒト免疫不全ウイルス human immunodeficiency virus（HIV）が免疫の働きをもつリンパ球（とくにヘルパーT細胞，すなわちCD4という糖蛋白を細胞膜にもつTリンパ球）に侵入して死滅させ，ヘルパーT細胞を減少させるために免疫機能が低下する．その結果，発熱・貧血・やせなどの全身的な症状や，日和見感染，悪性腫瘍などの症状を呈するようになった状態を**後天性免疫不全症候群** acquired immunodeficiency syndrome（**AIDS**），略してエイズという．

HIV感染後，抗体陰性無症候性キャリアの状態が2〜4週間続き，抗体陽性無症候性キャリアとなり，免疫能の低下などにより発症する．治癒することはないが，少数の患者は5年以上生存する．死因の95%は日和見感染症である．$CD4^+$リンパ球が1 mm^3 あたり200〜300個以下になると，日和見感染症に罹患する確率が著しく増加する．

感染経路と危険度

伝播する危険度の高い経路（出口）は，出血創，性器分泌液，血液などである．それ以外の体液からの伝播危険度は低い．到達したウイルスが侵入する危険度の高い経路は，肛門，損傷した皮膚，性病による潰瘍などの損傷がある性器，血液，および周産期などである．針刺し事故ではウイルスは侵入しやすいが，ウイルス量が少なく感染する危険度は低い．

神経症状

a．中枢神経感染症

多くみられて治療可能な疾患としてトキソプラズマ脳炎があり，頭痛，傾眠，錯乱，けいれんおよび局所徴候が数日から数週間続く．HIVあるいはサイトメガロウイルスによって起こる亜急性脳炎は重篤で，単肢麻痺，記憶障害，錯乱，精神運動の低下などから始まり，重度の

認知機能障害，四肢麻痺，ミオクローヌスなどを呈し，数週から数ヵ月の経過で昏睡，死にいたることがある．

b. 末梢神経障害

有痛性の感覚異常，四肢遠位の感覚鈍麻，遠位筋優位の筋力低下などが生じる．

> リハビリテーション

原則は悪性腫瘍のリハビリテーションに準じる．感染経路とそのリスクを熟知し，患者の人権を尊重することが大切である．

3 解離性（転換性）障害

> 疾患概念

特定の臨床的病像があり，症状を説明する身体疾患の証拠がなく，心理的原因が証明される疾患群である．以前は「ヒステリー」と呼称され，「転換ヒステリー」の意味で用いられた．「転換ヒステリー」も含めて「ヒステリー」は最近の分類から外されている．

標準的な精神疾患分類には **ICD-10**（International Classification of Diseases，第10版）と **DSM-5**（Diagnostic and Statistical Manual of Mental Disorders, 5th Edition）とがある．ICD-10は，世界保健機関 World Health Organization（WHO）による国際疾病分類で，このなかの第5章が「精神および行動の障害」である．一方，DSM-5は，米国精神医学会による精神疾患分類である．

解離性あるいは転換性障害*では，ほとんどすべての器質疾患をまねた症状が現れる．運動障害では，他動運動時の歯車様現象，筋力検査と実際の運動との解離，一定の病的歩行パターンにあてはまらない奇妙な異常歩行，ゆっくりとした大変そうな動作，体幹や上肢に不自然な運動が波及することなどの特徴がみられる．感覚障害の分類としては，手袋と靴下をはく場所や正中線で区切られる完全な半身感覚麻痺が多く，神経支配よりも機能イメージの影響を受ける．詐病ではないが，鑑別はしばしば困難である．解離性障害と誤診されやすい器質的疾患としては，重症筋無力症，多発性硬化症，全身性エリテマトーデス systemic lupus erithematosus（SLE）などがある．

> 検　査

血液・尿・髄液検査，電気生理検査（脳波，筋電図）や画像診断（CT，MRI，超音波）などで，症状を説明できる異常所見はみられない．麻痺を呈する解離性（転換性）障害の診断には，経頭蓋磁気刺激法（大脳運動野を経皮的に刺激して骨格筋を収縮させる）が有用である．

解離性健忘など認知障害を呈する場合，神経心理学的検査で，むずかしい課題とやさしい課題の成績の顕著な解離がみられることがある（たとえば，複雑な図形の模写はほぼ完璧である

---

*解離：特定の心的内容（記憶，観念，感情，知覚）が意識されなくなって自由に想起できなくなるプロセスをいい，心的防衛として機能することがある．運動パターン記憶の解離は麻痺を生じる．
　転換：患者が解決できない問題との葛藤により生じた不快な感情が，記憶・運動・感覚の障害などに置き換わること．

のに，同じ図形の即時再生課題ではほとんど得点できない）．

治療

a．精神科的治療

1．精神分析療法

精神分析によって得た洞察を利用できる少数の患者にのみ有効である．

2．行動療法

患者が治療者の望む行動をとったときに賞賛を与えるなどして，望ましい行動を強化する技法．解離性運動障害や疼痛による身体不活動の治療に用いられる．

3．家族療法

心理的葛藤の原因が家族の問題である場合に適応となる．

4．カウンセリング

治療者による支持が有効なことがある．

5．催眠療法

抑圧された観念と感情を意識化する．解離性健忘や多重人格に用いられる．

b．リハビリテーション

1．治療の構造化

治療開始前に，治療の目的と内容（身体的原因が見出せないが，主として身体症状に対する治療を行う）について治療者と患者が同意する．治療チームはそれぞれの役割を明確にする．症状に対しては，器質的疾患の場合と同様の機能訓練や装具療法などが行われる．行動療法やカウンセリングも併用される．

2．コンサルテーションリエゾン

リエゾンとは「連絡・連携」の意味で，精神科医が治療チームに加わって，患者心理，医療者心理，医療者-患者関係などを扱う治療形態を指す．治療構造を保つうえで有効に機能する．

経過・予後

解離性（転換性）障害は，数週から数ヵ月で寛解する傾向がみられるが，精神科的治療開始までに1～2年以上持続すると治療に抵抗することがある．また，ある症状が軽快しても，ストレスにより他の症状に置き換わることが多い．

4 痙性斜頸

疾患概念

頭頸部の筋緊張異常により頭位に異常を生じる病態で，**局所性ジストニー**に属する．その本態は，大脳の運動・姿勢プログラムの異常と考えられている．斜頸姿勢は，回旋，側屈，前屈，後屈，さらに肩甲帯の挙上や側弯が組み合わさって出現する．

機能解剖

異常頭位とそれに関与する筋群を**図 O-5**に示す．

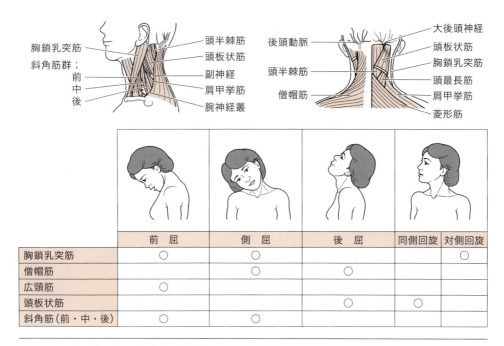

図O-5 異常頭位とそれに関与する筋群

症状

頭位の異常，首振り，頸部痛，体幹姿勢異常を呈する．異常姿勢や運動は一定しており，日によって頭位の向きが変わることはない．症状は精神的緊張や歩行時に増悪することが多い．また手を軽く顔面に添えるだけで症状が一時的に改善する（**知覚トリック**という）．

日常生活上の問題としては，外観の異常による心理的問題，斜頸のわずらわしさから作業に集中できないこと，自動車の運転の障害などがある．

治療

a. 生活指導

睡眠を十分にとり，精神的ストレスを避ける．斜頸位を持続あるいは反復するような職場環境を避ける．重いものをもつことや，激しいスポーツを避ける．また知覚トリックを積極的に利用する．

b. 理学療法

関節可動域訓練，鏡をみながらの自己矯正，**筋電図バイオフィードバック療法**などが行われる．筋電図バイオフィードバック療法では，過緊張筋に電極を貼付し，筋活動の抑制を試みる．

c. 薬物療法（経口）

抗痙縮薬，精神安定薬，抗けいれん薬などを用いる．

d. 神経ブロック

　過緊張の筋に，筋内神経の活動やシナプス伝達を遮断する薬物を注射する．注射する薬物はボツリヌス毒素（ボトックス®）が用いられる．ボツリヌス毒素はアセチルコリン作動性神経終末に取り込まれて，アセチルコリンの放出を阻害する．

e. 手　術

　選択的副神経切断術や，頸髄後根・後枝切断術が行われる．適応は，他の治療法が無効で，自然軽快の可能性がほとんどない場合に限られる．

付　録

1 関節可動域表示ならびに測定法

1．上肢測定

部位名	運動方向	参考可動域角度	基本軸	移動軸	測定肢位および注意点	参考図
肩甲帯 shoulder girdle	屈曲 flexion	0-20	両側の肩峰を結ぶ線	頭頂と肩峰を結ぶ線		
	伸展 extension	0-20				
	挙上 elevation	0-20	両側の肩峰を結ぶ線	肩峰と胸骨上縁を結ぶ線	背面から測定する*	
	引き下げ（下制）depression	0-10				
肩 shoulder（肩甲帯の動きを含む）	屈曲（前方挙上）forward flexion	0-180	肩峰を通る床への垂直線（立位または座位）	上腕骨	前腕は中間位とする　体幹が動かないように固定する　脊柱が前後屈しないように注意する	
	伸展（後方挙上）backward extension	0-50				
	外転（側方挙上）abduction	0-180	肩峰を通る床への垂直線（立位または座位）	上腕骨	体幹の側屈が起こらないように90度以上になったら前腕を回外することを原則とする　→「5．その他」参照	
	内転 adduction	0				
	外旋 external rotation	0-60	肘を通る前額面への垂直線	尺骨	上腕を体幹に接して，肘関節を前方90度に屈曲した肢位で行う　前腕は中間位とする　→「5．その他」参照	
	内旋 internal rotation	0-80				
	水平屈曲 horizontal flexion（horizontal adduction）	0-135	肩峰を通る矢状面への垂直線	上腕骨	肩関節を90度外転位とする	
	水平伸展 horizontal extension（horizontal abduction）	0-30				
肘 elbow	屈曲 flexion	0-145	上腕骨	橈骨	前腕は回外位とする	
	伸展 extension	0-5				

*編者註）原本では背面から測定すると記載されているが，移動軸を観察するには前面からの測定が適切であると思われる．

部位名	運動方向	参考可動域角度	基本軸	移動軸	測定肢位および注意点	参考図
前腕 forearm	回内 pronation	0-90	上腕骨	手指を伸展した手掌面	肩の回旋が入らないように肘を90度に屈曲する	
	回外 supination	0-90				
手 wrist	屈曲（掌屈） flexion (palmar flexion)	0-90	橈骨	第2中手骨	前腕は中間位とする	
	伸展（背屈） extension (dorsiflexion)	0-70				
	橈屈 radial deviation	0-25	前腕の中央線	第3中手骨	前腕を回内位で行う	
	尺屈 ulnar deviation	0-55				

2．手指測定

部位名	運動方向	参考可動域角度	基本軸	移動軸	測定肢位および注意点	参考図
母指 thumb	橈側外転 radial abduction	0-60	示指（橈骨の延長上）	母指	運動は手掌面とする 以下の手指の運動は，原則として手指の背側に角度計を当てる	
	尺側内転 ulnar adduction	0				
	掌側外転 palmar abduction	0-90			運動は手掌面に直角な面とする	
	掌側内転 palmar adduction	0				
	屈曲（MCP） flexion	0-60	第1中手骨	第1基節骨		
	伸展（MCP） extension	0-10				
	屈曲（IP） flexion	0-80	第1基節骨	第1末節骨		
	伸展（IP） extension	0-10				

部位名	運動方向	参考可動域角度	基本軸	移動軸	測定肢位および注意点	参考図
指 finger	屈曲（MCP）flexion	0-90	第2〜5中手骨	第2〜5基節骨	→「5. その他」参照	
	伸展（MCP）extension	0-45				
	屈曲（PIP）flexion	0-100	第2〜5基節骨	第2〜5中節骨		
	伸展（PIP）extension	0				
	屈曲（DIP）flexion	0-80	第2〜5中節骨	第2〜5末節骨	DIPは10度の過伸展をとりうる	
	伸展（DIP）extension	0				
	外転 abduction		第3中手骨延長線	第2,4,5指軸	中指の運動は橈側外転，尺側外転とする →「5. その他」参照	
	内転 adduction					

3. 下肢測定

部位名	運動方向	参考可動域角度	基本軸	移動軸	測定肢位および注意点	参考図
股 hip	屈曲 flexion	0-125	体幹と平行な線	大腿骨（大転子と大腿骨外顆の中心を結ぶ線）	骨盤と脊柱を十分に固定する 屈曲は背臥位，膝屈曲位で行う 伸展は腹臥位，膝伸展位で行う	
	伸展 extension	0-15				
	外転 abduction	0-45	両側の上前腸骨棘を結ぶ線の垂直線	大腿中央線（上前腸骨棘より膝蓋骨中心を結ぶ線）	背臥位で骨盤を固定する 下肢は外旋しないようにする 内転の場合は，反対側の下肢を屈曲挙上してその下を通して内転させる	
	内転 adduction	0-20				
	外旋 external rotation	0-45	膝蓋骨より下ろした垂直線	下腿中央線（膝蓋骨中心より足関節内外果中央を結ぶ線）	背臥位で，股関節と膝関節を90度屈曲位にして行う 骨盤の代償を少なくする	
	内旋 internal rotation	0-45				

部位名	運動方向	参考可動域角度	基本軸	移動軸	測定肢位および注意点	参考図
膝 knee	屈曲 flexion	0-130	大腿骨	腓骨（腓骨頭と外果を結ぶ線）	股関節を屈曲位で行う	
	伸展 extension	0				
足関節・足部 foot and ankle	外転 abduction	0-10	第2中足骨長軸	第2中足骨長軸	膝関節を屈曲位，足関節を0度で行う	
	内転 adduction	0-20				
	背屈 dorsiflexion	0-20	矢状面における腓骨長軸への垂直線	足底面	膝関節を屈曲位で行う	
	底屈 plantar flexion	0-45				
	内がえし inversion	0-30	前額面における下腿軸への垂直線	足底面	膝関節を屈曲位，足関節を0度で行う	
	外がえし eversion	0-20				
第1趾，拇趾 great toe, big toe	屈曲（MTP）flexion	0-35	第1中足骨	第1基節骨	以下の第1趾，母趾，趾の運動は，原則として趾の背側に角度計をあてる	
	伸展（MTP）extension	0-60				
	屈曲（IP）flexion	0-60	第1基節骨	第1末節骨		
	伸展（IP）extension	0				
趾 toe, lesser toe	屈曲（MTP）flexion	0-35	第2～5中足骨	第2～5基節骨		
	伸展（MTP）extension	0-40				
	屈曲（PIP）flexion	0-35	第2～5基節骨	第2～5中節骨		
	伸展（PIP）extension	0				
	屈曲（DIP）flexion	0-50	第2～5中節骨	第2～5末節骨		
	伸展（DIP）extenshion	0				

4. 体幹測定

部位名	運動方向		参考可動域角度	基本軸	移動軸	測定肢位および注意点	参考図
頸部 cervical spine	屈曲（前屈）flexion		0-60	肩峰を通る床への垂直線	外耳孔と頭頂を結ぶ線	頭部体幹の側面で行う 原則として腰かけ座位とする	
	伸展（後屈）extension		0-50				
	回旋 rotation	左回旋	0-60	両側の肩峰を結ぶ線への垂直線	鼻梁と後頭結節を結ぶ線	腰かけ座位で行う	
		右回旋	0-60				
	側屈 lateral bending	左側屈	0-50	第7頸椎棘突起と第1仙椎の棘突起を結ぶ線	頭頂と第7頸椎棘突起を結ぶ線	体幹の背面で行う 腰かけ座位とする	
		右側屈	0-50				
胸腰部 thoracic and lumbar spines	屈曲（前屈）flexion		0-45	仙骨後面	第1胸椎棘突起と第5腰椎棘突起を結ぶ線	体幹側面より行う 立位，腰かけ座位または側臥位で行う 股関節の運動が入らないように行う →「5. その他」参照	
	伸展（後屈）extension		0-30				
	回旋 rotation	左回旋	0-40	両側の後上腸骨棘を結ぶ線	両側の肩峰を結ぶ線	座位で骨盤を固定して行う	
		右回旋	0-40				
	側屈 lateral bending	左側屈	0-50	ヤコビー（Jacoby）線の中点に立てた垂直線	第1胸椎棘突起と第5腰椎棘突起を結ぶ線	体幹の背面で行う 腰かけ座位または立位で行う	
		右側屈	0-50				

5. その他の検査法

部位名	運動方向	参考可動域角度	基本軸	移動軸	測定肢位および注意点	参考図
肩 shoulder（肩甲骨の動きを含む）	外旋 external rotation	0-90	肘を通る前額面への垂直線	尺骨	前腕は中間位とする 肩関節は90度外転し，かつ肘関節は90度屈曲した肢位で行う	
	内旋 internal rotation	0-70				
	内転 adduction	0-75	肩峰を通る床への垂直線	上腕骨	20度または45度肩関節屈曲位で行う 立位で行う	
母指 thumb	対立 opposition				母指先端と小指基部（または先端）との距離（cm）で表示する	
指 finger	外転 abduction		第3中手骨延長線	2, 4, 5指軸	中指先端と2, 4, 5指先端との距離（cm）で表示する	
	内転 adduction					
	屈曲 flexion				指尖と近位手掌皮線（proximal palmar crease）または遠位手掌皮線（distal paimar crease）との距離（cm）で表示する	
胸腰部 thoracic and lumbar spines	屈曲 flexion				最大屈曲は，指先と床との間の距離（cm）で表示する	

6. 顎関節測定

顎関節 temporo-mandibular joint	開口位で上顎の正中線で上歯と下歯の先端との間の距離（cm）で表示する． 左右偏位（lateral deviation）は上顎の正中線を軸として下歯列の動きの距離を左右ともcmで表示する． 参考値は上下第1切歯列対向縁線間の距離5.0 cm，左右偏位は1.0 cmである．

[Jpn J Rehabil Med 2021；58：1188-1200]，[日本足の外科学会雑誌 2021, Vol.42：S 372-S 385]，[日整会誌2022；96：75-86] より許諾を得て転載

2 改訂長谷川式簡易知能評価スケール

改訂長谷川式簡易知能評価スケール(HDS-R)

(検査日：　年　月　日)　　　　　　　　　　　　　　　(検査者：　　　)

氏名：	生年月日：　年　月　日	年齢：　歳
性別：男／女　教育年数(年数で記入)：　年	検査場所	
DIAG：	(備考)	

	質　問　内　容	配　点	
1	お年はいくつですか？(2年までの誤差は正解)		0　1
2	今日は何年の何月何日ですか？　何曜日ですか？ (年，月，日，曜日が正解でそれぞれ1点ずつ)	年 月 日 曜日	0　1 0　1 0　1 0　1
3	私達が今いるところはどこですか？(自発的に出れば2点，5秒おいて，家ですか？　病院ですか？　施設ですか？　の中から正しい選択をすれば1点)		0　1　2
4	これからいう3つの言葉をいってみて下さい． 後でまた聞きますのでよく覚えておいて下さい． (以下の系列のいずれか一つを選択し，採用した系列に〇印をつけておく) 　1：a)桜　b)猫　c)電車　　2：a)梅　b)犬　c)自動車		0　1 0　1 0　1
5	100から7を順番に引いて下さい(100-7は？，それからまた7を引くと？　と質問する．最初の答が不正解の場合，打ち切る)	(93) (86)	0　1 0　1
6	私がこれからいう数字を逆からいって下さい(6-8-2，3-5-2-9)(3桁逆唱に失敗したら打ち切り)	2-8-6 9-2-5-3	0　1 0　1
7	先ほど覚えてもらった言葉をもう一度いってみて下さい． (自発的に回答があれば各2点，もし回答がない場合，以下のヒントを与え正解であれば1点)　　a)植物　b)動物　c)乗り物		a：0　1　2 b：0　1　2 c：0　1　2
8	これから5つの品物をみせます．それを隠しますので何があったかいって下さい． (時計，鍵，タバコ，ペン，硬貨など必ず相互に無関係なもの)		0　1　2 3　4　5
9	知っている野菜の名前をできるだけ多くいって下さい． (答えた野菜の名前を右欄に記入する) (途中で詰まり，約10秒間待ってもでない場合はそこで打ち切る)　　　　　　＊0～5までは0点 　6＝1点，7＝2点，8＝3点，9＝4点，10＝5点		0　1　2 3　4　5
		合計得点：	

[加藤伸司ほか：老年精医誌2(11)：1339，1991より引用]

3 ミラーニ・コンパレッティ Milani-Comparetti の発達チャート

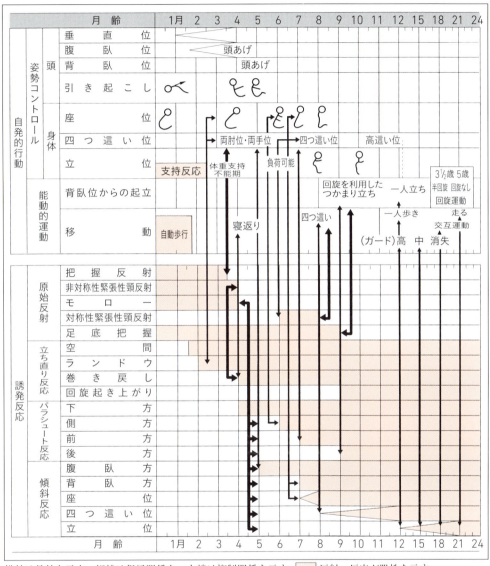

横軸は月齢を示す．細線は促通関係を，太線は抑制関係を示す．□ 反射・反応が陽性を示す．

[Milani-Comparetti A, Gidoni EA：Routine developmental examination in normal and retarded children. *Dev Med Child Neurol*. **9**(5)：p.631-638, 1967，および Milani-Comparetti A, Gidoni EA：Pattern analysis of motor development and its disorders. *Dev Med Child Neurol*. **9**：p.625-630, 1967 より引用]

4 肩関節疾患治療成績判定基準

日本整形外科学会肩関節疾患治療成績判定基準（JOA score）

番号：	患者名：	♂・♀	才
記載日：　　　年　　月　　日	疾患名：		
左右別：	術　名：		
手術日：　　　年　　月　　日	署　名：		

Ⅰ．疼　　痛（30点）

　なし··30
　スポーツ，重労働時の僅かな痛み················25
　作業時の軽い痛み····································20
　日常生活時の軽い痛み······························15
　中程度の耐えられる痛み（鎮痛剤使用，時々夜間痛）······10
　強度な痛み（夜間痛頻回）··························· 5
　痛みのために全く活動できない····················· 0

Ⅱ．機　　能（20点）

総　合　機　能（10点）

外転筋力の強さ（5点）	正常·····5	耐　久　力（5点）	10秒以上·····5
※90度外転位にて測定	優·······4	※1kgの鉄アレイを	
同肢位のとれないときは	良·······3	水平保持できる時間	3秒以上·····3
可能な外転位にて測定	可·······2	肘伸展位・回内位にて	
（可能外転位角度）	不可·····1	測定（成人2kg）	2秒以下·····1
	ゼロ·····0		不　可·····0

日常生活動作群（患側の動作）（10点）

　結髪動作··············(1, 0.5, 0)　　反対側の腋窩に手が届く··············(1, 0.5, 0)
　結帯動作··············(1, 0.5, 0)　　引戸の開閉ができる····················(1, 0.5, 0)
　口に手が届く·········(1, 0.5, 0)　　頭上の棚の物に手が届く··············(1, 0.5, 0)
　患側を下に寝る······(1, 0.5, 0)　　用便の始末ができる····················(1, 0.5, 0)
　上着のサイドポケットのものを取る········(1, 0.5, 0)　　上着を着る·····························(1, 0.5, 0)
　他に不能の動作があれば各1点減点する
　1.　　　　　　　　　2.　　　　　　　　　3.

Ⅲ．可動域（自動運動）（30点）　坐位にて施行

a. 挙　上（15点）	b. 外　旋（9点）	c. 内　旋（6点）
150度以上··········15	60度以上··········9	Th12以上··········6
120度以上··········12	30度以上··········6	L5以上············4
90度以上···········9	0度以上···········3	臀　部············2
60度以上···········6	−20度以上········1	それ以下··········0
30度以上···········3	−20度以下········0	
0度···············0		

Ⅳ．X線所見評価（5点）

　正　　常···5
　中程度の変化または亜脱臼························3
　高度の変化または脱臼····························1

Ⅴ．関節安定性（15点）

　正　　常···15
　軽度のinstabilityまたは脱臼不安感···········10
　重度のinstabilityまたは亜脱臼の既往，状態···5
　脱臼の既往または状態····························0

　備考：肘関節，手に障害がある場合は，可動域，痛みについて記載する．

総合評価：　　　計（　　　）点
疼痛（　　　）　　機能（　　　）　　可動域（　　　）
X線所見（　　　）　　関節安定性（　　　）

治療後評価
　　医　師　　　＋,　0,　−
　　患　者　　　＋,　0,　−

［日本整形外科学会日整会誌編集委員会（編）：肩関節疾患治療成績判定基準．日本整形外科学会雑誌61(5)，623-629，1987より許諾を得て転載］

5 股関節機能判定基準

ID：　　　　　氏名：　　　　　年　月　日（評価日）

疼痛			可動域			歩行能力		日常生活動作	容易	困難	不能
	右	左		右	左						
股関節に関する愁訴が全くない.	40	40	屈曲 伸展			長距離歩行, 速歩が可能. 歩容は正常.	20	腰かけ	4	2	0
不定愁訴(違和感, 疲労感)があるが, 痛みはない.	35	35	外転 内転			長距離歩行, 速歩は可能であるが, 軽度の跛行を伴うことがある.	18	立ち仕事(家事を含む) 注1)	4	2	0
歩行時痛みはない(ただし歩行開始時あるいは長距離歩行後疼痛を伴うことがある.	30	30	屈曲			杖なしで, 約30分または2km歩行可能である. 跛行があるが. 日常の屋外活動にはほとんど支障がない.	15	しゃがみこみ・立ち上がり 注2)	4	2	0
自発痛はない, 歩行時疼痛はあるが, 短時間の休息で消退する.	20	20	外転 点 数 注)			杖なしで, 10-15分程度, あるいは約500m歩行可能であるが, それ以上の場合1本杖が必要である. 跛行がある.	10	段階の昇り降り 注3)	4	2	0
自発痛はときどきある. 歩行時疼痛があるが, 休息により軽快する.	10	10	注)関節角度を10°刻みとし, 屈曲には1点, 外転には2点与える. ただし屈曲120°以上はすべて12点, 外転30°以上はすべて8点とする. 屈曲拘縮のある場合にはこれを引き, 可動域で評価する.			屋内活動はできるが, 屋外活動は困難である. 屋外では2本杖を必要とする.	5	車, バスなどの乗り降り	4	2	0
持続的に自発痛または夜間痛がある.	0	0				ほとんど歩行不能.	0				
具体的表現						具体的表現		注1)持続時間約30分. 休息を要する場合, 困難とする. 5分くらいしかできない場合, 不能とする. 注2)支持が必要な場合, 困難とする. 注3)手すりを要する場合は困難とする.			

病名：　　　　　　治療法：　　　　　手術日：　年　月　日　　表記方法： 右, 左 / 両側の機能　　　疼痛＋可動域 / 歩行能力＋日常生活動作 … 総合評価

カテゴリー：　A：片側　B：両側　C：多関節罹患

総合評価　| 右 | 左 |

[日本整形外科学会日整会誌編集委員会(編)：股関節機能判定基準. 日本整形外科学会雑誌69(9), 860-867, 1995より許諾を得て転載]

6 変形性膝関節症治療成績判定基準

術前・術後　病院名：＿＿＿＿＿＿　記入者氏名：＿＿＿＿＿＿　記入：昭和＿＿年＿＿月＿＿日
カルテ番号：＿＿＿＿　患者氏名：＿＿＿＿＿　手術名：＿＿＿＿＿　手術年月：＿＿年＿＿月＿＿日
性別：男・女　年齢：＿＿歳　体重：＿＿Kg　住所：＿＿＿＿＿＿＿＿　TEL：＿＿＿＿＿

		右	左
疼痛・歩行能	1 km 以上歩行可、通常疼痛ないが、動作時たまに疼痛あってもよい	30	30
	1 km 以上歩行可、疼痛あり	25	25
	500 m 以上、1 km 未満の歩行可、疼痛あり	20	20
	100 m 以上、500 m 未満の歩行可、疼痛あり	15	15
	室内歩行または 100 m 未満の歩行可、疼痛あり	10	10
	歩　行　不　能	5	5
	起　立　不　能	0	0
疼痛・階段昇降能	昇降自由・疼痛なし	25	25
	昇降自由・疼痛あり、手すりを使い・疼痛なし	20	20
	手すりを使い・疼痛あり、一歩一歩・疼痛なし	15	15
	一歩一歩・疼痛あり、手すりを使い一歩一歩・疼痛なし	10	10
	手すりを使い一歩一歩・疼痛あり	5	5
	出　来　な　い	0	0
屈曲角度および強直・高度拘縮	正座可能な可動域	35	35
	横座り・胡座可能な可動域	30	30
	110° 以上屈曲可能	25	25
	75°　〃	20	20
	35°　〃	10	10
	35° 未満の屈曲、または強直、高度拘縮	0	0
腫脹	水腫・腫脹なし	10	10
	時に穿刺必要	5	5
	頻回に穿刺必要	0	0
	総計		

患者の満足度	とてもよかった	よかった	よかった人にすすめる	よかった人にすすめるほどではない	わからない	やらないほうがよかった
	右／左	右／左	右／左	右／左	右／左	右／左

特記事項

		右	左
疼痛		無,軽,中,激	無,軽,中,激
実測角度	可動域	°～°	°～°
	強直	°	°
	自動伸展不全	°	°
	内・外反		
動揺	側方		
	前後		
大腿周径	5 cm	cm	cm
	10 cm	cm	cm
装具	時々		
	常用		

	一本杖	二本杖	車椅子
時々			
常用			

10 m 歩行速度　　　　　秒

		右	左
X線所見	立位 FTA		
	臥位 FTA		
	関節裂隙	狭小、消失	狭小、消失
	骨棘		
	骨硬化		
	亜脱臼		
	骨欠損		
患者の印象			

相関係数 0.813

[日本整形外科学会日整会誌編集委員会（編）：膝疾患治療成績判定基準．日本整形外科学会雑誌66(11), 1212-1219, 1992より許諾を得て転載]

7 頸髄症治療成績判定基準［改定17（－2）点法］

病　　名 ＿＿＿＿＿＿＿＿＿　手 術 日 ＿＿＿＿＿＿＿
患者氏名 ＿＿＿＿＿＿＿＿＿　術　　式 ＿＿＿＿＿＿＿
カルテNo. ＿＿＿＿＿＿＿＿＿　術　　者 ＿＿＿＿＿＿＿
利き手（右，左）

					年月日	年月日
運動機能	上肢	手指	0　［不　　能］ 1　［高度障害］ 2　［中等度障害］ 3　［軽度障害］ 4　［正　　常］	自力では不能（箸，スプーン・フォーク，ボタンかけすべて不能） 箸，書字，不能，スプーン・フォークで辛うじて可能 箸で大きな物はつまめる，書字，辛うじて可能，大きなボタンかけ可能 箸，書字ぎこちない，ワイシャツの袖のボタンかけ可能 正常		
		肩・肘機能	－2　［高度障害］ －1　［中等度障害］ （－0.5　［軽度障害］ －0　［正　　常］	三角筋または上腕二頭筋≦2 〃　　　＝3 〃　　　＝4） 〃　　　＝5		
	下肢		0　［不　　能］ (0.5) 1　［高度障害］ (1.5) 2　［中等度障害］ (2.5) 3　［軽度障害］ 4　［正　　常］	独立，独歩不能 立位は可能） 平地でも支持が必要 平地では支持なしで歩けるが，不安定） 平地では支持不要，階段の昇降に手すり必要 〃　　　，階段の降りのみ手すり必要） ぎこちないが，速歩可能 正常		
知覚機能	上肢		0　［高度障害］ (0.5) 1　［中等度障害］ (1.5　［軽度障害］ 2　［正　　常］	知覚脱失（触覚，痛覚） 5/10以下の鈍麻（触覚，痛覚），耐えがたいほどの痛み，しびれ 6/10以上の鈍麻（触覚，痛覚），しびれ，過敏 軽いしびれのみ（知覚正常）） 正常		
	体幹		0　［高度障害］ (0.5) 1　［中等度障害］ (1.5　［軽度障害］ 2　［正　　常］	知覚脱失（触覚，痛覚） 5/10以下の鈍麻（触覚，痛覚），耐えがたいほどの痛み，しびれ 6/10以上の鈍麻（触覚，痛覚），絞扼感，しびれ，過敏 軽いしびれのみ（知覚正常）） 正常		
	下肢		0　［高度障害］ (0.5) 1　［中等度障害］ (1.5　［軽度障害］ 2　［正　　常］	知覚脱失（触覚，痛覚） 5/10以下の鈍麻（触覚，痛覚），耐えがたいほどの痛み，しびれ 6/10以上の鈍麻（触覚，痛覚），しびれ，過敏 軽いしびれのみ（知覚正常）） 正常		
膀胱機能			0　［高度障害］ 1　［中等度障害］ 2　［軽度障害］ 3　［正　　常］	尿閉，失禁 残尿感，怒責，尿切れ不良，排尿時間延長，尿もれ 開始遅延，頻尿 正常		
合　計　17				計 （改善率）		

［日本整形外科学会日整会誌編集委員会（編）：頸髄症治療成績判定基準．日本整形外科学会雑誌68(5)，490-503，1994より許諾を得て転載］

8 RDQ 日本語版

腰が痛いと，ふだんやっていることがなかなかできなくなることがあります．以下の項目は，腰が痛いときに起こることを表したものです．

この中に，あなたの**「今日」**の状態にあてはまるものがあるかもしれません．項目を読みながら，今日のあなたの状態を考えてみて下さい．あなたの状態にあてはまる場合には「はい」に，あてはまらない場合には「いいえ」に✓をつけて下さい．

今日，腰痛のために：

1. 腰痛のため，大半の時間，家にいる ☐ はい ☐ いいえ
2. 腰痛を和らげるために，何回も姿勢を変える ☐ はい ☐ いいえ
3. 腰痛のため，いつもよりゆっくり歩く ☐ はい ☐ いいえ
4. 腰痛のため，ふだんしている家の仕事を全くしていない ☐ はい ☐ いいえ
5. 腰痛のため，手すりを使って階段を上る ☐ はい ☐ いいえ
6. 腰痛のため，いつもより横になって休むことが多い ☐ はい ☐ いいえ
7. 腰痛のため，何かにつかまらないと，安楽椅子（体を預けて楽に座れる椅子，深く腰掛けた姿勢）から立ち上がれない ☐ はい ☐ いいえ
8. 腰痛のため，人に何かしてもらうよう頼むことがある ☐ はい ☐ いいえ
9. 腰痛のため，服を着るのにいつもより時間がかかる ☐ はい ☐ いいえ
10. 腰痛のため，短時間しか立たないようにしている ☐ はい ☐ いいえ
11. 腰痛のため，腰を曲げたりひざまずいたりしないようにしている ☐ はい ☐ いいえ
12. 腰痛のため，椅子からなかなか立ち上がれない ☐ はい ☐ いいえ
13. ほとんどいつも腰が痛い ☐ はい ☐ いいえ
14. 腰痛のため，寝返りがうちにくい ☐ はい ☐ いいえ
15. 腰痛のため，あまり食欲がない ☐ はい ☐ いいえ
16. 腰痛のため，靴下やストッキングをはくとき苦労する ☐ はい ☐ いいえ
17. 腰痛のため，短い距離しか歩かないようにしている ☐ はい ☐ いいえ
18. 腰痛のため，あまりよく眠れない（痛みのために睡眠薬を飲んでいる場合は「はい」を選択して下さい） ☐ はい ☐ いいえ
19. 腰痛のため，服を着るのを誰かに手伝ってもらう ☐ はい ☐ いいえ
20. 腰痛のため，一日の大半を，座って過ごす ☐ はい ☐ いいえ
21. 腰痛のため，家の仕事をするとき力仕事をしないようにしている ☐ はい ☐ いいえ
22. 腰痛のため，いつもより人に対していらいらしたり腹が立ったりする ☐ はい ☐ いいえ
23. 腰痛のため，いつもよりゆっくり階段を上る ☐ はい ☐ いいえ
24. 腰痛のため，大半の時間，ベッド（布団）の中にいる ☐ はい ☐ いいえ

RDQ日本語版　©2002, 2004 RDQ日本語版作成委員会 All rights reserved.
※RDQ日本語版は，個人の非営利目的の研究に使用する際は「RDQ日本語版マニュアル」をご購入いただきご使用ください．個人の非営利目的以外の使用については，使用登録が必要です．専用HP（http://www.qualitest.jp/）で手続きを行ってください．

［福原俊一（編著）：RDQ日本語版調査票．腰痛特異的QOL尺度　RDQ日本語版マニュアル　第2版, 2015, iHope International株式会社，京都．より許諾を得て転載］

9 日本整形外科学会腰痛評価質問票（JOABPEQ）

最近1週間ぐらいを思い出して、設問ごとに、あなたの状態にもっとも近いものの番号に○をつけてください。日や時間によって状態が変わる場合は、もっとも悪かったときのものをお答えください。

問1-1 腰痛を和らげるために、何回も姿勢を変える
　　1）はい　　　2）いいえ

問1-2 腰痛のため、いつもより横になって休むことが多い
　　1）はい　　　2）いいえ

問1-3 ほとんどいつも腰が痛い
　　1）はい　　　2）いいえ

問1-4 腰痛のため、あまりよく眠れない
（痛みのために睡眠薬を飲んでいる場合は「はい」を選択してください）
　　1）はい　　　2）いいえ

問2-1 腰痛のため、何かをするときに介助を頼むことがある
　　1）はい　　　2）いいえ

問2-2 腰痛のため、腰を曲げたりひざまづいたりしないようにしている
　　1）はい　　　2）いいえ

問2-3 腰痛のため、椅子からなかなか立ち上がれない
　　1）はい　　　2）いいえ

問2-4 腰痛のため、寝返りがうちにくい
　　1）はい　　　2）いいえ

問2-5 腰痛のため、靴下やストッキングをはく時苦労する
　　1）はい　　　2）いいえ

問2-6 あなたは、からだのぐあいが悪いことから、からだを前に曲げる・ひざまずく・かがむ動作をむずかしいと感じますか。どれかひとつでもむずかしく感じる場合は「感じる」としてください
　　1）とてもむずかしいと感じる　　　2）少しむずかしいと感じる
　　3）まったくむずかしいとは感じない

問3-1 腰痛のため、短い距離しか歩かないようにしている
　　1）はい　　　2）いいえ

問3-2 腰痛のため、1日の大半を、座って過ごす
　　1）はい　　　2）いいえ

問3-3 腰痛のため、いつもよりゆっくり階段を上る
　　1）はい　　　2）いいえ

問3-4 あなたは、からだのぐあいが悪いことから、階段で上の階へ上ることをむずかしいと感じますか
　　1）とてもむずかしいと感じる　　　2）少しむずかしいと感じる
　　3）まったくむずかしいとは感じない

問3-5 あなたは、からだのぐあいが悪いことから、15分以上つづけて歩くことをむずかしいと感じますか
  1）とてもむずかしいと感じる   2）少しむずかしいと感じる
  3）まったくむずかしいとは感じない

問4-1 腰痛のため、ふだんしている家の仕事を全くしていない
  1）はい 2）いいえ

問4-2 あなたは、からだのぐあいが悪いことから、仕事や普段の活動が思ったほどできなかったことがありましたか
  1）いつもできなかった   2）ほとんどいつもできなかった
  3）ときどきできないことがあった 4）ほとんどいつもできた
  5）いつもできた

問4-3 痛みのために、いつもの仕事はどのくらい妨げられましたか
  1）非常に妨げられた 2）かなり妨げられた 3）少し妨げられた
  4）あまり妨げられなかった 5）まったく妨げられなかった

問5-1 腰痛のため、いつもより人に対していらいらしたり腹が立ったりする
  1）はい 2）いいえ

問5-2 あなたの現在の健康状態をお答えください
  1）よくない 2）あまりよくない 3）よい 4）とてもよい 5）最高によい

問5-3 あなたは落ち込んでゆううつな気分を感じましたか
  1）いつも感じた   2）ほとんどいつも感じた 3）ときどき感じた
  4）ほとんど感じなかった 5）まったく感じなかった

問5-4 あなたは疲れ果てた感じでしたか
  1）いつも疲れ果てた感じだった
  2）ほとんどいつも疲れ果てた感じだった
  3）ときどき疲れ果てた感じだった
  4）ほとんど疲れを感じなかった
  5）まったく疲れを感じなかった

問5-5 あなたは楽しい気分でしたか
  1）まったく楽しくなかった 2）ほとんど楽しくなかった
  3）ときどき楽しい気分だった 4）ほとんどいつも楽しい気分だった
  5）いつも楽しい気分だった

問5-6 あなたは、自分は人並みに健康であると思いますか
  1）「人並みに健康である」とはまったく思わない
  2）「人並みに健康である」とはあまり思わない
  3）かろうじて「人並みに健康である」と思う
  4）ほぼ「人並みに健康である」と思う
  5）「人並みに健康である」と思う

問5-7 あなたは、自分の健康が悪くなるような気がしますか
  1）悪くなるような気が大いにする
  2）悪くなるような気が少しする
  3）悪くなるような気がするときもしないときもある
  4）悪くなるような気はあまりしない
  5）悪くなるような気はまったくしない

複写は可だが、改変を禁ずる
会員以外の無断使用を禁ずる。

© 2007 社団法人日本整形外科学会

「痛み（しびれ）が全くない状態」を0、「想像できるもっとも激しい痛み（しびれ）」を10と考えて、<u>最近1週間</u>で最も症状のひどい時の痛み（しびれ）の程度が、0から10の間のいくつぐらいで表せるかを下の線の上に記してください。

腰痛の程度　　　　　　0　　　　　　　　　　　　　10

殿部（おしり）・下肢痛　0　　　　　　　　　　　　　10
の程度

殿部（おしり）・下肢の　0　　　　　　　　　　　　　10
しびれの程度

　　　　　　　　　　　痛みがまったくない気持ちのよい状態　　　　　　想像できるもっとも激しい痛み（しびれ）

複写は可だが、改変を禁ずる
会員以外の無断使用を禁ずる。
© 2007 社団法人日本整形外科学会

[日本整形外科学会診断・評価等基準委員会 腰痛疾患および頚部脊髄症小委員会：日本整形外科学会腰痛評価質問票 JOA Back Pain Evaluation Questionnaire（JOABPEQ）使用の手引き（2007.3.8）．日整会誌 82(1)：64-73, 2008より許諾を得て転載]

10 JLEQ 日本語版

腰の状態についての質問表

Ｉ．腰の痛みの程度

次の線は「あなたの腰の痛みの程度」をおたずねするものです．左の端を「痛み無し」，右の端をこれまでに経験した「最も激しい痛み」としたときに，**この数日間のあなたの痛みの程度**はどのあたりでしょうか．

線の上でこのあたりと思われるところに×印をつけてください．

痛みなし   これまでに経験した
                                                  最も激しい痛み

Ⅱ．日常生活活動と腰の痛み

この「**数日間のあなたの腰の痛み**」についてお聞きします．あてはまる回答を1つ選び，□に✓をつけてください．

1. この数日間，**あお向けで寝ている**とき腰が痛みますか．
　　□痛くない　　□少し痛い　　□中程度痛い　　□かなり痛い　　□ひどく痛い

2. この数日間，**朝，起きて動き出す**とき腰が痛みますか．
　　□痛くない　　□少し痛い　　□中程度痛い　　□かなり痛い　　□ひどく痛い

3. この数日間，**椅子に腰かけている**とき腰が痛みますか．
　　□痛くない　　□少し痛い　　□中程度痛い　　□かなり痛い　　□ひどく痛い

4. この数日間，**立ち上がるときやしゃがみこむ**とき腰が痛みますか．
　　□痛くない　　□少し痛い　　□中程度痛い　　□かなり痛い　　□ひどく痛い

5. この数日間，**立っている**とき腰が痛みますか．
　　□痛くない　　□少し痛い　　□中程度痛い　　□かなり痛い　　□ひどく痛い

6. この数日間，**前かがみになる**とき腰が痛みますか．
　　□痛くない　　□少し痛い　　□中程度痛い　　□かなり痛い　　□ひどく痛い

7. この数日間，**腰をそらす**とき腰が痛みますか．
　　□痛くない　　□少し痛い　　□中程度痛い　　□かなり痛い　　□ひどく痛い

Ⅲ．腰の痛みによる生活上の問題

この「**数日間のあなたの腰の痛みによる生活上の問題**」についてお聞きします．あてはまる回答を1つ選び，□に✓をつけてください．

8. この数日間，**同じ姿勢を続ける**のはどの程度つらいですか．
　　□つらくはない　　　□少しつらい　　　□ときどき姿勢を変えないとつらい
　　□しばしば姿勢を変えないとつらい　　　□つねにつらくて，じっとしていられない

9. この数日間，腰痛のため，**寝返り**はどの程度**困難**ですか．
　　□困難はない　　□少し困難　　□中程度困難　　□かなり困難　　□ひどく困難

10. この数日間，腰痛のため，**朝，起き上がる**のはどの程度**困難**ですか．
　　□困難はない　　□少し困難　　□中程度困難　　□かなり困難　　□ひどく困難

11. この数日間，腰痛のため，**からだを動かす**のはどの程度**困難**ですか．
　　□困難はない　　□少し困難　　□中程度困難　　□かなり困難　　□ひどく困難

12. この数日間，腰痛のため，**椅子や洋式トイレからの立ち上がり**はどの程度**困難**ですか．
　　□困難はない　　□少し困難　　□中程度困難　　□かなり困難　　□ひどく困難

13. この数日間，腰痛のため，**階段の昇り降り**はどの程度**困難**ですか．
　　□困難はない　　□少し困難　　□中程度困難　　□かなり困難　　□ひどく困難

14. この数日間，腰痛のため，**クツ下やストッキングをはく**のはどの程度**困難**ですか．
　　□困難はない　　□少し困難　　□中程度困難　　□かなり困難　　□ひどく困難

15. この数日間，腰痛のため，**ズボンやパンツの上げ下ろし**はどの程度**困難**ですか．
　　□困難はない　　□少し困難　　□中程度困難　　□かなり困難　　□ひどく困難

16. この数日間，腰痛のため，**床にある3〜4キログラム（1升ビン2本，または2ℓ入りのペットボトル2本）程度のものを持ち上げようとする**のはどの程度**困難**ですか．
　　□困難はない　　□少し困難　　□中程度困難　　□かなり困難　　□ひどく困難

17. この数日間，腰痛のため，**腰を捻って後ろのものをとろうとする**のはどの程度**困難**ですか．
　　□困難はない　　□少し困難　　□中程度困難　　□かなり困難　　□ひどく困難

18. この数日間，腰痛のため，**戸外を歩く**のがどの程度に**制限**されていますか．
　　□1時間以上歩ける　　　□30分程度は歩ける　　　□10〜15分程度しか歩けない
　　□2，3分程度しか歩けない　　□ほとんど戸外を歩けない

19. この数日間，腰痛のため，**簡単な作業や家事（ものを片づける，食事に準備をするなど）**はどの程度**つらい**ですか．
　　□つらくない　　□少しつらい　　□中程度つらい　　□かなりつらい
　　□ひどくつらい

20. この数日間，腰痛のため，**負担のかかる作業や家事（重いものを運ぶ，家の外の掃除など）**はどの程度**つらい**ですか．
　　□つらくない　　□少しつらい　　□中程度つらい　　□かなりつらい
　　□ひどくつらい

21. この数日間，腰痛のため，**横になって休みたい**と思いましたか．
　　□思わなかった　　□たまに思った　　□ときどき思った　　□しばしば思った
　　□いつも思っていた

22. この数日間，腰痛のため，**仕事や学校，ふだんの作業や家事を差しひかえたい**と思いましたか．
    ☐思わなかった　　☐たまに思った　　☐ときどき思った　　☐しばしば思った
    ☐いつも思っていた

23. この数日間，腰痛のため，**夜よく眠れない**ことがありましたか．
    ☐腰痛のためによく眠れないことはなかった　　☐一晩ほどよく眠れないことがあった
    ☐よく眠れるときと眠れないときが半々だった　　☐よく眠れない夜の方が多かった
    ☐毎晩のようによく眠れなかった

24. この数日間の腰の状態からみて，**遠くへの外出はむずかしい**と思いますか．
    ☐むずかしくないと思う　　☐少しむずかしいと思う　　☐中程度むずかしいと思う
    ☐かなりむずかしいと思う　　☐全く無理だと思う

IV．健康・精神状態など
この1カ月間の状態について，お聞きします．あてはまる回答を1つ選び，☐に✓をつけてください．

25. この1カ月間，腰痛のため，**近所への外出を差しひかえたり**しましたか．
    ☐差しひかえることはなかった　　☐1，2回差しひかえた　　☐ときどき差しひかえた
    ☐しばしば差しひかえた　　☐全く外出しなかった

26. この1カ月間，腰痛のため，**ふだんしていること（友人とのつきあい，スポーツ活動，趣味活動**など）を**制限**しましたか．
    ☐制限しなかった　　☐少し制限した　　☐半分程度制限した　　☐かなり制限した
    ☐全くやめていた

27. この1カ月間，腰痛のため，**職場や学校を休日以外に休んだり，ふだんしている家事を休んだり**しましたか．
    ☐休まなかった　　☐1～3日休んだ　　☐数日以上休んだ　　☐半分程度休んだ
    ☐ほとんど休んだ

28. この1カ月間，腰痛のため**気分がすぐれない**ことがありましたか．
    ☐気分がすぐれないことはなかった　　☐たまに気分がすぐれなかった
    ☐ときどき気分がすぐれなかった　　☐気分がすぐれないときが多かった
    ☐つねに気分がすぐれなかった

29. この1カ月間，腰痛はあなたの**精神状態に悪く影響**していると思いますか．
    ☐全く影響はない　　☐少し悪い影響がある　　☐中程度悪い影響がある
    ☐かなり悪い影響がある　　☐ひどく悪い影響がある

30. この1カ月間，腰痛はあなたの**健康状態に悪く影響**していると思いますか．
    ☐全く影響はない　　☐少し悪い影響がある　　☐中程度悪い影響がある
    ☐かなり悪い影響がある　　☐ひどく悪い影響がある

ご記入もれがないか，もう一度ご確認下さい．

［白土　修，土肥徳秀，赤居正美ほか：疾患特異的・患者立脚型慢性腰痛症患者機能評価尺度；JLEQ（Japan Low back pain Evaluation Questionnaire）．日本腰痛会誌13(1)：225-235，2007より許諾を得て転載］
最も軽症の選択肢を0点，最も重症の選択肢を4点とし，中間の選択肢には症状の重症度に応じてそれぞれ2，3の数値をあてはめます．合計が最小の0点，最大120点となり，点数が大きい程，QOLが低いことを意味します．

11 日本整形外科学会頚部脊髄症評価質問票（JOACMEQ）

最近1週間ぐらいを思い出して、設問ごとに、あなたの状態にもっとも近いものの番号に○をつけてください。日や時間によって状態が変わる場合は、もっとも悪かったときのものをお答えください。

問1-1 いすに腰掛けて、首だけを動かして、自分の真上の天井をみることができますか
　　1) できない　　2) 無理をすればできる　　3) 不自由なくできる

問1-2 コップの水を一気に飲み干すことができますか
　　1) できない　　2) 無理をすればできる　　3) 不自由なくできる

問1-3 いすに座って、後ろの席に座った人の顔を見ながら話をすることが出来ますか
　　1) できない　　2) 無理をすればできる　　3) 不自由なくできる

問1-4 階段を下りるときに、足元を見ることができますか
　　1) できない　　2) 無理をすればできる　　3) 不自由なくできる

問2-1 ブラウスやワイシャツなどの前ボタンを両手を使ってかけることができますか
　　1) できない　　2) 時間をかければできる　　3) 不自由なくできる

問2-2 きき手でスプーンやフォークを使って食事ができますか
　　1) できない　　2) 時間をかければできる　　3) 不自由なくできる

問2-3 片手をあげることができますか（左右の手のうち悪いほうで答えてください）
　　1) できない　　2) 途中まで（肩の高さぐらいまで）ならあげることができる
　　3) すこし手が曲がるが上にあげることができる　　4) まっすぐ上にあげることができる

問3-1 平らな場所を歩くことができますか
　　1) できない
　　2) 支持（手すり、杖、歩行器など）を使ってもゆっくりとしか歩くことができない
　　3) 支持（手すり、杖、歩行器など）があれば、歩くことができる
　　4) ゆっくりとならば歩くことができる
　　5) 不自由なく歩くことができる

問3-2 手で支えずに片足立ちができますか
　　1) どちらの足もほとんどできない
　　2) どちらかの足は10秒数えるまではできない
　　3) 両足とも10秒数える間以上できる

問3-3 あなたは、からだのぐあいが悪いことから、階段で上の階へ上ることをむずかしいと感じますか
　　1) とてもむずかしいと感じる　　2) 少しむずかしいと感じる
　　3) まったくむずかしいとは感じない

問3-4 あなたは、からだのぐあいが悪いことから、体を前に曲げる・ひざまずく・かがむ動作をむずかしいと感じますか。どれかひとつでもむずかしく感じる場合は「感じる」としてください
　　1) とてもむずかしいと感じる　　2) 少しむずかしいと感じる
　　3) まったくむずかしいとは感じない

問3-5 あなたは、からだのぐあいが悪いことから、15分以上つづけて歩くことをむずかしいと感じますか
　　1) とてもむずかしいと感じる　　2) 少しむずかしいと感じる
　　3) まったくむずかしいとは感じない

問4-1 おしっこ（尿）を漏らすことがありますか
　　1）いつも漏れる　2）しばしば漏れる　3）2時間以上おしっこ（排尿）しないと漏れる
　　4）くしゃみや気張ったときに漏れる　5）まったくない

問4-2 夜中に、トイレ（おしっこ（排尿））に起きますか
　　1）一晩に3回以上起きる　2）一晩に1、2回起きる　3）ほとんど起きることはない

問4-3 おしっこ（排尿）の後も、尿の残った感じがありますか
　　1）たいていのときにある　2）あるときとないときがある　3）ほとんどのときにない

問4-4 便器の前で（便器に座って）、すぐにおしっこ（尿）が出ますか
　　1）たいていのときすぐには出ない　2）すぐに出るときとすぐには出ないときがある
　　3）ほとんどのときすぐに出る

問5-1 あなたの現在の健康状態をお答えください
　　1）よくない　2）あまりよくない　3）よい　4）とてもよい　5）最高によい

問5-2 あなたは、からだのぐあいが悪いことから、仕事や普段の活動が思ったほどできなかったことがありましたか
　　1）いつもできなかった　　　　2）ほとんどいつもできなかった
　　3）ときどきできないことがあった　4）ほとんどいつもできた　　　5）いつもできた

問5-3 痛みのために、いつもの仕事はどのくらい妨げられましたか
　　1）非常に妨げられた　2）かなり妨げられた　3）少し妨げられた
　　4）あまり妨げられなかった　5）まったく妨げられなかった

問5-4 あなたは落ち込んでゆううつな気分を感じましたか
　　1）いつも感じた　2）ほとんどいつも感じた　3）ときどき感じた
　　4）ほとんど感じなかった　5）まったく感じなかった

問5-5 あなたは疲れ果てた感じでしたか
　　1）いつも疲れ果てた感じだった　2）ほとんどいつも疲れ果てた感じだった
　　3）ときどき疲れ果てた感じだった　4）ほとんど疲れを感じなかった
　　5）まったく疲れを感じなかった

問5-6 あなたは楽しい気分でしたか
　　1）まったく楽しくなかった　2）ほとんど楽しくなかった
　　3）ときどき楽しい気分だった　4）ほとんどいつも楽しい気分だった
　　5）いつも楽しい気分だった

問5-7 あなたは、自分は人並みに健康であると思いますか
　　1）「人並みに健康である」とはまったく思わない
　　2）「人並みに健康である」とはあまり思わない
　　3）かろうじて「人並みに健康である」と思う
　　4）ほぼ「人並みに健康である」と思う
　　5）「人並みに健康である」と思う

問5-8 あなたは、自分の健康が悪くなるような気がしますか
　　1）悪くなるような気が大いにする
　　2）悪くなるような気が少しする
　　3）悪くなるような気がするときもしないときもある
　　4）悪くなるような気はあまりしない
　　5）悪くなるような気はまったくしない

複写は可だが、改変を禁ずる
会員以外の無断使用を禁ずる。

© 2007 社団法人日本整形外科学会

次の各症状について、「痛みやしびれが全くない状態」を0、「想像できるもっともひどい状態」を10と考えて、<u>最近1週間で</u>最も症状のひどい時の痛みやしびれの程度が、0から10の間のいくつぐらいで表せるかを線の上に記してください。

くびや肩の痛みやこりがある場合、その程度は
0 ├──────────────────────┤ 10

胸を締め付けられる様な感じがある場合、その程度は
0 ├──────────────────────┤ 10

腕や手に痛みやしびれがある場合、その程度は（両手にある場合はひどい方）
0 ├──────────────────────┤ 10

胸から足先にかけて**痛みやしびれ**がある場合、その程度は
0 ├──────────────────────┤ 10

まったくない　　　　　　　　　　　想像できるもっともひどい状態

複写は可だが、改変を禁ずる
会員以外の無断使用を禁ずる。
© 2007 社団法人日本整形外科学会

[日本整形外科学会診断・評価等基準委員会　腰痛疾患および頚部脊髄症小委員会：日本整形外科学会頚部脊髄症評価質問票 JOA Cervical Myelopathy Evaluation Questionnaire（JOACMEQ）使用の手引き（2007.3.8）. 日整会誌82(1)：74-83，2008より許諾を得て転載]

参考図書

I章, II章

1. 石田　暉：ハイリスク患者に対するリハビリテーション：東海大学の場合．総合リハ17：345-348, 1989
2. 大川嗣雄ほか：車いす，医学書院，1987
3. 加倉井周一（編）：リハビリテーション機器―適応と選択―，医学書院，1989
4. 日本整形外科学会，日本リハビリテーション医学会編：義肢装具のチェックポイント，第8版，医学書院，2014
5. 篠田知璋（編）：医療の中の人間関係．医療の人間学1，講談社，1993
6. 野原隆司ほか：心血管疾患におけるリハビリテーションに関するガイドライン（2012年改訂版），日本循環器学会
7. 日本リハビリテーション医学会　リハビリテーション医療における安全管理・推進のためのガイドライン策定委員会（編）：リハビリテーション医療における安全管理・推進のためのガイドライン，第2版，診断と治療社，2018

III章

[A　脳疾患]

1. 福井圀彦（原著），前田眞治（著）：老人のリハビリテーション，第8版，医学書院，2016
2. 荒木信夫，大櫛陽一，小林祥泰：病型別・年代別頻度―欧米・アジアとの比較（小林祥泰編），脳卒中データバンク2009，p. 22-23，中山書店，2009
3. 米本恭三，石上重信，石田　暉ほか（編）：リハビリテーションにおける評価，J Clin Rehabil別冊，医歯薬出版，1996
4. 米本恭三，石上重信，浅山　滉ほか（編）：実践リハ処方，J Clin Rehabil別冊，医歯薬出版，1996
5. 日本脳卒中合同ガイドライン委員会（編）：脳卒中ガイドライン2015，協和企画
6. 端　和夫，上出延治（監修）：脳卒中臨床マニュアル，シュプリンガー・フェアラーク，1998
7. Special report from the national institute of neurological disorders and stroke. Classification of cerebrovascular disease III. Stroke 21：637-676, 1990
8. 高木　誠：脳梗塞―臨床病型の鑑別法．ブレインアタック―超急性期の脳卒中診療（藤井清孝，岡田　靖編），中山書店，p. 106-116, 1999
9. 伊藤利之，江藤文夫（編）：新版日常生活活動（ADL），第2版，医歯薬出版，2020
10. 日本リハビリテーション医学会（編）：リハビリテーション医療における安全管理・推進のためのガイドライン，第2版，診断と治療社，2018
11. 千野直一：脳卒中痙性麻痺のボツリヌス治療，フェノール神経ブロックを含めて，金原出版，2011
12. 石合純夫：高次脳機能障害学，第2版，医歯薬出版，2012
13. 厚生労働省社会・援護局障害保健福祉部，国立障害者リハビリテーションセンター（編）：高次脳機能障害者支援の手引き，第2版，2008
14. 日本脳神経外科学会（編）：頭部外傷治療・管理のガイドライン，第4版，医学書院，2019
15. 石田　暉（編著）：ケアスタッフと患者・家族のための頭部外傷，医歯薬出版，2005
16. 大沢愛子（監）：高次脳機能障害ビジュアル大事典，メディカ出版，2020

[B　脊髄疾患]

1. Mizukami, et al.：Relationship between functional levels and movement in tetraplegic patients. A retrospective study. Paraplegia 13：189-194, 1995
2. 日本排尿機能学会／日本泌尿器科学会（編）：二分脊椎に伴う下部尿路機能障害の診療ガイドライン2017年版，リッチヒルメディカル，2017
3. 日本神経学会／日本神経治療学会／日本神経免疫学会／日本神経感染症学会／日本HTLV-1学会／日本移植学会（監修）：HTLV-1関連脊髄症（HAM）診療ガイドライン2019―HTLV-1陽性関節リウマチ＆HTLV-1陽性臓器移植　診療の対応を含めて，南江堂，2019

[D　小児疾患]

1. 今川忠男（監訳）：脳性まひ児の早期治療，第2版（Alfred L Scherzer ed. 原著第3版），医学書院，2003
2. 伊藤利之（監修）：こどものリハビリテーション医学，第3版，医学書院，2017
3. 穐山富太郎，川口幸義，大城昌平（編著）：脳性麻痺ハンドブック，第2版，医歯薬出版，2015
4. 中島雅之輔：脳性麻痺の療育．神経疾患のリハビリテーション（平井俊策，江藤文夫編），第2版，南山堂，p. 187-213, 1997
5. 日本リハビリテーション医学会（監修）：脳性麻痺リハビリテーションガイドライン，第2版，金原出版，2014

[E　神経筋疾患]

1. 川平和美（編）：神経内科学，第3版，医学書院，2009
2. 日本神経学会（監修）：多発性硬化症・視神経脊髄炎治療ガイドライン2017，医学書院，2017
3. 日本神経学会（監修）：重症筋無力症診療ガイドライン2014，南江堂，2014

[F 末梢神経障害]
1. Liveson JA（著），栢森良二（訳）：末梢神経学 ケース・スタディ，西村書店，2010
2. 栢森良二：神経伝導検査テキスト，医歯薬出版，2012
3. Stewart JD：Ulnar Nerve, Focal peripheral neuropathies, 3rd ed, Lippincott Williams &Wilkins, Philadelphia, pp241-279, 2000
4. Kimura J（著），栢森良二（訳）：新 神経・筋疾患の電気診断学，西村書店，2019
5. 栢森良二：電気生理学的検査，手外科診療ハンドブック，第3版，南江堂，2021
6. Orfit：Anti-claw hand orthosis. <https://www.orfit.com/about/>（最終アクセス：2021年12月）

[H 外傷]
1. 拘縮に対する予防と治療―主として外傷性拘縮，第27回新潟手の外科セミナー・テキスト，p. 308-321，財団法人新潟手の外科研究所
2. 拘縮手のセラピー，第20回新潟手のリハビリテーション研修会・テキスト，p. 439-451，財団法人新潟手の外科研究所
3. 吉津孝衛ほか：手掌部深指屈筋腱断裂への橋渡し腱移植後の早期自動屈曲・伸展運動，日手会誌20：699-703，2003
4. 牧 裕ほか：屈筋腱縫合後の早期自動運動療法とセラピストの関わりかた，整・災外48：823-828，2005

[J 内部障害]
1. 野原隆司ほか：心血管疾患におけるリハビリテーションに関するガイドライン（2012年改訂版），日本循環器学会
2. 日本呼吸ケア・リハビリテーション学会，日本呼吸器学会，日本リハビリテーション医学会，日本理学療法士協会：呼吸リハビリテーションマニュアル―運動療法―，第2版，照林社，2012
3. 木全心一（監修）：狭心症・心筋梗塞のリハビリテーション，改訂第4版，南江堂，2009

[K 末梢循環障害]
1. 日本循環器学会ほか（編）：末梢閉塞性動脈疾患の治療ガイドライン2015年改訂版，2015
2. 日本脈管学会（編）：下肢閉塞性動脈硬化症の診断・治療指針II，メディカルトリビューン，2007
3. 日本リンパ浮腫研究会（編）：リンパ浮腫診療ガイドライン2018年版，金原出版，2018
4. リンパ浮腫療法士認定機構（編）：リンパ浮腫診断治療指針2013，メディカルトリビューン，2013
5. 日本リハビリテーション医学会 がんのリハビリテーション診療ガイドライン改訂委員会（編）：がんのリハビリテーション診療ガイドライン，第2版，金原出版，2019
6. 伊藤正明ほか：肺血栓塞栓症および深部静脈血栓症の診断，治療，予防に関するガイドライン（2017年改訂版），日本循環器学会，2018

[M がん・悪性腫瘍]
1. 辻 哲也（編）：がんのリハビリテーション，医学書院，2018
2. 石川 朗ほか（編）：がんのリハビリテーション，中山書店，2020
3. 日本リハビリテーション医学会 がんのリハビリテーション診療ガイドライン改訂委員会（編）：がんのリハビリテーション診療ガイドライン，第2版，金原出版，2019

[N 高齢者のリハビリテーション]
1. 総務省統計局：統計からみた我が国の高齢者，<https://www.stat.go.jp/data/topics/topi1211.html>（最終アクセス：2021年12月）
2. 厚生労働省：令和元年国民生活基礎調査，2019
3. 上田 敏：目でみるリハビリテーション医学，第2版，東京大学出版会，1994
4. 林 拓男ほか（編）：地域リハビリテーション，医学書院，2001
5. 日本老年医学会（編）：老年医学テキスト，第3版，メジカルビュー社，2008
6. 林 泰史ほか（編）：高齢者診療マニュアル，日本医師会，2009
7. 福井圀彦（原著），前田眞治（著）：老人のリハビリテーション，第8版，医学書院，2016
8. 島田浩之ほか（編）：高齢者理学療法学，医歯薬出版株式会社，2017
9. 日本リハビリテーション医学会（編）：リハビリテーション医療における安全管理・推進のためのガイドライン，第2版，診断と治療社，2018
10. 浦野友彦：特集 高齢者診療のトピック，トピックスV. 骨粗鬆症と骨折（ロコモティブシンドロームを含む），日内会誌107(12)：2451-2460，2018
11. 日本老年医学会ほか（編）：高齢者在宅医療・介護サービスガイドライン2019，日本老年医学会／日本在宅医学会／国立長寿医療研究センター，2019
12. 永田康浩：2019年度日本内科学会生涯教育講演会Bセッション（地域包括ケアシステムにおける医療のこれから），日内会誌109(3)：540-544，2020
13. 木村琢磨：特集 高齢者診療のトピック，トピックスI，老年症候群と高齢者総合的機能評価，日内会誌，107(12)：2420-2429，2018
14. 日本老年医学会：フレイルに関する日本老年医学会からのステートメント，2014
15. 日本歯科医師会：歯科診療所におけるオーラルフレイル対応マニュアル2019年版，2019
16. 厚生労働省：令和元年国民生活基礎調査の概況，2019
17. 鳥羽研二ほか：転倒リスク予測のための「転倒スコア」の開発と妥当性の検証，日老医誌42：346-352，2005

[O その他の疾患]
1. 黒川幸雄ほか（編）：臨床理学療法マニュアル，南江堂，p. 456-460，1996
2. 梶 龍兒，目崎高広：ジストニアとボツリヌス治療，診断と治療社，1996

和文索引

五十音順

アキレス腱断裂　264
悪液質進行がん　346
悪性関節リウマチ　183
朝のこわばり　171
足継手　89
足踏み反射　51
アシュワース尺度　35
アシュワース尺度変法　141
アスレチックリハビリテーション　256, 267
アダムキービッツ動脈　139, 160
圧迫療法　325
アテトーゼ　188, 190
アテローム血栓性脳梗塞　107
アドバンス・ケア・プランニング　350
アヒル歩行　221
アロディニア　267
安静時振戦　210
アンダーソン・土肥基準　362

い

息切れスケール　307
育成医療制度　205
意識障害　24
移乗　154
移乗動作訓練　151
異常歩行　61
移植片対宿主病　350
異所性骨化　147
一側性周期性放電　131
医療型障害児入所施設　208
医療福祉士　16
イリングワースの基準　197
インストルメント　149
インテリジェント膝継手　89
咽頭残留　56
院内感染　80
インフォームド・コンセント　344, 353

う

ウィスコンシンカード分類検査　46
ウィリアムズ型腰仙椎屈曲装具　288
ウィルヒョー　324
ウートフ徴候　213

ウェクスラー児童用知能検査　195
ウェクスラー小児知能検査　39
ウェクスラー成人知能検査　39
ウェクスラー未就学児童知能検査　39
ウエスタン失語症総合検査　43
ウェルニッケ失語　85
ウォーキングサイクル　60
内田・クレペリン精神検査　48
腕落下徴候　244
運動維持困難　45
運動恐怖感　269
運動失語　85
運動失調　34, 188
運動障害　25, 81, 143, 227
運動スコア　141
運動ニューロン疾患　216
運動年齢検査　49, 196
運動負荷試験　57, 70, 72, 298
運動麻痺　26
運動誘発電位　68
運動浴　83
運動療法　280

エネルギー蓄積型足部　89, 335, 336
エバンス分類　260
エファプス　268
エルプ・デュシェンヌ麻痺　232
鉛管様強剛　210
鉛管様現象　191
嚥下造影検査　78, 86
遠城寺式乳幼児分析的発達検査法　49, 197

お

横断型　139
大振り歩行　154
折りたたみナイフ現象　189

か

ガーデン分類　260
下位運動ニューロン　26
絵画統覚検査　48
絵画欲求不満テスト　48

開胸開腹手術　348
介護支援専門員　372
介護保険　19
介護保険制度　96
介護保険法　370
　　──で定める特定疾病　372
介護保険法下でのサービス内容　371
外傷後健忘　24, 125
外傷性頸部症候群　293
外傷性脊髄空洞症　147
外傷性脳損傷　122
介助自動運動　117
介助者導尿　144
外側型出血　105
外側脊髄視床路　138
外側皮質脊髄路　138, 139
改訂長谷川式簡易知能評価スケール　41, 390
改訂版ウェクスラー記憶尺度　46
改訂水飲みテスト　56
外的リスクファクター　79
外反扁平足変形　190
解離性（転換性）障害　380
解離性感覚障害　160
解離性記憶障害　345
カウザルギー　230, 267
カウプ指数　48
カウンセリング　96, 381
家屋改修　153, 154
化学療法　349
踵接地　60
鏡療法　342
鉤爪手変形　238
核・核下型　144
殻構造　336
殻構造型義手　337
殻構造型義足　87
拡散強調画像　77
核上型神経因性膀胱　144
学童期　159
過計測症　192
下肢伸展挙上訓練　251
下肢伸展挙上テスト　277, 284
下肢装具　90
荷重ブレーキ付単軸膝継手　336
下垂指　240
ガスティロ分類　257
仮性球麻痺　113

仮性肥大　221
画像診断　75
加速期　60
家族療法　381
肩関節亜脱臼　120
肩関節疾患治療成績判定基準　392
肩関節周囲炎　242
肩手症候群　120
カッツ・インデックス　64
活動　9
活動制限　13
家庭復帰　147
カテーテル留置　144
寡動　211
金縛り状態　235
カナディアン股義足　89
過敏帯　143
仮面様顔貌　211
過用症候　362
過用性筋力低下　230
硝子様変性　109
ガラン反射　52
渦流浴　83
ガルベストン見当識・健忘検査　24
カルボーネン法　353
加齢　353
加齢に伴う身体の生理機能の変化　353, 354
簡易上肢機能検査　64
簡易知能検査　41
簡易疼痛質問票　268
感覚異常帯　143
感覚運動アプローチ　199
感覚失語　85
感覚障害　36, 143, 227
感覚統合障害　190
感覚統合療法　200
感覚レベル　141
がん関連疲労　345
換気機能障害　60
環境因子　9
環境制御装置　153
　　──操作　151
眼瞼下垂　215
関係法規　17
間欠的空気圧迫療法　325
看護師　16
環軸関節亜脱臼　174
患者報告アウトカム　5
間接嚥下訓練　86
関節可動域　25
関節可動域表示ならびに測定法　384
関節拘縮　146
関節拘縮予防　149
関節保護技術　178

関節リウマチ　165
完全参加と平等　5
完全麻痺　141
乾熱　82
観念運動失行　45
観念失行　45
顔面肩甲上腕型筋ジストロフィー　220
顔面神経　240
緩和ケア　350

キアリ奇形　161
　　──Ⅱ型　157
キーマッスル　137, 141
記憶指数　46
記憶障害　46
偽関節　256
危険因子　79
義肢装具士　17
義手　87, 336
義足　87, 331
基電流　69
機能障害　7, 13, 143
機能的側弯症　291
機能的電気刺激　83, 154, 201
ギプス包帯法　332
基本的ボディメカニクス　280
基本動作訓練　151, 154
キャスター上げ　154
臼蓋形成不全　246
急降下爆撃音　68, 221
急性運動軸索型ニューロパチー　235
急性炎症性脱髄性多発ニューロパチー　235
急性硬膜外血腫　123
急性硬膜下血腫　124
急性腰痛症　275
吸着式ソケット　88, 335
吸啜反射　51
9の法則　375
胸郭出口症候群　233
　　──の診断テスト　234
強剛　188
狭心症　296
胸髄　137
経頭蓋磁気刺激　68
行政　17
強直　33
強直性脊椎炎　184
胸椎黄色靱帯骨化症　289
共同運動　27
局所性ジストニー　381
局所性脳損傷　123
極低出生体重児　186

ギラン・バレー症候群　235
起立訓練　150, 153
起立性低血圧　145, 150
キリップ分類　295
筋萎縮性側索硬化症　216
緊急避難行動　97
筋強直性ジストロフィー　221
筋緊張低下　188
筋緊張低下児　189, 205
筋緊張低下児症候群　206
筋固定法　329
緊張性アテトーゼ　191
緊張性迷路反射　27, 51
筋電義手　89, 339
筋電図　68
筋電図バイオフィードバック療法　382
筋トーヌスの異常　27, 34
筋縫合固定法　329
筋縫合法　329
筋力強化　149, 153, 154
筋力低下　28

空洞短絡術　162
グッドイナフ人物画知能検査　49, 50
ぐにゃぐにゃ児　205
くも膜下出血　105
グラスゴー昏睡尺度　24
クランプケ麻痺　232
クリーンルーム　350
グリソン係蹄　283
グリップ・ミオトニー　221
クルーケンベルグ切断　329
車いす　94, 153, 204
　　──の分類　94
車いす駆動訓練　151
車いす操作　154
クローヌス（間代）　38, 189
クロナキシー　69
クロナキシーメータ　69

ケアマネジャー　372
頸肩腕症候群　292
痙縮　34, 145
　　──の評価　141
頸髄　137
頸髄症治療成績判定基準　283, 395
頸髄損傷　136
痙性斜頸　381
痙性歩行　62, 282
痙性麻痺　136, 143
痙直　188

痙直型　189
頸椎後縦靭帯骨化症　289
頸椎椎間板ヘルニア　280
頸椎捻挫　293
ケイデンス　61
経尿道的尿道括約筋切開術　144
頸の立ち直り反射　51
経皮的末梢神経電気刺激　83, 269
鶏歩　63
ゲセル　49
血圧　75
血液がん　350
血液透析　318
楔状束　138
楔状足底挿板　251
血栓症　145
血友病性関節症　251
血友病性偽腫瘍　252
ケニーの身辺処理評価　64
ゲルストマン症候群　45
牽引療法　279
肩甲上腕リズム　242
健康調査票　47
言語学習能力検査　49
言語障害　41
言語性記憶　46
言語聴覚士　15
言語療法　85
顕在性不安尺度　47, 141
幻肢覚　341
幻肢痛　341
原始反射　185, 193
　　──の出現時期　193
減衰現象　215
減速期　60
腱板損傷　244
ケンプテスト　287
肩峰下滑液包炎　244
健忘失語　86

高位脛骨骨切り術　251
構音障害　42, 86
交感神経節前線維　145
後期高齢者医療制度　19
高血圧　302
高血圧性脳内出血　103
後骨間神経麻痺　239, 240
交互歩行装具　91, 147, 154, 160
後索　138
交叉性伸展反射　50
高次脳機能障害　43, 126
拘縮　33
構成失行　45
後脊髄動脈　139

拘束運動療法　120
後側部型　139
叩打　144
構築性側弯症　290
後天性免疫不全症候群　81, 379
喉頭侵入　56
行動療法　381
公認心理師　16
高熱症候群　194
後方長皮弁　331
硬膜外・神経根ブロック　288
絞扼性ニューロパチー　237
高齢患者に対するリハビリテーション
　　療法上の留意点　365
高齢者　352
　　──の疾患　359
　　──の心理・精神・知的特性
　　　358, 359
　　──の歩行特性　355
　　──のリハビリテーション　352,
　　　360
高齢者医療　373
高齢者脊髄損傷の特徴　155
高齢者総合的機能評価　360
後弯　277
誤嚥　56
コース立方体組み合わせテスト　39
コーネル健康調査指数　47, 141
ゴール設定　369
股関節機能判定基準　393
小刻み歩行　63, 211
股義足　89
呼吸機能検査　69
呼吸機能障害　59
呼吸筋麻痺　143
呼吸障害　143
呼吸不全　59
呼吸理学療法　149
呼吸リハビリテーション　313
催眠療法　381
国際障害者年　5
国際障害分類　7
国際生活機能分類　7, 8
国際脊髄学会　139
国際尿禁制学会　54
国際標準化身体活動質問票　269
極超短波　82
国立精研式痴呆スクリーニングテスト
　　41
固縮　34, 188
個人因子　9
骨萎縮　147
骨格筋量の測定方法　356
骨格構造型義手　87, 337
骨関連事象　349
骨腫瘍　349
骨髄移植　350

骨折　255
骨粗鬆症　355
コッドマン体操　243
骨盤位分娩　235
骨盤帯付長下肢装具　147, 154, 157,
　　160
骨盤内臓神経　145
孤独死　97
子どものための機能的自立度評価法
　　143, 159, 197
子どもの能力低下評価法　49, 197
ゴニオメーター　62
5年生存率　343
コノリーの他動伸張訓練　243
コブ角　291
小振り歩行　154
固有受容性神経筋促通法　199, 218
誤用症候　362
誤用性損傷　230
コンサルテーションリエゾン　381
コンパートメント症候群　256, 258
コンパートメント内圧上昇　270
コンピューター断層撮影　76
コンピューター制御膝継手　336

サーモグラフィー　268
座位　154
座位開始の一般的基準　80
座位訓練　150
最小意識状態　134
臍帯血移植　350
最大酸素摂取量　33, 72, 353
在宅医療　373
座位保持　147
座位保持装置　93, 203
催眠療法　381
在来型ソケット　88
作業検査法　48
作業用義手　337
作業療法士　15
坐骨支持長下肢装具　91
坐骨収納型ソケット　89, 335
坐骨神経痛性側弯　291
挫滅症候群　256
サルコペニア　355
　　──の診断アルゴリズム　357
猿手　237
参加　9
三角筋　137
参加制約　13
三関節複合体　275, 277
ザンコリ分類　139
三肢麻痺　188
三重積　58

残存筋筋力強化 151
サンダーランド分類 227
残尿測定 55, 74
残尿量の測定 55

シェントン線 248
時値 69
視覚性記憶 46
視覚的アナログスケール 37, 268, 277
自覚的運動強度 72
視覚的文字抹消検査 46
視覚誘発電位 68
弛緩性麻痺 136, 143
時間内歩行試験 72
磁気共鳴画像 76
持久力低下 32
軸索変性 225
自己懸垂作用 335
自己効力感 269
脂質異常症 303
四肢麻痺 136, 188
思春期・若年成人世代 346
指床間距離 277
事象関連電位 68
視床出血 105
自助具 84, 95
ジスキネジア 188
視性立ち直り反射 52
姿勢反射 27, 193
肢節運動失行 45
持続的自己管理腹膜透析 318
持続的他動運動療法 251
肢帯型筋ジストロフィー 220
肢体不自由児 206
膝蓋骨のセッティング 259
失外套症候群 134
疾患修飾性抗リウマチ薬 167
失禁 54
失行 45
失語症 42
失調性歩行 62
失認 43
湿熱 82
質問紙法 47
実用コミュニケーション能力検査 43
指定難病 289
自転車エルゴメーター 57, 72
自動運動 117
自動車運転 154
児童福祉法 2, 17, 18
自動歩行 51
シネプラスティー 329
支配髄節 137

脂肪塞栓症候群 256
社会的因子 369
社会的不利(参加制約) 7, 13, 96, 143, 157
社会福祉サービス 96
社会福祉法 17
社会保険 96
尺側偏位 172
若年性特発性関節炎 183
ジャケット型(宙吊り型)の温痛覚障害 162
射精 145
尺骨管症候群 239
シャトル歩行試験 59
斜面台 150, 153
シャラードの分類 156, 158
シャルコー・マリー・トゥース病 236
シャルコー関節 230, 236, 253
周期性嘔吐症様発作 194
周産期危険因子 186
重症筋無力症 214
──診断基準 215
重症心身障害児 206
重症新生児黄疸 186
重心の位置 60
集中治療後症候群 313
集中治療室 312
終末期 350, 351
手関節駆動式把持装具 152
手根管症候群 237
手術療法 348
手段的ADL 65
術後早期義肢装着法 332
術直後義肢装着法 332
手内在筋マイナス(劣位)変形 238
瞬目反射 69
上位運動ニューロン 26
障害高齢者の日常生活自立度(寝たきり度) 359
──判定基準 361
障害者自立支援法 19, 96
障害者総合支援法 18
障害適応 369
障害の受容 13
──の諸段階 95
障害の評価 21, 22
障害への適応 369
消化性潰瘍 146
小指外転筋 137
上肢機能 63
上肢機能障害 147
上肢筋力強化 153
小字症 211
上肢装具 90
症状の転移 200
小児脊髄損傷の特徴 155

静脈性腎盂造影 74
上腕骨外側上顆炎 264
上腕三頭筋 137
上腕二頭筋 137
上腕二頭筋腱炎 242
上腕用能動義手 339
職業訓練 84
職業性腰痛 279
職業前評価 65, 84
食事動作 150
褥瘡 146, 157
褥瘡予防 149, 153
食道がん 348
シリコンサクションソケット 88
シリコンライナー 333
自律神経過反射 145
自律神経検査 75
自律神経障害 145, 219, 227
自立生活 5
心因性健忘 345
腎盂腎炎 144
心機能検査 70
腎機能検査 74
心機能障害 57
心胸比増大 57
心筋逸脱酵素 57
心筋梗塞 295
心筋シンチグラフィー 57
針筋電図 229
神経学的重症度 140
神経学的損傷高位 141
神経・筋性側弯症 290
神経筋反射療法 199
神経興奮テスト 69
神経刺激再現テスト 234
神経障害性関節症 230
神経線維腫症 291
神経線維の被膜構造 226
神経束損傷 227
神経損傷の分類 228
神経痛性萎縮症 231
神経伝導検査 69, 229
神経発達的アプローチ 199
神経被膜 225
神経病性関節症 162, 253
神経ブロック 83, 383
神経変性 225
──の種類 227
心原性脳塞栓 110
人工股関節全置換術 248
人工呼吸器関連肺炎 317
進行性球麻痺 216
進行性筋ジストロフィー 220
──の分類 220
人工膝関節全置換術 251
新婚旅行麻痺 239

深指屈筋　137
身障者スポーツ　154
心身機能　9
　──の障害　13
新生児期　159
新生児の診察　50
人生の質　353, 370
心臓カテーテル検査　57
心臓超音波検査　58
心臓リハビリテーション　317
身体構造　9
　──の障害　13
身体失認　44
身体障害者対策基本法　3
身体障害者手帳　3, 18
身体障害者福祉法　2, 17, 18
身体障害に対する理学療法　83
靱帯損傷　265
深達性　82
深達度分類　375
シンチグラフィー　77
心電図　70, 75
深部静脈血栓症　145, 323
心不全　301
信頼性　22
心理障害　47
心理的問題　146

髄腔内バクロフェン投与　146
遂行機能障害　47
錐体外路障害　190
水頭症　157
随伴陰性変動　68
髄膜瘤　155
数値評価スケール　268
スカルパ三角　246
スクィージング　315
すくみ足　211
鈴木（田中）・ビネー検査　39, 49
スタインブロッカー分類　169
スタインブロッカー分類をもとにACR
　によって改訂されたclass分類
　169
ズデック骨萎縮　259
ストライド　61
スパイロメトリー　59, 69, 307
スワンネック変形　172

性格検査　47
生活関連動作　65
生活機能　9
生活年齢　38

生活の質　5, 353, 370
生活の中で実際に使う手　271, 272
生活保護法　17
性機能障害　145
整形外科的手術　200
清潔間欠自己導尿法　144, 157
脆弱性骨折　262
正常筋緊張　193
精神障害　85
　──に対する理学療法　83
精神的支援　150
精神年齢　38
精神分析療法　381
成長　48
　──の評価　48
制動期　60
生物学的製剤　167
生理的弯曲　276, 277
赤外線　83
脊髄腔造影　283
脊髄空洞症　161
脊髄係留症候群　157
脊髄血管障害　160
脊髄障害自立評価法　143
脊髄小脳変性症　217
脊髄ショック　143, 144
脊髄髄膜瘤　155
脊髄性筋萎縮症　216
脊髄損傷　136
　──の原因　136
　──の疼痛　146
　──の発生頻度　136
脊髄損傷高位　139
脊髄動静脈奇形　160
脊髄反射　50
脊髄癆　253
脊柱管狭窄症　287
脊柱機能単位　275, 277
脊柱靱帯骨化症　289
脊柱側弯　155
脊柱側弯症　275, 290
脊椎圧迫骨折　261
節後損傷　231
摂食嚥下障害　55, 86
節性脱髄　225
節前損傷　231
切断　327
切断者の疫学　327
切断術　329
セドン分類　227
　──とサンダーランド分類の対比
　228
ゼロポジション　245
線維性自発電位　68
線維束電位　68
遷延性意識障害　133

遷延癒合　256
前脛骨筋　137
前骨間神経症候群　237
潜在性二分脊椎症　155
前索　138
前十字靱帯の損傷　266
全身管理　149
前進期　60
全身性エリテマトーデス　184
全身性炎症　346
全身性強皮症　184
全身調整　151
仙髄　137
仙髄回避　141
前脊髄視床路　138
前脊髄動脈　139
前脊髄動脈症候群　160
前側部型　139
剪断力　125
先天性側弯症　290
前皮質脊髄路　138
全面接触式ソケット　335
剪力損傷　122
前弯　277
前腕用能動義手　339

早期自動運動療法　272
早期リハビリテーション　254
　──の開始基準　115
装具　152
装具療法　160
造血幹細胞移植　350
総合的リハビリテーション　4
装飾義手　337
相反型　118
総腓骨神経　240
総腓骨神経麻痺　317
相貌失認　44
ソーシャルワーカー　16
阻害因子　360
足角　61
足関節上腕血圧比　321
足関節底背屈運動　255
側索　138
足底腱膜炎　264
足底接地　60
足部　89
側部型　139
側方動揺　250
側弯症　275, 290
阻血性障害　256
ソケット　335
遡行変性　226
粗大運動獲得の通過率　193

粗大運動能力尺度　49, 196
粗大運動能力分類システム　196
そろい型　118
損傷脊椎の手術療法　149
損傷脊椎の保存療法　149

ダーメンコルセット　279
体温調節　145
体幹装具　90
大規模災害支援関連団体協議会　99
大後頭孔拡大術　162
代謝当量　70
代償運動　229
対称性緊張性頸反射　27, 51
体性感覚誘発電位　68
大前根動脈　139
大腿骨頸部骨折　260
大腿骨転子部骨折　260
大腿神経伸張テスト　284
大腿四頭筋　137
大殿筋歩行　63
ダイナモメーター　32
体力　72
多因子遺伝　155
多軸膝継手　336
多節リンク機構　89
多相性　68
立ち直り反応　193
脱髄　225
多発神経障害　235
多発性筋炎　223
多発性硬化症　213
タワー法　65
単一フォトン断層撮影法　78
短下肢装具　147, 154, 160, 164, 202
短期記憶　46
単軸足　335, 336
単軸足部　89
単神経障害　237
単ニューロパチー　237
弾力包帯法　332

地域共生社会　6
地域包括ケア　6
地域包括ケアシステム　373
地域リハビリテーション　370
チーム　14
チームアプローチ　12, 14
知覚トリック　382
蓄熱による熱傷　82
地誌的(見当識)障害　44

乳探索反射　51
知的障害者福祉法　17
チネル徴候　271
知能指数　38
知能障害　38
遅発性低酸素白質脳症　132
着衣失行　45
注意欠如多動性障害　195
注意力障害　46
長指伸筋　137
中心型頸髄損傷　155
中心型脊髄損傷　139
中殿筋歩行　63
肘部管症候群　238
肘部尺骨神経障害　238
超音波　77
超音波検査　55
聴覚的語音反応検査　46
聴覚誘発電位　68
長下肢装具　154, 160, 202
長期記憶　47
長対立装具　152
超低出生体重児　186
超皮質性運動失語　86
超皮質性感覚失語　86
重複片麻痺　188
重複歩長　61
重複歩幅　61
跳躍反応　52
腸腰筋　137
張力低減肢位　274
直撃損傷　122, 123, 124
直接嚥下訓練　86
直線偏光近赤外線　83
治療的電気刺激　83

椎間関節　281
椎間板ヘルニア　275, 280
対麻痺　136
痛覚過敏　267
杖　204
津守式乳幼児精神発達診断法　49, 197
強さ・時間曲線　69
ツングの自己評価式抑うつ尺度　48

低活動性膀胱　55
低酸素性虚血性脳症　131
低酸素脳症　131
低出生体重児　186
低出力レーザー光線　83
手錠麻痺　240

手続き記憶　47
テノデーシス効果　146, 152
デパルマの分類　252
デュシェンヌ徴候　246, 247
手指機能指数　64
デュピュイトラン拘縮　270
デルマトーム　268
転移性骨腫瘍　349
てんかん重積発作　194
電気刺激療法　135
電動車いす　94
伝導失語　86
伝導ブロック　69

頭位分娩　234
投影法　47
頭頸部がん　348
橈骨遠位端骨折　260
疼痛　37
疼痛生活障害評価尺度　268
動的腱固定効果　271
糖尿病　304
糖尿病性壊疽　320
糖尿病性ニューロパチー　236
登攀性起立　221
逃避反射　50
動負荷を伴う訓練の中止基準　80
動脈血分析　59
動力義手　89, 339
トーマステスト　246
特定疾病　372
特発性側弯症　290
特発性腕神経叢炎　231
閉じ込め症候群　134
徒手筋力テスト　29
突進現象　211
土曜の夜の麻痺　239
トランスファーボード　147
トリガー・ポイント　144
トリック運動　229
トレーナビリティ　353
トレッドミル負荷　57
トレッドミル負荷試験　72
トレンデレンブルグ徴候　246, 247
トレンデレンブルグ歩行　63

内在筋劣位　270
内視鏡検査　86
内側型出血　105
内側股継手付長下肢装具　154
内的リスクファクター　79
内反尖足変形　190

内部障害 81
軟性コルセット 279

肉離れ 265
二重支持期 60
二重積 58
日常生活活動 23, 143
　　　──の評価 278
2点歩行 154
二分脊椎 155
日本式昏睡尺度 24
日本整形外科学会頚部脊髄症評価質問票（JOACMEQ）283, 289, 403
日本整形外科学会変形性膝関節症治療成績判定基準 394
日本整形外科学会腰痛評価質問票（JOABPEQ）278, 289, 397
日本版デンバー式発達スクリーニング検査 49
乳がん 349
乳児期 159
ニューロパチー 225
　　　──の病態 225
尿検査 74
尿毒症性ニューロパチー 236
尿閉 54, 144
尿流動態検査 74
認知行動療法 269
認知症高齢者の日常生活自立度判定基準 360

熱傷 375
　　　──の分類 376
熱傷指数 375
熱傷面積 375
年金制度 96
捻挫 265

脳血管障害 101
脳梗塞 107
脳挫傷 124
脳死 134
脳室周囲白質軟化症 186
脳室内出血 188
脳室腹腔短絡術 157
脳腫瘍 349
脳振盪 125
脳性麻痺 185
脳性麻痺簡易運動テスト 197
脳卒中 101

脳卒中機能障害評価法 27
脳卒中上肢機能検査 64
脳損傷症候群 186
能動義手 337
能動単軸肘ブロック継手 340
脳動脈瘤破裂 105
脳内血腫 124
脳内出血 102
脳の可塑性 122
脳波検査 68
囊胞性二分脊椎症 155
囊胞性脳室周囲白質軟化症 187
能力低下 7, 13, 143
ノーマライゼーション 370

パーキンソン病 209
パーキンソン歩行 63
把握反射 50
バーセル指数 65, 143
ハーネス・コントロールケーブルシステム（単式）339
肺がん 348
背景因子 9
肺血栓塞栓症 323
背側脊柱管 155
排尿括約筋協調不全 144
排尿障害 54, 144
排尿中枢 144
排便障害 145
　　　──の対策 145
排便中枢 145
廃用症候群 53, 130, 186, 360
ハイリスク 80
バウムテスト 48
破局的思考 269
薄束 138
歯車現象 210
歯車様現象 191
跛行 63
はさみ脚肢位 190
播種性血管内凝固症候群 256
発育性股関節脱臼 246, 248
発語失行 42
パッシブハンド 337
発達 48
　　　──の評価 49
発達指数 49
発達障害 48
パトリックテスト 246
ハノイの塔 47
ハミルトンのうつスケール 48
パラシュート反射 52
バランス反応 193
バレー・リュウ症候群 294

バレーの圧痛点 277, 284
ハンギングキャスト 262
反射 37
反射性交感神経性ジストロフィー 230, 259
反射性寝返り運動 199
反射性排尿 144
反射性勃起 145
反射性葡匐 199
反衝損傷 122, 123, 124
半側空間無視 44
半側視空間失認 44
ハンド型筋電義手 340
ハンドセラピー 271
ハンドセラピスト 271
万能カフ 147, 150
反復唾液嚥下テスト 56, 86

ピアサポート 146
被殻出血 105
肥厚性瘢痕 375
膝関節外側角 250
膝の屈曲拘縮 173
膝の外反変形（X脚）173
肘継手 340
微小粥腫 110
微小出血 125
非侵襲的陽圧人工呼吸 310
尾髄 137
非ステロイド性抗炎症薬 279
比体重 48
非対称性緊張性頚反射 27, 51
ヒト免疫不全ウイルス 379
避難 97
避難生活 98
皮膚合併症 147
皮膚筋炎 223
腓腹筋 137
皮膚と筋の主要髄節支配 232
肥満 303
びまん性軸索損傷 125
びまん性脳損傷 124
ヒュー・ジョーンズの分類 59
標準失語症検査 42
病的共同運動 226
病的連合運動 189
病的老化 353
疲労骨折 265
頻尿 54

ファシリテーション・テクニック 198
不安検査 47

フィラデルフィア型カラー　283
フーグル・マイヤーの評価法　27
プーリー訓練　243
フェイ法　199
フェノールブロック　146
フォースプレート　62
フォルクマン拘縮　256, 258
フォンテーヌ分類　320
不完全OK徴候　238
復学　148
副交感神経節前線維　145
複合性局所疼痛症候群　230, 259, 267
複合的治療　326
複合的理学療法　326
福祉機器　153
複式コントロールケーブルシステム　339
福祉避難所　98
復職　148
不全麻　141
プッシュアップ　146, 147, 151, 154
フットケア　305
物理療法　279
踏み切り　60
踏み直り反射　51
ブラウン・セカール症候群　139
ブラゼルトンの新生児行動評価法　197
フランケル分類　140
フリクションマッサージ　272
振り子運動　262
プリズムアダプテーション　121
不良肢位　270
ブルンストロームステージ　27, 111
フレイル　356, 358
フレキサーヒンジスプリント　152
フレンケル体操　219
フレンチャイ活動指数　143
ブローカ失語　85
フローボリューム曲線　70
プローンボード　159, 203
プロスタグランジン　288
フロスティグテスト　49, 197
フロマン徴候　238, 239
分枝粥腫型梗塞　107, 109
文章完成テスト　47
分節性支配　137, 138
分娩麻痺　234

米国脊髄損傷協会　139
米国脊髄損傷協会（ASIA）/国際脊髄学会（ISCoS）の神経学的分類　142
閉鎖式無菌的カテーテル留置　144

閉塞性血栓性血管炎　320
閉塞性動脈硬化症　320
ヘリカルCT　76
変形性股関節症　245
変形性脊椎症　287
変形性膝関節症　249
変形性膝関節症治療成績判定基準　394
変形治癒　256
ベンダーゲシュタルト検査　47
ベントン視覚記銘検査　46
片麻痺機能検査　27, 111
片麻痺歩行　62

ホイスト　153
ボイタ法　52, 199
膀胱　54
膀胱造影　74
膀胱直腸障害　287
膀胱尿管逆流　144, 157
膀胱尿道機能検査　74
膀胱瘻　144
放射線療法　349
傍腫瘍性神経症候群　345
棒体操　243
ボーグ指数　72
ポータブルスプリングバランサー　152
ホーマンズ徴候　324
ホーン・ヤールの重症度分類　211
歩隔　61
歩行器　94, 204
歩行訓練　154
歩行周期　60
歩行障害　60, 143, 157
歩行分析　62
歩行補助具　94
歩行率　61
ポジトロン断層撮影法　78
母指のZ変形　172
母子福祉法　17
補装具　87
ボタン穴変形　172
歩調　61
ホッファーの分類　159
ボツリヌス毒素療法　146
ボバース法　199
歩幅　61
ホルター心電図　58
ホルネル徴候　232

マクギル疼痛質問票　268

マスター2階段試験　57, 72, 298
末梢血幹細胞移植　350
末梢循環障害　327
末梢神経障害　225
　——の原因　226
　——のタイプ別の原因　228
　——の臨床症状　227
末梢動脈疾患　320
松葉杖歩行　61
松葉杖麻痺　239
マルファン症候群　291
慢性腎臓病　318
慢性閉塞性肺疾患　306
慢性腰痛症　275

ミエログラフィー　283
ミケランジェロハンド　341
ミネソタ多面的人格特性目録検査　47
脈管テスト　234
三宅式記銘力検査　46
ミラーセラピー　342
ミラーニ・コンパレッティの発達チャート　49, 196, 391
ミルウォーキー装具　292

無気肺　143
無菌的間欠導尿　144
無酸素閾値　33, 73, 353
無酸素性脳症　186
鞭打ち損傷　293
ムチランス型　172
無動　211
無動性無言症　134

迷入再生　226
メタボリックシンドローム　302
メチシリン耐性黄色ブドウ球菌　81
メディカルチェック　264, 267

モダプツ法　65
モロー反射　51
問題志向システム　24

ヤーガソン徴候　242
夜間装具　203

夜間副子　203
野球肩　264
野球肘　264
薬物療法　279
矢田部・ギルフォード検査　47

遊脚期　60
遊脚相制御　89, 336
遊脚中期　60
有効性　22
有痛弧徴候　244
誘発電位　68
誘発電位後期陽性成分　68
指の壁登り訓練　243

要介護状態　372
要支援　372
幼児期　159
腰髄　137
陽性鋭波　68
陽性支持反射（反応）　51
腰痛学級　280
腰痛症　275
腰痛体操　280
腰部脊柱管狭窄症　275
抑うつ尺度　141
4点歩行　154
4P徴候　270

ら

ラクナ型多発性脳梗塞　107, 109

ラザフォード分類　320
ラセーグ徴候　284
ランス・アダムス症候群　132
ランド・ブラウダーチャート　375
ランドー反射　52

リーメンビューゲル　248
理学療法士　15
リスク管理　79, 361
リスクファクター　79
離断　329
離断性骨軟骨炎　264
立位・歩行障害　147
立位訓練　154
立位保持具　203
立脚期　60
立脚相制御　89, 336
立脚中期　60
利尿筋括約筋協調不全　55
リバーミードテスト　46
リハビリテーション　1
　──の阻害因子　364
　──のための子どもの能力低下の
　　評価法　143
　──の定義　4
リハビリテーション医学　11
リハビリテーション医療　12
リハビリテーション科医　14
リハビリテーション中止基準　362
療育　2, 197
両麻痺　188
臨床心理士　16
輪転器　243
リンパ節郭清　348

リンパ浮腫　325

ルード法　199
ルシカ関節　281

レイ・オステライト複雑図形検査　46
冷水テスト　144
レーブン色彩マトリックス検査　39
連合運動　27
連合反応　189

老化　353
老研式活動能力指標　360
老人福祉法　17, 18
老人保健法　19
ロールシャッハテスト　47
ローレル指数　48
肋木　243
ロコモティブシンドローム　259
6分間歩行試験　59

ワーラー変性　225
鷲手変形　238
ワット　71
割り座姿勢　190
腕神経叢とその分枝　232
腕神経叢麻痺　231

欧文索引

アルファベット順

A型ボツリヌス毒素　202
　　——治療　115
ABCDEバンドル　313
aberrant regeneration　226
acceleration　60
acquired immunodeficiency syndrome (AIDS)　81, 379
ACRコアセット　169
activities of daily living (ADL)　23
　　——訓練　84, 151
　　——支援　150
　　——障害　113, 147, 157
　　——評価　278, 360
activities parallel to daily living (APDL)　65
acute inflammatory demyelinating polyneuropathy (AIDP)　235
acute motor axonal neuropathy (AMAN)　235
Adamkiewicz artery　139
adolescent and young adult (AYA)　346
advance care planning (ACP)　350
advanced reciprocating gait orthosis (ARGO)　154
AIDS　379
akinetic mutism　134
allodynia　267
ALLUX　336
amputation　327
amyotrophic lateral sclerosis (ALS)　216
anaerobic threshold (AT)　33, 73, 353
Andersonの基準　72
ankle brachial pressure index (ABI)　321, 326
ankle foot orthosis (AFO)　202
anterior spinal artery syndrome　160
apallic syndrome　134
arteriosclerosis obliterans (ASO)　320
arteriovenous malformation of the cord (spinal AVM)　160
Ashworth scale　35
ASIA機能障害尺度　140, 141
ASIA/ISCoSの神経学的分類　139, 140
assessment　22
associated movement　27
asymmetrical tonic neck reflex (ATNR)　27, 51
ataxia　188
ataxic gait　62
athetoid shift　200
athetosis　188
atonia　188
attention deficit hyperactivity disorder (ADHD)　195
audio-motor method (AMM)　46
auditory evoked potential (AEP)　68
autonomic hyperreflexia　145
AYA世代　346

β遮断薬　305
balanced forearm orthosis (BFO)　152
Barré-Liéou syndrome　294
Barthel index　143
Baum test　48
behavioural assessment of the dysexecutive syndrome (BADS)　47
behavioural inattention test (BIT)　44
Bender gestalt test　47
Benton visual retention test　46
BIT 行動性無視検査　44
blink reflex　69
Bobath method　199
BoNT-A　202
Borg Scale　72
brain death　134
branch atheromatous disease (BAD)　107, 109
Brown-Séquard syndrome　139
Brunnstrom stage　27, 111
Burgess法　331
Burn index　375

C5レベル　150
C6～7レベル　150
CAD/CAM　88
cadence　61
calf pumping exercise　255
causalgia　230, 267
cerebral palsy (CP)　185
cerebro-vascular disease (CVD)　101
cervical sprain　293
Charcot joint　253
Charcot-Marie-Tooth disease　236
chronic obstructive pulmonary disease (COPD)　306
chronological age (CA)　38
cineplasty　329
CI療法　120
clasp-knife phenomenon　189
C-Leg4　336
climb up on his leg　221
clinical disease activity index (CDAI)　169
clinical psychologist　16
Cobb angle　291
Codman exercise　243
cogwheel phenomenon　191, 210
communicative abilities in daily living (CADL)　43
community rehabilitation　370
complex regional pain syndrome (CRPS)　267
comprehensive geriatric assessment (CGA)　360
computed tomography (CT)　76
Connoly's passive stretching exercise　243
contingent negative variation (CNV)　68
continuous ambulatory peritoneal dialysis (CAPD)　318
continuous passive motion (CPM) method　251
contre-coup　122
Cornell medical index (CMI)　47,

141
coup injury 122
crossed extension reflex 50
CRPS type I 230
cystic PVL 187
cystography (CG) 74

D-ダイマー 145, 324
Damen コルセット 279
deceleration 60
deep vein thrombosis (DVT) 145, 323
degree of toe out 61
delayed post-hypoxic leukoencephalopathy 132
Denver developmental screening test (JDDST) 49
DePalma の分類 252
dermatomyositis 223
detrusor sphincter dyssynergia (DSD) 55
development 48
development dislocation of the hip (DDH) 248
developmental quotient (DQ) 49
Diagnostic and Statistical Manual of Mental Disorders, 5th Edition (DSM-5) 41, 48, 380
diffusion weighted imaging (DWI) 77
diplegia 188
disability 7
disease activity score28 (DAS28) 169
disease modifying antirheumatic drugs (DMARDs) 167
disseminated intravascular coagulation (DIC) 256
disuse syndrome 53
double hemiplegia 188
double product 58
double support 60
drop arm sign 244
drop finger 240
Duchenne sign 246
Dupuytren 拘縮 270
Duran 法 272
dyskinesia 188

Eastern Cooperative Oncology Group (ECOG) 347
electroencephalography (EEG) 68
electromyography (EMG) 68
emergency coma scale (ECS) 126
end of life (EOL) 351
entrapment neuropathy 237
environmental control system (ECS) 151
ephapse 268
equinovarus foot 190
Erb-Duchenne palsy 232
evacuation 97
Evans 分類 260
event-related potential (ERP) 68
evoked potential 68

F 波 69
fasciculation 68
Fay method 199
femoral nerve stretch test (FNST) 284
femorotibial angle (FTA) 250
fibrillation potential 68
FIM 65, 143
finger-floor distance (FFD) 277
finger-function quotient (FQ) 64
FITT 298
floppy infant 189, 205
floppy infant syndrome 206
flow-volume curve 70
Fontaine 分類 320
foot flat 60
FOUR score 126, 127
frailty 356
Frankel 分類 140
Frenchay activities index 143
Froment sign 238
Frostig test 49
Fugl-Meyer の評価法 27
functional electrical stimulation (FES) 83, 154, 201
functional independence measure for children (WeeFIM) 65, 159, 197
functional mobility scale (FMS) 159
functional scoliosis 291
functional spinal unit (FSU) 277

Galant reflex 52
Galveston orientation and amnesia test (GOAT) 24
Garden 分類 260
Genium 336
Gerstmann syndrome 45
Gesell 49
glasgow coma scale (GCS) 24, 126
Glasgow outcome scale (GOS) 128
gluteus maximus gait 63
gluteus medius gait 63
graft versus host disease (GVHD) 350
gross motor function classification system (GMFCS) 196
gross motor function measure (GMFM) 49, 196
growth 48
Guillain-Barré syndrome (GBS) 235
Gustilo 分類 257

H 波 69
HALO 154
Hamilton raiting scale for depression 48
handicap 7
heel contact 60
hemiplegic gait 62
hemodialysis (HD) 318
hemophilic arthropathy 251
high tibial osteotomy (HTO) 251
Hoehn & Yahr の重症度分類 211
Hoffer の分類 159
Homan's sign 324
honeymoon palsy 239
hopping reaction 52
Horner sign 232
HTLV-I associated myelopathy (HAM) 162
HTLV 関連脊髄症 162
HTP (house, tree, person) テスト 48
Hugh-Jones の分類 59
human immunodeficiency virus (HIV) 379
hyperkinetics 188
hypoxic-ischemic encephalopathy 131

ICD-10　380
ICEROSS　335
ICU-acquired delirium (ICU-AD)　312
ICU-acquired weakness (ICU-AW)　312
Illinois test of psycholinguistic abilities (ITPA)　49
impairment　7
independent living (IL)　5
instrumental ADL　65
intelligence quotient (IQ)　38
intensive care unit (ICU)　312
International Classification of Functioning, Disability and Health (ICF)　7, 8
International Classification of Impairments, Disabilities and Handicaps (ICIDH)　7
International Continence Society (ICS)　54
international physical activity questionnaire (IPAQ)　269
intracerebral hemorrhage　102
intravenous pyelography (IVP, IP)　74
intraventricular hemorrhage (IVH)　188
IT機器　153

Japan coma scale (JCS)　24, 126
Japan Disaster Rehabilitation Assistance Team (JRAT)　99
Japan Low back pain Evaluation Questionnaire (JLEQ)　278
JLEQ日本語版　400
JOA Back Pain Evaluation Questionnaire (JOABPEQ)　278, 288
JOA Cervical Myelopathy Questionnaire (JOACMEQ)　283, 289, 403
joint protection technique　178
juvenile idiopathic arthritis (JIA)　183

Karnofsky performance scale (KPS)　347
Kaup index　48
KBM (kondylen bettung munster) ソケット　335
Kemp test　287
Killip分類　295
Klumpke palsy　232
knee ankle foot orthosis (KAFO)　202
Krukenberg plastik　329
kyphosis　277

lacunar type multiple cerebral infarction　109
Lance-Adams syndrome　132
Landau reflex　52
Lasègue sign　284
late positive component (P 300)　68
lateral thrust　250
lateralized periodic discharges (LPDs)　131
lead pipe phenomenon　191
lead pipe rigidity　210
letter cancellation test　46
limping　63
lipohyalinosis　109
locked-in syndrome　134
long leg brace (LLB)　202
lordosis　277
Lund-Browderチャート　375

magnetic resonance imaging (MRI)　76, 283
malignant rheumatoid arthritis (MRA)　183
manifest anxiety scale (MAS)　47, 141
manual function test (MFT)　64
Marfan syndrome　291
Master two step test　57
maximal oxygen uptake ($\dot{V}O_2$max)　33, 72
McGill pain questionnaire (MPQ)　268
medical social worker (MSW)　16
memory quotient (MQ)　46
Mennell 手技　177
mental age (MA)　38
metabolic equivalents (METs)　70
methicillin-resistant *Staphylococcus aureus* (MRSA)　81

mid stance　60
mid swing　60
Milani-Comparetti developmental chart　49, 391
Milwaukee brace　292
mini-mental state examination (MMSE)　41
minimally conscious state　134
Minnesota multiphasic personality inventory (MMPI)　47
modied health assessment questionnaire (mHAQ)　169
modified Ashworth scale (MAS)　141
modified British Medical Research Council (mMRC)　59, 307
modified water swallowing test (MWST)　56
modifled Ashworth scale (MAS)　35
modular arrangement of predetermined time standards (MODAPTS)　65
morning stiffness　171
Moro reflex　51
motor age test (MAT)　49, 196
motor evoked potential (MEP)　68
myasthenia gravis (MG)　214
MYOBOCK　340

neck righting reflex　51
Neerの分類　261
nerve conduction study　69
nerve excitability test (NET)　69
neurodevelopmental approach　199
neurological level of injury (NLL)　141
neurological level (NL)　139
neuromuscular reflex therapy　199
neuropathic arthropathy　253
neuropathy　225
New York Heart Association (NYHA)の心機能分類　58
night orthosis　203
night splint　203
non-steroidal anti-inflammatory drugs (NSAIDs)　279
noninvasive positive pressure ventilation (NPPV)　310

normal muscle tone 193
numerical rating scale (NRS) 268
nurse 16

occupational low-back pain 279
occupational therapist (OT) 15
optic righting reflex 52
osteoarthritis of the hip 245
osteoarthritis of the knee 249

paced auditory serial addition test (PASAT) 46
painful arc sign 244
palliative performance scale (PPS) 347
palliative prognosis score (PaP スコア) 347
palliative prognostic index (PPI) 347
palmar grasp (plantar grasp) 50
paraplegia 136
parapodium 160
parashute reflex 52
Parkinson disease 209
parkinsonian gait 63
patella setting exercise 255
patellar tendon bearing trans-tibial prosthesis (PTB) 89, 335
Patient-Reported Outcome (PRO) 5
Patrick test 246
pediatric evaluation of disability inventory (PEDI) 49, 143, 197
performance status (PS) 347
periarthritis of the shoulder 242
periventricular leukomalacia (PVL) 186
pes planovalgus 190
physical therapist (PT) 15
picture frustration study (PF study) 48
placing reflex 51
polymyositis (PM) 223
positive sharp wave 68
positive supporting reflex (reaction) 51
positron emission tomography (PET) 78
post traumatic amnesia (PTA) 24
post-anoxic status epilepticus (PSE) 131
postintensive care syndrome (PICS) 313
postural reflex 27, 193
posture control walker (PCW) 160
precentral knob 病変 240
Prime Walk 91, 154
primitive reflex 185
problem oriented system (POS) 24
progressive bulbar palsy (PBP) 216
progressive muscular dystrophy (PMD) 220
proprioceptive neuromuscular facilitation (PNF) 199, 218
propulsion 60
prosthetist and orthotist (PO) 17
prothese tibiale à emboitage supracondylien (PTS) ソケット 335
PTB 式短下肢装具 91
PTS 型 89
pulmonary thromboembolism (PTE) 323
PULSES 64
push off 60

quadriplegia 188
quality of life (QOL) 5, 353, 370

range of motion (ROM) 25
——訓練 153
——制限 33
rating of perceived exertion (RPE) 72
reciprocal gait orthosis (RGO) 91
reciprocating gait orthosis (RGO) 160
reflex sympathetic dystrophy (RSD) 259
rehabilitation 1
reliability 22
removable rigid dressing 法 332
renal function test 74
repetitive saliva swallowing test (RSST) 56, 86
residual urine measure 74
restraint 60
Rey-Osterrieth complex figure test 46
rheobase 69
rheumatoid arthritis (RA) 165
——の足部の変形 173
——の炎症活動期のリハビリテーション 176
——の炎症非活動期のリハビリテーション 177
——の関節外症状 174
——の関節変形 171
——の自助具 178
——の疼痛 171
——の発生機序 166
——の評価 169
——の補装具 180
——のリハビリテーション 175
rhythmic stabilization 200
RICE 254, 265, 270
Riemenbügel 248
rigid dressing 332
rigidity 188
Rivermead behavioral memory test (RBMT) 46
Rohrer index 48
Roland-Morris Disability Questionnaire (RDQ) 278
——日本語版 396
Rood method 199
rooting reflex 51
Rorschach test 47
rotator cuff injury 244
Rutherford 分類 320

SACH 足 89
sacral sparing 141
sarcopeina 355
saturday night palsy 239
scapulo-humeral rhythm 242
Scarpa triangle 246
scissoring 190
Seddon 分類 227
self-rating depression scale (SDS) 48
sensorimotor approach 199
sensory integrative therapy (SIT) 200
sentence completion test (SCT) 47
Sharrad 分類 158

shear strain 122
short leg brace (SLB) 202
simple motor test for cerebral palsy (SMTCP) 197
simple test for evaluating hand function (STEF) 64
simplified disease activity index (SDAI) 169
single photon emission computed tomography (SPECT) 78
skeletal-related events (SRE) 349
small stepped gait 63
soft dressing 332
somatosensory evoked potential (SEP) 68
spastic gait 62, 282
spasticity 188
speech therapist (ST) 15
spina bifida 155
spinal cord independence measure (SCIM) 143
spinal muscular atrophy (SMA) 216
spinal reflex 50
spinal shock 143
spinocerebellar degeneration (SCD) 217
spontaneous reaction control walker 204
SRC歩行器 204
stance phase 60
standard language test of aphasia (SLTA) 42
Steinbrocker分類 169
step 61
step length 61
step width 61
steppage gait 63
stepping reflex 51
straight leg raising (SLR) exercise 251
straight leg raising (SLR) test 277, 284
strength-duration curve (SD curve) 69
stride 61
stride length 61
stride width 61
stroke 101
stroke impairment assessment set (SIAS) 27
subarachnoid hemorrhage 105
sucking reflex 51
Sunderland分類 227
swing phase 60
symmetrical tonic neck reflex (STNR) 27, 51
synergic movement 27
syringomyelia 161

T波 69
tension athetosis 191
tension reducing position 274
testing, orientation and work evaluation in rehabilitation (TOWER) 65
tethered cord syndrome 157
tetraplegia 136, 188
thematic apperception test (TAT) 48
therapeutic electrical stimulation (TES) 83
Thomas test 246
thromboangiitis obliterans (TAO) 320
TNM分類 343
tonic labyrinthine reflex (TLR) 27, 51
total knee arthroplasty (TKA) 251
total knee replacement (TKR) 251
total rehabilitation 4
total surface bearing trans-tibial prosthesis (TSB) 335
tower of Toronto 47
trail making test (TMT) 46
transcranial magnetic stimulation (TMS) 68
transcutaneous electrical nerve stimulation (TENS) 83, 269
Trendelenburg gait 63
Trendelenburg sign 246
trick movement 229
triple product 58
triplegia 188

Uchida-Kraepelin psychodiagnostic test 48
Uhthoff徴候 213
urodynamic study 74
usability 22

validity 22

Valleixの圧痛点 277
ventilator associated pneumonia (VAP) 317
vesicoureteral reflux (VUR) 144
videoendoscopy (VE) 86
videofluorography (VF) 86
videofluoroscopic (VF) examination of swallowing 78
Virchow 324
visual analogue pain scale (VAS) 277
visual analogue scale (VAS) 37, 268
visual evoked potential (VEP) 68
Vojta method 52, 199
von Frey hairテスト 268

waddling gait 221
Walkabout 91, 154
watt 71
Wechsler adult intelligence scale (WAIS) 39
Wechsler intelligence scale for children (WISC) 39, 49
Wechsler intelligence scale for children-revised (WISC-R) 195
Wechsler memory scale-revised (WMS-R) 46
Wechsler preschool and primary scale of intelligence (WPPSI) 39
WeeFIM (functional independence measure for children) 143
western aphasia battery (WAB) 43
Williams flexion brace 288
Wisconsin card sorting test (WCST) 46
withdrawal reflex 50

X線 75
Yatabe-Guilford test (Y-G test) 47
Yergason sign 242
Zancolli分類 139
zero-position 245

リハビリテーション医学テキスト（改訂第5版）

2000年 3 月15日 第1版第1刷発行	編集者 出江紳一，加賀谷斉
2010年10月15日 第3版第1刷発行	発行者 小立健太
2016年 8 月20日 第4版第1刷発行	発行所 株式会社 南江堂
2021年10月 1 日 第4版第6刷発行	☏113-8410 東京都文京区本郷三丁目42番6号
2022年 1 月15日 第5版第1刷発行	☎（出版）03-3811-7236 （営業）03-3811-7239
2024年 2 月15日 第5版第2刷発行	ホームページ https://www.nankodo.co.jp/
	印刷・製本 壮光舎印刷
	装丁 星子卓也

Textbook of Rehabilitation Medicine
Ⓒ Nankodo Co., Ltd., 2022

定価は表紙に表示してあります．
落丁・乱丁の場合はお取り替えいたします．
ご意見・お問い合わせはホームページまでお寄せください．

Printed and Bound in Japan
ISBN978-4-524-22849-2

本書の無断複製を禁じます．

JCOPY〈出版者著作権管理機構 委託出版物〉

本書の無断複製は，著作権法上での例外を除き禁じられています．複製される場合は，そのつど事前に，出版者著作権管理機構（TEL 03-5244-5088，FAX 03-5244-5089，e-mail: info@jcopy.or.jp）の許諾を得てください．

本書の複製（複写，スキャン，デジタルデータ化等）を無許諾で行う行為は，著作権法上での限られた例外（「私的使用のための複製」等）を除き禁じられています．大学，病院，企業等の内部において，業務上使用する目的で上記の行為を行うことは私的使用には該当せず違法です．また私的使用であっても，代行業者等の第三者に依頼して上記の行為を行うことは違法です．